UN HOMME

DU MÊME AUTEUR

LE SEXE INUTILE, Julliard, 1961.
PÉNÉLOPE À LA GUERRE, la Table Tonde, 1963.
LES ABUSIFS, Buchet/Chastel, 1969.
LA VIE, LA GUERRE ET PUIS RIEN, Laffont, 1972.
ENTRETIENS AVEC L'HISTOIRE, Flammarion, 1975.
LETTRE À UN ENFANT JAMAIS NÉ, Flammarion, 1976.

ORIANA FALLACI

UN HOMME

roman

Texte français établi par
Bruno Granozio et Denis Bourgeois

BERNARD GRASSET
PARIS

Γιά σένα
Pour toi

Mais voici l'heure de nous en aller, moi pour mourir, vous pour vivre. Qui de nous a le meilleur partage, nul ne le sait, excepté le dieu.

PLATON,
Apologie de Socrate.

Prologue

Prologue

Un rugissement de douleur et de rage montait de la ville et roulait, incessant, obsédant, balayant tous les autres sons, scandant le grand mensonge : Zi, Zi, Zi, il vit, il vit, il vit. Un rugissement qui n'avait rien d'humain. En vérité il ne jaillissait pas d'êtres humains, créatures avec deux bras, deux jambes et douées de raison, il montait d'une bête monstrueuse et dépourvue de raison, la foule, la pieuvre, qui, à midi, hérissée de poings fermés, de visages tordus, de bouches contractées, avait envahi la place de la cathédrale orthodoxe puis déplié ses tentacules dans les rues adjacentes les bloquant, les submergeant avec l'implacabilité de la lave qui dans son débordement dévore tout obstacle, assourdissant de son Zi, Zi, Zi. S'y soustraire était illusoire. Certains essayaient, et s'enfermaient dans les maisons, dans les magasins, dans les bureaux, partout où ils croyaient pouvoir trouver un abri, pour au moins ne plus entendre le rugissement, mais celui-ci filtrant au travers des portes, des fenêtres, des murs parvenait quand même à leurs oreilles si bien que, très vite, ils finissaient par se rendre à son sortilège. Sous le prétexte d'aller voir, ils sortaient, allaient à la rencontre d'un tentacule qui les happait et devenaient eux aussi un poing fermé, un visage tordu, une bouche contractée. Zi. Zi. Zi. Et la pieuvre grossissait, se répandait spasmodiquement, à chaque spasme encore mille, dix mille, cent mille personnes. A deux heures de l'après-midi, ils étaient cinq cent mille. A trois heures, un million. A quatre heures, un million et demi. A cinq heures, on ne les comptait plus. Ils ne venaient pas seulement de la ville, d'Athènes, ils arrivaient aussi de loin, des campagnes de l'Attique et de l'Epire, des îles de la mer Egée, des villages du Péloponnèse, de la Macédoine, de la Thessalie : par train, par bateau, par car, créatures à deux bras, à deux jambes, et douées de raison avant que la pieuvre ne les engloutisse paysans et pêcheurs en habits du dimanche, ouvriers en

13

bleus, femmes avec enfants, étudiants. Le peuple, en somme. Ce peuple qui jusqu'à hier t'avait écarté, abandonné comme un chien encombrant, ignoré quand tu disais ne vous laissez pas embrigader par les dogmes, les uniformes, les doctrines, ne vous laissez pas embobiner par ceux qui vous donnent des ordres, qui vous font des promesses. qui vous terrorisent, qui veulent remplacer un maître par un autre maître, ne soyez pas des moutons, nom de Dieu, ne vous abritez pas sous le parapluie de la faute des autres, luttez, pensez avec votre propre tête, rappelez-vous que chacun est quelqu'un, un individu précieux, responsable, artisan de lui-même. défendez-le votre moi, noyau de toute liberté, la liberté est un devoir, avant même d'être un droit elle est un devoir. Maintenant ils t'écoutaient, maintenant que tu étais mort. En rejoignant la pieuvre, ils brandissaient ton portrait, des banderoles de menaces et de défi, des drapeaux, des guirlandes de lauriers, des couronnes en forme de A, de P, de Z. A pour Alekos, P pour Panagoulis, Z pour Zi, Zi, Zi. Des tonnes de gardénias, d'œillets, de roses. Et la chaleur était terrible, ce mercredi 5 mai 1976, la puanteur des pétales fanés empestait, me coupait le souffle autant que la certitude que tout cela ne durerait qu'un jour, puis que le rugissement allait se taire, la douleur se dissoudre dans l'indifférence, la rage dans l'obéissance, et la mer redeviendrait d'huile, oublieuse, amollie, sur le tourbillon de ton navire englouti : le Pouvoir aurait triomphé une fois de plus. L'éternel Pouvoir qui jamais ne meurt, qui ne tombe que pour renaître de ses cendres, on croit l'avoir abattu avec une révolution ou une de ces boucheries que l'on baptise révolution, au contraire le revoilà, intact, n'ayant changé que de couleur, noir ici, rouge là, ou jaune ou vert ou violet, tandis que le peuple s'incline, subit ou s'adapte. N'est-ce pas pour cela que tu souriais de ce léger sourire imperceptible, amer et moqueur ? Pétrifiée devant le cercueil au couvercle de verre qui exhibait une statue de marbre, ton corps, les yeux rivés sur le sourire amer et moqueur qui plissait tes lèvres, j'attendais le moment où la pieuvre allait faire irruption dans la cathédrale pour déverser sur toi son amour tardif, et la terreur m'anéantissait autant que la douleur. Le portail avait été verrouillé, étayé par des barres de fer, mais des coups furieux l'ébranlaient sauvagement et, par d'invisibles brèches, des tentacules s'infiltraient déjà. Ils s'enroulaient aux colonnes des arcades, dégoulinaient des balustrades du gynécée, s'accrochaient aux grilles de l'iconostase. Autour du catafalque, s'était formé un cratère qui rétrécissait de minute en minute : pour endiguer la poussée qui me pressait sur les côtés, dans le dos, je devais prendre appui sur la vitre du cercueil. C'était très angoissant pour moi parce que je redoutais de la casser, de m'affaler sur toi et de sentir à nouveau la morsure du froid qui m'avait glacé les mains quand, à la morgue, nous avions échangé nos bagues, à ton doigt celle que tu avais mise à mon doigt, et à mon doigt celle que j'avais mise à ton doigt sans loi ni contrat, un jour de bonheur, il y a trois ans déjà ; mais, là, il n'y avait rien d'autre à quoi m'appuyer : même le cordon qui, au début, barrait l'accès au catafalque avait été avalé par les vagues des mythomanes, des curieux, des vautours impatients de se placer au premier rang pour se montrer et jouer leur rôle dans la pièce. Les valets du Pouvoir, d'abord, les représentants de la bien-pensance culturelle et parlementaire, arrivés jusqu'au cratère sans difficulté, car la pieuvre leur laisse toujours un passage lorsqu'ils descendent des limousines, je-vous-en-prie-excellence-après-vous. Regarde-les avec leur air contrit, leur costume croisé gris, leur chemise immaculée, leurs ongles soignés, leur respectabilité à faire vomir. Il y avait aussi les menteurs, ceux qui prétendent s'opposer au Pouvoir, les démagogues, les margoulins de la combine politique, les leaders de parti, avec leur strapontin parlementaire, arrivés jusque-là en jouant du coude, non que la pieuvre refusât de les laisser passer mais, au contraire, parce qu'elle voulait les embrasser. Regarde-les prendre des mines affligées, s'assurer d'un coup d'œil que tous les photographes sont bien là, se vautrer pour déposer sur le cercueil leur baiser de Judas et embuer le verre avec leur bave de limace. Il y avait encore tous ceux que tu appelais les révolutionnaires à la con, futurs partisans des fanatiques, des assassins qui jouent du revolver au nom du prolétariat et de la classe ouvrière, accumulant excès sur excès, ignominie sur ignominie, Pouvoir désormais. Et regarde-les brandir le poing, les hypocrites, avec leurs barbiches de faux subversifs, leurs sales têtes de bourgeois en passe de devenir bureaucrates, ou patrons. Et les prêtres, enfin, synthèse de tous les pouvoirs présents et passés et futurs, de tous les abus et de toutes les dictatures. Et regarde-les se pavaner, dans leurs soutanes sombres, avec leurs symboles insensés, leurs encensoirs qui embrument la vue et l'esprit. Au milieu d'eux, le Grand Sacerdote, le patriarche de l'Eglise orthodoxe qui drapé dans une cape de soie violette, croulant sous l'or et les colliers, les croix en pierres précieuses, saphirs, rubis, émeraudes, psalmodiait « Eonia imi tu ésù. Que ta mémoire soit éternelle. » Mais personne ne l'entendait parce qu'aux coups furieux sur le portail s'ajoutaient maintenant le fracas des vitraux brisés, le grincement des serrures qui ne supportaient pas la pression, les cris de protestation, le vacarme noir de la place où le rugissement était devenu grondement, et collée aux murs de la cathédrale, la pieuvre réclamait, impatiente, qu'on te porte dehors.

Tout à coup, explosa un bruit épouvantable. Le portail central céda et la pieuvre déborda dans la cathédrale, écumante, déroulant ses jets de lave. Des hurlements de peur, des appels au secours jaillirent, et le cratère se referma en un tourbillon, qui me projeta sur le cercueil pour m'ensevelir sous un poids absurde, me perdre dans une obscurité où je distinguais à peine la silhouette de ta pâle frimousse, tes bras croisés sur ta poitrine et le scintillement de ta bague. Sous moi, le catafalque oscillait, le couvercle de verre crissait, encore un peu et il se briserait, je le craignais. « Reculez, sauvages, vous voulez le manger ? » cria quelqu'un. Et puis : « Au fourgon, vite, au fourgon. » Le poids absurde se fit plus léger et par un interstice un peu de lumière filtra, six volontaires se précipitèrent dans le tourbillon et saisirent le cercueil pour le mettre à l'abri, l'emporter par une sortie latérale, atteindre le fourgon bloqué sur le parvis. Mais la bête était désormais incontrôlable, et elle devint folle en découvrant le cadavre exposé, parfaitement visible au travers du fragile écran transparent. Et comme si rugir ne lui suffisait plus, comme si elle voulait maintenant te dévorer, elle s'arc-bouta, s'abattit sur les porteurs qui, écrasés par son étreinte, ne parvenaient plus ni à avancer ni à reculer, ils titubaient, glissaient et suppliaient : « Laissez passer, s'il vous plaît, laissez passer ! » Au-dessus de leurs épaules, le cercueil montait, descendait, tanguait comme un radeau malmené par une mer déchaînée, te ballottant, te faisant chavirer par moments, tant et si bien que je cherchais en vain à me frayer un chemin à coups de poing, à coups de pied, et bouleversée à l'idée que les six hommes pouvaient perdre l'équilibre, t'abandonner à la foule affamée je criais désespérément : « Fais attention, Alekos, fais attention ! » En outre, un courant s'était formé qui nous poussait à l'opposé du corbillard de sorte qu'au lieu d'approcher, il s'éloignait, il s'éloignait. Des siècles passèrent avant que le cercueil ne l'atteigne et que, jeté de guingois pour ne pas perdre de temps, on pût fermer la portière, opposer une barrière aux griffes qui voulaient la rouvrir, créant ainsi une furieuse bataille de pieds et d'ongles ; une éternité passa avant que, me faufilant centimètre après centimètre le long du fourgon, je parvienne à m'asseoir à côté du chauffeur, paralysé par la panique à l'idée qu'il ne s'agissait là que d'un début. Parce qu'à présent, il fallait arriver au cimetière.

Voyage interminable, avec ce cercueil de guingois et ton corps exposé comme un objet en vitrine, sauvagement, presque une invitation provocatrice et putassière : regarder sans toucher ! Cauchemar sans fin dans ce fourgon qui englué dans la lave n'avançait pas, qui s'il gagnait un mètre le reperdait aussitôt. Il nous faudra trois heures pour faire un trajet qui normalement se fait en dix minutes. Rue Mitropouléos, rue Othonos, rue Amalias, rue Diakou, rue Anaraphsos. Les policiers qui auraient dû escorter le cortège prévu s'étaient dispersés aussitôt après le carnage, souvent blessés ou malmenés ; les jeunes gens chargés du service d'ordre avaient été balayés immédiatement, de quelques dizaines qu'ils avaient été au départ, ils n'étaient plus que cinq ou six rescapés, couverts de bleus, à tenter de faire rempart devant les vitres éclatées du fourgon. On comprend bien, d'ailleurs, quelle pouvait être la situation quand on examine les photos aériennes, où le corbillard est une tache minuscule, à peine visible, noyée dans le tourbillon d'une masse compacte, l'œil du cyclone, la tête de la pieuvre, cette pieuvre à laquelle il était impossible d'échapper : elle collait tellement que l'on ne savait plus dans quelle rue ni à quelle distance du cimetière on se trouvait. Et, comme si cela ne suffisait pas, il y avait la pluie de fleurs qui, ruisselant sur le pare-brise, faisaient descendre un voile de ténèbres, une obscurité semblable à celle qui m'avait ensevelie dans la cathédrale quand j'avais été projetée sur le catafalque. Parfois, un peu de lumière m'arrivait au travers de ce rideau : et ce que j'apercevais alors me laissait perplexe : était-il possible qu'ils se soient réveillés aussi soudainement, spontanément, qu'ils ne se comportent plus comme des moutons que l'on mène à sa guise, avec un ordre, une promesse, une menace ? Et si, une fois de plus, ils avaient été embrigadés et envoyés là par quelque chacal dans le seul but d'exploiter ta mort ? Mais je voyais aussi des choses qui effaçaient ce doute et qui me réchauffaient le cœur. Des grappes humaines suspendues aux réverbères et aux arbres, penchées aux fenêtres et aux balcons, alignées sur les toits, le long des gouttières, blotties comme des oiseaux. Une femme, en larmes, qui tout en pleurant me suppliait : « Ne pleure pas. » Une autre, défaite, qui tout en se désespérant me criait « courage ». Un jeune homme avec la chemise déchirée qui se frayait un passage dans la fourmilière pour me tendre un de tes cahiers de lycée, sans doute une relique précieuse pour lui, et qui me disait : « Tiens, je te le donne. » Une vieille qui agitait un mouchoir et tout en l'agitant sanglotait : « Adieu mon enfant, adieu. » Deux paysans aux barbes blanches et chapeaux noirs qui, agenouillés sur la chaussée, devant le fourgon, brandissaient une icône d'argent et invoquaient : « Prie pour nous, prie pour nous. » Le fourgon allait les renverser, les gens les insultaient, écartez-vous-imbéciles-écartez-vous, mais ils restaient là sur la chaussée, l'icône à bout de bras.

Cela dura jusqu'à ce qu'une voix murmure nous-y-sommes et autour de nous, une petite flaque d'espace se forma, le chauffeur arrêta le fourgon, quelqu'un sortit le cercueil qui, hissé sur les épaules des porteurs, progressa avec une extrême lenteur, le long d'un couloir inespéré, dans un silence de glace. La pieuvre avait subitement cessé de rugir, de se convulser, de pousser. Elle était là pourtant. Par une manœuvre en tenailles, certains tentacules avaient devancé le fourgon, par dizaines de milliers des gens grouillaient dans le cimetière et alentour : mais sans un mot. On ne distinguait plus une pierre tombale, une stèle, une pelouse, une allée ; il n'y avait pas un cyprès, un monument qui ne soit couvert de monde : mais sans un mot. Et dans ce silence de glace, le long de ce couloir qui s'ouvrait, muet, pour nous laisser passer, et qui, muet, se cicatrisait aussitôt, ils avançaient, vers la fosse que l'on ne voyait pas et qui apparut tout d'un coup. Etroite, profonde, un puits qui s'ouvrait sous mes pieds, béant. Je titubais. Quelqu'un me rattrapa, me souleva, me posa sur le muret de la tombe voisine, la mise en terre commença. Mais sur les bords du puits, la pieuvre avait érigé un rempart de corps, et pour te descendre correctement, la tête sous la croix et les pieds vers l'allée, il fallait faire pivoter le cercueil. Mais le rempart était inébranlable, dur comme du béton, en vain, les fossoyeurs demandaient reculez-circulez-reculez, et ils t'ont descendu dans la fosse tel que tu te trouvais : la tête du côté de l'allée et les pieds là où ils planteraient la croix. Le seul mort, à ma connaissance, avec la croix sur les pieds. Puis, lorsque tu fus au fond du puits, par Dieu sait quelle brèche, le Grand Sacerdote apparut, avec sa cape de soie violette et ses ors, ses colliers de saphirs, d'émeraudes, de rubis. Pompeux, hiératique, il leva la massue pastorale pour t'accorder la bénédiction divine et brusquement tomba à la renverse dans le puits, fit voler en éclats le couvercle de verre et atterrit sur ta poitrine. Il y resta quelques secondes, rouge de honte, grotesque, à récupérer ses parures, à chercher désespérément une prise pour remonter. On le repêcha et, vexé, il disparut oubliant de t'accorder la bénédiction divine. Les premières poignées de terre te tombèrent dessus. Elles tombaient avec un bruit sourd, étouffé, pourtant la pieuvre les entendit. Un frisson la parcourut, **une** sorte de décharge électrique, le silence se déchira dans un tumulte apocalyptique. Certains hurlaient il-n'est-pas-mort, Alekos-n'est-pas-mort, d'autres criaient des mots que je ne comprenais pas, mais que je compris par la suite : ils disaient mon nom et ordonnaient écris-son-histoire-raconte-son-histoire, et pendant que les mottes de terre tombaient, par pelletées, coups de marteau contre mon âme, pendant que disparaissait la statue de marbre au sourire amer et moqueur, pendant que les drapeaux flottaient en un inutile fleuve rouge, le rugissement reprit : incessant, assourdissant, obsédant, balayant tout autre son, scandant le grand mensonge : Zi. Zi. Zi. Il vit. Il vit. Il vit.

Je le supportai jusqu'à ce que le puits fût comblé et transformé en une pyramide de couronnes fanées, de pétales asphyxiants et oppressants, puis je m'échappai. Assez de mensonges, de kermesses ordonnées ou spontanées, d'amours passagères et tardives, de douleurs et de rages aboyées un jour, disparues le lendemain. Mais plus je le fuyais, plus je le refusais, et plus le maudit rugissement me poursuivait avec l'écho du souvenir, du doute, donc de l'espoir, me consolant et me persécutant comme le tic-tac d'une montre sans aiguilles : il vit-il vit. Il vit-il vit. Il vit-il vit. Mais après que la pieuvre t'eut oublié, qu'elle fut redevenue le troupeau que l'on mène à sa guise, avec un ordre, une promesse, une menace, même après que ton échec se fut cristallisé en un triomphe perpétuel de l'ordre, de la promesse, de la peur, ce il-vit continuait à rugir : fantôme attaché aux parois de mon cerveau, niché dans les plis de ma conscience, irrésistible même si je lui opposais la logique, le bon sens ou le cynisme. A tel point que je commençais à me dire que c'était peut-être vrai. Et que si ce n'était pas vrai, il fallait faire quelque chose pour que cela semble ou devienne vrai.

*
* *

C'est ainsi que, courant des sentiers tantôt clairs tantôt ténébreux, tantôt battus tantôt fermés par des ronces ou des lianes, les deux faces de la vie sans lesquelles la vie n'existerait pas, avançant sur des chemins de moi connus pour les avoir parcourus avec toi, ou presque étrangers parce que je ne les connaissais qu'à travers ce que tu m'avais raconté, je suis partie à la recherche de ta fable. Toujours la même fable, celle du héros qui se bat seul, frappé, méprisé, incompris. L'éternelle fable de l'homme qui refuse de plier devant les Eglises, les terreurs, les modes, les schémas idéologiques, les principes absolus d'où qu'ils viennent et quelle qu'en soit la couleur, de l'homme qui prêche la liberté. L'éternelle tragédie de celui qui ne plie pas, ne se résigne pas, pense avec sa propre tête, et qui en meurt, tué par tous. La voilà, et toi mon seul interlocuteur possible, là-bas sous la terre, pendant que la montre sans aiguilles indique le chemin de la mémoire.

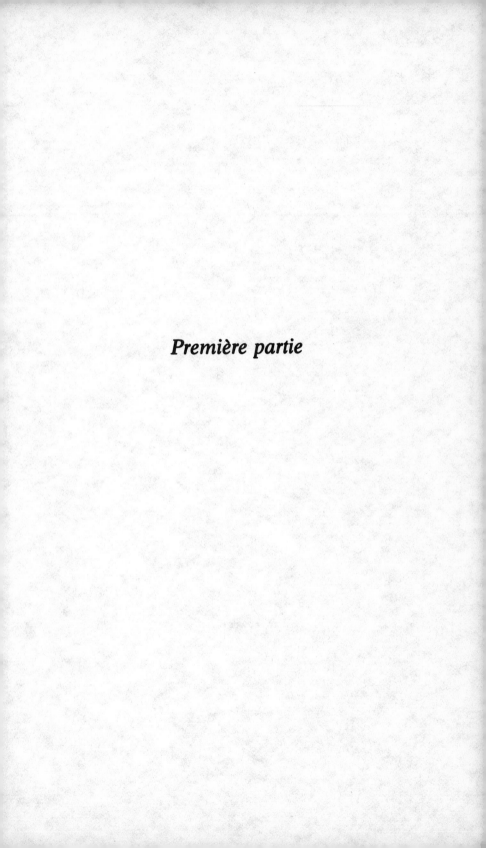

Première partie

CHAPITRE PREMIER

Cette nuit-là, tu avais fait ce rêve. Un goéland traversait le ciel de l'aube, un goéland très beau, avec des plumes argentées. Il volait seul et décidé, au-dessus de la ville endormie, et il semblait que le ciel lui appartenait ainsi que l'idée même de la vie. Soudain, il avait viré et piqué pour plonger dans la mer, il avait troué la mer, soulevant une gerbe de lumière, et la ville s'était éveillée, pleine de joie parce que depuis longtemps elle était noyée dans les ténèbres. Au même moment, des feux avaient embrasé les collines et, des fenêtres grandes ouvertes les gens avaient crié la bonne nouvelle, ils étaient descendus par milliers dans les rues faire la fête, chanter la liberté retrouvée : « Le goéland ! Le goéland a gagné ! » Mais tu savais bien qu'ils se trompaient tous, que le goéland avait perdu. Après le plongeon, des myriades de poissons l'avaient attaqué pour le mordre aux yeux, lui arracher les ailes, une lutte sans merci s'était alors engagée qui excluait le salut. En vain il se défendait avec adresse et courage, donnant de furieux coups de bec à droite et à gauche, se débattant et faisant jaillir d'immenses éventails d'écume, des vagues qui se fracassaient sur les rochers : les poissons étaient trop nombreux et lui trop seul. Les ailes lacérées, le corps couvert de blessures, la tête déchiquetée, il perdait de plus en plus de sang, il luttait de plus en plus faiblement et, à la fin, en un cri de douleur, il sombra avec la lumière. Sur les collines, les feux s'étaient éteints, la ville s'était remise à dormir, dans l'obscurité, comme si rien ne s'était passé.

Tu transpirais en y pensant : rêver de poissons avait toujours été pour toi un mauvais présage, la nuit du putsch aussi tu avais rêvé de poissons. De requins. Tu transpirais et tu comprenais que la défaite du goéland était un avertissement, peut-être valait-il mieux repousser ton projet d'une semaine, d'un jour, contrôler à nouveau les mines posées sous le petit pont, vérifier qu'aucune erreur n'avait été commise. Mais, la veille au soir, le compte à rebours avait commencé et à huit heures du matin, les deux bombes, l'une dans le parc et l'autre au stade, exploseraient et le feu embraserait les arbres sur la colline, comme dans ton rêve, et il était désormais impossible de joindre les camarades chargés de la mission. D'ailleurs, qu'aurais-tu pu leur dire ? Que tu avais rêvé d'un goéland dévoré par des poissons et que les poissons étaient pour toi un mauvais présage ? Ils auraient éclaté de rire, t'auraient cru soudain pris de panique. Il ne te restait donc plus qu'à t'habiller et partir. Tu as enfilé ton maillot de bain, ta chemise, ton pantalon. C'était le mois d'août. Là-bas, tu ôterais chemise et pantalon pour rester en maillot : n'importe qui, en te voyant, penserait que tu étais un type bizarre, de ceux qui aiment nager à l'aube. Qui donc va tuer un tyran revêtu seulement d'un maillot de bain ? Tu as enfilé tes espadrilles. Tu les garderais aux pieds à cause des arêtes des rochers. A moins que... Non, même les chaussures seraient inutiles sur ce parcours de rochers qui séparait la route du rivage, parce que, tout de suite après, tu te jetterais à l'eau pour rejoindre le bateau à moteur. Tu as pris le portefeuille avec l'argent et les faux papiers ; tu l'as glissé dans ton maillot puis, changeant d'avis, tu l'as ressorti. Pas de papiers ! ni de vrais, ni de faux. Si les poissons réussissaient à prendre le goéland, il ne fallait absolument pas qu'ils puissent lui attribuer une identité. Et s'ils le tuaient ? S'ils le tuaient, les journaux ne pourraient parler que d'un cadavre trouvé le long de la côte de Sounion. Age, environ trente ans. Taille, un mètre soixante-quatorze. Poids, un peu moins de soixante-dix kilos. Constitution, robuste. Cheveux, noirs. Peau, très blanche. Signes particuliers, néant, sauf les moustaches. Mais, en Grèce, nombreux sont ceux qui portent des moustaches.

Tu as regardé ta montre : bientôt six heures. Dans peu de temps Nikos allait te prévenir d'un coup de klaxon et, en attendant le coup de klaxon, le souvenir des derniers mois t'a assailli en te tourmentant comme des démangeaisons. Le jour où tu avais déserté pour ne pas servir le tyran, tu étais allé d'une maison à l'autre, à la recherche de quelqu'un qui aurait accepté de t'héberger, mais personne n'avait accepté de t'héberger, personne ne t'avait aidé, d'heure en heure l'étau des policiers lancés à ta poursuite s'était resserré jusqu'à te faire sentir leur haleine sur ta nuque, ta volonté avait vacillé et tu t'étais demandé : souffrir, se battre, pour qui, pour quoi ? Le jour où tu avais compris que la peur, l'obéissance et la soumission des autres ne pouvaient que te perdre, qu'il fallait donc quitter ton pays, fuir et chercher de nouvelles maisons où te cacher, tu t'étais embarqué à l'aéroport d'Athènes avec un faux passeport, et tu étais arrivé à Chypre, toujours poursuivi par les policiers, leur haleine toujours sur ta nuque, accablé, tu t'étais demandé : souffrir, se battre, pour qui, pour quoi ? Le jour où tu avais compris que là non plus tu n'obtiendrais rien, avec le ministre de l'Intérieur Gheorgazis qui te traquait pour te livrer à la Junte, qu'il te fallait donc fuir encore une fois, tu avais faim, tu avais froid, tu dormais dans une cabane abandonnée, tu te nourrissais en volant des fruits dans les jardins, et tu t'étais répété : souffrir, se battre, pour qui, pour quoi ? Le jour où le destin te conduisit auprès de la seule personne qui pouvait te sauver, le président Makarios, celui-ci t'offrit un laissez-passer pour l'Italie en te disant allez-voir-mon-ministre-Gheorgazis-il-vous-le-signera, tu t'étais rendu chez Gheorgazis le cœur battant, tu étais entré dans son bureau avec la crainte que ce ne fût un piège, prêt à lui crier d'accord, arrêtez-moi : à quoi ça sert de souffrir, de se battre, les hommes ne savent pas quoi en faire, de leur liberté. Et il avait levé son visage ténébreux, encadré d'une barbe noire de corbeau, presque un capuchon qui cachait tout sauf ses yeux perçants, t'avait souri et avait dit : « Toi, oui, toi que j'essaye d'attraper depuis des mois. Te rends-tu compte des risques que je prendrais à t'aider ? — Alors, ne m'aidez pas, livrez-moi aux sbires ! De toute façon, à quoi ça sert de... — Souffrir, se battre ? A vivre, mon garçon. Celui qui se résigne, ne vit pas : il survit. » Puis : « Qu'est-ce que tu as dans la tête, mon garçon ? — Une chose et une seule : un peu de liberté. — Tu sais tirer, viser juste ? — Non. — Tu sais fabriquer une bombe ? — Non. — Tu es prêt à mourir ? — Oui. — Il est plus facile de mourir que de vivre, mais je t'aiderai. » Et il t'avait vraiment aidé. Il t'avait appris tout ce que tu savais. Sans lui, tu n'aurais jamais su fabriquer les deux mines qui se trouvaient maintenant sous le petit pont, après le virage. Cinq kilos de tolite, un kilo et demi de plastic, deux kilos de sucre. « Du sucre ? — Oui, il permet une combustion plus rapide. » Tu t'étais amusé à suivre ses instructions comme s'il s'était agi d'un jeu : « Est-ce que ce sera assez sucré ? Allez, on pourrait ajouter encore une petite cuille-rée. » Mais maintenant, tu frémissais en pensant qu'il ne s'agissait pas d'un jeu, qu'il s'agissait de tuer un homme. Tu n'aurais jamais cru que tu serais capable de tuer un homme. Tu ne savais même pas tuer une bête. Cette fourmi, par exemple. Une fourmi était en train de remonter le long de ton bras. Tu l'as ramassée avec délicatesse. et l'as posée sur la table. Le klaxon.

Tu as regardé ta montre, six heures et d'un pas décidé, tu as descendu l'escalier. Nikos t'attendait au volant du taxi. Tu t'es assis à l'arrière, pour avoir l'air d'un passager quelconque. Nikos était ton cousin et il était chauffeur de taxi. Tu l'avais choisi parce qu'il était ton cousin et que tu pouvais donc avoir confiance en lui, et parce qu'il était chauffeur de taxi. Un taxi attire moins l'attention : quel policier irait imaginer que deux personnes vont commettre un attentat en taxi ? Acheter ou louer une voiture coûte cher et tu n'avais pas d'argent. Pour en avoir, tu aurais dû être inscrit à un parti, te plier à son idéologie, à ses lois, son opportunisme. Si tu n'es pas dans un parti, si tu n'offres aucune garantie, qui donc t'écoute, te finance ? A Rome, où tu t'étais réfugié après Chypre, les professionnels de la politique ne t'avaient offert que des discours. Des aumônes. Camarade par-ci, camarade par-là, vive l'internationalisme et la liberté, à la rigueur, une chambre pour dormir et, de temps en temps, quelques maigres repas dans des gargotes, mais rien de plus. Un jour, tu avais été reçu par un fonctionnaire socialiste, un type qui, c'était évident, savait faire carrière, baiser son prochain, et tu pouvais mettre la main au feu que, tôt ou tard, il deviendrait un leader. Ce type, donc, gros comme un porc, te fixant derrière ses lunettes de myope, t'avait promis monts et merveilles : camarade par-ci, camarade par-là, vive l'internationalisme et la liberté. Mais, l'Italie, tu l'avais quand même quittée sans un sou en poche et, même par la suite, tu n'avais pas reçu une seule drachme. Quant à tes compatriotes qui auraient dû t'aider, tel, par exemple, celui qui se considérait comme le grand chef de la gauche en exil, tu les connaissais trop bien. Se compromettre pour un fou qui, avec une poignée d'autres cinglés, veut tuer le tyran ? Jamais de la vie ! Naturellement, si l'attentat avait réussi, ils te seraient tombés dessus comme des sauterelles sur un champ de blé, ils auraient joué les complices et les protecteurs, mais en attendant ils ne t'avaient offert qu'un petit cognac : bois, mon garçon, et bonne chance. « As-tu mangé hier soir ? » a demandé Nikos. « Oui, hier soir, oui. — Où ça ? — Dans un restaurant. — Tu t'es fait voir dans un restaurant ? » Tu as haussé les épaules et, en silence, tu t'es demandé si tu avais le temps de faire un détour par Glyfada, revoir la maison avec les orangers et les citronniers. C'était là que tu avais passé ton adolescence et ta jeunesse, c'était là que vivaient tes parents : en rentrant à Athènes, tu avais fait un terrible effort pour ne pas y passer. Il ne faut surtout pas céder à de tels élans de romantisme, disait Gheorgazis. Romantisme ? Peut-être, mais un homme est un homme aussi parce qu'il sait aussi céder au romantisme. « Passe par Glyfada », as-tu ordonné à Nikos. « Par Glyfada ? Mais il est tard ! — Fais ce que je te dis. » Nikos est passé en trombe devant la maison. Tu n'as eu que le temps d'apercevoir la fenêtre de la chambre où ton père dormait et le jardin où une vieille femme habillée de noir soignait ses roses. Le fait que ta mère n'ait pas perdu l'habitude de se lever à l'aube pour soigner ses roses t'a attendri, la pensée de ton père en train de dormir t'a serré le cœur. D'un geste brusque, tu t'es retourné pour regarder encore, mais Nikos s'engageait déjà sur la route qui longe la mer. La route que le tyran parcourait tous les matins, dans une Lincoln blindée, pour se rendre de sa résidence de Lagonissi à Athènes. Durant les dernières semaines, tu l'avais parcourue des dizaines de fois, à la recherche de l'endroit le plus approprié pour y placer les mines, et tu avais tout d'abord choisi un petit tunnel percé dans le rocher et sous lequel passait la route : tu aurais aimé le bombarder, comme la foudre de Zeus, une punition divine. Mais ça ne pouvait pas marcher, les explosifs agissant de bas en haut, et tu avais donc été obligé de te replier sur le petit pont qui se trouvait après un virage. Plus que d'un petit pont, il s'agissait d'une niche en ciment carrée, profonde, sur laquelle la route n'avait pour épaisseur qu'une cinquantaine de centimètres. La distance entre la base de cette niche **et** le bitume était de quatre-vingts centimètres : si on avait voulu la construire pour la circonstance, on n'eût pas fait mieux. Des mines déposées à cet endroit ouvriraient des crevasses de trois ou quatre mètres, et la force explosive serait considérable. Un seul problème, il faudrait fuir au grand jour. Ce n'était pas par hasard que Gheorgazis disait que les attentats doivent se faire dans l'obscurité, l'obscurité permet de disparaître sans risque. S'ils te voyaient t'enfuir ? Tant pis. D'ailleurs, tu n'aimais pas l'obscurité. C'est dans l'obscurité que vivent les chauves-souris, les taupes, les espions, pas les hommes qui luttent pour la liberté.

Tu es arrivé sur le petit pont à sept heures moins le quart. Nikos a rapidement ouvert le coffre pour te donner le fil à relier aux mines, et aussitôt un juron t'a échappé. Le fil était emmêlé, un écheveau de nœuds. « Qu'est-ce que tu as fait, malheureux, qu'est-ce que tu as fait ? — Moi, rien, je… » Mais tu n'avais pas le temps de discuter, encore moins de réparer les dégâts, tu t'es déshabillé, tu as donné à Nikos la chemise, le pantalon et les chaussures, et, pieds nus, en maillot de bain, tu as couru vers la niche en serrant sur ta poitrine cet enchevêtrement de nœuds.

**

Maintenant, le petit pont n'existe plus. La route, élargie, a été remblayée et le virage corrigé : si tu retournais là-bas aujourd'hui, tu ne reconnaîtrais même pas l'endroit où il se trouvait. Moi je m'en souviens très bien. Je l'ai vu lorsque tu m'y as emmenée avant qu'il ne disparaisse, et je me souviens tout aussi bien de ce que tu m'avais raconté au sujet de ce matin-là : le début de ta fable, de la tragédie, de tout. La mer était démontée ce matin-là. Des vagues furieuses venaient se briser le long de la côte, et il faisait froid. Ou peut-être avais-tu froid à cause de ce fil emmêlé ? Tu n'arrivais pas à l'admettre, tu ne comprenais pas comment cela avait pu arriver. Peut-être Nikos l'avait-il jeté dans le coffre d'un geste trop brusque, peut-être avait-il oublié de l'attacher et les secousses du taxi avaient-elles provoqué le désastre ? Quoi qu'il en fût, les deux cents mètres de fil étaient à présent un paquet de nœuds : dès que tu en défaisais un, un autre se formait aussitôt, dès que tu défaisais celui-ci, un autre encore se formait... Exaspéré, tu as tiré d'un coup sec. Tu as récupéré ainsi la partie intacte, puis tu l'as mesurée et tu as laissé échapper un second juron : il n'y avait que quarante mètres de fil, un cinquième de la longueur nécessaire ! Le récif choisi d'où mettre à feu et prendre la fuite était à deux cents mètres : comment modifier ton programme, maintenant, comment ? Tu avais opté pour ce rocher après d'interminables essais et parce que cet endroit garantissait une visibilité parfaite. Il y avait un moment, quand la Lincoln noire parcourait le trajet entre le virage et le petit pont, un moment où son coffre était à demi caché par un panneau routier et, d'après les calculs, c'était à cet instant précis qu'il fallait mettre le contact. Sans compter que ce rocher se trouvait très près de l'eau, ce qui devait te permettre de plonger immédiatement. Agir à quarante mètres signifiait courir cent soixante mètres pour atteindre la mer. Cela signifiait également refaire tous les calculs : quelle vue avait-on à quarante mètres ? Tu as relié le fil aux mines, puis, tenant dans la main l'extrémité opposée, tu as mesuré jusqu'où tu pouvais aller. Malédiction, tu arrivais à un endroit où il était impossible de voir la route à cause d'un talus élevé, et pour couronner le tout, à cet endroit tu étais complètement à découvert. Tu es revenu sur tes pas : avec un fil si court, la seule possibilité était de te placer juste sous la route, à une dizaine de mètres du petit pont, avec le risque de sauter toi aussi. Un suicide. Et pourtant il n'y avait pas d'autre solution ; celle-ci avait au moins l'avantage de te permettre de voir à temps la Lincoln noire. Avantage ? Quel avantage ? Pour bien la voir, tu devais te placer tout contre le bitume, et, en plus, les calculs déjà faits n'avaient plus aucune valeur. Il fallait tout recalculer avec des données nouvelles, choisir un autre moment pour la mise à feu ; et gare à l'erreur d'une seconde, d'une fraction de seconde ! A cause d'une fraction de seconde, on rate sa cible. Au travail, donc. Et vite, très vite D'habitude la Lincoln noire passait sur le petit pont à huit heures, et il était presque sept heures quarante-cinq.

Ton cerveau se mit à tourner à la vitesse d'un ordinateur

Voyons : elle roulait toujours à cent kilomètres à l'heure, cent kilomètres ça fait cent mille mètres, une heure ça fait trois mille six cents secondes, cent mille divisé par trois mille six cents ça fait environ vingt-sept, donc la Lincoln parcourait vingt-sept mètres par seconde. Chaque dixième de seconde, deux mètres soixante-dix. Mais comment calculer ce dixième de seconde ? A haute voix, disait Gheorgazis : chîlia éna, chîlia dîo, chîlia trîa. Mille un, mille deux, mille trois. Bon, c'est ce que tu ferais. Tu as essayé deux ou trois fois pour bien définir la pause à marquer entre mille un et mille deux, mille deux et mille trois. Tu as contrôlé une dernière fois les mines et tu as branché le fil. Tu étais prêt ! Sept heures cinquante-cinq. Cinq minutes pour se détendre, s'interroger... Il s'appelait Georges Papadopoulos, l'homme que tu allais tuer dans cinq minutes, et avec lequel, peut-être, tu allais sauter. Qui sait quel genre d'homme il était, vu de près, en chair et en os. Tu ne l'avais jamais vu de près, en chair et en os : seulement sur des photos. Sur les photos, il avait un drôle d'air, il faisait penser à une petite araignée : de petites moustaches insolentes, de petits yeux brillants. Mais les dictateurs ont toujours un drôle d'air, ils ont toujours de petits yeux brillants. Ils les écarquillent comme s'ils voulaient faire peur aux enfants : si-tu-n'obéis-pas-je-te-punis ! Un jour, en observant sa photographie tu t'étais dit : j'aimerais bien le regarder en face. Mais c'était avant la préparation de l'attentat, après, tu n'y avais plus pensé. Au cours des deux dernières semaines, par exemple, quand tu te postais sur cette route pour vérifier les temps et le trajet, contrôler l'heure à laquelle il sortait de sa villa de Lagonissi, la vitesse de sa voiture, le nombre de celles qui l'escortaient, tu aurais pu la satisfaire, cette envie de le regarder en face. Au contraire, dès que la Lincoln s'approchait, tu lui tournais le dos. Un peu pour éviter d'être reconnu, c'est vrai, mais plus encore parce que l'idée de le regarder en face te troublait. Quand tu regardes un ennemi droit dans les yeux et que tu te rends compte que, malgré tout, c'est un homme comme toi, tu oublies qui il est et ce qu'il représente : le tuer devient alors difficile. Il vaut mieux se dire que l'on tue une automobile. Même, lorsque tu fabriquais les mines, lorsque tu étudiais les temps et les distances, lorsque tu divisais cent mille par trois mille six cents, tu pensais à une automobile, non à un homme dans une automobile. Ou plutôt à deux hommes parce que le chauffeur était au volant. Le chauffeur, bon sang. Et lui, quel genre d'homme c'était ? Un salaud ou une créature innocente, un pauvre type qui doit gagner sa vie ? C'était sûrement un salaud. Les gens qui se respectent ne travaillent pas pour un tyran. Et si c'était le cas ? Tu ne devais pas y penser. A la guerre, il y a des questions qui ne se posent pas. A la guerre, on tire, et ça tombe sur qui ça tombe. A la guerre, l'ennemi n'est pas un homme, c'est un objectif, une cible, un point c'est tout : et si à côté de lui il y a un vieillard ou un enfant, tant pis. Tant pis ? Tant pis... Mon cul ! Est-il juste de combattre les injustices par des injustices, le sang versé par du sang versé ? Non, ce n'est pas juste. Mais, à y réfléchir, la guerre était un mauvais exemple : rien n'est plus bête, plus réactionnaire que l'idée de la guerre, et n'avais-tu pas toujours détesté la guerre ? Tu ne voulais même pas faire ton service militaire : de sursis en sursis, tu n'avais endossé l'uniforme qu'à vingt-huit ans, et le seul fait d'épauler un fusil t'avait donné la nausée. Et penser au chauffeur te mettait mal à l'aise, tu avais presque honte, et tu as fait un effort pour te répéter les mots que tu disais à tes camarades : la violence appelle la violence, la colère de l'opprimé contre l'oppresseur est légitime, si quelqu'un te gifle ne lui tends pas l'autre joue mais rends-lui sa gifle, cet homme a assassiné la liberté, dans la Grèce antique, le meurtrier du tyran était honoré avec des monuments et des couronnes de laurier. Et même la phrase que tu avais apprise par cœur : je suis incapable de tuer un homme, mais un tyran n'est pas un homme, c'est un tyran, soudain te semblait fausse, presque un mensonge. Etait-ce pour cette raison que tu avais si froid ? Mais non : tu avais froid parce que tu étais nu et parce qu'il faisait froid.

Tu t'es accroupi au milieu des cailloux, les bras autour des jambes, pour te réchauffer un peu. Le bateau à moteur arrivait, ponctuel, il se dirigeait vers la crique, comme convenu. Il était loin pourtant : réussirais-tu à l'atteindre ? Ce matin l'eau devait être glacée : ce ne serait pas facile de plonger dans l'eau glacée, de nager dans l'eau glacée. Bien sûr, si tu sautais avec la voiture, ou si tu n'arrivais pas à atteindre le rivage, à plonger, le problème ne se poserait pas. La vie Quelle chose absurde, la vie. Tu tournes un interrupteur, tu relies le pôle négatif au pôle positif, et... Le bruit du cortège qui approchait te parvint aux oreilles. Tu t'es levé d'un bond et as murmuré tristement : « Courage, ça y est. »

•

C'était un véritable cortège ouvert par trois motards à droite et trois motards à gauche, puis des voitures, deux jeeps l'une derrière l'autre, une ambulance, une voiture-radio, puis encore quatre motards et, enfin, elle : la Lincoln noire. Derrière, une autre jeep et une autre patrouille de motards. Le cortège s'était engagé sur le dernier tronçon rectiligne et avançait à l'allure habituelle. Bientôt, la Lincoln aurait disparu derrière le virage, l'aurait franchi et aurait réapparu. Le bruit s'amplifia, et tu as allongé le cou pour mieux voir. Déjà, les deux premiers motards étaient presque à ta hauteur, si nets que tu pouvais discerner leurs traits. A la hauteur du panneau routier, cependant, ils devinrent une ombre confuse. Tu t'es rendu compte qu'après tu ne pourrais plus rien distinguer et qu'il te faudrait agir intuitivement, en calculant le temps et c'est tout, en te rappelant qu'entre le panneau et la première mine il y avait quatre-vingts mètres, que quatre-vingts mètres à cent kilomètres heure représentaient environ trois secondes. Environ ! Ton cerveau s'est remis à fonctionner à une vitesse forcenée et ton corps s'est figé : l'ennui, c'était justement cet « environ ». S'il faut une seconde pour parcourir vingt-sept mètres, trois secondes correspondent à quatre-vingt-un mètres et non à quatre-vingts. Donc, la première mine aurait explosé trop tard. Et la seconde mine aurait explosé trop tôt, puisqu'elle se trouvait un mètre plus loin, à quatre-vingt-un mètres et non à quatre-vingt-deux. Conclusion, il fallait retarder le contact. De combien ? Simple : si un dixième de seconde correspondait à deux mètres soixante-dix, il fallait retarder environ d'un tiers de dixième de seconde. Environ ! Encore cet « environ » ! Et tout cela en admettant que la Lincoln maintienne une allure constante ! Mon Dieu, combien de temps dure un tiers de dixième de seconde ? Un battement de cils ? Non, moins. Un tiers de dixième seconde n'est pas mesurable en termes humains. Un tiers de dixième de seconde, c'est le destin. Il faut se fier au destin et ne pas perdre de temps. Ne pas regarder le chronomètre. Compter plus lentement. Chília éna, chília dío, chília tría. Mille un, mille deux, mille trois. Plus lentement ?! Mais que signifie en ce cas « plus lentement » ? Les deux jeeps sont passées. L'ambulance est passée. La voiture-radio. Les motards. Maintenant, elle arrive. La voici : noire. Elle approche. Elle approche toujours davantage, noire. Elle devient de plus en plus grande, de plus en plus noire. Dans un instant, elle sera à la hauteur du panneau routier et deviendra une ombre confuse. Espérons que ma main ne tremble pas. Elle ne tremble pas. Espérons que la Lincoln ne modifie pas son allure. Elle ne ralentit pas, elle n'accélère pas. Elle va arriver. Elle arrive. Elle est arrivée. Mille un, mille deux, mille trois, contact !

Pendant un instant qui dura une éternité, un million d'années, rien ne se produisit. Puis, tes tympans furent déchirés par une déflagration sèche, méchante, et une montagne de pierres explosa en soulevant un nuage de poussière grise. Un seul nuage, une seule explosion. Une seule mine avait explosé. Etait-ce possible ? Pas une seule pierre ne t'avait atteint. Etait-ce possible ? Tu t'es palpé, incrédule. Mais tu n'as pas eu le temps de te féliciter d'être indemne parce que, en un instant, tu as compris que si tu étais indemne, ce n'était que parce que tu avais échoué. Une voiture blindée qui saute en l'air fait un bruit bien plus fort, soulève un nuage bien plus grand, et il n'y a pas que des pierres qui sont projetées. Qu'est-ce qui n'avait pas marché alors ? La charge, le temps, la manière de compter chília éna, chília dío, chília tría, le destin ? Le tiers de dixième de seconde, le destin. Mais pourquoi la deuxième mine n'avait-elle pas explosé ? Avais-tu mal branché le fil ? Avais-tu mal amorcé le détonateur ? Peut-être le sucre, le jeu du sucre, est-ce que-ce-sera-assez-sucré-allez-on-pourrait-y-ajouter-encore-une-petite-cuillerée ? Tu te posais ces questions tout en courant. Presque inconsciemment, après t'être palpé, incrédule, tu t'étais jeté du talus et maintenant, tu courais, tu courais, poussé par un seul désir : atteindre la mer, plonger, disparaître dans l'eau, vivre. Vivre ! Tout d'un coup, la mer fut sous tes pieds, autour de ton corps qui nageait dans l'eau glacée et ton esprit se répétait, elle-est-vraiment-glacée. Et puis, elle fut tellement froide que tu dus remonter à la surface. Cela t'a permis de jeter un coup d'œil sur la route où les policiers couraient, revolver au poing, et la scène t'a inquiété : tu as rempli tes poumons d'air et plongé à nouveau. Tu nageais avec assurance et force, tu avais toujours été un champion, mais la mer était plus déchaînée que tu ne l'avais cru, un courant très fort te ramenait vers le rivage au lieu de te rapprocher du bateau : tu es remonté à la surface une deuxième fois pour respirer, pour savoir si les policiers venaient vers toi. Non, ils se précipitaient tous vers la niche, sous le petit pont, ils ne t'avaient pas vu, tu pouvais continuer tranquillement. Malheureusement, il y avait le courant. Et l'essoufflement. Tu étais essoufflé. Tu devais souvent t'arrêter pour reprendre ton souffle, perdant ainsi un temps précieux. Et quelles vagues ! Quelles vagues ! Une vague très violente t'a projeté contre les rochers et tu as réussi à trouver une prise, à moitié assommé. Combien de temps s'est écoulé pendant que tu restais là, accroché, étourdi, sans penser à la suite ? Tu t'es rapidement rendu compte des conséquences de cette pause imprévue quand tes yeux inquiets ont cherché le bateau à moteur. Tu leur avais dit d'attendre exactement cinq minutes, pas une de plus. Tu le leur avais même dit d'un ton brutal : « C'est un ordre ! » Les cinq minutes écoulées, ils allaient certainement partir. Il fallait faire quelque chose tout de suite. Sortir de l'eau et te diriger à pied vers la crique où le bateau attendait. A coup sûr, ils te verraient et t'attendraient. Tu es sorti de l'eau avec peine. Tu as commencé à courir, plié en deux, sur les rochers aux arêtes effilées, une blessure à chaque pas, une douleur aiguë, mais tu te rapprochais très vite de la crique. Encore cinquante mètres, trente mètres et tu

pourrais les appeler : « Me voilà, j'arrive, attendez-moi, j'arrive ! »
Puis un plongeon, quelques brasses, et ils allaient venir à ta
rencontre. Trente mètres. Vingt. Dix : « Me voilà, j'arrive, attendez-moi, j'arrive ! » Le bateau à moteur bougea. Il prit le large et
partit.

Il était parti et, pour le restant de tes jours, tu ne pourrais jamais
effacer le souvenir obsédant de ce bateau qui prenait le large sans
t'attendre, j'arrive-attendez-moi-j'arrive, de cette impression de
vide qui t'a submergé à ce moment-là. Une envie de pleurer, de
crier lâches, sales lâches. Le désespoir. La question que-faire-à-
présent, que-faire. Tu as levé le regard vers la route où l'escorte
avait improvisé un barrage routier et où des hommes en uniforme
s'agitaient en criant : « Surveillez la rive, attention à tout ce qui
bouge ! » Que faire ? Se cacher, naturellement. Se cacher tout de
suite. Mais où ? Tes yeux erraient hagards à la recherche d'un trou,
d'une anfractuosité où te réfugier. La voilà ! Cette grotte minuscule,
cette espèce de niche dans les rochers. A vrai dire, un peu trop
étroite, mais il n'y avait pas le choix. Tu y es arrivé en marchant à
quatre pattes. Tu t'y es glissé comme un mollusque dans sa coquille,
ou plutôt comme un fœtus dans le placenta : les genoux sur le front,
les bras autour des jambes. Tu pourrais peut-être t'en tirer en
restant là jusqu'au soir. Ils suspendraient bien les recherches et,
avec un peu de chance, tu pourrais t'éloigner et rejoindre la route
Bien sûr, les problèmes ne manqueraient pas : d'abord, celui de se
promener complètement nu, la nuit. Mais tu avais placé des
camarades chargés de te recueillir en divers points de la côte, et...
Que leur dirais-tu en les rencontrant ? Que répondrais-tu à leurs
questions, à leurs reproches muets ? Que ça s'était mal passé à cause
du fil trop court, du fil enchevêtré, à cause des calculs refaits à la
dernière minute, à cause d'un tiers de dixième de seconde, à cause
du destin ? Tu avais trop attendu, maintenant tu t'en rendais
compte. Tu avais compté trop lentement chîlia éna, chîlia dîo, chîlia
tría : la première mine avait explosé lorsque la Lincoln avait déjà
dépassé de trois mètres le petit pont. Et la deuxième mine ?
Comment allais-tu expliquer que la deuxième mine n'ait pas
explosé ? Oh, Théos ! Théos ! Théos mou ! Mon Dieu, mon Dieu !
Tant de travail, de douleur, de sacrifices, tous ces mois pour rien.
Rien ! Il ne fallait plus y penser. Tu devenais fou en pensant à tout
cela. Il valait mieux que tu occupes ton esprit à autre chose : les
bombes qui devaient réveiller le peuple d'Athènes, l'incendie sur les
collines. En même temps que l'attentat, une bombe devait exploser
au stade et une autre dans le parc ; puis, les arbres des collines
devaient prendre feu. Une guirlande de feu pour réveiller la ville

33

tout entière. Le goéland, le goéland ! Tes instructions étaient précises. Mais les avaient-ils suivies ou non ? Quatorze apôtres, ce n'est pas beaucoup pour un Christ qui prétend renverser à lui tout seul le tyran, c'est vrai. Et si toi tu avais échoué, eux aussi étaient en droit d'échouer. Peut-être aucune des deux bombes n'avait-elle explosé, ni dans le parc, ni au stade, et peut-être les collines ne brûlaient-elles pas. Le néant après le néant. Que dirait Gheorgazis ? Et les politiciens professionnels qui n'avaient pas tenu parole avec leurs bavardages et toutes leurs promesses ? Bien sûr, ils se vanteraient de leur clairvoyance : ce fou solitaire, ce rebelle présomptueux qui pensait pouvoir se substituer aux partis, à la discipline des partis, à la logique des idéologies. Nous l'avions bien dit qu'il ne fallait pas le prendre au sérieux. Assez. Il ne restait maintenant qu'une seule chose à faire : s'en sortir. Mais quelle torture, de rester ainsi recroquevillé, de ne pas céder à la tentation d'étirer un bras ou une jambe. Supporter ces fourmis dans les jointures. Et cette torpeur, cette envie de sommeil. Il fallait résister, rester éveillé ! Mais c'était fatigant, fatigant. Surtout avec cet hélicoptère. Ils utilisaient un hélicoptère aussi. Il volait à basse altitude, passant et repassant sur toi et le martèlement de ses pales t'endormait comme une berceuse. Sur tes yeux est descendu un rideau de plomb.

* * *

Combien de temps avais-tu dormi ? Ta montre ne le disait pas : trempée, elle ne marchait plus. Pas moins d'une ou deux heures de toute façon : le soleil était haut dans le ciel, tu l'entrevoyais par une fissure qui s'ouvrait au-dessus de ta tête, une langue de ciel, et il ne faisait plus froid ; au contraire, tu transpirais. Peut-être à cause des voix qui t'avaient réveillé, des voix très proches, tellement proches que tu distinguais clairement ce qu'elles disaient. Elles disaient : « Fouillez, rocher par rocher ! » L'hélicoptère aussi était revenu avec un fracas soudain, sinistre, comme celui d'une mitrailleuse lourde. On aurait dit que l'armée grecque tout entière était là pour les manœuvres. « Une équipe ici ! — Le sergent au rapport ! — Pas les uns derrière les autres, en ordre dispersé ! » Enfin, un hurlement arrogant, un cri de colère qui te résonna dans la tête : « Cherchez, mètre par mètre ! — Oui, mon capitaine. » Et la langue de ciel au-dessus de ta tête, la fissure dans le plafond de la grotte disparut sous une paire de chaussures. Tu as retenu ton souffle. Tu t'es recroquevillé désespérément au fond de ta coquille et pendant un instant, tu crus redevenir un enfant, quand ta mère te cherchait pour te punir et que, pour éviter ses coups, tu restais caché sous le lit, blotti contre le mur, à fixer ses pieds, écouter ses cris, où-s'est-il-fourré, où-s'est-il-caché, et les lèvres immobiles, tu priais, mon Dieu faites qu'elle ne me voie pas, qu'elle s'en aille. Parfois, elle s'en allait sans t'avoir trouvé, mais toi, tu n'avais pas confiance et tu restais sous le lit, luttant contre la faim, la soif, l'envie de faire pipi. Parfois, par contre, elle se penchait, et te voyait, allongeait un bras menaçant, triomphante, te sortait de là : « Je t'ai trouvé voyou, je t'ai trouvé ! » Mais pourquoi, cette fois-ci, se serait-elle penchée pour te voir ? Tu étais un homme maintenant et tu avais de la chance : tu t'en étais sorti une dizaine de fois au cours de ces seize derniers mois. Pourquoi prendre peur à cause d'une paire de chaussures, à cause de cet officier qui se tenait au-dessus de toi, implacable ? On entendit une voix : « Nous avons bien cherché, mon capitaine. Rien. Ici il n'y a personne ! — Alors, regardez un peu plus haut puis on passe de l'autre côté. » Un grand soulagement t'a fait gonfler les poumons, tu as serré les poings en pensant : heureusement, cette fois c'est terminé. Mais, en même temps que tu pensais heureuse-ment-cette-fois-c'est-terminé, le capitaine s'est avancé et a trébu-ché. Et il est tombé du rocher. Il est tombé juste devant toi. Et il t'a vu.

*
* *

« Ne tire pas ! Ne tire pas ! » criait-il en pointant son revolver d'une main tremblante, et toi, tu ne savais que lui répondre : tirer avec quoi ? Puis il a hurlé : « Allez, sors ! sors ! » Mais c'était inutile. La stupeur, plus que la peur ou la rage, t'avait paralysé : tu n'arrivais pas à te dégager, à t'arracher à cette coquille. Ils s'en sont chargés. Ils sont tombés sur toi avec la férocité des poissons qui attaquaient le goéland dans ton rêve, se bousculant l'un l'autre, se piétinant. Ils t'ont sorti en te tirant par les pieds, ils t'ont mis debout, sans se rendre compte que tu ne pouvais pas tenir sur tes jambes parce qu'elles étaient ankylosées, et tenter de te défendre comme le goéland aurait été de la folie. Ils étaient bien trop nombreux. C'était une nuée d'uniformes qui grossissait, qui grossis-sait et qui ne pensait qu'à te frapper, te fouiller. L'un d'eux t'a atteint deux fois aux tempes et aux yeux. Un autre, avec ses deux mains, t'a ouvert la bouche et y a plongé les doigts à la recherche de Dieu sait quoi, alors que les autres criaient : « Crache-la ! crache-la ! » Un autre t'a arraché ton maillot de bain pour voir si tu n'y cachais pas des armes. Puis, ils t'ont mis les mains sur la tête et t'ont poussé vers la route. Mais tu n'arrivais pas à marcher parce que sous tes pieds nus, déjà couverts de plaies après ta course sur les rochers, chaque pierre devenait une lame de couteau et, si tu t'arrêtais pour donner un répit à ta douleur, impatients, ils te frappaient avec la crosse de leurs pistolets ou le canon de leurs mitraillettes. Arriver sur la route fut un soulagement qui se transforma très vite en amertume : là où il aurait dû y avoir un gouffre, il n'y avait qu'un trou d'à peine deux mètres. C'était la preuve que tu ne t'étais pas seulement trompé dans le calcul du dixième de seconde mais aussi dans les dosages. Ils t'ont poussé dans une voiture très grande avec des strapontins. Ils ont commencé à t'interroger, assis sur les strapontins : « Qui es-tu ? Qui t'a payé ? Qui sont les autres ? Qui était sur le bateau à moteur ? » Et puis, une pluie de gifles, de coups de poing, de coups de pied dans les tibias. Le plus féroce était un gros type, habillé en civil, avec des traits simiesques et la peau criblée de cratères, de petites grottes, de cicatrices laissées par la petite vérole ou Dieu sait quelle infection. Il frappait très fort, avec des mains de boxeur, et ton silence le rendait encore plus furieux : « Parle, assassin, parle ou je te réduis en bouillie ! » « Réponds, criminel, réponds ou je t'arrache la peau ! » « Ne prends pas cet air étonné, assassin, tu ne t'en tireras pas. Si tu ne réponds pas, je te tue, tu sais qui je suis, moi, tu le sais ? » Tu ne le savais pas et tu t'en fichais. La seule chose qui t'intéressait c'était de réussir à garder le silence, ne pas lui donner le moindre indice, la moindre trace qui pourrait lui permettre de t'identifier. S'il découvrait ton nom, tes camarades n'auraient pas le temps de se mettre à l'abri. Soudain, un policier s'est approché, un vieux policier au regard doux. Il a commencé à le tirer par la manche : « Mon commandant, écoutez-moi mon commandant, je sais qui c'est. Je le connais, je suis de service à Glyfada et lui, c'est quelqu'un de Glyfada. Il s'appelle Panagoulis et... » Mais l'homme au visage grêlé ne l'a pas laissé terminer et de sa bouche qui crachait sur toi une pluie de salive : « Ah, c'est toi, ordure ! Tu ne nous avais pas quittés, tu n'avais pas filé à l'étranger, lieutenant Georges Panagoulis ! Tu étais ici, vieille charogne, déserteur, vendu, tu étais à Athènes, lâche, et tu croyais nous avoir ? » Puis une brûlure insupportable, comme un coup de couteau dans le cou. Il avait éteint sa cigarette sur ton cou. Tu t'es affaissé dans un râle et tes idées se sont noyées dans un épais brouillard.

Durant les dernières années de ta vie, quand tu me racontais cette arrestation, tu ne te rappelais pas bien ce qui s'était produit après la cigarette dans le cou. La mémoire ne te rendait que des images éparses, des lambeaux confus : le vieux policier cherchant à attirer l'attention de l'homme au visage grêlé, pour lui expliquer que tu n'es pas Georges mais son frère, Alexandre ; l'homme qui, persuadé à présent de connaître ton identité, le repousse et refuse de l'écouter, le chasse, va-t'en-crétin-ne-me-dérange-pas-tu-vois-bien-que-je-suis-en-train-de-travailler, le vieux policier qui s'éloigne avec un geste résigné. Rien d'autre. Sur les deux heures que tu avais passées dans cette voiture et sur le passage à tabac, tu ne pouvais rien dire de plus. Mais il y avait une chose dont tu te souvenais très clairement : l'arrivée de Ladas, à l'époque ministre de l'Intérieur et bras droit de Papadopoulos. Le mur d'uniformes qui s'ouvre pour le laisser passer. Son gros visage rond, brillant qui se penche sur toi pendant que ses petites mains grasses te donnent des petites tapes presque affectueuses sur l'épaule, sa voix visqueuse qui glisse sur toi : « Ecoute-moi, lieutenant, moi je le connais ton frère Alexandre. Je le connais depuis l'époque où il étudiait à Polytechnique avec mon fils. Un type difficile, d'accord, une espèce d'anarchiste. Il critiquait Caramanlis, il haïssait la maison royale, il en voulait à Evangelos Averof, le communisme ne lui plaisait pas, le fascisme ne lui plaisait pas, rien ne lui plaisait. Mais c'était un type intelligent et, si tu le mettais en confiance, il savait raisonner. Et tu sais pourquoi je te dis ça, lieutenant ? Parce que si Alexandre était ici, il te dirait : raconte tout à Ladas, tu peux lui faire confiance. Avoue à Ladas qui se cache derrière cet attentat. Tu t'épargneras un tas d'ennuis. » Tu t'en souvenais très bien parce que, pendant que Ladas parlait, tu avais soudain eu envie de pleurer. Tu n'aurais pas dû avoir envie de pleurer : le fait qu'on te prît pour Georges t'offrait un grand avantage, tu pouvais gagner quelques jours ou au moins quelques heures, donner le temps à tes camarades de se mettre à l'abri. Mais plus tu te répétais que cette méprise était un avantage, une chance, et plus l'envie de pleurer te montait à la gorge et te mouillait les yeux. « Tu dois déserter toi aussi, Georges. — Mais moi, je suis officier de carrière, Alekos, je ne peux pas. — Si, tu peux. Tu dois, donc, tu peux. — Je n'y arrive pas, Alekos, je n'y arrive pas. — Tu y arriveras. » Tu l'avais convaincu et il avait déserté. Il avait traversé le fleuve Evros et était arrivé en Turquie, de là, il avait rejoint le Liban, puis Israël : aucun pays ne l'avait accepté, ne l'avait aidé. Un calvaire. Puis, dans le port d'Haiffa, au moment où il allait s'embarquer pour l'Italie, les Israéliens l'avaient pris. Ils l'avaient livré au capitaine d'un bateau grec : qu'il le ramène à Athènes, qu'il le livre à la Junte. Le capitaine l'avait enfermé à clef dans une cabine et... L'homme au visage grêlé avait dit « disparu », parce que, lorsque le bateau était arrivé au Pirée, la police avait trouvé la cabine vide et le hublot ouvert. Mais toi, tu savais que Georges n'avait pas disparu, qu'il était mort. Un rêve te l'avait dit. Tu avais fait ce rêve la nuit où, justement, le bateau faisait route entre Haiffa et Le Pirée. Tu marchais avec Georges le long d'un sentier de montagne, au bord d'un précipice qui finissait dans la mer. Soudain, la montagne avait été secouée par un tremblement : une avalanche s'était abattue sur Georges. « Georges ! » avais-tu crié en le saisissant. « Georges ! » Mais tu n'avais pas réussi à le retenir. Georges était tombé dans la mer, au milieu des poissons

**

A midi, ils t'ont emmené. A ta droite, l'homme au visage grêlé, à ta gauche, un colonel qui se disputait avec lui, sur les strapontins deux gardes avec des mitraillettes et deux autres à côté du chauffeur : huit dans une voiture. Cet entassement t'empêchait de respirer et rendait encore plus douloureuses les ecchymoses dont tu étais couvert, un revolver enfoncé dans tes côtes redoublait ta souffrance. C'était le revolver de l'homme au visage grêlé qui répétait monotone : « Tu verras, lieutenant, tu verras ! » Ou encore : « Tu ne joueras plus au sourd-muet, lieutenant, tu ne joueras plus au sourd-muet ! » Et chacune de ses menaces s'accompagnait d'un coup de pied dans tes jambes. Tu continuais à te taire, tu fixais la route avec l'espoir absurde que quelque chose d'imprévisible allait se produire. Un accident, peut-être, qui t'aurait permis de t'enfuir. Mais rien ne se passait. La voiture avançait tranquillement, précédée et suivie par des motards, personne ne prêtait attention à elle. Lorsqu'elle frôlait d'autres voitures et que tu cherchais des yeux les passagers, on te répondait par des regards vides ; lorsqu'un passant se tournait, c'était avec l'indifférence de celui qui se demande : « Qui a-t-on arrêté, un voleur ? » Ou bien : « Tiens, ils ont arrêté un malfaiteur, tant mieux ! » A un moment donné, une fille qui marchait sur le trottoir avec un jeune homme a semblé deviner la vérité, le visage angoissé, elle a saisi le poignet du jeune homme et pointé son index vers toi. Cela t'a réchauffé le cœur, comme si la jeune fille représentait la ville tout entière, comme si la ville tout entière allait ouvrir les fenêtres et crier : « Ils l'ont arrêté, ils l'ont arrêté ! Allons tous le défendre ! » Mais le jeune homme a haussé les épaules avec l'air de dire : « Laisse tomber, ça ne te regarde pas ! » Ce réconfort s'est transformé en déception, une grande fatigue t'a envahi : tu as penché la tête et les débris de ta défaite sont remontés à la surface. Tu te sentais ridicule parce que tu étais tout nu au milieu de gens habillés, tu te sentais humilié parce que tu avais échoué, tu te sentais seul parce que tu étais seul et que tu avais peur de ce qu'on allait te faire. Un doute a traversé ton esprit : allais-tu réussir à résister ? L'homme au visage grêlé s'en est rendu compte. Il a déplacé le revolver de tes côtes pour l'enfoncer sous ta mâchoire : « Dans quelques instants, nous serons arrivés, lieutenant, et je te jure que tu parleras. Oh oui, lieutenant, tu parleras. Parce que je te cuisinerai le temps qu'il faudra. Tu ne sais pas ce qu'on dit de moi ? Que je réussis à faire parler même les statues. Tu n'as pas compris qui je suis ? Je suis le commandant Théophiloyannacos. »

Tu connaissais ce nom et ce qu'il disait était vrai : une plaisanterie lugubre circulait à son sujet. Un archéologue trouve une statue et il ne sait pas de quelle époque elle est. « Dis-le-moi ! » ordonne-t-il à la statue, et son assistant de lui suggérer : « Monsieur, apportez-la donc à Théophiloyannacos, avec lui, elle parlera. » Pourtant, savoir qui il était t'a donné du courage. C'était comme si un vent avait balayé la peur, le doute, l'échec et même ce sentiment de ridicule que tu éprouvais à cause de ta nudité, comme si à la place, il y avait maintenant l'orgueil d'être tout seul, humilié, mais conforté par la certitude d'être invincible. Tu as tourné les yeux vers ce visage criblé de cratères, de petites grottes, de cicatrices laissées par la petite vérole ou Dieu sait quelle infection et tu as éclaté de rire. « Tu peux rire », a commenté Théophiloyannacos. La voiture passait devant le stade olympique et maintenant devant l'hôtel Hilton et, maintenant, devant l'ambassade américaine. Après l'ambassade, elle a tourné à droite et tu as été parcouru d'un frisson. Derrière les acacias sur le trottoir, tu avais tout de suite reconnu la Section spéciale de renseignements de la police militaire, de l'ESA. Le centre des tortures.

*
* *

Cet édifice aussi a disparu. Il a été démoli pour laisser la place à un gratte-ciel qui, en définitive, n'a pas été construit, parce que trop de gens disaient que ça aurait porté malheur d'habiter un endroit aussi maudit : mis à part les acacias sur le trottoir, on ne voit plus que des poutres brisées, des fers à béton tordus et un terrain couvert d'ordures. Quand le vent souffle de la mer, les ordures forment des tourbillons de colère, les câbles d'acier battent les poutrelles d'un bruit sourd, on dirait que des pleurs montent des ruines. Et pourtant, le quartier est beau, résidentiel, avec des rues verdoyantes, pleines de lumière, des villas blanches fin-de-siècle où les gens riches ont cuisinier, majordome, femme de chambre et chauffeur, d'élégants hôtels modern style, sièges d'ambassades, dont les jardins et les grilles sont entretenus avec soin. On a du mal à croire qu'ici, à

39

cet endroit, se trouvait l'enfer par les fenêtres duquel parvenaient les cris et les gémissements des victimes. Ne les entendaient-ils donc pas ces gens riches avec cuisinier, majordome, femme de chambre et chauffeur ? Ne les entendaient-ils donc pas, ces fonctionnaires de consulats et d'ambassades avec leurs jardins soignés et leurs grilles brillantes, surtout ceux de l'ambassade américaine, qui se trouvait juste sur le trottoir d'en face ? Ou bien ils les entendaient et les commentaient avec des grimaces d'ennui ? « My God, ils recommencent. Espérons qu'ils ne dérangeront pas la *party,* ce soir ! » Il est vraiment difficile d'imaginer quel type de bâtiment pouvait bien être ce quartier général de l'ESA. Peut-être un bel immeuble comme celui de la Loubianka à Moscou, ou celui de la police secrète à Madrid, ou bien une caserne semblable à tant d'autres casernes des pays méditerranéens : de vieux murs, des salles d'attente sinistres, des petits fauteuils en simili-cuir à moitié arraché, des cendriers sales, des bureaux nus avec le portrait du tyran sur le mur et un fonctionnaire en sueur derrière une table. Des ongles noirs, des petites moustaches prétentieuses, des visages obtus et mielleux, des petites tasses de café apportées par des petits soldats figés par la peur, oui-mon-commandant, oui-mon-lieutenant, et puis les caves pour les prisonniers, les chambres spéciales pour les interrogatoires. L'une d'elles se trouvait au dernier étage, près de la terrasse, avec le moteur qu'on faisait ronfler pour couvrir les cris et les hurlements. C'est écrit dans les pages que tu rédigeas un mois avant ta mort, et que tu déchiras le jour où tu es arrivé à la terrible page vingt-trois. Tu m'avais interdit de regarder ces pages, mais je les avais ramassées pour découvrir avec déception qu'il ne s'agissait que du compte rendu minutieux de tes premières vingt-quatre heures à l'intérieur de ce bâtiment. Aujourd'hui, par contre, c'est justement ce compte rendu-là qui m'impressionne, l'abondance exacerbée de détails, le fait que bien des années plus tard, tu n'aies rien oublié, ni un nom, ni une phrase, ni un geste, comme si le moindre détail s'était imprimé dans ta mémoire, telle une marque au fer rouge.

L'immeuble, racontes-tu dans ces pages, était en état d'alerte lorsque la voiture a passé le seuil et que Théophiloyannacos t'a dit : « Sois le bienvenu, lieutenant. » Des sentinelles avec leurs mitraillettes braquées, des soldats qui circulaient à droite et à gauche, des ordres brefs et des chuchotements, des questions : qui est cet homme à moitié nu et déchaussé, de quel crime est-il coupable ? On t'a poussé dans un escalier, on t'a fait entrer dans un bureau, on t'a photographié pour les journaux. Cette photo où tu as l'air d'un beau nageur fatigué, les bras pendant le long du corps, la tête penchée sur l'épaule gauche, et ton regard est plein d'une mélancolie à fendre le cœur. Puis, ils ont appelé un médecin pour savoir si ton mutisme était dû à un choc. Le médecin est arrivé et c'était un type étrange. Il avait une tête sympathique, un air malin, une lueur de complicité et d'ironie dans ses petits yeux, il semblait être tombé là par hasard. Feignant la surprise, il a examiné les brûlures de cigarette : « Qui a fait ça ? On t'a pris pour un cendrier ? » Avec une délicatesse presque exagérée, il a étudié tes contusions : « Tu as mal ici ? Et ici ? Et là ? » Puis il t'a demandé si ta tempe rougie te faisait mal, et il a fait semblant de se fâcher parce que tu ne répondais pas à ses questions. Il était clair que tu lui plaisais, qu'il voulait t'aider d'une manière ou d'une autre. Bien qu'il fût habillé comme eux, il te plaisait, mais tu ne pouvais rien faire pour le lui prouver, tu pouvais seulement espérer qu'il restât longtemps. Il est resté. D'ailleurs, très vite Théophiloyannacos a perdu patience : « Alors, docteur, il a subi un choc ou pas ? — Oui, je pense qu'il est traumatisé, mais pour m'en assurer, je devrais l'examiner avec calme dans mon cabinet et procéder à quelques examens. — Mais quels examens, docteur ? Nous sommes dans un bureau de police ici, pas dans un dispensaire ! — Et moi, je suis psychiatre, pas vétérinaire ! — Puisque vous êtes psychiatre, ne voyez-vous pas qu'il fait la sourde oreille, qu'il se moque de vous aussi ? — Non, et je voudrais le soigner. — C'est nous qui allons le soigner, docteur, vous pouvez disposer. » On lui a montré la porte et le voir se diriger vers cette porte, vaincu, fut comme revoir le bateau prendre le large sans t'attendre : attendez-moi, j'arrive, attendez-moi ! Tu aurais voulu lui courir après, t'accrocher à la manche de sa veste, le retenir : emmène-moi, trouve un prétexte pour m'emmener ! Il a semblé deviner. Il s'est arrêté, s'est retourné et t'a lancé un regard qui disait : je sais que tu fais semblant, mais eux ils n'en sont pas sûrs, essaye de tenir. Mais faire semblant servait de moins en moins, car le moment approchait où tu allais devoir les affronter de manière différente, révélant que tu n'étais ni sourd ni muet, et voilà, le moment était arrivé. Ils t'ont emmené dans une autre pièce, il y avait une table et deux chaises, mais aussi un petit lit en fer sans matelas. A côté du lit se trouvaient trois sergents, bras croisés, avec leurs matraques, des matraques si grandes qu'on aurait dit des massues. Eux aussi étaient également très grands et très forts. Tu les as regardés, tu as regardé le petit lit et, pendant un instant, tu n'as pas compris à quoi pouvait bien servir un lit en fer sans matelas. Mais ce fut clair très vite, car deux soldats, sérieux, impassibles, t'ont saisi et, toujours aussi sérieux, impassibles, t'ont allongé dessus, sans prêter attention au gémissement que tu avais laissé échapper au contact de ce sommier défoncé qui te transperçait comme un fil barbelé. Tu t'es mordu les lèvres pour contrôler ton angoisse : allaient-ils commencer tout de suite ou non ? Non, pas tout de suite : un capitaine venait d'entrer dans la pièce en rougissant et toussotant : « On peut entrer, bonjour, je peux... » Avec l'air de ne pas s'apercevoir qu'il se trouvait devant l'absurde spectacle d'un homme à moitié nu, couvert de sang, étendu sur un lit sans matelas, il s'est installé derrière le bureau. Il a ouvert une chemise cartonnée, aligné quelques crayons et commencé à poser des questions qui visiblement s'adressaient à Georges, quel était ton nom, ta date de naissance, à quel régiment avais-tu été affecté, et, étant donné que tu te taisais, il répondait à ta place : « Ah oui, c'est écrit ici, excusez-moi. Classe 1939, j'en connais beaucoup de la 39, tous des braves garçons, j'avais un ami de la 39, on était ensemble, au camp 534. » Tu le fixais en te demandant quel rôle il jouait : était-il là pour remplir un vide ou parce qu'il faisait partie de la cérémonie ? Peut-être était-il envoyé par un quelconque département de psychiatrie, tu entres, tu fais semblant de rien, tu le traites gentiment, tu gagnes sa confiance, peut-être en sortira-t-il quelque chose ? Une chose était certaine : il n'était pas important du tout et on l'avait effrayé à mort : quand la porte s'ouvrit, il se retrouva debout d'un bond, comme si on l'avait piqué. Ou comme si un général était entré. Ce n'était pas un général mais deux types en civil. Ils l'ont poussé de côté, avec un geste lent de la tête, lui ont fait signe de s'en aller, puis ils se sont placés devant le petit lit, agitant un paquet de feuilles en disant d'une voix forte : « Je suis le sous-commissaire Malios, des services anticommunistes de la préfecture centrale. — Je suis le sous-commissaire Babalis, du même bureau. »

Une fois, quand tu étais petit, tu avais vu un film terrifiant. C'était un film de science-fiction dont les héros étaient des hommes-robots, fabriqués d'une manière très spéciale : ils naissaient directement adultes, habillés, avec des chaussures, un chapeau sur la tête, et ils avaient tous le même visage, la même taille, la même façon de marcher ou de se tenir debout sans bouger. Ces deux-là te rappelaient vraiment ce film. A première vue, on les prenait pour des individus quelconques, inoffensifs : traits fades, vêtements gris, chemise et cravate ; mais, en les regardant de plus près, ils faisaient peur. Cette peur venait du fait que même si l'un était grand et l'autre petit, l'un maigre et l'autre gros, l'un avec des moustaches et l'autre sans, ils étaient monstrueusement identiques. Comme une seule et même personne dédoublée. Par exemple, leur manière de se tenir, les jambes écartées et le ventre en avant : identique. Leur manière de te regarder comme si tu t'étais trouvé dans ta chambre ou à l'hôpital : identique. Le ton de leur voix aussi était identique, ils alternaient les répliques selon une synchronisation parfaite. Dès que l'un finissait une phrase, l'autre prononçait la phrase suivante qui complétait le propos, mais la deuxième phrase n'exprimait pas une idée différente : c'était la suite logique ou syntaxique de la précédente, de telle manière qu'en les regardant et en les écoutant, on avait l'impression d'assister à un match de tennis entre deux joueurs qui ne ratent jamais une balle. Toc, toc ! Toc, toc ! Toc, toc ! « Lieutenant, nous avons tous les renseignements qui vous concernent. — Nous avons aussi le dossier de votre frère Alexandre. » Toc, toc ! « Nous savons tout de vous et nous pensons que vous savez tout de nous ! — En effet, les radios étrangères parlent énormément de nous. » Toc, toc ! « Même, elles nous calomnient, elles disent que nous pratiquons des tortures. — Des mensonges, notre système exclut les tortures. » Toc, toc ! « La personne que nous interrogeons, nous l'écrasons avec des faits, avec des preuves rassemblées grâce à notre patience. — A la fin, elle est toujours désarmée par notre bonté. » Toc, toc ! « Certains nous disent : je vide mon sac mais je veux protéger quelqu'un. — Et nous le comprenons, nous acceptons. » Toc, toc ! « Un type nous a dit : J'étais caché chez Untel, mais ne lui faites rien, pour l'amour de Dieu, c'est un père de famille. — Nous ne lui avons rien fait : nous sommes simplement aller le trouver et nous lui avons donné quelques conseils. » Toc, toc ! « C'est beau l'amitié, nous lui avons dit, mais à cause d'elle, tu risques de finir tes jours en prison. — Il s'est jeté à nos pieds et a juré qu'il ne recommencerait plus jamais. » Toc, toc ! « Voilà pourquoi les communistes nous haïssent. — A cause de nos capacités professionnelles, de notre formation idéologique. — Mais nous ne voulons pas vous fatiguer avec nos discours, lieutenant. — Nous voulons simplement vous poser quelques questions. — Par exemple, vous demander l'adresse de la maison où vous étiez caché. — Comme ça, on vous rend vos vêtements et vous pourrez vous habiller. Vous n'allez quand même pas rester plus longtemps tout nu. — Où habitiez-vous lieutenant ? » Toc, toc ! Toc, toc ! Toc, toc !

Tu les suivais des yeux, passant de l'un à l'autre, droite, gauche, droite, gauche, comme si tu étais en train d'assister à un match de tennis. Et comme tu ne te souvenais plus lequel était Malios, lequel était Babalis, ils devenaient de plus en plus l'image dédoublée d'une même personne, avec une seule voix répétée par l'écho. « Où est-ce que vous habitiez, lieutenant ? — Oui, où, lieutenant ? » Il fallait les arrêter, les démonter, les diviser. Il fallait leur répondre, sinon tu allais devenir fou. « Je ne me rappelle pas. — Vous ne vous rappelez pas ? — Non, je ne me rappelle pas. — Lieutenant, vous savez ce que ça veut dire un interrogatoire ? Dans un interrogatoire, tout le monde retrouve la mémoire, nous pouvons vous le garantir. — Je vous dis que je ne me rappelle pas et il n'y a pas d'espoir que ça me revienne. — Peut-être êtes-vous trop tendu, lieutenant. Vous avez besoin d'un cognac, d'un café. — Je n'ai besoin de rien. — Vous n'êtes peut-être pas installé assez confortablement. Voulez-vous vous asseoir sur cette chaise ? — Je suis bien comme ça. — Allez, lieutenant, vous vous conduisez comme un enfant. » Non, ça ne servait à rien. Ils ne se démontaient pas du tout, ils ne rataient pas une balle, même quand tu répondais. Il fallait essayer autre chose. L'insulte, peut-être. Tu as essayé : « Ferme-la, Malios, ferme-la, Babalis. » Cela a marché. Ils se sont dédoublés. Ils ont jeté les feuilles en l'air, ils se sont mis à crier avec des voix distinctes, différentes : « C'est à nous que tu demandes de la fermer, espèce d'assassin ? ! Pourquoi tu ne dis pas : Oui-c'est-moi-qui-ai-fait-le-coup-et-j'en-suis-fier, j'assume-mes-responsabilités ? ! Pourquoi n'agis-tu pas en homme ? — Quel homme ? Tu vois bien que ce n'est pas un homme ! C'est un lâche, il tremble, il a peur ! — Va te faire foutre, Malios. Va te faire foutre, Babalis. C'est toi qui as peur, espèce d'eunuque. Tout le monde le sait que tu es châtré comme un eunuque, Babalis. — Salaud ! » Babalis s'est jeté sur toi et Malios a juste eu le temps d'arrêter son bras : « Non, Babalis. Ça ne sert à rien de perdre son calme. Le lieutenant va être raisonnable. — Raisonnable ? ! Nous, on lui parle gentiment et lui, cet assassin raté, il nous insulte ! — Calme-toi, je te dis ! Bientôt, il ne nous insultera plus. Il n'en aura même plus la force. — D'accord. » Soudain, la porte s'est ouverte et Théophiloyannacos a fait irruption en hurlant : « Vous avez essayé d'être polis et gentils avec lui, pas vrai ? Laissez-le-moi. Innocents, vous n'avez pas encore compris qu'il lui faut un régime spécial ? »

*
* *

Tu disais que dans tout système répressif, dans toute dictature, de droite ou de gauche, d'Orient ou d'Occident, d'hier, d'aujourd'hui, de demain, un bon interrogatoire est construit comme le scénario d'une pièce, avec les personnages qui entrent et qui sortent selon une mise en scène bien réglée et un metteur en scène qui les dirige des coulisses : l'Inquisiteur à qui l'enquête a été confiée. Tu disais que chacun des personnages a son rôle à jouer, mais que tous tendent vers le même objectif : pousser la victime à se confesser. Pour y parvenir, l'Inquisiteur leur laisse carte blanche et attend. Il sait qu'il dispose d'une arme redoutable, le temps, il sait qu'avec le temps, la victime finit par céder. Donc, pour ne pas perdre, la victime doit neutraliser cette arme : réagir en adoptant une contre-offensive qui empêche le déroulement normal de la pièce. Grève de la faim, grève de la soif, agressivité, violence opposée à la violence, pour les pousser à te frapper plus fort, à te faire perdre connaissance : voilà quelques éléments de la contre-offensive. Quand la victime s'évanouit, brisée par les coups et les sévices, ou qu'elle se trouve dans le coma à la suite d'un jeûne, l'interrogatoire est bien sûr suspendu. Cela lui permet de se reposer et d'affronter la reprise des tourments dans de meilleures conditions et avec l'avantage de connaître les répliques, le scénario, le style de la mise en scène. Tu disais aussi que tu ne savais pas tout cela, avant, mais que tu l'avais immédiatement compris quand Malios et Babalis avaient commencé leur monologue à deux voix. C'est justement en les écoutant et en les observant que tu avais pensé qu'ils étaient en train de réciter le texte d'un scénario dirigé depuis les coulisses par un metteur en scène très doué, qu'ils interprétaient les personnages d'une pièce dont le but était de laminer ton esprit déjà troublé par l'intervention du capitaine timide et maladroit. C'est alors que, plus par instinct que par raisonnement, tu avais compris qu'il fallait te défendre en te faisant frapper tout de suite, car, si tu t'évanouissais sous les coups, non seulement ton corps mais aussi ton esprit auraient un peu de repos, et après, tu ne commettrais pas d'erreurs. L'essentiel, c'était de saisir l'occasion. Théophiloyannacos te l'a offerte au moment où il a fait irruption en criant : vous-avez-essayé-d'être-polis-et-gentils-avec-lui-pas-vrai-laissez-le-moi-innocents-vous-n'avez-pas-encore-compris-qu'il-lui-faut-un-régime-spécial ? Puis, se tournant vers toi : « On sait qui tu es ! On n'a pas eu de mal à le découvrir ! Tu es le déserteur qui s'est enfui en Israël, le traître qui s'est échappé du bateau ! Sale pédé ! »

Hop ! Voilà le moment ! Aussi agile qu'un léopard, tu as bondi du lit et, d'un coup de patte, tu lui as saisi un bras, tandis que de l'autre main, tu lui écrasais le visage en rugissant : « Théophiloyannacos, les pédés sont ceux qui portent des uniformes de commandant ! » Et tout de suite il s'est produit ce que tu attendais, voulais qui arrive : comme poussés par un ressort, Malios et Babalis, qui jusque-là s'étaient retenus, ont perdu tout contrôle d'eux-mêmes, les trois sergents avec leurs matraques, oubliant leur immobilité et leur impassibilité, t'ont sauté dessus, tous ensemble, pour libérer Théo-philoyannacos, et ton attaque s'est transformée en une lutte contre six personnes, plus fortes et moins fatiguées que toi. Deux devant, deux derrière, deux sur les côtés, sous une pluie de coups de poing, de coups de matraque, tu glissais, tu tombais, tu te relevais, tu glissais à nouveau, à nouveau tu te relevais, et tu distribuais des coups de pied, de coude, de tête, avec la fureur d'un léopard emprisonné dans un filet mais décidé à le déchirer. La petite table se renversa, une chaise vola en l'air, effleurant le corps de Babalis qui, pris de panique, courut vers la porte appeler du renfort, alors que Théophiloyannacos essayait en vain de l'en empêcher car il ne voulait pas d'autres témoins de son humiliation. Il criait : pas-besoin-de-renforts, mais, déjà, un sous-officier avec une mitraillette était là. C'était pour toi une occasion inespérée. Tu as déchiré le filet et sauté sur la mitraillette, tu l'as saisie à pleines mains, et, malgré la résistance de fer du sous-officier, tu as continué à la tirer vers toi avec une telle obstination que tu ne sentais même pas les coups de matraque qui pleuvaient sur ta tête, tes épaules, tes bras. Tu entendais seulement leurs cris et le bruit des coups lancés à l'aveuglette, à tel point que la matraque s'abattait maintenant sur le front de Malios, et Malios se retournait indigné et donnait au responsable un grand coup de pied que Babalis recevait à la place de celui-ci. Babalis, avec colère, aplatissait une gifle du revers de sa main sur la bouche de Malios, une véritable rixe : tu-m'as-frappé-crétin-imbécile. Puis la dispute s'est élargie aux autres, insensée, grotesque, d'autant plus qu'en se frappant, ils s'exhortaient à ne pas le faire : « Arrête, mais qu'est-ce qui te prend ? ! Ça suffit, arrêtez ! Vous ne voyez pas que vous entrez dans son jeu ? Occupez-vous de lui, plutôt ! » Et toi, tu continuais à t'agripper à la mitraillette du sous-officier ; tu tirais, tu tirais, tu sentais ses doigts qui lâchaient prise, qui cédaient peu à peu, tu allais la lui arracher, tu la lui arrachais, tu la tenais ! Tu l'as braquée sur eux. Et soudain le ciel t'est tombé sur la tête. Un ciel noir, plein d'étoiles. Des milliers de griffes sur ta peau.

Non, malheureusement, tu ne t'étais pas évanoui. Le coup de matraque t'avait seulement étourdi. Tu as soulevé les paupières, regardé autour de toi pour comprendre où tu étais et pourquoi tu ne pouvais plus bouger. Tu étais à nouveau sur le lit. Cette fois, on t'y avait attaché, par les chevilles et les poignets, un sergent était assis sur ta poitrine, un autre sur tes jambes. Penché sur toi, Théophi-loyannacos haletait : « On te réduira en bouillie, charogne. En bouillie ! » Tu l'as regardé dans les yeux. Pouvoir lui cracher à la figure. Avoir un peu de salive pour lui cracher à la figure. Et ta langue a rassemblé les quelques gouttes d'humidité qui pouvaient rester dans ta bouche et les a portées vers tes lèvres, il a compris, et, furieux : « Le bâton ! » Babalis s'est avancé avec le bâton. « Tu vas voir maintenant, mercenaire ! » Le bâton s'est abattu sur la plante de tes pieds Une fois, deux fois, des dizaines de fois. La

« phalange ». La torture appelée la phalange. Que ça faisait mal Quelle douleur intolérable. Pas seulement une douleur, une décharge électrique qui monte des pieds au cerveau, du cerveau passe dans les oreilles, des oreilles redescend dans l'estomac, le ventre, les genoux où vient se concentrer le spasme. Et, pendant ce temps, une voix méthodique répétait : « Prends ça. Et ça. Et ça. Et ça. Et ça. » Et, pendant ce temps, ton esprit qui suppliait : « S'évanouir, mon Dieu, s'évanouir, ne pas crier, s'évanouir. » Mais comment fait-on pour ne pas crier ? Tu t'es mis à crier. Alors quelque chose de pire se produisit. Théophiloyannacos t'a écrasé la bouche pour t'empêcher de crier : la bouche et le nez. Le pouce et l'index serrés sur ton nez et la paume de sa main contre ta bouche. Non, ne pas étouffer, non. Je ne le supporte pas. Donnez-moi tous les coups de bâton que vous voudrez mais ne m'empêchez pas de respirer. Un peu d'air, seulement un peu d'air, je vous en supplie. Mon Dieu, si je pouvais le mordre. Si je pouvais entrouvrir la bouche et lui mordre un doigt. Pendant un instant, il ôterait sa main, pendant un instant, je pourrais respirer. Tu as rassemblé toute l'énergie qui te restait, tu l'as concentrée dans tes mâchoires. Lentement, très lentement, tu as desserré les mâchoires et tu as mordu le petit doigt de sa main droite, très fort, jusqu'à le faire craquer. Un cri sauvage. C'était Théophiloyannacos qui hurlait en retirant sa main ensanglantée, son petit doigt broyé. Ce fut le lynchage. « Vendu, salaud, vendu ! Mercenaire ! Putain ! Vendu ! » Ils criaient tous ensemble, c'était un chœur d'uniformes qui te giflait, qui cognait ta tête contre le lit, qui te frappait sur tout ton corps meurtri incapable de réagir, le sommier de métal s'enfonçait dans ta chair, la souffrance alternait avec une torpeur qui te paralysait. S'évanouir, mon Dieu, fais-moi perdre connaissance, laisse-moi me reposer, mourir pendant un instant, seulement un instant. Et enfin, l'obscurité. Une longue obscurité dans laquelle tu t'es précipité comme dans un gouffre libérateur. Et le silence. Un silence qui bourdonne dans les oreilles comme un bourdonnement de guêpes, alors que la bouche se remplit de sang et que les tempes éclatent, et la conscience se noie dans le soulagement tant désiré de perdre connaissance, de mourir ne serait-ce qu'un instant.

Quand tu as rouvert les yeux, tu n'étais pas seulement attaché par les poignets et les chevilles. Une ceinture t'immobilisait au niveau de l'estomac. Tu ne sentais plus ni tes jambes, ni tes bras, ni ton torse. Tu ne sentais que ton visage, comme si on t'avait décapité et que ta tête détachée continuait à vivre toute seule. Tu t'es passé la langue sur les lèvres. Elles t'ont semblé immenses et tu as pensé qu'elles devaient être atrocement enflées. Tu as tenté d'ouvrir les paupières. Elles sont restées collées et tu as pensé qu'elles aussi devaient être atrocement enflées. Au-delà de ce rideau que formaient tes cils, tu distinguais des silhouettes floues, qui respiraient lourdement. L'une d'entre elles ricanait : « Quelle fatigue ! » Une ombre qui respirait normalement s'est avancée et Théophiloyannacos lui a dit : « Le voici. C'est lui. » L'ombre s'est approchée, s'est pliée sur toi, te couvrant comme un nuage, puis une voix hésitante t'a demandé : « Me reconnais-tu ? » Tu as répondu non, très faiblement. « Menteur ! Vous étiez ensemble à l'école d'officiers, et tu ne le reconnais pas ? » a crié Théophiloyannacos. L'ombre s'est penchée à nouveau. Peut-être avait-il compris que tu n'étais pas Georges, mais il n'avait pas le courage de l'affirmer catégoriquement. « Alors ? » a demandé Théophiloyannacos. L'ombre se taisait en faisant tomber sur toi des gouttes de sueur. « Alors, c'est lui ou c'est pas lui ? » insistait Théophiloyannacos. « Je ne sais pas. On dirait que c'est lui mais il n'est plus le même. Peut-être à cause de tout ce que vous lui avez fait subir. — Bon, revenez demain. » Le lendemain, il est revenu. Et le jour suivant, et le jour d'après aussi. Mais chaque jour il répondait la même chose, car tu devenais chaque jour plus méconnaissable. Ils te massacraient chaque jour davantage. Des officiers, des sergents, des soldats, des fils du peuple autrement dit, ce peuple pour qui on pleure, on souffre, on lutte, en l'absolvant toujours, en le lavant de tout péché parce-que-ce-n'est-pas-de-sa-faute. Cinq ans plus tard lorsque je t'ai accompagné faire des radios pour élucider les troubles qui rendaient ta respiration difficile, le radiologue, sidéré, a soulevé la plaque et s'est exclamé : « Mais qu'est-ce qu'on a fait à cet homme ? Il n'a pas une seule côte intacte ! »

Pas une, en effet. Ils te les avaient toutes cassées à coups de barre de fer. Le pied gauche, ils te l'avaient broyé à coups de bâton, c'est pourquoi tu marchais comme si tu avais une jambe plus courte. Quant aux poignets, ils te les avaient démis à force de te garder pendant des heures pendu au plafond, attaché à une corde jusqu'à ce que les épaules et les bras s'atrophient, que le carpe et le métacarpe se décollent : ton poignet droit était devenu difforme à cause d'une espèce d'œdème calleux qui s'irritait monstrueusement au contact de ta montre. « Je ne peux même pas porter de montre ! » Sur la poitrine, tu avais plein de petits trous dus à des brûlures de cigarette. Tes flancs et ton dos étaient encore marqués par les coups de cravache qu'on t'avait donnés avec un fouet plombé. Tu avais d'autres cicatrices sur les jambes, sur les fesses, sur les testicules. Mais la plus impressionnante était celle que tu avais sur les côtes : séquelle d'un coup porté par Théophiloyannacos, avec un coupe-papier ébréché, pendant que Constantin Papadopoulos, le frère de Papadopoulos, te pointait un revolver sur la tempe. « Je te l'enfonce dans le cœur, je te l'enfonce dans le cœur ! » La chair s'était mal cicatrisée, avec des excroissances qui formaient comme un bas-relief de larmes blanches et qui, au toucher, étaient dures et résistantes comme des grains de riz. Le jour des radiographies, le médecin a passé dessus un doigt incrédule en bredouillant : « C'est inouï, mon Dieu ! » Sans compter les tortures qui ne laissent pas de traces, comme par exemple celle qui consistait à te réveiller dès que tu t'effondrais de sommeil ou à t'empêcher de respirer. Ils avaient compris que l'étouffement était celle que tu tolérais le moins, aussi ils la pratiquaient continuellement. Mais après la morsure au petit doigt de Théophiloyannacos, ils se servaient d'une couverture. Ils te bouchaient le nez et appuyaient sur ta bouche, protégés par la couverture. Enfin, les sévices sexuels. Quels sévices en particulier, tu ne me l'as jamais dit : si je te posais des questions précises, tu pâlissais et tu t'enfermais dans ton silence. Cependant, tu ne faisais pas de mystère autour de celui de l'aiguille dans l'urètre. Ils te déshabillaient, t'attachaient au lit, te palpaient le sexe jusqu'à ce qu'il se dresse et, quand il était dur, ils y enfilaient une aiguille de fer. De la taille d'une aiguille à crochet, à peu près. Parfois, ils la chauffaient avec un briquet et l'effet était alors identique à celui d'un électrochoc. Pour que tu ne meures pas, un médecin avec un stéthoscope assistait à l'opération.

**

Ils ont continué pendant quinze jours. Ils t'ont bombardé de questions auxquelles, même si tu l'avais voulu, tu n'aurais pu répondre, car elles s'adressaient à Georges : « Réponds, lieutenant ! Qui t'a aidé ? Dans quelle caserne as-tu pris les explosifs ? Qui devait profiter de ce complot ? Comment s'appellent tes complices ? Où sont-ils ? Où se trouve ton frère Alexandre ? Quand l'as-tu vu pour la dernière fois ? Dans quelle maison t'es-tu caché après t'être enfui du bateau ? Qui t'a ouvert le hublot ? » Et toi, tu n'as rien dit. Tu n'ouvrais la bouche que pour geindre ou crier. Puis, le quinzième jour est arrivé un homme vêtu d'un complet bleu, avec une chemise blanche et une cravate bleue. Il avait des mains très soignées, avec des ongles brillants qui semblaient couverts d'une mince couche d'émail, c'est la première chose que tu as remarquée, parce que ses mains tenaient un dossier où était écrit le nom de Georges et les mots « Secret absolu ». Ce n'est que plus tard que tu as regardé son visage, car tu n'arrivais pas à détacher tes yeux de ce dossier, et c'était un visage à l'image des mains : bien rasé, bien massé. Les traits étaient nets et sévères : un front haut, un nez long, une bouche fine. Les yeux étaient décidés et perçants derrière des verres épais. Il t'a examiné un instant en gardant ses distances, comme si tu étais un objet et non une personne. Il a feuilleté ses papiers en silence. Enfin, ses lèvres se sont animées et il a dit d'une voix glaciale : « Je suis le colonel Hazizikis, commandant de l'ESA. Parlons un peu, Alexandre. Tu te sens mieux, Alexandre ? Ou dois-je t'appeler Alekos ? »

*
* *

« Le véritable Inquisiteur ne frappe pas. Il parle, il intimide, il surprend. Le véritable Inquisiteur sait que la qualité d'un bon interrogatoire ne réside pas dans les tortures physiques mais dans les sévices psychologiques qui viennent après. Il sait qu'une fois le corps réduit à un paquet de plaies, l'interrogé sera heureux de se réfugier auprès de quelqu'un qui ne le tourmente qu'avec des paroles. Il sait qu'après tant de souffrances, rien ne peut plier sa résistance physique et morale, mieux que l'annonce tranquille de souffrances futures. Le véritable Inquisiteur ne se montre jamais avec les personnages de cette comédie qui a nom Interrogatoire : pour se révéler, il attend que le rideau soit tombé sur le premier acte. Ce n'est qu'alors, comme un metteur en scène qui coordonne le travail de sa troupe, qu'il intervient en graduant patiemment les questions, en étudiant les réponses avec intelligence, en acceptant poliment les silences. Les révélations extraordinaires ou immédiates ne l'intéressent pas. Il cherche plutôt les petites informations nécessaires à la mosaïque qui lui permettra de repérer les points vulnérables de sa victime, afin de provoquer chez elle un sentiment de doute et de peur et, à la fin, la reddition complète. C'est pour cela que lorsque l'Inquisiteur se présente, il ne faut pas seulement refuser de répondre. Il faut aussi refuser tout dialogue, quel qu'il soit, et garder son esprit en alerte. Naturellement, c'est difficile : les tortures physiques amoindrissent le fonctionnement du cerveau. Mais il est nécessaire de faire cet effort, si l'on veut comprendre où en est l'enquête, ce qu'ils ont découvert et ce qu'ils n'ont pas découvert. Les yeux et les oreilles ouverts, donc. Et de la mémoire, de l'imagination, car l'Inquisiteur, lui, n'a pas d'imagination : c'est un individu qui conçoit le pouvoir comme un phénomène extérieur, un ensemble de moyens pour maintenir le statu quo, sans se perdre dans aucune problématique. Ce n'est pas qu'il soit bête, un orgueilleux assoiffé de gloire : souvent, il n'est même pas poussé par l'ambition personnelle, il se contente d'être un inconnu avec une parcelle d'autorité, c'est-à-dire de se trouver dans l'antichambre du Pouvoir. Ce n'est pas qu'il soit forcément méchant ou corrompu : souvent, ce qui le motive, c'est une haine sincère du désordre et un amour sincère de l'Ordre. Mais le pouvoir totalitaire oppresseur est son véritable dieu ; son modèle d'ordre, c'est la symétrie des croix d'un cimetière. Il se situe lui-même dans ce type de symétrie, sans discuter : il ne peut rien imaginer de nouveau ou de différent. La nouveauté et la diversité l'effraient. Il a la dévotion d'un prêtre pour les systèmes déjà rodés, il divinise les règlements et s'y soumet, tout comme il obéit aux règles banales de l'élégance : complet bleu, chemise blanche, cravate bleue. Le véritable Inquisiteur est un homme lugubre. Philosophiquement, c'est le vrai fasciste, c'est-à-dire un fasciste sans couleur, qui sert tous les fascismes, tous les totalitarismes, tous les régimes, pourvu qu'ils servent à mettre les hommes en rang comme les croix dans les cimetières. Tu le trouves partout où règne une idéologie, un principe absolu, une doctrine qui interdit à l'individu d'être lui-même. Il a des bureaux dans chaque région de la terre, des chapitres entiers dans chaque volume d'histoire, hier, il était au service des tribunaux de l'Inquisition catholique et du Troisième Reich, aujourd'hui, de celui de la chasse aux sorcières des tyrannies orientales et occidentales, de droite et de gauche. Il est éternel, omniprésent, immortel. Et jamais humain. Peut-être lui arrive-t-il de tomber amoureux, peut-être parfois pleure-t-il et souffre-t-il comme nous, peut-être a-t-il une âme. Mais, s'il en a une, elle gît dans une tombe si profonde que, pour l'atteindre, il faudrait un bulldozer. Si on ne comprend pas cela, on ne peut lui tenir tête, et lui résister ne devient qu'un acte d'orgueil. Entendons-nous bien ; l'orgueil est légitime et même juste. Mais, isolé, il devient une erreur politique : tenir tête durant un interrogatoire ne signifie pas seulement faire preuve d'un héroïsme digne de saint Sébastien ou des martyrs du Colisée, cela signifie aussi humilier l'Inquisiteur au niveau professionnel et mental, l'amener à douter de lui-même et du système qu'il représente, venger tous ceux qu'il a écrasés par sa férocité habillée de belles manières. »

C'est un petit essai que tu as écrit pour ton livre, bien des années plus tard, quand ta fable touchait à sa fin, et c'est la rationalisation de ta haine envers Hazizikis : le seul tortionnaire à qui tu as toujours refusé de pardonner. Une haine sourde, douloureuse, entêtée. Une haine qui avait explosé à l'instant même où il avait prononcé ton nom, prouvant qu'il savait qui tu étais. « Tu te sens mieux, Alexandre ? Ou dois-je t'appeler Alekos ? » Tu étais resté immobile à le regarder, incapable de répondre oui ou non. Tu aurais payé cher pour répondre oui ou non. Mais les mots ne sortaient pas de ta bouche, comme si on t'avait coupé la langue. Ce n'était pas le fait d'avoir été reconnu qui te rendait muet, ni la conscience de ce que cela signifiait : l'arrestation de Nikos et des autres, l'implication de Gheorgazis, le scandale qui allait en découler car, s'ils avaient été capables de découvrir en quelques jours ton identité, ils risquaient de découvrir tout aussi rapidement l'identité de celui qui t'avait donné les explosifs et la manière dont ces derniers étaient arrivés à Athènes. C'était son assurance arrogante, sa condescendance méprisante, le détachement avec lequel il te traitait. Théophiloyannacos et son équipe étaient humains, dans leur bestialité : si humains qu'ils avaient peur de toi et qu'ils se fâchaient. Lui, au contraire, ne se fâchait pas, n'avait pas peur de toi : il restait assis derrière le bureau, avec ses belles mains et son complet impeccable, il enlevait tranquillement ses lunettes, les nettoyait, examinait les verres, les remettait en toussotant, se comportait, en somme, comme s'il ne courait aucun risque. D'ailleurs, il n'avait voulu personne autour de lui pour te surveiller. Il avait ordonné qu'on t'enlève les menottes, il t'avait offert une chaise et, maintenant, il recommençait à discuter du ton de quelqu'un qui bavarde à la table d'un café et non de celui qui interroge à la centrale de l'ESA. « Tu te tais ? Se taire est une façon d'accepter. Donc, tu te sens bien. Je m'en réjouis, parce qu'il vaut mieux que quelqu'un se sente bien dans la famille. Ton père a eu une attaque, quand il a su, et ta mère a failli devenir folle. Elle nous en a raconté des choses, quand nous sommes allés fouiller la maison ! Elle ne voulait pas qu'on éventre un fauteuil, elle s'indignait parce qu'on confisquait des photographies de son album et qu'on voulait savoir d'où venait une certaine petite liasse de billets. Des cris, des hurlements, des insultes. On a dû l'arrêter. Ton père aussi, tu comprends. Franchement, c'est toujours un peu désagréable d'arrêter deux vieillards, mais je n'avais pas le choix. Ils sont gardés au poste de commandement. Il faudra qu'ils y restent un moment. Disons quelques mois. En définitive, tu as créé un tas d'ennuis à un tas de gens. S'il n'y avait ni frontières ni immunité diplomatique, on pourrait remplir toutes nos prisons. Mais tout ça, ça ne t'intéresse pas, toi, n'est-ce pas ? » Un son rauque : « Non. Bon, c'est ton droit. Si je ne me trompe pas, le bon révolutionnaire n'a pas de sentiment ou ne s'autorise pas à en avoir. Il est prêt à sacrifier son père et sa mère, ses amis, n'importe qui. Ça ne lui coûte rien ; ça lui est égal. Il n'a pas de cœur. Tu en as un, toi ? — Non. — C'est ce que je craignais. Mais je vois que tes lèvres sont sèches, que tu articules avec difficulté. Tu veux un verre d'eau ? — Oui. — Très bien » Il a pressé un bouton et Babalis, déférent, libéré de son double, est entré : « Oui, mon commandant. — Notre ami voudrait un verre d'eau. Il a les lèvres sèches. » Puis il s'est adressé de nouveau à toi : « Alors, où en était-on ? Ah, oui, au cœur. Tu n'es pas marié, n'est-ce pas ? Tu n'as même pas une petite amie attitrée ? Une aventure de temps en temps, quand ça se présente, quand tu as le temps, mais pas de vraie liaison. Pas d'amour. Ton seul amour, c'est la politique. Je parie que tu n'as jamais été amoureux. Mais je peux comprendre ça : un bon révolutionnaire ne doit pas se laisser distraire par de pareilles bêtises. Ou bien mes informations sont-elles inexactes, je me trompe, tu as une petite amie ? » Un autre son rauque : « Et toi, Hazizikis ? — Non, moi non plus. Je ne suis pas marié, comme toi ; je ne suis pas amoureux, comme toi. On a quelque chose en commun tous les deux. On finira par se comprendre. Mais voici l'eau. » Babalis était revenu avec le verre d'eau et tout s'est passé avant qu'ils ne se rendent compte de quoi que ce soit. Ils n'ont pas vu tout de suite que tu ne buvais pas. Ils ont entendu l'éclat, ils ont senti qu'ils étaient mouillés, et tu étais déjà sur le bureau de Hazizikis pour lui trancher la gorge. Il eut tout juste le temps de t'éviter en se penchant de côté. Pas Babalis. Entre toi et Babalis, il n'y avait pas trop d'obstacles et l'atteindre fut facile, même si ce n'était que pour le neutraliser un court instant, car ton objectif était Hazizikis : c'était pour lui que tu avais accepté l'eau et c'était sur lui que tu te dirigeais à nouveau avec le verre, tremblant de colère, à cause du calme imperturbable avec lequel il s'était esquivé. Mais il est resté de glace. Il n'a pas même changé d'expression. Il s'est borné à appuyer sur la sonnette pour appeler des renforts et jouir du spectacle qui allait suivre. Parmi ces renforts, il y avait les trois sergents qui se trouvaient à côté du petit lit le premier jour. Ils te sont tombés dessus pour bloquer ton bras qui brandissait le verre, et tu as engagé la bataille avec eux pendant que Babalis criait : « Tenez-le bien, tenez-le ! » Ce fut une longue bataille car, même immobilisé, tu ne lâchais pas le verre, tu le serrais comme les joueurs de rugby serrent le ballon contre leur poitrine, sans prendre garde à tes doigts qui saignaient et quand ils ont réussi à t'ouvrir la main, le petit doigt de ta main droite était presque détaché, le tendon était sectionné. « Bien, je vois qu'aujourd'hui on ne peut pas discuter », dit Hazizikis avec sa voix habituelle, puis il t'a laissé à Babalis qui t'a attaché les bras derrière le dos, puis il t'a fait recoudre le doigt en interdisant au médecin de t'anesthésier. Une semaine plus tard, il a réapparu, avec son complet bleu, sa cravate bleue, sa chemise blanche, et ses mains bien soignées et : « Comment va ton doigt ? On m'a dit que tu as été courageux, que tu as refusé l'anesthésie. Je te félicite. A propos, ce n'est pas toi qui d'un coup de dents as coupé en deux le petit doigt du commandant Théophiloyannacos ? Maintenant, vous vous promenez tous les deux avec un pansement au même petit doigt, si je ne me trompe. Comme disent les musulmans, œil pour œil, et petit doigt pour petit doigt. Bien, parlons maintenant. »

*
* *

Il disait toujours ça : « Bien, parlons maintenant. » Il l'a répété pendant deux mois et demi. En effet, pendant deux mois et demi, sans relâche ils ont continué à te tourmenter corps et âme. Le corps pour Théophiloyannacos, l'âme pour Hazizikis. Mais tu n'as jamais parlé. Tu n'ouvrais la bouche que pour les insulter, les exaspérer, ou pour dire : « Oui, c'est moi. J'ai échoué et je le regrette. Si je ne meurs pas, je recommencerai. » Les autres ont parlé. Un par un, ils les avaient tous arrêtés. Il ne se passait pas un jour où on ne t'amenait celui-ci ou celui-là pour te pousser à parler, te faire comprendre que ta résistance était inutile et le visage tuméfié, vidé de toute volonté, ces hommes te disaient : « Arrête, Alekos, ça ne sert à rien. On n'a pas tenu le coup, on a tout dit. » Et toi, attaché au petit lit ou pendu au plafond, tu répondais : « Qui c'est celui-là ? Qu'est-ce qu'il veut ? Je ne le connais pas ! » Fin septembre, en se servant de ce que les autres leur avaient déclaré, Hazizikis et Théophiloyannacos ont préparé une confession et t'ont demandé de la signer. Une signature, rien qu'une signature, et plus personne ne t'aurait tourmenté. Tu as refusé. Ils t'ont torturé à nouveau : une séance de phalange, au cours de laquelle ils t'ont demandé de signer. Tu as refusé de nouveau. Ils t'ont fouetté avec la cravache plombée et, après t'avoir fouetté avec la cravache plombée, ils ont tenté à nouveau de te faire signer. Tu as encore refusé. Tu as toujours refusé. Tu serais mort sous la torture si, une nuit, le brigadier général Joannidis, chef suprême de l'ESA, ne s'était présenté. C'était par une nuit froide. Ce mois d'octobre-là, il faisait froid à Athènes, et tu gisais nu sur le petit lit où, comme d'habitude, ils t'avaient attaché par les chevilles et les poignets. Un filet de sang coulait de ta bouche parce qu'ils t'avaient cassé une autre dent à force de coups de poing. Ton visage était un masque blanc car depuis plusieurs semaines tu ne dormais plus et depuis plusieurs jours, tu ne mangeais plus. Tu respirais difficilement, avec un râle au fond de la gorge et, malgré cela, Théophiloyannacos hurlait : « De toute façon, que tu parles ou non, que tu signes ou non, on

dira que tu as parlé ! Que tu signes ou non, on dira que tu as signé ! »
La porte s'est ouverte toute grande et Joannidis est entré de son pas
martial. La poitrine en avant, les mains derrière le dos, il s'est arrêté
à côté du petit lit. Tu l'as reconnu immédiatement, tu savais qui il
était : non seulement le chef suprême de l'ESA, mais l'homme le
plus fort de la Grèce, si fort que même Papadopoulos le craignait.
Taciturne, revêche, bourru avec tout le monde, il inspirait terreur à
tous, et bien qu'il ne fît rien pour se faire remarquer, qu'il restât
même dans l'ombre, tout le monde connaissait sa dureté, son
incorruptibilité, sa détermination. On disait que s'il l'avait estimé
nécessaire, il aurait fusillé sa mère et détruit son jardin de roses, le
seul amour qu'il se permît. On disait aussi qu'il méprisait ouvertement le tyran, que ce n'était qu'à contrecœur et par principe qu'il
avait participé au coup d'Etat, putsch qui aurait d'ailleurs été
impossible sans sa participation. Huit ans plus tard, quand l'ironie
du sort et la comédie de la vie l'auraient mis à ta place, c'est-à-dire
derrière les barreaux, je me rendrais compte avec ébahissement que
tu le respectais, comme un adversaire plutôt qu'un ennemi, et que
pour cette raison, tu n'arrivais pas à le haïr. Ton incapacité à le haïr
était-elle née cette nuit-là ? A cause des paroles qu'il avait pronon-
cées devant Théophiloyannacos ? Le visage immobile et les yeux
bleus et froids rivés aux tiens, Joannidis est resté un instant
silencieux. Puis, d'un geste, il a repoussé Théophiloyannacos et lui a
dit : « Ça suffit. Ne le touchez plus. C'est inutile d'insister, il ne
parlera pas. Ça arrive une fois sur cent mille qu'un type ne parle pas.
C'est son cas. » Puis il a allongé une main vers toi, et, raide dans sa
stature imposante, sans faire bouger un seul muscle de son visage
méchant, il t'a attrapé la moustache et a tiré lentement : « Je te
fusillerai, Panagoulis. » Dix-neuf jours plus tard, novembre était
arrivé avec les vents du nord : le Procès allait commencer.

CHAPITRE II

La salle était petite et sentait mauvais car elle communiquait avec
un couloir où s'alignaient des toilettes bouchées. Sur le mur
principal trônait une icône représentant une Vierge à l'Enfant, qui
semblait bénir les victimes de cette mauvaise odeur. Sous l'icône,
siégaient les juges de la cour martiale, tous choisis parmi les officiers
fidèles au régime, étouffant dans leurs uniformes vert bouteille
ornés de boutons dorés et d'écussons rouges. A la gauche des juges,
se tenait un magistrat chauve, au visage gras et huileux dont la
présence aurait pu rendre nul ce procès puisqu'il n'était pas
militaire : le représentant du ministère public, Liappis. A droite, le
box des accusés : quatorze personnes et toi. Perpendiculaire au box
et faisant face à la cour, la table des défenseurs commis à la dernière
minute, et sans que leur soient communiquées les pièces de
l'instruction. Transis de froid et de peur, pelotonnés dans leurs toges
noires, ils faisaient penser à de petits oiseaux en équilibre sur un fil
électrique. L'un d'eux piaillait : « Il faut ajourner ce procès ! Il faut
ajourner ce procès ! » Derrière eux, la table des journalistes, admis
au compte-gouttes et avec mille interdictions : pas de magnétopho-
nes pour les représentants de la radio, pas de caméras pour ceux de
la télévision, pas d'appareils photo, sauf dérogation spéciale du
président. Enfin, l'enceinte du public. Pour y accéder, il fallait
passer une sorte d'examen : la famille et les amis des accusés ne
pouvaient pas assister au procès. Tu entras dans un silence de
pierre. Tu marchais la tête haute, les menottes aux poignets,
encadré par deux policiers. Avec eux tu rejoignis le premier rang,
juste à côté de la balustrade du box, et ce n'est que là qu'ils
t'enlevèrent les menottes. Mais sans relâcher tes bras. Tu portais un
uniforme de soldat, beaucoup trop grand pour toi et choisi exprès
pour te ridiculiser. Deux heures avant ils t'avaient roué de coups
parce que tu ne voulais pas l'enfiler, et que tu exigeais une tenue

civile comme les quatorze autres. Ils te l'avaient mis de force en ricanant, disant qu'il t'allait vraiment bien, surtout le col et les épaules. Ton cou nageait dans l'uniforme, tes épaules s'y noyaient. Tu avais beaucoup maigri en trois mois, tu avais perdu vingt kilos par rapport à ton poids normal ; on le voyait à tes traits usés, à tes pommettes à fleur de peau. Un membre de la famille qui avait réussi à pénétrer te cherchait en vain dans la cage et murmurait : « Je ne le vois pas, il n'est pas là, quand viendra-t-il ? » Mais tes yeux étaient deux braises ardentes, deux flaques de vie et tu souriais avec tant de fierté et d'heureuse insolence, que les gens avaient du mal à te plaindre. Les gens d'ailleurs ne te connaissaient pas, l'écho de ton calvaire n'avait jamais franchi l'enceinte de l'ESA. Tout ce que les gens savaient de toi n'allait pas au-delà d'un portrait de mercenaire obscur, de malfaiteur de droit commun n'ayant agi que pour empocher un peu d'argent. En somme, les informations qui avaient été fournies par la presse du régime ; tous ces vils scribouillards qui dans les périodes de démocratie donnent des leçons de courage et de liberté mais qui, dès qu'une dictature s'instaure, s'empressent de coucher avec elle comme des putains qui pour la servir calomnient ceux-là mêmes qu'ils avaient exaltés avant-hier, et font l'éloge de ceux-là mêmes qu'ils avaient condamnés hier. C'est ainsi que nous avons pu lire des reportages complaisants sur les manifestations « océaniques » pour Mussolini sur la Piazza Venezia, de belles phrases sur les vertus sportives de Mao Tsé-toung qui, à soixante-quatorze ans, nageait encore dans les eaux du Yang-tseu-kiang. Et, quand la peur est passée, la démocratie revenue, ils recommencent comme devant, sans la moindre sanction, car on a autant besoin d'eux que de cordonniers ou de croque-morts. Sans eux, que feraient les nouveaux patrons ? Sans eux, comment s'en tireraient-ils, les mandarins du pouvoir, comment pourraient-ils donner des ordres, faire des promesses, intimider ? Huit ans plus tard, une fois mort, ils te porteraient aux nues, ils écriraient sur leurs journaux « athanatos, immortel, athanatos ». Maintenant, ils t'insultaient, au contraire, sachant bien que tu n'avais pas de parti, pas d'idéologie organisée, pas de religion reconnue pour te protéger.

Ils ont lu le chef d'accusation : atteinte à la sûreté de l'Etat, désertion, tentative d'assassinat du chef de l'Etat, détention d'explosifs et d'armes. Tu écoutais sans sourciller, sans renoncer à ton sourire. Tout était vrai et tu n'avais pas l'intention de nier. Mais après, ils ont déclaré que tu avais reconnu les faits et signé un document, où tu dénonçais tes complices, et c'est alors que même les plus aveugles purent voir qui tu étais car ils te virent te dégager de l'étreinte des deux policiers, te lever d'un bond, pointer l'index vers les juges : « Menteurs ! Ma signature ne figure pas sur le procès-verbal, et vous le savez bien ! Tout document portant ma signature est un faux de Hazizikis et Théophiloyannacos, et vous le savez bien, valets de la tyrannie. — Accusé, taisez-vous — Qui doit se taire ? Accusé par qui ? Par vous ? Vous, vous osez m'accuser ? Mais c'est moi qui vous accuse, qui vous dénonce, qui vous condamne pour vos mensonges et vos tortures ! » Tu as essayé d'ouvrir ta chemise pour montrer au moins les cicatrices sur ta poitrine, les coups de poignard de Théophiloyannacos sur ton flanc. « Accusé, on ne se déshabille pas dans la salle ! — On se déshabille s'il le faut, pour fournir des preuves ! — Quelles preuves ? — Les preuves des sévices que j'ai subis pendant l'interrogatoire ! Coups de poignard, de bâton, de matraque, de fouet plombé ! — Tais-toi ! — Brûlures de cigarettes sur les testicules ! Phalange ! — Tais-toi ! — Aiguilles dans l'urètre, tortures sexuelles ! — Tais-toi ! Accusé, tais-toi ! — Etouffements, coups de pied, gifles ! Même avant d'entrer dans cette salle, j'ai été frappé ! Et depuis quatre-vingt-dix jours, quatre-vingt-dix, on ne m'enlève pas les menottes ! Même pas pour dormir, même pas pour uriner ! Je demande, j'exige qu'un médecin m'examine dans cette salle et confirme la véracité de ce que je dis ! Je demande qu'une enquête soit ouverte sur les commandants Hazizikis et Théophiloyannacos, pour faux. Je demande que ces deux-là, que les sous-commissaires Babalis et Malios, que Costas Papadopoulos, frère de votre président, qu'un certain nombre d'officiers de l'ESA dont je me réserve de donner les noms, soient poursuivis pour tortures. Je demande... — Accusé, ces faits ne concernent pas le procès ! — S'ils ne concernent pas le procès, messieurs de la cour, j'ai doublement raison de vous appeler valets du régime. » Ils t'ont condamné, séance tenante, à deux ans de prison pour injure à la cour et aux autorités.

Le procès a duré cinq jours, c'était une véritable farce juridique. Témoins, enquêteurs et tortionnaires étaient les mêmes personnes : ils se succédaient rapidement, confirmaient les procès-verbaux, et les avocats n'osaient même pas les contester. Pour ta défense, on n'avait convoqué que deux ou trois personnes qui avaient été menacées avant leur déposition, si bien qu'à la barre, ils dirent tout ce que Liappis voulait. Par crainte de mécontenter le tyran, celui-ci exagérait son rôle et chacune de ses interventions visait à te discréditer, soutenant que tu étais un mercenaire à la solde de l'étranger, en particulier de Polycarpos Gheorgazis, et encore que tu étais un bandit, un aventurier, un querelleur détesté par tous. Pour le prouver, il se référait aux aveux dont tu avais nié l'authenticité, ce que ton avocat persistait vainement à signaler à la cour. Ton défenseur ne pouvait pas communiquer avec toi, ils ne l'autorisaient à t'approcher que durant l'audience et pour quelques minutes alors que les deux policiers à tes côtés écoutaient, faisaient des commentaires, vous dérangeaient. Bientôt, d'ailleurs, en plus de ces deux-là, est arrivé un troisième qui s'est installé derrière toi et ne te laissait pas parler. Pourtant, jamais tu n'as renoncé à l'attitude que tu t'étais fixée, et il y avait toujours un moment où tu réussissais à te lever pour protester, démasquer, révéler les mensonges, provoquant la stupeur et presque l'admiration des juges : avait-on jamais vu un homme qui risque la peine de mort se transformer en accusateur avec tant de fermeté, de lucidité ? Etait-il fou ou suicidaire ? Ne comprenait-il pas qu'il demandait sa propre condamnation ? Tu le comprenais, bien sûr, tu savais très bien qu'en agissant ainsi tu jouais ta propre vie, tu la jetais sur le bureau des juges, comme un jeton sur une table de roulette : « Rouge ou noir et rien ne va plus. » Mais tu ne jouais pas à l'aveuglette, tu jouais scientifiquement, en calculant avec précision et détachement les conséquences de chaque geste, de chaque phrase, dosant chaque bravade avec courage et logique, flair et astuce : en joueur expérimenté qui ne s'assied pas à une table de roulette pour gagner des broutilles. Tu me raconteras cela des années plus tard. « D'accord, me diras-tu, je n'avais qu'une toute petite chance de m'en tirer, une chance sur cent de n'être pas fusillé, mais c'était justement pour cela que je devais jouer gros, et adopter une stratégie qui surprenne les accusateurs, qui sème le doute en eux : il-est-si-sûr-de-lui-et-s'il-avait-raison ? » Ainsi, chaque jour tu étais plus décidé, plus agressif, tu te dressais avec plus de fierté, pendant que les autres accusés s'humiliaient en niant, en se justifiant, en allant jusqu'à s'accuser mutuellement ou à rejeter toute la responsabilité sur toi. Et l'espoir de gagner cette unique chance sur cent grandissait, grandissait.

Puis le jour est venu de ton plaidoyer et du réquisitoire de Liappis, et quelque chose est arrivé que tu n'avais pas prévu : tu es tombé amoureux de la mort. Continuer ce jeu, pourquoi ? Pour te laisser infliger ce que tu pouvais revendiquer avec orgueil, et pour jouer le rôle de la victime ? Il faut toujours refuser ce rôle de victime, on n'obtient jamais rien à jouer les victimes, et voilà l'occasion attendue, l'occasion de montrer à la face du monde qui tu étais et ce en quoi tu croyais. La presse du régime n'en tiendrait pas compte, bien sûr, mais les journalistes étrangers, oui. Ils n'avaient pas à obéir, eux ; ils pouvaient dire toute la vérité sur cet homme qui vivait et mourait en homme, sans plier, sans craindre, sans se résigner, en prêchant le seul bien possible, le seul bien véritablement important : la liberté. Et peut-être y aurait-il quelqu'un entre les autres pour oser le dire. Un juge, un avocat, un policier repenti. Et alors, beaucoup de gens le sauraient. Et une fois mort, ils t'aimeraient. Et peut-être t'imiteraient. Et tu ne serais plus seul. « Accusé, levez-vous ! » Le président t'a appelé. Suivant la procédure, l'accusé devait parler avant le procureur. Les trois policiers ont relâché leur étreinte. Tu t'es levé. Tu as regardé les juges bien en face, un à un. Et ta voix s'est élevée, ferme, claire. Très belle.

*
* *

« Messieurs de la cour martiale, je serai bref. Je ne vous ennuierai pas. Je ne m'attarderai même pas sur l'ignoble interrogatoire que j'ai subi : ce que j'ai déjà dit suffit. Avant d'examiner les accusations qui sont portées contre moi, je voudrais insister sur un autre aspect de l'instruction qui me concerne : votre tentative de fonder l'accusation sur des preuves falsifiées, des contre-vérités, des témoignages fabriqués ou imposés aux témoins des deux parties. Ce plaidoyer ne veut pas être ma propre défense, et elle ne le sera pas. Elle se veut plutôt un réquisitoire, et elle le sera : en partant justement du faux document que l'on m'attribue, véritable fil conducteur de tout ce procès. Un document important, à mon avis, parce qu'il est caractéristique de tous les procès qui se déroulent dans les pays où la loi et la liberté sont étouffées. Non, vous n'êtes pas seuls dans cette ignominie. Il est certain qu'au moment même où je vous parle, des patriotes, dans d'autres pays sans loi ni liberté, sont jugés par une cour martiale aux ordres d'un régime dictatorial et condamnés sur la base de fausses preuves, d'éléments faux, de témoignages fabriqués ou imposés aux témoins, de confessions semblables à celle que je n'ai ni faite, ni signée : elle ne comporte pas ma signature mais celle de deux tortionnaires, qui s'appellent Hazizikis et Théophiloyannacos. Des tortionnaires qui, en outre, n'ont aucun respect de la grammaire. Cette nuit, j'ai enfin pu lire ces pages et il me serait difficile de dire ce qui m'a le plus horrifié, des mensonges ou des bourdes grammaticales qu'elles contiennent. Si je les avais lues avant, je vous assure que même dans le coma, j'aurais suggéré aux deux tortionnaires quelques corrections. Hélas ! De quels analphabètes ce régime s'entoure-t-il ! On dirait que l'ignorance et la cruauté vont de pair. Eh bien, messieurs de la cour martiale, vous savez pertinemment qu'il est inacceptable de se servir d'un faux document, aussi bien du point de vue moral que légal. Or, parce que ce procès repose sur un tel document, j'aurais été en droit de demander son annulation. Je ne l'ai pas fait, je ne voulais pas vous laisser croire que j'avais peur d'affronter vos accusations. Il est évident que ces accusations je les accepte. Je ne les ai d'ailleurs jamais niées. Ni pendant l'interrogatoire, ni devant vous. Je le répète avec fierté : oui, j'ai placé les explosifs ; oui j'ai fait sauter les deux mines et cela pour tuer celui que vous nommez président. Je ne regrette qu'une chose, c'est de ne pas avoir réussi à le tuer. Depuis trois mois, c'est là ma plus grande douleur, depuis trois mois, je me demande péniblement quelle erreur j'ai pu commettre et je donnerais mon âme pour pouvoir revenir en arrière et accomplir ma mission. Ce n'est donc pas l'accusation en elle-même qui provoque mon indignation : c'est le fait qu'avec ces pages on essaye de me couvrir de boue, en prétendant que j'aurais accusé les autres inculpés, que j'aurais donné les noms qui ont été cités dans cette salle. Par exemple, celui du ministre chypriote Polycarpos Gheorgazis. C'est là que réside l'infamie, et, comme il est de règle, pour me nuire encore davantage, mes accusateurs ont même insinué que j'avais un casier judiciaire chargé, que j'avais été un voyou dans ma jeunesse, puis un malfaiteur, un voleur et un mercenaire. L'extrait de mon casier judiciaire est devant vous, messieurs de la cour martiale, et vous pouvez vérifier que jamais je n'ai été ni voyou, ni malfaiteur, ni mercenaire. J'ai toujours lutté et je lutte toujours pour une Grèce meilleure, des lendemains meilleurs, une société qui ait foi en l'homme. Si je suis ici aujourd'hui, c'est parce que je crois en l'Homme. Et croire en l'Homme signifie croire en sa liberté. Liberté de pensée, de parole, de critique, d'opposition : tout ce que le coup d'État fasciste de Papadopoulos a balayé il y a un an. A présent, j'en viens à la première accusation dont je fais l'objet.

« La première accusation que l'on porte contre moi, première également par son importance, c'est l'atteinte à la sûreté de l'Etat : article 509 du Code pénal. Et n'est-il pas paradoxal que les accusateurs soient justement ceux qui le 21 avril 1967 ont violé ce même article 509 ? Qui donc devrait se trouver dans ce box ? Moi ou eux ? N'importe quel citoyen pourvu d'un peu de cervelle et de couilles vous répondrait : eux. Et il ajouterait ce que je vais vous dire à présent : en devenant un hors-la-loi, en refusant de reconnaître l'autorité du tyran, j'ai respecté et non violé l'article 509. Mais je ne me fais aucune illusion et je ne pense pas que vous acceptiez de me suivre sur ce terrain, car si le coup d'Etat avait échoué, vous aussi vous seriez dans ce box, messieurs de la cour : et pas seulement les chefs de la Junte. Je n'insiste donc pas sur cela et je passe immédiatement au deuxième chef d'accusation : la désertion. C'est vrai, je suis un déserteur. Quelques jours après le coup d'Etat, j'ai abandonné mon unité et je suis parti à l'étranger avec un faux passeport. J'aurais dû le faire le jour même du coup d'Etat, sans attendre. Mais j'ai des circonstances atténuantes : le jour du coup d'Etat, la situation avec la Turquie était particulièrement tendue et si la guerre avait éclaté, mon devoir de citoyen grec aurait été de me battre et non de déserter. Mais comme la guerre n'a pas éclaté, je me suis dépêché de remplir mon autre devoir : déserter. Messieurs de la cour, c'est servir dans l'armée d'une dictature qui est la véritable trahison. J'ai donc choisi la désertion et je suis fier de mon choix. Mais venons-en à l'accusation qui vous tient le plus à cœur : tentative d'assassinat du chef de l'Etat. Je tiens à vous dire, tout d'abord, que contrairement aux balivernes avancées par mes geôliers, je n'aime pas la violence. Je la hais. Je n'aime pas non plus l'assassinat politique. Je le condamne avec colère et dégoût lorsqu'il a lieu dans un pays où existe un Parlement libre et où les citoyens disposent de la liberté d'expression, d'opposition, d'opinion. Mais lorsqu'un gouvernement s'impose par la violence, et par la violence empêche les citoyens de s'exprimer, de former une opposition et tout simplement de penser, alors, le recours à la violence est une nécessité. Même un impératif. Jésus-Christ et Gandhi vous l'expliqueraient mieux que moi. Il n'y a pas d'autre issue, et mon échec n'a pas d'importance. D'autres suivront. Et ils réussiront. Préparez-vous et tremblez. Non, monsieur le président, je vous en prie, ne m'interrompez pas. J'en arrive à la quatrième accusation, et bientôt vous pourrez crier sur les toits que vous ne tremblez pas dans votre uniforme. Quatrième accusation : possession d'explosifs. Que dire encore que je ne vous ai déjà dit ? Je vous ai expliqué que seuls deux de mes coaccusés savaient que je préparais un attentat ; mais ils ne savaient pas lequel. C'est moi, et moi seul, qui suis responsable des deux bombes qui ont explosé le même jour dans le parc et au stade. J'ai démontré qu'elles n'avaient qu'un but démonstratif, qu'elles n'étaient qu'un avertissement, c'est pourquoi j'avais pris les précautions nécessaires pour que leur explosion ne fasse pas de victimes parmi la population. Si les autres accusés ont raconté autre chose dans les aveux qu'ils ont signés, ça n'a aucune valeur. Il s'agit de déclarations extorquées sous la torture, si je torturais Hazizikis et Théophiloyannacos, je réussirais à leur faire dire que leur mère est une putain et leur père un pédé. Je suppose que c'est à de telles méthodes que l'on doit la calomnie qui vise Polycarpos Gheorgazis. Je sais que Papadopoulos donnerait n'importe quoi pour que cette calomnie soit reconnue comme une vérité. Joannidis aussi. Ce serait un bon prétexte pour envahir Chypre et la priver de son indépendance, tout comme ils nous ont privé, ici, de la liberté. Mais ils devront se résigner, l'un et l'autre : aucun homme politique étranger n'est impliqué dans le combat que je mène. Ce combat est mené ici, dans notre patrie, messieurs, et non à l'étranger : ce n'est pas pour rien si le groupe que je représente s'appelle Résistance grecque. Et si Polycarpos Gheorgazis travaillait pour Résistance grecque, ce serait bien la première fois qu'un simple soldat engage un ministre de la Défense. Mais alors, direz-vous, d'où viennent ces explosifs ? Messieurs de la cour martiale, je ne vous le dirai pas. Je ne l'ai pas confessé sous les pires tortures, vous n'espérez tout de même pas que je l'avoue dans un plaidoyer ? Ce secret disparaîtra avec moi. J'ai presque fini. Il ne me reste qu'à ajouter une remarque d'ordre personnel. Un petit acte d'orgueil, si vous voulez. Vos témoins ont dit que je suis un homme de nature égoïste. Eh bien, si je l'étais, si je l'avais été, je serais resté tranquillement à l'étranger. Mais je suis revenu, pour risquer ma vie, pour lutter. Je savais quels étaient les dangers qui m'attendaient. Tout comme maintenant je sais quelle peine vous allez m'infliger. Je sais que vous allez me condamner à mort. Mais je ne me rétracte pas, messieurs de la cour martiale. Et même j'accepte dès maintenant cette condamnation. Car le chant du cygne d'un combattant authentique, c'est le râle qu'il pousse lorsqu'il est fusillé par le peloton d'exécution d'une tyrannie. »

Un silence de marbre s'était abattu sur la salle. Pétrifiés, les juges te fixaient sans réagir et il a fallu une bonne minute au président pour qu'il retrouve sa voix et invite Liappis à prononcer son réquisitoire. Liappis a parlé longtemps, sans tenir compte de ce que tu avais dit, il a demandé la peine de mort pour toi et un autre accusé, Elephterios Verivakis, la prison à perpétuité pour Nikos, des peines très lourdes pour presque tout le monde, puis le procès a été suspendu pendant une semaine, sous prétexte qu'un des juges était souffrant. Ils ne savaient plus quoi faire. On disait qu'après ton plaidoyer les membres de la cour martiale étaient divisés, que Papadopoulos lui-même hésitait à te faire fusiller, car il savait combien cette décision serait impopulaire, on disait qu'à cause de cela se succédaient des réunions angoissantes pour convaincre Joannidis qui, on le savait, ne voulait à aucun prix qu'on te fît grâce. On est arrivé ainsi au dimanche 17 novembre 1968, jour du verdict. Tu étais très tranquille. Au cours de ces sept jours et de ces sept nuits tu n'étais pas revenu sur ta décision, au contraire tu t'étais reproché de ne pas en avoir dit davantage et tu avais écrit un poème qui était un véritable hymne à la mort : « Les blanches colombes se sont envolées / le ciel s'est rempli de corbeaux / oiseaux noirs / De sauvages frémissements de terreur / qui ont caché l'azur / les derniers instants / Jetez de la terre dans la fosse / afin que reviennent les blanches colombes / De la terre, vite, de la terre / Mais les fosses n'exigent pas seulement de la terre/elles veulent de la cendre et du sang/elles réclament des morts/livrez-leur des morts/Pétrissez la terre de sang/Pour que reviennent les blanches colombes/il faut beaucoup de sang. » Tu es entré dans la salle d'audience, avec ton sourire de toujours et ton assurance de toujours. Et ta voix n'a pas fléchi le moins du monde après que le président t'eut demandé si tu n'avais rien à ajouter, et tu t'es levé pour prononcer les mots qui allaient réduire à néant toutes tes chances de salut. « Messieurs de la cour martiale, lors de son réquisitoire, le procureur Liappis a parlé de la déesse Thémis : la déesse de la justice. Mais si l'on recourt à la mythologie, il faut le faire sans commettre des erreurs telles que celles où s'est embourbé votre procureur dès qu'il a ouvert la bouche. Votre procureur général est un rustre ignorant qui ne sait même pas, messieurs, qu'il y a deux Thémis : celle qui tient la balance de la main droite, l'épée dans la main gauche et regarde la balance avec des yeux sereins, celle qui tient la balance de la main gauche, l'épée dans sa main droite et regarde l'épée avec les yeux bandés. Je sais que vous regarderez l'épée les yeux bandés. Il s'agit d'un procès politique : toutes les inculpations qui pèsent sur moi, de la subversion à la désertion, de la possession d'explosifs à l'attentat, se résument en une seule accusation, qui est d'ordre politique. De plus, messieurs de la cour martiale, vous ne pouvez pas vous offrir le luxe d'être généreux. Chacun d'entre vous a joué sa tête le 21 avril 1967 : ne pas me condamner reviendrait à vous condamner vous-mêmes, à reconnaître vos fautes. Je le comprends si bien que je ne demande aucune circonstance atténuante qui pourrait vous inciter à prononcer un verdict plus clément, et même, je le répète : c'est moi qui appelle la peine de mort demandée par le procureur général. Que l'on me fusille : cela servira à clarifier même d'un point de vue moral le sens de ma lutte, la lutte de quiconque s'oppose à l'immonde régime qui aujourd'hui écrase la Grèce. »

Et le verdict fut la peine de mort pour atteinte à la sûreté de l'Etat, la peine de mort pour désertion, quinze ans de prison pour tentative d'assassinat du chef de l'Etat, trois ans de prison pour possession d'explosifs et d'armes, en plus des deux ans déjà infligés pour offenses à la cour et aux autorités. Au total, deux condamnations à mort et vingt ans de prison. Verivakis au contraire fut condamné à la prison à perpétuité. Pour les autres, des peines allant de quatre à vingt-quatre ans de prison. Le général Phédon Ghizikis, commandant en chef de la ville d'Athènes, signa sur-le-champ les documents nécessaires à l'exécution de la sentence

˙

Pas un muscle de ton visage n'avait bougé. Tu n'avais pas même changé de couleur. Puis, avec un sourire ironique, tu avais demandé à ton avocat : « Comment s'y prendront-ils pour me fusiller deux fois ? » Sans attendre de réponse, tu avais tendu tes bras aux policiers pour qu'ils te passent à nouveau les menottes. Tu te sentais étrangement soulagé, presque content, m'as-tu dit quelques années plus tard, non parce que tu étais fatigué de vivre mais parce que tu étais las de souffrir. D'habitude, on est gentil avec celui qui va mourir, on lui donne un matelas décent, on lui offre un bon repas, voire même un petit cognac, on lui envoie un prêtre pour bavarder un peu, on l'autorise à écrire à sa famille et à ses amis. Et surtout, on ne le frappe plus. Finis les sévices, et finis les tourments. Mais tu as compris que ça ne se passerait pas comme ça dès qu'ils t'ont ramené à l'ESA, et t'ont jeté dans une cellule sans fenêtre et sans lit, car trois officiers t'attendaient avec un fouet, et aussitôt Théophiloyannacos, Malios et Babalis sont arrivés. « On ne respecte pas la grammaire, hein ? On fait plein de fautes, hein ? On est des analphabètes et des crétins, pas vrai ? On va bien voir si on est des analphabètes et des crétins, parce qu'on va t'interroger comme tu ne l'as jamais été jusqu'à maintenant ! Et personne ne saura si tu es mort ici ou devant le peloton d'exécution. » Puis, le fouet s'est abattu sur ton dos, tes flancs, tes jambes : ils voulaient savoir si un dénommé Anghelis avait participé au complot pour tuer Papadopoulos. Tu as perdu connaissance presque aussitôt et, en te réveillant, tu as cru rêver : devant toi, il y avait Hazizikis dans son complet bleu, la cravate soigneusement nouée, le visage rasé de près. « Bonjour, Socrate. Mais peut-être faut-il que je t'appelle Démosthène ? Non, la comparaison avec Socrate me semble plus juste. Lui aussi était un homme savant, lui aussi prononça un plaidoyer impressionnant. Félicitations, ton art oratoire m'a presque ému. Qui aurait pu croire que tu en étais capable ? Au fond, c'est bien utile que des grands tels que vous soient jugés et condamnés à boire la ciguë : sinon, l'histoire ignorerait que vous avez existé. Est-ce que je passerai à la postérité, moi aussi ? Un nouveau Mélétos ? » Tu as eu envie de pleurer. « Va-t'en, Hazizikis. — *Et maintenant, Athéniens, il est juste que je commence par répondre aux anciennes calomnies répandues contre moi, celles qui ont enhardi Mélétos à rédiger contre moi cette accusation...* Tu vois, je connais mal la grammaire mais j'ai de la mémoire. Je pourrais même te réciter le discours sur l'immortalité de l'âme. » L'envie de pleurer s'est faite plus forte. « Va-t'en, Hazizikis. — *Si la mort nous délivrait de tout, Simmias, quelle aubaine ce serait pour les méchants d'être en mourant débarrassés tout à la fois de leur corps et de leur méchanceté en même temps que de leur âme !* — Va-t'en, Hazizikis. — Pas avant de t'avoir posé quelques petites questions, Socrate. Tu devrais me connaître, à présent : tu ne crois tout de même pas que je suis venu ici simplement pour m'amuser, que je me suis dérangé pour te parler de philosophie. Mais qu'est-ce que tu fais ? Tu pleures ? Qui aurait pu imaginer que tu puisses pleurer ? Tu sais pleurer ? Mais si tu pleures, tu ne peux pas me répondre. Et il faut que tu me répondes, mon cher, parce que je veux savoir... » Alors, tu l'as regardé, le visage ruisselant de larmes : « Hazizikis, je ne mourrai pas, Hazizikis ! Et un jour c'est toi que je ferai pleurer ! Parce qu'un jour tu finiras en prison, Hazizikis ! Et pendant que tu seras en prison, Hazizikis, je baiserai ta femme ! Je la baiserai et la rebaiserai jusqu'à ce qu'elle pisse le sang, qu'elle perde ses boyaux, Hazizikis ! Et toi, Hazizikis, tu ne pourras rien faire, rien du tout, à part pleurer, je te le jure ! — Impossible, mon cher. Je ne suis pas marié, tu le sais bien. Dis-moi plutôt si... — Hazizikis ! Je vais te tuer, Hazizikis ! — D'accord, je m'en vais. Je te laisse en compagnie de ces gens qui te poseront ma question sans faire trop de manières. De toute façon, tu dois mourir. » Et il t'a laissé entre les mains des trois officiers qui cette fois-là t'ont fouetté jusqu'au sang pour savoir s'il n'y avait pas également dans le complot un certain Costantopoulos.

Par contre, les vingt-quatre heures suivantes, ils t'ont laissé en paix. Le lendemain, c'était le 20 novembre, on t'a embarqué sur un bateau à moteur. On t'a emmené à Egine où, pendant trois jours et trois nuits, tu as attendu d'être fusillé.

.*.

A Egine, ils avaient pris beaucoup de précautions. Ils avaient choisi une petite construction isolée dans la partie ancienne de la prison, en cachette ils t'avaient fait entrer par un portail annexe. Dans la cour minuscule se tenaient vingt gardes armés de mitraillette, à l'entrée de la petite construction cinq, dans le couloir neuf et dans ta cellule trois. Trente-sept soldats armés pour un seul homme, menottes aux poignets. Tu as souri et appelé un sergent pour qu'on t'enlève les menottes, au moins quelques instants. Il t'a répondu que c'était impossible : les ordres étaient catégoriques tout particulièrement à propos des menottes. « Dès qu'il a les mains libres, il bondit comme un fauve. C'est un criminel très, très dangereux. » Une seule concession : la porte de ta cellule pouvait rester ouverte. Mais en réalité, il ne s'agissait pas d'une concession, plutôt d'une mesure de sécurité supplémentaire : si tu attaquais l'un des trois gardiens, la porte ouverte permettrait aux hommes placés dans le couloir et dans l'entrée d'intervenir au plus vite. Mais les attaquer comment, avec quoi ? La cellule était plus vide qu'une coquille d'œuf ; ils ne t'avaient même pas donné un lit de camp, un matelas, pour te reposer, tu ne pouvais que t'étendre sur le sol. Un officier est entré, un papier à la main. Il n'y avait pas de temps à perdre, a-t-il dit, selon la loi martiale et à moins d'une intervention du président de la République, la sentence devait être exécutée dans les soixante-douze heures suivant sa proclamation. Quarante-huit heures s'étaient déjà écoulées, le recours en grâce était donc là devant toi et tu n'avais plus qu'à le signer. Tu as pris le papier, tu l'as lu, puis tu le lui as rendu calmement : « Non ». L'officier n'en croyait pas ses yeux : « Tu... tu ne signes pas la demande de grâce ? J'ai bien compris ? — C'est bien ça, papadopoulaki, petit Papadopoulos, je ne la signe pas. » L'officier a insisté : « Ecoute-moi, Panagoulis. Tu penses peut-être que c'est inutile. Mais tu te trompes. J'ai l'autorisation de te dire que le président est disposé à commuer la peine capitale en prison à perpétuité. — Je te crois. Il aimerait bien pouvoir raconter au monde entier que je lui ai demandé la vie sauve. Ça l'arrangerait de ne pas avoir à me fusiller. — C'est surtout toi que ça pourrait arranger, Panagoulis. Signe. — Non. — Si tu ne signes pas, il n'y aura plus aucun espoir. — Je sais. » L'officier a mis la feuille dans sa poche. Il avait l'air sincèrement peiné. Il semblait même hésiter à s'en aller, comme s'il cherchait, sans les trouver, les mots capables de te convaincre. « Tu veux... tu veux réfléchir un instant ? — Non. — Alors, c'est pour demain matin à cinq heures et demie », a-t-il dit d'un ton contrarié. Et il est parti en hochant la tête. Dans un coin, un des trois gardiens murmurait : « Oh, non ! Non ! »

C'était un jeune garçon, presque imberbe, avec un uniforme tout neuf. Il avait suivi la scène, la bouche grande ouverte, et, à présent, il te regardait comme s'il allait éclater en sanglots. Tu t'es approché de lui : « Qu'est-ce qu'il y a, papadopoulaki ? — Je... — Toi aussi, tu voulais que je signe ? — Oui ! Moi aussi ! — Tu n'as pas entendu ce que j'ai répondu à l'officier ? — Oui, mais... — Il n'y a pas de mais, papadopoulaki. Quand il faut mourir, on meurt. — Oui, mais ça me fait de la peine quand même. — Moi aussi », a dit le deuxième gardien. « Moi aussi », a dit le troisième. Tu en étais troublé : cela faisait des siècles que des êtres humains ne faisaient pas preuve de méchanceté à ton égard, il n'y avait eu que cette vieille de l'hôpital militaire, là où ils t'emmenaient quand tu étais dans le coma à cause des tortures et des jeûnes, celle qui nettoyait les toilettes et qui un jour, te voyant pieds et poings liés, s'était approchée de toi avec son seau et t'avait caressé doucement le front : « Pauvre Alekos ! Pauvre petit bonhomme ! Regarde un peu ce qu'ils t'ont fait ! Et tu es toujours seul, tu n'as jamais personne à qui parler. Ce soir, je viendrai m'asseoir à côté de toi et tu me raconteras ce qui s'est passé, hein ? » Mais un policier l'avait suivie, emmenée avec son seau, et tu ne l'avais jamais plus revue. Tu as toussé pour contrôler ton émotion : « Venez tous ici, papadopoulaki. Parlons un peu de toute cette histoire. » Et quand ils ont été rassemblés autour de toi, tu as commencé à leur dire pourquoi ils ne devaient être ni tristes ni abattus, pourquoi ils devaient se battre et faire en sorte que ta mort serve à quelque chose. Tu as même déclamé quelques poèmes sur la liberté, et ils t'écoutaient avec respect : lorsqu'un poème leur plaisait, ils en écrivaient les vers sur leurs paquets de cigarettes. « Comme ça, on ne l'oubliera pas. » Ils étaient tous trois très jeunes, de petits soldats du contingent venus de villages lointains, tout ce qu'ils savaient de toi, c'était que tu avais essayé de tuer le tyran, et leur innocence était telle que tu éprouvais des difficultés à t'exprimer, à trouver les mots justes pour te faire comprendre. « Au fond, ça ne fait rien si ça n'a pas marché, vous me suivez, papadopoulaki ? Ce qui compte, c'est que quelqu'un ait essayé, car d'autres l'imiteront et réussiront, car quand tu marches dans la rue sans faire de mal à personne et qu'un passant s'approche et te donne une gifle, qu'est-ce que tu fais ? — Je la lui rends ! — Bravo ! Et s'il te frappe, toujours sans raison, qu'est-ce que tu fais ? — Je le frappe moi aussi ! — Bravo ! Et s'il t'interdit de dire ce que tu penses et qu'il te met en prison parce que tu n'es pas du même avis que lui, et que la loi ne te défend plus parce qu'il n'y a plus de loi, plus de liberté et, par conséquent, plus de justice, qu'est-ce que tu fais ? — Moi, euh... — Tu le tues. Tu n'as pas le choix. C'est terrible que de tuer, je le sais. Mais, sous une tyrannie, tuer devient un droit, voire un devoir. La liberté est un devoir avant même que d'être un droit. » Finalement, dans le couloir, un sous-officier s'est énervé et t'a crié de te taire : « Arrête, Panagoulis ! Tu cherches des disciples la veille de ta mort ? » Mais un autre a pris ta défense, arrête-toi-même-sale-porc-ou-je-te-casse-la-gueule, et il est venu t'offrir une cigarette. A nouveau, tu t'es senti désemparé. Comment ? Etait-il possible que soudain ils soient devenus si gentils avec toi ? Les êtres humains sont bien curieux : tant que tu attends d'eux quelque chose ils ne te donnent rien, et quand tu n'attends plus rien ils te donnent tout. Tout ? Bah ! Parfois une injure et une cigarette peuvent devenir tout.

Vers cinq heures de l'après-midi, le tour de garde des trois petits soldats a pris fin et, lorsqu'ils sont partis, tu as senti un grand vide : on allait sûrement t'envoyer à leur place dieu sait quels salopards.

Mais les trois nouveaux étaient aussi jeunes, aussi innocents et aussi mélancoliques que ceux qui étaient là avant. Et ton désarroi était tel que tu t'es mis à les braver : « Approchez, papadopoulaki, venez gagner un peu votre journée ! Qui est-ce qui sait chanter parmi vous ? » Ils ont désigné un garçon un peu gros, maladroit, avec des mains de paysan : « Lui, lui ! Il fait partie de la chorale de son village ! — C'est vrai ? Alors chante-moi le requiem de la messe funèbre. — Non ! Pas ça ! — Chante-le-moi, allez ! » Il t'a obéi et tu aurais préféré qu'il n'en fasse rien, parce que l'écouter t'a donné des crampes à l'estomac. « Qu'il repose en paix, Seigneur ! Que sa sépulture soit digne, Seigneur ! Que la terre retourne à la terre ! Accueille ton serviteur, Seigneur ! » Tu l'as interrompu : « Je n'aime pas ton requiem, papadopoulaki. Je n'aime pas les mots serviteur-du-Seigneur. Tu dois me promettre que quand tu le chanteras pour moi, tu ne m'appelleras pas serviteur-du-Seigneur. Personne n'est le serviteur de personne. Pas même du Seigneur. Tu as compris ? » Le garçon acquiesça, confus. Mais les crampes ne passaient pas. « Courage, papadopoulaki, chantons quelque chose d'autre, quelque chose de mieux ! Qui est-ce qui connaît *le Garçon qui sourit ?* — Moi ! — Moi ! — Moi ! — Bon ! Très bien ! Chantons tous ensemble ! — Qui pourra donc guéri-ir/mon pauvre cœur brisé-é/j'ai perdu mon ami au sourire si doux-oux/je ne le reverrai jamais plu-us/maudit soit le jou-our/où nos ennemis le tuè-èrent/mon ami au sourire si dou-oux... » Tu chantais avec eux. Mais les crampes ne te lâchaient pas. Tu as chanté toute la soirée, en plaisantant, en bavardant. Tu essayais de ne plus penser à ce requiem, de ne pas penser à ces crampes, mais elles ne passaient pas. Il y avait même des moments où la douleur augmentait. C'était à ces moments-là que tu te posais les questions les plus absurdes ou que tu trouvais refuge dans les espoirs les plus insensés. Où cela se passerait-il, comment cela se passerait-il ? Il t'avait semblé entendre dire que cela se passerait de l'autre côté de l'île, dans le polygone de tir de la marine, mais tu ignorais s'il se trouvait dans une cour ou en plein air ; tu espérais que ce soit en plein air et qu'il ne pleuve pas, car tu avais vu autrefois un film où l'on fusillait un maquisard sous la pluie. Tu avais été impressionné parce que le maquisard tombait dans la boue. Tu espérais également qu'on ne te tire pas dans le visage, et tu te demandais comment tu pourrais dire aux soldats de viser le cœur, pas le visage, et enfin, tu te demandais si tu allais avoir mal. Cette question était stupide et tu le savais, il n'y a aucune comparaison entre la souffrance endurée sous la torture et celle quand on est fusillé, il faut au moins cinquante secondes pour sentir la brûlure d'une balle dans la chair, après on est mort : tu avais lu ça quelque part ou, peut-être, quelqu'un qui avait fait la guerre te l'avait dit. Mais la curiosité te tenait en éveil et tu devais faire un effort pour la surmonter, réfléchir à des choses plus sérieuses, par exemple, ce que tu dirais avant que le peloton ne fasse feu. Il ne suffisait pas de crier vive-la-liberté, il fallait ajouter quelque chose ou bien prononcer une phrase qui puisse tout résumer, y compris la liberté. Quelque chose, voilà, comme le cri de cet officier italien fusillé en 44 par les Allemands à Cephalonie : « Je suis un homme! » A l'idée de leur crier : « Je suis un homme! », tes crampes s'évanouissaient. Mais elles revenaient immédiatement après, car leur cause ne tenait pas à la phrase que tu pourrais leur crier ou pas, ni à la douleur que tu sentirais ou pas, ni à la pluie qui te mouillerait ou pas, mais bien au fait de devoir mourir tel jour à telle heure. C'est une chose que de mourir sous la torture, ou à la guerre, ou en sautant sur une mine, c'est-à-dire avec une certaine marge d'imprévu, c'en est une autre que de savoir que l'on doit mourir tel jour, à telle heure, avec l'exactitude d'un train qui part. Encore une nuit et tu n'existerais plus. Eh bien, malgré ta force, ta foi, ta fierté, tu n'arrivais pas à te résigner à l'idée de ne plus exister. Tu n'arrivais pas davantage à imaginer ce que cela signifiait. Te poser cette question était pire que tenter de savoir si l'univers est fini ou infini, si le temps est du temps, si l'espace est de l'espace, si Dieu existe ou non, et si Dieu, le temps et l'espace ont eu ou non un commencement, s'il y a eu ou non quelque chose avant ce commencement ou le néant. Et qu'est-ce que le néant ? Peut-être est-ce ce que l'on est, ou que l'on n'est plus, après avoir cessé d'exister, fusillé tel jour, à telle heure, après un jour et une nuit passés à jouer le rôle de l'homme courageux tout en ayant des crampes à l'estomac.

La fatigue est venue avec l'obscurité. L'effort pour te partager, d'un côté la douleur de ces réflexions secrètes, de l'autre la comédie de l'indifférence orgueilleuse, t'avait laminé. Tu sentais le poids de tes jambes, de tes menottes, de tes paupières. Tu avais très sommeil. Et plus tu avais sommeil, moins tu voulais dormir. Les gardes te disaient : « Repose-toi, Alekos. Pourquoi ne te reposes-tu pas ? » Mais à chaque fois tu leur répondais brutalement. N'était-ce pas incroyable de répéter à un homme sur le point de reposer éternellement, repose-toi-pourquoi-ne-te-reposes-tu-pas ? N'était-ce pas une folie de s'endormir quand on a si peu de temps à vivre ? Pour ne pas te laisser vaincre par le sommeil tu marchais de long en large, tu évitais même de t'asseoir. Puis, vers trois heures du matin, tu as été envahi par la fatigue et le besoin de fermer les yeux. Tu t'es étendu par terre après avoir demandé aux gardes de te réveiller dix minutes plus tard, pas plus, et tu t'es endormi aussitôt. Tu as fait un rêve Tu étais une graine, et peu à peu, la graine doublait de volume, triplait, décuplait, devenait si grosse que son écorce ne pouvait plus résister, craquait avec un grondement bruyant, inondant la terre de mille autres graines, et chacune d'elles se transformait rapidement en une fleur, puis en un fruit, puis à nouveau en une graine qui à son tour doublait de volume, triplait, décuplait jusqu'à éclater finalement en inondant la terre d'une myriade de graines. Et alors il se produisait une chose très étrange. D'une fleur sortait une femme, d'une autre fleur une autre femme et d'une autre fleur encore, une autre femme, et toi tu voulais les posséder toutes mais tu pensais, mon Dieu, comment faire, je n'ai pas le temps, bientôt le peloton d'exécution va arriver et m'emmener, il faut faire vite, tu saisissais donc celle qui était la plus proche, sans la regarder, sans te demander si elle te plaisait, sans lui demander si elle voulait bien, et tu la pénétrais, avidement, en vitesse et brutalement, puis tu la jetais, en prenais une seconde, de la même manière, tu la pénétrais de la même manière, tu la jetais de la même manière, puis tu en saisissais une troisième, et une quatrième, et une cinquième, et une sixième, tu ne savais plus combien, à chaque coup de reins, une femme, et l'angoisse de devoir t'interrompre parce que quelqu'un te secouait pour te réveiller. Qui ? Tu as entrouvert les paupières. C'était le petit soldat maladroit qui chantait dans la chorale de son village : « Il est cinq heures, Alekos. Tu as dormi deux heures. »

Tu t'es levé d'un bond. Tu as foudroyé du regard les gardes, un par un. Deux heures ! Tu les avais priés de te réveiller dix minutes plus tard et ils t'avaient laissé dormir pendant deux heures ! Une partie de toi-même voulait les frapper, sangloter et les frapper en criant salauds, inconscients, voleurs ; une autre partie comprenait cependant qu'ils t'avaient désobéi par affection, par bonté, laissons-le-dormir-le-pauvre, mais-il-a-dit-dix-minutes, laissons-le-dormir-quand-même, et avec effort tu t'es dominé, tristement tu as murmuré : « Connards. Vous m'avez volé deux heures de vie. » Puis tu leur as dit que tu désirais te laver la figure, faire tes besoins. Ils t'ont accompagné dans le couloir où il y avait un robinet et des chiottes rudimentaires. Devant tout le monde, gêné par les menottes, tu as fait tes besoins, tu t'es lavé. Il était cinq heures vingt. Tu es rentré dans ta cellule, tu as demandé un café, tu l'as bu, cinq heures vingt-cinq. Encore cinq minutes à vivre donc. A quoi pense un homme qui va être fusillé durant les cinq dernières minutes de sa vie ? Des années plus tard, quand je t'ai posé la question, tu m'as dit qu'il était très difficile de répondre à cette question, en effet tu avais éprouvé beaucoup de difficultés à restituer cet état dans un poème, trois écrivains pourtant avaient tenté de l'exprimer en des termes où tu avais pu te reconnaître : Dostoïevski dans *l'Idiot,* Camus dans *l'Etranger,* Kazantzakis dans *le Christ recrucifié.* Tu m'avais résumé les deux derniers, mais pour le premier nous nous étions perdus dans une longue discussion. Je disais que dans *l'Idiot* il n'y a rien de ce genre et tu me répondais que je me trompais, que Dostoïevski, dans sa jeunesse, avait été condamné à mort pour un délit politique et avait été gracié vingt minutes avant d'être attaché au poteau d'exécution, dans le livre, c'est le prince Muichkine qui raconte cet épisode, tu t'étais même mis à le chercher, tu avais feuilleté les deux volumes de *l'Idiot* pendant des heures mais en vain et, à la fin, tu avais dit : « Je me suis peut-être trompé. » Tu ne t'étais pas trompé : ce n'est qu'après ta mort que je l'ai compris. Ce n'est qu'après ta mort, en effet, que j'ai retrouvé le passage que tu avais cherché inutilement ce jour-là. Dieu sait quand, tu avais glissé un petit bout de papier entre les pages, et, le jour où je le pris, le livre s'est ouvert exactement à l'endroit où se trouvait cet épisode. Voici les mots que tu avais soulignés, les cinq dernières minutes dans lesquelles tu t'étais reconnu. « Il leur restait donc à peine cinq minutes à vivre. Cet homme me déclara que ces cinq minutes lui avaient paru sans fin et d'un prix inestimable. Il lui sembla que, dans ces cinq minutes, il allait vivre un si grand nombre de vies qu'il n'y avait pas lieu pour lui de penser au dernier moment. Si bien qu'il fit une répartition du temps qui lui restait à vivre : deux minutes pour faire ses adieux à ses compagnons ; deux autres minutes pour se recueillir une dernière fois, et le reste pour porter autour de lui un ultime regard... » Et puis ces mots : « Mais il déclarait que rien ne lui avait été alors plus pénible que cette pensée : " Si je pouvais ne pas mourir ! Si la vie m'était rendue ! Quelle éternité s'ouvrirait devant moi ! Je transformerais chaque minute en un siècle de vie ; je n'en perdrais pas une seule et je tiendrais le compte de toutes ces minutes pour ne pas les gaspiller ! " Cette idée finit par tellement l'obséder qu'il en vint à désirer d'être fusillé au plus vite. » Tu avais également souligné la question d'Alexandra Epantchine : « Eh bien, qu'a-t-il fait, par la suite, de ce trésor ? A-t-il vécu en tenant le compte de chaque minute ? » Et la réponse du prince Muichkine : « Oh ! non. Je l'ai interrogé à ce sujet, et il m'a dit lui-même qu'il n'a nullement vécu de cette manière et qu'il a au contraire perdu beaucoup, beaucoup de minutes. » Cependant, à côté des paroles du prince Muichkine tu avais tracé un grand point d'interrogation.

**

Tes cinq dernières minutes ont duré trois heures, puis trente heures. A cinq heures et demie, tu étais prêt, mais le peloton n'est pas venu. Tu as demandé pourquoi à un sergent, et le sergent t'a répondu que le peloton viendrait sûrement à six heures. Tu as profité de cette demi-heure et, à six heures, tu étais à nouveau prêt. Mais le peloton n'est pas davantage venu. Tu t'es à nouveau adressé au sergent qui t'a répondu : il viendra à six heures et demie. Tu as profité d'une autre demi-heure et à six heures et demie tu étais encore une fois prêt. Mais de nouveau le peloton n'est pas venu. Même chose à sept heures, à sept heures et demie, à huit heures. De demi-heure en demi-heure, tu te préparais à mourir, mais tu ne mourais pas. Une fois, deux fois, trois fois, quatre fois, six fois, à chaque fois un soulagement et un tourment, un espoir et une désillusion, tandis que l'angoisse grandissait, devenait énervement, agitation, impatience. A huit heures et demie, tu as crié : « Qu'est-ce qu'on attend alors ? » Et quand dans la cour a résonné un bruit de pas inhabituel et que le capitaine est apparu sur le seuil de ta cellule, tu as poussé un soupir de soulagement : « Enfin. » Il t'a fallu du temps pour saisir ce qu'il balbutiait mi-surpris mi-agacé : aujourd'hui, c'était la fête de la Présentation de la Vierge et, en Grèce, il n'y a jamais d'exécutions ce jour-là, tu seras donc fusillé le lendemain, le 22 novembre, on ne te l'avait pas dit ? « Non. » Alors là, quel horrible malentendu, quelle erreur cruelle, peut-être un esprit tordu avait-il voulu se moquer de toi ? Tu lui as tourné le dos en silence, et tu es resté ainsi toute la matinée. Tu n'as jamais réussi à m'expliquer ce qu'éprouve un homme qui apprend qu'il lui reste vingt-quatre heures à vivre. Pas une demi-heure, mais vingt-quatre heures, mille quatre cent quarante minutes, un jour et une nuit pour réfléchir, respirer, exister. Si je te le demandais, tu restais perplexe, poursuivant un souvenir qui peut-être t'échappait, peut-être, n'existait pas, comme si la deuxième agonie l'avait balayé ; et tu finissais toujours par répéter cette phrase que tu avais prononcée le soir de notre rencontre : « L'attente de l'aube recommença et tout fut comme le jour précédent, la nuit précédente. » L'égrènement angoissant a repris : cinq heures, cinq heures et demie, six heures, six heures et demie, sept heures, sept heures et demie, huit heures, huit heures et demie, neuf heures. A neuf heures, l'officier qui t'avait présenté le recours en grâce et annoncé l'exécution pour le lendemain est revenu. Avec les mêmes gestes, il agitait la même feuille de papier et t'encourageait de la même voix : « Signe, allez, signe. » Tu lui as arraché la feuille des mains et tu en as fait une boulette que tu lui as jetée à la figure, tu t'es précipité sur lui et tu l'as saisi par le revers de son uniforme. « Lâche, salaud, lâche, tu le savais hier qu'ils n'allaient pas me fusiller ! Mais je vais t'étrangler, moi, salaud ! » On te l'a arraché de force et il s'est enfui en criant : « Ingrat, je l'avais fait pour que tu signes, ingrat. Tu ne mérites rien, ingrat, tu ne me reverras plus. » Un ordre sec a aussitôt claqué, l'un des gardes a pâli et tu as tout de suite pensé, ça y est, cette fois ça y est vraiment. Mais rien n'est arrivé et à nouveau, l'attente. Neuf heures et demie, dix heures, dix heures et demie, onze heures. A onze heures, tu étais très agité, le désir qu'ils ne tardent pas davantage était devenu un besoin, une fièvre. Tu suppliais entre tes dents, tu demandais une montre, tu cherchais des explications. Liappis n'était peut-être pas encore arrivé ? D'après le règlement, il devait assister à l'exécution. La mer était peut-être agitée ? Avec une mer mauvaise, les bateaux ne voyagent pas, peut-être les vedettes de la marine non plus. Tu as appelé un garde. « Comment est la mer ? » Le garde a penché la tête vers le couloir, répété la question au sergent : « Comment est la mer ? — Calme. Ce matin elle était calme. Pourquoi ? — Comme ça. » Liappis devait peut-être venir en hélicoptère et il y avait trop de vent pour atterrir ? Tu as rappelé le garde. « Et le vent ? » Le garde s'est une nouvelle fois penché vers le couloir pour le demander au sergent : « Et le vent ? — Quel vent ? Il n'y a pas de vent. Pourquoi ? — Comme ça. » Tu t'es mordu les lèvres : « Je ne comprends pas. Vraiment, je ne comprends pas. » Tu n'as pas un seul instant soupçonné que Papadopoulos ait pu décider de te laisser la vie sauve. Jamais tu n'as imaginé que pendant que tu te consumais dans cette attente inhumaine, dans le monde entier des gens se battaient pour toi : défilés dans les rues, meetings, manifestations devant les ambassades, affrontements avec la police, coups de téléphone intempestifs entre chefs d'Etat, télégrammes par milliers, diplomates faisant la navette entre Rome et Athènes, Paris et Athènes, Londres et Athènes, Bonn et Athènes, Stockholm et Athènes, Belgrade et Athènes, Washington et Athènes, et même des messages du pape, de Lyndon Johnson, de U Thant, qui demandaient ta grâce. Mais comment pouvais-tu imaginer tout cela ? On ne t'avait même pas autorisé à faire tes adieux à ton père et à ta mère, à parler avec ton avocat. Après la sentence, les seules personnes qui t'avaient approché avaient été Théophiloyannacos, Hazizikis, Malios, Babalis et ces petits soldats qui en savaient moins que toi : pour toi, le monde commençait et finissait à la porte de cette cellule où tu croyais être aussi ignoré qu'une algue au plus profond de la mer.

Dans l'après-midi, le peloton est arrivé. « Dépêche-toi, Panagoulis. » Tu as embrassé les gardes un par un, leur as demandé pardon d'avoir été un peu nerveux, les as remerciés de t'avoir tenu compagnie. Ils pleuraient. Il y avait aussi le garçon au visage imberbe et le petit gros qui chantait dans la chorale de son village ; tous deux sanglotaient sans retenue et tu as donné au premier une pichenette sur le nez et tu as pris le deuxième par le menton : « Courage, papadopoulaki. » Il renifla : « Je peux te demander quelque chose, Alekos ? — Bien sûr, papadopoulaki. — Pourquoi nous appelais-tu toujours papadopoulaki ? Qu'est-ce que ça veut dire ? » Un sourire : « Parfois ça veut dire sale Papadopoulos et parfois valet de Papadopoulos. Ça dépend de la manière dont je le dis. — Mais moi je ne suis pas un sale Papadopoulos ni un valet de Papadopoulos, moi ! — Bravo ! Alors crie avec moi : A bas Papadopoulos ! A bas le fascisme ! Vive la liberté ! — A bas Papadopoulos ! A bas le fascisme ! Vive la liberté ! — Tous ensemble, criez tous ensemble avec moi : Vive la liberté ! — Vive la liberté ! — Bravo ! Et maintenant, qui veut bien me rendre un service ? — Moi... — Moi... — Moi... — Bon. A l'ESA, il y a un certain major Hazizikis. Téléphonez-lui et dites-lui qu'il n'oublie pas d'offrir pour moi un coq à Esculape. — Quoi ? — Il comprendra. » Et tu as suivi le peloton. Dehors, il y avait deux véhicules qui attendaient : une jeep et un camion. Tu es monté dans la jeep après avoir regardé le ciel pendant un long instant : c'était un ciel tout bleu, net comme une vitre bien propre. Le cortège s'est mis en route. Mais tu t'es rendu compte immédiatement qu'il ne se dirigeait pas vers le polygone de tir, car tu connaissais bien Egine et tu savais que la route pour le polygone se trouvait du côté de la montagne, alors que le cortège prenait le chemin du port. « Où m'emmenez-vous ? — A Athènes. Tu seras fusillé à Athènes. » On t'a embarqué sur la même vedette qu'à l'aller. Ils t'ont enfermé dans une cabine et attaché tes menottes à un anneau. Au Pirée, ils t'ont poussé rapidement dans une voiture. « Où m'emmenez-vous ? — A Goudi. Tu seras fusillé au camp militaire de Goudi. » Ils ne t'ont pas conduit à Goudi, mais à l'ESA. Là il y avait un commandant que tu ne connaissais pas. Il portait des lunettes noires et avait mauvaise haleine. Il t'a dit en ricanant : « Les journaux ont écrit que tu avais déjà été fusillé, Panagoulis. Maintenant, on va vraiment pouvoir s'amuser avec toi. » Tu as passé la nuit entière à les attendre, à attendre qu'ils t'attachent sur le petit lit de torture. Mais ils ne sont pas venus et, à l'aube, lorsqu'ils te firent monter dans la même voiture que la veille, tu étais si fatigué que tu ne tenais même plus sur tes jambes. Tu marchais les yeux mi-clos, rien ne t'intéressait plus, tu souhaitais seulement qu'ils fassent vite et te fusillent pas trop loin de là, pas à Goudi. Tu étais très heureux de voir que la route bordée d'arbres n'était pas celle de Goudi : tant mieux, ils avaient choisi une caserne dans la ville. Mais laquelle ? « Où m'emmenez-vous ? » as-tu demandé à nouveau. « Là où tu seras exécuté, imbécile. Où veux-tu qu'on t'emmène ? On ne rigole plus, maintenant. » En fait, ils t'emmenaient à Boiati.

CHAPITRE III

La fable du héros ne se termine jamais par le beau geste qui le révèle au monde. Dans la légende comme dans la vie, le beau geste ne constitue que le commencement de l'aventure, le départ de la mission. Vient ensuite le temps des grandes épreuves, puis le retour au village ou à la normalité, et enfin le défi ultime, derrière lequel se cache le traquenard de la mort constamment déjoué. Le temps des grandes épreuves est le plus long et peut-être le plus difficile. Parce que, alors, le héros se trouve complètement abandonné à lui-même, irrésistiblement exposé à la tentation de se rendre, tandis que tout se ligue contre lui : l'oubli des autres, la solitude exaspérée, le harcèlement lancinant de la souffrance. Mais gare à lui s'il ne surmonte pas cette deuxième épreuve, s'il ne résiste pas, s'il cède : le beau geste qui le révéla devient inutile et sa mission échoue. Eh bien, ta période des grandes épreuves s'est appelée Boiati. C'est dans cet enfer que tu laissas les meilleures années de ta vie, que ton héroïsme se confirma, que ta légende grandit. Et tu le savais. Comme un malade qui raconte toujours sa maladie, ou un ancien combattant qui raconte toujours sa guerre, quel que fût le sujet, tu évoquais inlassablement Boiati. Même vers la fin, alors que le souvenir de la bombe, du procès et d'Egine s'estompait, que ta légende s'enrichissait d'entreprises bien plus audacieuses, assurément plus importantes, le chapitre de Boiati restait en toi, avec l'angoisse d'une maladie incurable, l'orgueil d'une victoire impossible, comme si le temps écoulé là-bas t'avait coûté plus que les sévices ou les heures passées à attendre ton exécution. Tu parlais de Boiati à tout le monde, de façon obsessionnelle. Tu n'hésitais pas à répéter les mêmes histoires à des gens qui les avaient déjà entendues, ou à les raconter à d'autres qui n'étaient pas en mesure de les comprendre : tu le livrais à n'importe qui, le récit de ta descente aux enfers. Et quel plaisir pour toi d'étonner, provoquer l'effroi, amuser, avec ton sens de l'humour qui trouvait le comique dans la tragédie. La seule chose que tu ne racontais jamais, c'était la résignation qui s'était emparée de toi avant d'arriver à Boiati, cet espoir qu'on te fusille rapidement, tout de suite. Un homme ne peut pas répéter deux fois ce que tu avais fait quand tu avais demandé aux gardes de téléphoner à Hazizikis pour qu'il offre un coq à Esculape.

Boiati se trouve à une trentaine de kilomètres d'Athènes, et la route pour y arriver facilement repérable parce que indiquée par plusieurs panneaux. Mais tu ne voyais pas les panneaux et tu fixais l'asphalte d'un œil indifférent, et tout à coup, la route a débouché sur un paysage de collines grises. Sur la plus proche de ces collines, se dressait un bâtiment semblable à la prison d'Egine : des remparts, des miradors avec des mitrailleuses. Et sur la grille, l'écriteau : Prison militaire de Boiati. La voiture est entrée et s'est arrêtée sur une aire où s'alignaient six petites portes peintes en vert. Ils t'ont fait descendre, t'ont poussé vers la dernière porte à gauche en marmonnant des choses auxquelles tu n'as pas prêté attention. Puis ils t'ont balancé dans la cellule avec une telle violence que tu glissas par terre et que ta tête heurta le sol. Le coup t'a étourdi, quelques instants se sont écoulés avant que tu ne puisses jeter un coup d'œil autour de toi et rassembler tes idées. Où étais-tu ? Dans une cellule, cela va sans dire. Comme d'habitude vide comme une coquille vide, pas un bat-flanc, pas un matelas, pas même une couverture. Seul objet dans ce désert : la tinette. Mais ce n'était pas trop petit : disons neuf pas sur sept. Et les gardiens ? Il n'y en avait pas. Bizarre, le règlement stipule qu'un condamné à mort ne doit jamais être laissé seul. Mais que t'avait-il dit, alors que tu tombais, le type aux lunettes noires qui avait mauvaise haleine ? « Te voici chez toi », avait-il dit. Et après ? « Si tu as de la veine, tu resteras ici jusqu'à ce que tu crèves », avait-il dit. Qu'avait-il voulu dire par là ? Que cette fois-ci non plus tu ne serais pas exécuté ? Impossible, à moins que la peine n'ait été suspendue. Suspendue pour un jour, une semaine, un mois ? C'était une hypothèse qui ne te faisait pas plaisir : c'est si difficile de se réhabituer à l'idée de vivre quand on s'est résigné à l'idée de mourir. Tu t'es traîné jusqu'au mur pour y appuyer ton dos. Et, accroupi de la sorte, le dos contre le mur, les jambes allongées sur le sol, tu as recommencé à regarder autour de toi. A côté de la porte, il y avait un cafard et il avançait lentement vers toi. Il s'est avancé jusqu'à ce qu'il soit à un demi-mètre de tes chaussures et là s'est arrêté : il était gros et noir, dégoûtant. Tu as bougé les pieds . « Allez, va-t'en ! » Puis, changeant d'avis, tu l'as rappelé « Viens, viens ici ! » Le cafard a donné l'impression de t'avoir compris. Il a fait demi-tour, s'est avancé encore un peu puis s'est arrêté à côté de ton talon droit. « Allez, courage ! », lui as-tu dit. Le cafard a bougé d'un centimètre ou deux, évité ton talon, continué sa lente progression en longeant ton pantalon, puis s'est arrêté à la hauteur de ton genou : perplexe tu t'es penché pour l'observer. Il avait de longues pattes velues et deux antennes bien droites, comme des moustaches mais le plus étonnant c'était ses ailes. Sa carapace brillante et dure cachait des ailes très belles. Donc, même un cafard pouvait voler ! Tu lui as tendu les bras : « Vole ! » Non, il ne s'est pas envolé. « Saute, au moins, saute ! » Avec beaucoup d'hésitation, il a escaladé la chaîne de tes menottes puis sur tes menottes, puis sur le dos de ta main droite jusqu'à la naissance de tes doigts, où il eut un instant d'hésitation : quel chemin prendre, quel doigt ? Il s'est finalement décidé pour le pouce où, soudain, il a perdu l'équilibre et tomba tête la première par terre. Un rire t'a échappé. L'entendre t'a donné une sorte de bonheur : qui aurait dit que tu étais encore capable de rire ? Et ce, uniquement parce qu'un cafard était dégringolé de ton pouce ! Tu lui as caressé délicatement le dos. Tu t'es demandé combien de temps vivait un cafard, combien de temps cette compagnie durerait s'ils ne te fusillaient pas trop tôt. Tu t'es demandé encore si on pouvait apprivoiser un cafard. Quand tu étais petit, tu avais essayé d'apprivoiser un scarabée et tu avais presque réussi. Ta joie s'est accrue. Quelle chance d'avoir à côté de soi quelqu'un avec qui jouer, parler, sans être jugé ni réprimandé, quelle aubaine ! A un cafard on peut dire tout ce qui vous passe par la tête, y compris que le courage est fait de peur, qu'au cours des derniers mois tu avais souvent peur et en particulier quand le peloton d'exécution était arrivé. Eux, ils ne s'étaient rendu compte de rien, mais cela avait été une épreuve terrible que de te contraindre à ce calme-là et à cette arrogance-là : sur la vedette, tu n'en pouvais plus. Pareil, une heure plus tôt ! une demi-heure plus tôt, une minute plus tôt. Un peu comme si vivre ne t'intéressait plus. Au contraire, brusquement, grâce à une horrible bestiole pour laquelle, en d'autres circonstances, tu n'aurais éprouvé que de la répugnance, voilà que tu aimais à nouveau l'idée de la vie, même dans une cellule de neuf pas sur sept. Il suffit d'avoir un bat-flanc, une petite table, une chaise, une chiotte avec une chasse d'eau, et un cafard. Et puis, si possible, quelques livres, un peu de papier et quelques crayons. Si on ne te fusillait pas ! Tu pourrais étudier, lire, écrire des poèmes : tu n'étais pas la seule personne au monde obligée à rester en prison. Et, rester en prison, d'une certaine façon c'est aussi une manière de lutter. On mesure les tyrannies à leur nombre de prisonniers politiques, pas vrai Dali ? Tu l'avais surnommé Salvador Dali, à cause de ses antennes qui ressemblaient à des moustaches. Et en l'appelant ainsi, tu lui as parlé jusqu'au moment où la clef a tourné dans la serrure et où apparurent six gardes avec la soupe. Dali était bien sage, avec ses antennes baissées. Peut-être l'avais-tu ennuyé avec tes discours et s'était-il endormi. « Attention à Dali, papadopoulaki ! — Attention à qui ? demanda le soldat qui tenait le plateau. — A Dali, à mon ami. — Mais quel ami ? — Lui. » Et tu lui as montré le cafard. « Ah ! », fit le soldat avec une grimace de dégoût. Et, de la pointe du pied, il l'a écrasé. Sur le plancher, il ne restait plus qu'une bouillie blanchâtre.

Plus que la bouillie blanchâtre, tu disais que ce qui t'avait bouleversé c'était le bruit de la carapace écrasée sous la chaussure. Et, en même temps que ce bruit, le son strident qu'il t'avait semblé entendre : comme si, en mourant, le cafard avait lancé un cri de douleur. Tu disais que tu avais eu l'impression qu'il avait écrabouillé un être avec des bras, des jambes, pas un cafard, et que l'idée de l'avoir perdu t'avait fait monter le sang à la tête parce que, d'un seul coup, l'épisode t'avait renvoyé à la conscience de ta solitude, à l'image de ta cellule vide, meublée avec une tinette seulement. Tu disais que tout cela avait allumé en toi une rage bestiale. « Assassin ». Et avec ce cri absurde, tu te ruas sur le soldat en frappant son visage avec tes menottes. Le plateau avec la soupe a volé contre le mur et le soldat est tombé à la renverse. Alors, tu t'es précipité sur les cinq autres un coup de pied dans le ventre de l'un, un coup de coude dans l'estomac de l'autre, un coup de poing sur le nez d'un troisième et ce fut pire que l'embrasement d'une forêt au mois d'août : quelques secondes à peine et ils étaient tous sur toi ; ton visage est devenu un masque de sang. Le directeur de la prison est arrivé lui aussi, tellement indigné qu'il n'arrivait plus à dire un mot. Mais qui lui avait-on confié, cette fois-ci ? Incroyable, répétait-il inlassablement, incroyable. Il en avait vu de toutes sortes durant sa carrière, mais jamais un énergumène pareil, qui s'en prenait à un pauvre gardien venu lui apporter sa soupe. Et qu'avait-il donc fait ce gardien ? Il avait écrasé un cafard, c'est-à-dire qu'il s'était même montré gentil avec toi ! Ils avaient bien raison à l'ESA de dire que tu étais une bête féroce, qu'il fallait te traiter durement, comme les dompteurs avec les fauves, lui, il était opposé à ce genre de méthodes, mais il se rendait bien compte qu'il n'avait pas le choix, qu'il fallait sévir ; tout d'abord, il ne te donnerait pas le lit de camp qu'il était prêt à t'accorder malgré les ordres, ensuite, pas de courrier et pas de journaux, livres, papier et stylo. Il ferait ce qu'on lui avait dit, un régime d'une extrême sévérité, même pas de promenade quotidienne, même pas de visite de ta famille. Les menottes vingt-quatre heures sur vingt-quatre car, si tu arrivais à blesser les gens les mains attachées, qu'est-ce que tu ferais les mains libres ? Tu l'as écouté en feignant l'indifférence, mais en réalité tu mesurais la portée de chacune de ses phrases : si ce type annonçait des mesures disciplinaires, cela voulait dire qu'on n'allait pas te fusiller. C'était la seule chose qui, pour l'instant, avait de l'importance. Demain, quelque ange gardien viendra à ton secours. Demain est un autre jour.

*
* *

Demain n'est pas un autre jour quand l'existence n'a plus rien d'humain. Tu étais enfermé là depuis un mois et, souvent, tu ne voyais plus de différence entre le fait d'être vivant ou d'être mort, tu savais que tu étais vivant uniquement parce que tu respirais. D'abord, la cellule. Elle était humide, froide, car tu n'avais même pas droit à un poêle, et elle était empestée, car on ne vidait ta tinette qu'un jour sur deux. Les gardiens, en entrant, retenaient leur souffle ou pressaient un mouchoir sur leur nez et leur bouche, ils devenaient tout rouges, faisaient leur tour et sortaient pour vomir. Toi, tu t'étais habitué à cette puanteur mais dès que la porte s'ouvrait, laissant filtrer un peu d'air, tu te rendais compte de la différence et, parfois, tu étais pris de nausées et tu ne pouvais plus rien avaler. L'absence de lit s'ajoutait à tes souffrances. Bien qu'à l'ESA et à Egine la situation fût la même, tu ne te résignais pas à l'idée de devoir dormir par terre comme un chien galeux, de plus, le sol était glacial, les carreaux étaient couverts de moisi, ce qui n'arrangeait certes pas le rhume et le mal de gorge que tu avais en permanence. Tu n'avais pas d'oreiller. Donnez-moi au moins un oreiller, leur avais-tu crié. Mais Patsourakos, le directeur, faisait la sourde oreille, craignant d'être accusé de tendresse par ses supérieurs. Tu avais enroulé ta veste pour en faire un oreiller, mais sans veste tu mourais de froid. Pour ne pas mourir de froid, tu te levais et tu te mettais à marcher de long en large, ce qui avait pour résultat au bout d'un moment que tu avais les jambes ankylosées et que tu devais t'étendre à nouveau par terre ou à t'asseoir le dos au mur, en claquant des dents et en attendant le soleil. Tu ne pouvais pas voir le soleil : devant la fenêtre, ils avaient mis, Dieu sait pourquoi, un morceau de carton. Tu en sentais toutefois la tiédeur et ce moment était pour toi plus important que celui de la soupe. La nourriture te laissait indifférent, car ce plateau posé par terre te dégoûtait et, en plus, tu n'arrivais pas à manger avec les menottes. Les menottes !

Elles étaient ce qui te gênait le plus, ces menottes. Le premier jour, tu avais pensé qu'ils y renonceraient. Bon Dieu, ils ne vont pas me garder en prison avec des menottes, on ne le fait pour aucun détenu, c'est sûrement une erreur, ils ont oublié de me les enlever, et quand le gardien était venu pour vider la tinette, tu avais tendu les bras : « Papadopoulaki, les menottes. Vous les avez oubliées. » Mais le gardien ne t'avait pas répondu, et une semaine plus tard, Patsourakos t'avait expliqué que les consignes étaient très précises quant aux menottes. « Je les porte depuis le 13 août ! — Je n'y suis pour rien, Panagoulis. On m'a dit de faire comme ça, je fais comme ça. » Ils ne te les ôtaient que vingt minutes toutes les vingt-quatre heures, pour te permettre de faire tes besoins, et ces vingt minutes ne correspondaient jamais à l'envie. Baisser ton pantalon devenait ainsi une gymnastique très compliquée, la chaîne entre les deux anneaux ne mesurant en effet que trente centimètres. Quant aux anneaux, ils étaient si étroits qu'ils avaient labouré tes poignets d'où suintait en permanence un mélange de pus et de sang.

Et pourtant ce n'était pas cela qui t'exaspérait le plus. C'était la solitude, l'isolement. Tu n'avais pas la moindre idée de ce qui se passait au-delà des murs de la prison, ni dans la prison elle-même. Tu ne savais pas combien de détenus il y avait, ni qui étaient ceux qui occupaient les cellules voisines. Les seules personnes que tu voyais étaient les gardiens qui t'apportaient à manger et vidaient la cuvette, mais ne te répondaient jamais, que tu leur dises bonjour ou que tu les insultes. On leur avait interdit de te parler, pour entendre le son d'une voix autre que la tienne, il te fallait tendre l'oreille aux échos d'une dispute ou d'une chanson. Ce silence obstiné te brisait les nerfs et te faisait parfois regretter l'interrogatoire et Egine. On peut faire face à la mort, disais-tu, subir des tortures, mais le silence est insupportable. Sur le coup, tu n'y prêtes pas attention ; tu crois même que, de la sorte, il est plus facile de réfléchir, mais tu t'aperçois bien vite qu'avec lui tu penses moins et moins bien, parce que le cerveau, réduit à ne travailler qu'avec la mémoire, s'appauvrit. Un homme qui ne parle à personne et à qui personne ne parle ressemble à un puits qu'aucune source n'alimente : peu à peu, l'eau qui y croupit s'évapore. De temps en temps, tu parlais à une tache sur le mur. Une tache sur le mur peut devenir une compagne extraordinaire, car elle bouge, ses contours ne sont jamais les mêmes, ils se déplacent continuellement t'offrant tantôt un objet, tantôt un profil, tantôt un visage, peut-être le visage d'un ami, tantôt un corps, le corps d'une femme désirée. Et tu peux lui parler, comme à un cafard. Mais il y a une belle différence, il faut l'admettre, entre une tache sur le mur et un cafard ; quand tu faisais la comparaison, tu avais mal. Ton cafard Dali te manquait tellement. Il te manquait tellement que tu en venais à t'interroger sur ta santé mentale : un homme peut pleurer la mort d'un chien, d'un chat, mais pas la mort d'un cafard. Tu avais tant espéré en voir surgir un autre ! Pendant des jours tu avais même cherché, en te disant que là où il y avait un cafard il devait y en avoir d'autres, aucun animal ne vit seul, mais tu n'avais rien trouvé d'autre que des petites boulettes ovales qui ressemblaient à des excréments de souris. Inutile de dire que cette trouvaille t'avait excité au plus haut point, que tu aurais beaucoup aimé avoir une souris : tu l'aurais même préférée à un cafard. Les souris sont intelligentes, mignonnes, faciles à apprivoiser. Mais cet espoir aussi s'était vite envolé : il ne s'agissait pas des excréments d'une souris mais de ceux d'une araignée. Sans l'araignée. Non, il n'y avait vraiment aucun autre être vivant dans cette cellule. Il n'y avait que le silence et c'est tout. Naturellement, si on t'avait donné un livre ou un journal, le simple fait de lire t'aurait aidé à maintenir ton cerveau en exercice, à dialoguer même avec les mots écrits : mais l'interdiction continuait et nourrissait le silence, la monotonie, l'ennui. L'ennui ! Quand tu es enfermé entre quatre murs avec une tinette puante et rien d'autre, même le fait de ne rien faire devient un supplice : une minute devient cent ans et tu perds la notion du temps.

Tu ne savais plus calculer le temps. Tu n'avais pas de montre, on ne te l'avait pas rendue après ton arrestation et, par moments, tu ne savais même pas si c'était le matin ou l'après-midi. Tu te demandais toujours : quelle heure peut-il bien être ? A l'ESA, tu ne te le demandais jamais, tu t'en fichais de t'entendre dire qu'il était neuf heures du matin ou cinq heures de l'après-midi, au procès non plus tu ne te posais jamais la question. A Egine non plus, sauf la nuit... A Boiati, au contraire, la curiosité de savoir l'heure te laminait de manière angoissante, et tous ces porcs qui refusaient de te répondre ! « Quelle heure est-il ? » Silence. « Réponds-moi ! Quelle heure est-il ? » Silence. Comme si on leur avait coupé la langue. Mais il y avait pire : tu ne savais plus quel jour on était, la semaine, le mois. La première semaine, tu avais pris l'habitude d'inscrire un petit trait sur la porte à la tombée de la nuit, mais le huitième jour tu étais tombé malade et tu n'avais plus rien marqué. « Quel jour sommes-nous ? Quel mois ? » Silence. Et, en vain, tu te fâchais, tu criais : « Dis-le-moi, nom de Dieu, qu'est-ce que ça te coûte ?! » Silence. Alors que tu t'étais convaincu que trois mois s'étaient écoulés, tu as appris, tout à fait par hasard, qu'un seul s'était écoulé et c'était tout. Ce jour-là, pour la première fois, on t'a fait sortir. « Viens, Panagoulis. Allez ! — Qu'est-ce qu'il y a ? Qu'est-ce qui se passe ? — Une visite. — Qui ? — Tu verras bien. » A demi aveuglé par la lumière du soleil, chancelant, tu t'es traîné jusqu'au parloir. Et si c'était ta mère ? Tu ne l'avais pas vue depuis deux ans, depuis le jour où tu avais déserté. C'était bien ta mère. Elle était là, avec son manteau du dimanche, son petit chapeau en forme de turban, son air de paysanne habillée pour une cérémonie. Mais pourquoi ne te saluait-elle pas ? Pourquoi regardait-elle de l'autre côté ? Tu t'es approché de la grille pour l'appeler, mais l'émotion te serrait la gorge et tes lèvres étaient figées. Tu as toussé. Elle s'est retournée, t'a regardé un instant avec indifférence et a tourné la tête, à nouveau, de l'autre côté. Après quelques secondes, elle s'est adressé aux gardiens avec impatience : « Alors, il vient ou pas ? — Il est là, vous ne le voyez pas ? » Ses yeux t'ont effleuré encore une fois, puis ont cherché derrière toi quelqu'un qui devait être là mais n'y était pas : ce squelette blanc avec des cernes livides et des menottes aux poignets ne te ressemblait pas. « Non. Où est-il ? » Un murmure s'est échappé de tes lèvres : « Je suis là. » Et aussitôt, un cri retentit dans le silence de la salle : « Assassins ! Qu'est-ce que vous lui avez fait, assassins ! » Tu n'aurais jamais cru que ta mère fût capable de pleurer : tu n'avais jamais surpris une seule larme dans ses yeux. Mais maintenant elle pleurait, et il a fallu un bon moment pour qu'elle se calme, qu'elle parle, qu'elle te rappelle combien cela pouvait être beau d'entendre la voix d'autrui. Bien sûr, elle avait beaucoup de choses à te dire : elle aussi avait été arrêtée, avec ton père, tu le savais ? On les avait libérés le 24 novembre et lui n'allait pas bien : ces cent trois jours de malheur l'avaient perturbé, mais tu ne devais pas t'inquiéter, il allait mieux à présent. D'ailleurs, il ne savait pas que tu étais en prison. Il ne savait même pas que tu avais été jugé, elle le lui avait caché. Quant à la peine de mort, elle avait été suspendue. Elle était encore valable pour une durée de trois ans, mais tout le monde pensait qu'au grand regret de Joannidis, Papadopoulos ne te fusillerait pas : en Europe, on parlait trop de toi en ce moment, tu étais devenu un symbole, ton nom était sur toutes les bouches. C'est d'ailleurs pour cette raison qu'on lui avait enfin accordé le droit de venir te rendre visite, et, ce matin, Patsourakos l'avait même autorisée à t'apporter de la nourriture. D'autant plus qu'après-demain... Tu l'as interrompue : « Quel jour sommes-nous ? — Tu ne le sais pas ? Le 23 décembre ! Après-demain c'est Noël ! — Noël ? Tu veux dire que je ne suis là que depuis un mois ? — Oui, effectivement. »

C'est à la suite de cette découverte, ce traumatisme, que tu t'es révolté : non, ça ne pouvait pas continuer comme ça. Un homme ne peut pas vivre privé de la notion du temps. Les boulettes d'araignée ou de souris étaient loin : il fallait s'évader. Et, en attendant, exiger d'être traité humainement. Tu voulais un lit de camp, nom de Dieu, et une montre, et des chiottes décents et les journaux tous les matins. Et puis tu voulais aussi qu'on te parle. Quel article du règlement stipulait qu'il fallait que tu restes toujours seul, sans montre pour avoir l'heure, sans calendrier pour savoir quel jour on était, sans personne pour répondre à tes questions et te dire ne fût-ce qu'un mot ? De quel droit Joannidis se permettait-il de se venger sur toi parce que tu n'étais ni mort ni enterré ? Tu ferais une grève de la faim, jusqu'au coma s'il le fallait et, si Patsourakos n'acceptait pas de céder, l'affaire arriverait jusqu'aux oreilles de Papadopoulos qui, pour ne pas scandaliser l'opinion publique européenne, exaucerait tes demandes. Bien sûr, commencer une grève de la faim avec toute la nourriture que tu avais devant toi était presque de la folie. Tu regardas avec admiration ce que ta mère avait apporté. Ah, ce lapin devait être un vrai régal ! Y avait-il un plat que tu aimais davantage ? Les foies de volaille peut-être. Ça alors ! Il y avait aussi des foies de volaille ! Avec des feuilles de laurier ! Quoi d'autre ? De la daube ! Si tu avais dû choisir entre le lapin, les foies de volaille et la daube, tu aurais été plus embarrassé que Pâris devant donner la pomme à la déesse la plus belle : depuis combien de siècles n'avais-tu rien mangé de tel ? Et il y en avait pour plusieurs jours. Est-ce qu'en trois jours tu réussiras à en consommer une partie ? Aujourd'hui, les foies de volaille qui se gardent difficilement plus d'un jour ; demain, la daube qui ensuite sentirait le rance et pour Noël, le lapin ! Oui, la pomme de Pâris revenait au lapin : cuit à point, parfumé à la sauge. Et après, le jeûne ! Pendant deux jours, tu t'es empiffré tellement qu'à Noël, tu ne pouvais même plus ingurgiter une tasse de café. C'était dur de ne pas profiter de Noël en mangeant ce lapin, mais, le jour suivant, tu le mangerais, et tu lui dis : « Patience, mon ami, patience ! On repoussera de vingt-quatre heures la grève de la faim, car aujourd'hui je n'en peux vraiment plus, excuse-moi ! » Puis, satisfait, tu esquissas quelques pas de danse entre la porte et le mur d'en face. Mais, soudain, tu t'arrêtas net, fronçant les sourcils. Bizarre, il y avait quelque chose de différent sur la porte : la lumière ne filtrait pas comme à l'accoutumée par le petit trou du judas. Pourquoi ? Tu t'es approché, tu as appuyé ton front sur la porte et aussitôt tu as fait un bond en arrière : au travers du judas, un œil te regardait. Merde ! Quelqu'un t'avait vu discuter avec le lapin rôti, danser, faire le pitre ! Quelle honte, quelle mortification. Qui était-ce ? Aucune importance, qui que ce fût, cet individu méritait une punition. Tu as levé le bras, et glissé l'index de ta main droite dans le trou. Un cri de douleur t'a répondu, puis un chœur surexcité : « Vite, à l'infirmerie ! Il lui a fait mal, il lui a presque crevé un œil ! Presque ? Mais pas du tout ! Il lui a vraiment crevé un œil ! Ce salaud ! Cette bête sauvage ! On va lui donner une leçon à cette bête sauvage ! » Et une autre voix : « Non, non, j'y vois ! Il ne m'a pas crevé l'œil, j'y vois très bien, je vous le jure ! C'est un accident ! Il ne l'a pas fait exprès, je vous dis, laissez-le, c'est Noël ! » Mais c'était inutile. La porte de la cellule s'est ouverte d'un seul coup, ils ont fait irruption à sept, furieux, décidés à venger cet affront. « Salaud, sale bête, tu t'en souviendras de ce Noël ! » On aurait dit que tout à coup ils avaient tous retrouvé leurs cordes vocales, ils déchiraient soudain ce silence long d'un mois pour t'assourdir à présent. Mais ils ne se contentaient pas de crier, ils cognaient. Tous ensemble, à sept contre un. Empêtré par les menottes, tu ne pouvais même pas essayer de te défendre et, très vite, tu n'as plus été qu'un paquet de bleus par terre, au milieu du lapin écrasé et des excréments de la tinette renversée. Joyeux Noël, joyeux Noël.

* *

Et pourtant, paradoxalement, ce passage à tabac t'a facilité les choses. Il a rendu presque tolérable ta première grève de la faim à Boiati. En effet, dans une grève de la faim, c'est commencer qui est le plus difficile. Les trois premiers jours. Après quoi, on est envahi par une grande faiblesse, et le désir de nourriture disparaît. C'est pourquoi, si tu commences un jeûne après un passage à tabac qui t'a abruti, tu ne te rends même plus compte que tu as l'estomac vide, tu désires tout, sauf manger, c'est ce que tu as fait après le départ des sept gardiens : tu as même refusé de boire pendant soixante-douze heures. Après, tu as accepté une tasse de café et tu as repris le jeûne absolu jusqu'au moment où tu t'es trouvé dans un état de faiblesse tel que tu as perdu connaissance, et c'est dans cet état que t'a trouvé le médecin de l'ESA : c'était celui qui, le jour de ton arrestation, avait essayé de t'aider. Tu étais à moitié mort car tu n'avais rien mangé depuis deux semaines. D'un seul coup, tu as senti une aiguille te transpercer le bras et une vague de chaleur envahir ton sang, en une longue sensation de bien-être. Tu as soulevé les paupières et il était là, au-dessus de toi, avec son visage finaud, ses petits yeux brillants de complicité et d'ironie. « Iassou, Alekos. Salut. — Qui es-tu ? — Tu me connais. Un médecin. Je m'appelle Danaroukas. — Qu'est-ce que tu veux ? — T'aider. — Comme ton collègue qui assiste aux tortures ? — Moi, je n'assiste pas aux tortures — Menteur » Il t'a répondu en te fourrant dans la bouche

un morceau de chocolat : « Dis-moi pourquoi tu refuses de manger
— Parce que je veux un calendrier. Une montre et un calendrier. Et
parce que je veux qu'on me parle ! — C'est pas assez, et puis ? — Je
veux qu'on m'enlève les menottes. — Toujours pas assez, et puis ?
— Je veux qu'on me donne un lit. — Toujours pas suffisant, et puis ?
— Des chiottes décents. — Et puis ? — Les journaux. Et des livres.
Et le stylo. Et du papier. — C'est mieux. Si tu demandes une seule
chose, on ne te la donnera jamais. Si tu en demandes plusieurs, on
t'en donnera une. Ou deux. Je vais faire un rapport. En attendant,
cache ce chocolat. Il pourra te servir une prochaine fois. » Il est
parti avec la liste de tes revendications et, le lendemain, on t'a
apporté un lit de camp. Deux jours plus tard, tu as vu arriver un
soldat au regard doux et sympathique : « Bonjour, Alekos. »

Le jour de Noël, on lui avait confié la garde extérieure de ta
cellule sans lui dire qui tu étais. On lui avait seulement expliqué que
tu étais un criminel très, très dangereux et qu'il ne fallait absolument
pas t'adresser la parole, ce qui avait suscité chez lui une immense
curiosité : il s'était mis à t'observer par le judas pour voir à quoi
ressemble un criminel très, très dangereux, et il avait eu droit à ton
doigt dans l'œil. Tu l'as examiné avec hostilité : « Qui es-tu ? — Je
suis le type à qui tu as fourré un doigt dans l'œil. — Ça t'apprendra à
jouer les espions. — Mais je ne suis pas un espion. — Tous les
espions disent je-ne-suis-pas-un-espion. » Le petit soldat a souri et,
sans dire un mot, s'est dirigé vers la tinette pour t'en débarrasser. Et
s'il était sincère ? Pour en avoir le cœur net, il fallait le provoquer.
C'est ce que tu as fait : « Je vois que tu aimes bien ramasser la
merde, papadopoulaki. — Non, mais la tienne je la ramasse
volontiers, Alekos. Parce que je t'admire. » Tiens ! Il avait l'air
vraiment sincère. Tu as attendu qu'il revienne avec la tinette propre
et tu as recommencé à le tourmenter. « Enlève-moi mon pantalon,
papadopoulaki, je veux uriner. » A nouveau, il a souri avec
douceur. Il a posé la cuvette propre puis, d'un air sérieux, il a fait
glisser ton pantalon. « Maintenant, aide-moi à uriner. — Non,
Alekos, ça non. C'est pas bien. Je t'enlève les menottes et tu le feras
toi-même. — Ah ! On t'a autorisé à m'ôter les menottes, papadopoulaki ? — Non, mais ça fait longtemps que j'ai envie de le faire. —
Je ne te crois pas. — Comme tu veux. » Tu t'es radouci :
« Pourquoi ne m'as-tu pas parlé avant ? — Parce que je ne te
connaissais pas. — Ou parce que tu n'en avais pas le courage ; parce
qu'ils t'avaient dit que c'était interdit de me parler ? — Je savais bien
que c'était interdit, pourtant, durant les derniers jours, lorsque tu
délirais, je t'ai souvent parlé. Alors, ces menottes, je les enlève ou
pas ? — Si tu me les enlèves, je m'enfuis. — Si tu fais ça, ils te

reprendront et, à ma place, ils mettront quelqu'un qui ne sera pas ton ami. » Tu as tendu les mains et il t'a enlevé les menottes. « Et si maintenant je te volais ton revolver et les clefs ? — Tu ne le feras pas. — Pourquoi ? — Parce que ce serait une bêtise. Tu veux uriner, oui ou non ? » Déconcerté, tu as uriné tout en l'examinant du coin de l'œil : non, il ne mentait pas. Ton instinct te disait qu'il ne mentait pas, après un court instant d'hésitation, tu as tendu à nouveau les bras pour qu'il te remît les menottes. Ton poignet droit était le plus infecté et ta chair était entaillée jusqu'à l'os : « Et ça ? Mais il faut te soigner, Alekos, te faire un pansement ! — Mets-moi ces menottes, papadopoulaki, et arrête ton numéro. — Tu es injuste. Je ne mettrai pas des menottes sur une plaie pareille. Je vais tout de suite chercher un médicament et un pansement. — Non. — J'y vais quand même. » Il est parti et revenu une heure plus tard avec une pommade et une bande. « Tu en as mis du temps, papadopoulaki. Tu es allé faire un rapport sur tes progrès ? — Non. J'ai traîné un peu pour te laisser les mains libres un peu plus longtemps. » Puis il a nettoyé la plaie, l'a bandée, puis a remis les menottes avec une expression plus convaincante que n'importe quelles paroles. « Merci, papadopoulaki. — Je ne m'appelle pas papadopoulaki, je m'appelle Morakis. Caporal Morakis. »

Il t'a fallu presque un mois pour te convaincre qu'il ne mentait pas et, au cours de ce mois, tu as souvent été cruel, comme tu savais l'être à chaque fois que tu voulais t'assurer de quelque chose. En effet, plus tu aimais quelqu'un et plus tu avais peur d'être trompé ou de te laisser aller, d'où cette nécessité pour toi de faire souffrir l'autre. Mais à la fin, sa bonté l'a emporté sur ta méfiance. Il t'était vraiment dévoué. Tu te demandais souvent comment tu aurais fait s'il n'avait pas été là : c'était lui qui non seulement vidait la tinette jusqu'à trois fois par jour, mais encore t'apportait les journaux, de quoi écrire, le papier, tout ce que Patsourakos hésitait à t'accorder. Non que Patsourakos ait fait trop de zèle depuis ton jeûne, il t'avait même autorisé à voir ta mère dans la chapelle plutôt qu'au parloir derrière la grille. Mais un jour, les gardes t'avaient surpris en train de lui glisser un billet et, pour ne pas être compromis aux yeux de Joannidis, il t'avait alors privé de journaux, de quoi écrire, de papier, de tout ce que tu avais arraché grâce à cette grève de la faim interrompue par Danaroukas. Il t'avait laissé le lit de camp et c'est tout. De plus, Morakis t'ôtait les menottes au risque d'être découvert, et c'est cela qui t'avait convaincu d'avoir confiance en lui, de lui parler de tes projets d'évasion. Il n'avait pas paru surpris : « Je sais, mais c'est très difficile. — Non, il suffit d'un uniforme. Tu en as un ? — J'ai une tenue de sortie. » Tu as pris tes mesures, tu as pris les siennes : il était plus petit que toi et moins large d'épaules, mais, en gros, vous aviez la même corpulence. « Bon, tu me donneras ton uniforme de sortie et toi tu garderas celui que tu as sur toi. — Moi ? — Tu viendras avec moi, bien sûr. — Mais moi... — Fais pas cette tête-là. Tu auras tout ton temps pour te faire à cette idée. De toute manière, je dois d'abord récupérer physiquement. Je suis encore si faible que je ne pourrais même pas arriver jusqu'au portail. — Mais quand penses-tu... — Je n'en sais rien. Mais je ne suis pas pressé. Et maintenant, apporte-moi un bon repas. » Il te l'a apporté et tu as mangé de bon appétit. Tu as mangé comme ça également les jours suivants : tu étais devenu si calme que Patsourakos t'a accordé aussi la table, la chaise et la promenade quotidienne dans la cour. La seule chose à laquelle il ne consentait pas était de t'enlever les menottes : à l'ESA, on lui en avait refusé l'autorisation : « Alors, on devient le bon samaritain, monsieur le directeur ? » De toute façon, menottes ou pas, tu faisais rapidement des progrès, tu étais tous les jours de plus en plus en forme : au printemps, les plaies de tes poignets s'étaient presque complètement cicatrisées et tu avais en partie retrouvé ton poids, et il t'arrivait même de chanter gaiement le sinistre poème que tu avais écrit durant la semaine où ton procès avait été suspendu : « Les blanches colombes se sont envolées-ées ! Le ciel s'est rempli de corbeaux-eaux ! Oiseaux noirs-oirs ! » Tu aimais le chanter, d'autant plus que tu savais combien cela agaçait les gardes de t'entendre chanter faux. « Ferme-la, Panagoulis ! » Puis, le mois de mai est arrivé avec le redoux et un drame est survenu.

Un beau matin, on t'a enlevé les menottes, apporté un seau d'eau chaude, on t'a lavé, coupé les cheveux et la barbe et on t'a offert une chemise propre et un pantalon repassé et on t'a dit que tu pouvais aller dans la cour te dégourdir les jambes le temps que tu voulais. Tout cela t'a surpris mais n'a éveillé en toi aucun soupçon : ils avaient de toute évidence décidé de baisser pavillon, et pourquoi refuser une bouffée de répit ? Tu es sorti de la cellule. Dans la cour, il n'y avait personne. Tu t'es adossé au mur, le visage offert au soleil, quand un ballon est venu rebondir à tes pieds. Tu as essayé de savoir qui l'avait envoyé, mais le soleil t'aveuglait et tu ne voyais toujours personne. Morakis peut-être ? Tu renvoyas mollement le ballon d'un coup de pied mou. Le ballon est revenu vers toi. Oui, c'était certainement Morakis, caché Dieu sait où et en veine de plaisanter. Tu as tapé dans le ballon avec plus d'enthousiasme. Le ballon a rebondi sur le mur d'en face, puis, pour la troisième fois, tu l'as retrouvé à tes pieds. Ah, Morakis ! Il te lançait un défi ? Eh bien d'accord ! Tu n'avais pas touché à un ballon depuis des siècles, mais tu allais lui montrer que même sans entraînement tu pouvais lui tenir tête. « Hop ! Hop ! Hop ! » Tu as renvoyé le ballon une fois, deux fois, trois fois, puis, essoufflé, tu t'es arrêté pour respirer : « Je suis fatigué, Morakis ! » Mais personne ne t'a répondu. « Morakis ! » Silence. Etait-il possible que ce ne soit pas Morakis ? Pendant que tu te posais cette question, tu éprouvais la désagréable impression d'être observé. Pourtant la cour était manifestement vide. Vide ? Non, maintenant que tu t'habituais à la lumière du soleil, tu entrevoyais un sergent, là-bas au fond. Il gesticulait : « Allez, Alekos, vas-y ! » Tu ne le connaissais pas. Qui était-il ? « Allez, Alekos, joue, vas-y ! » En rougissant tu lui as tourné le dos, tu es rentré dans ta cellule. Puis, tu t'es mis à attendre Morakis, et lorsqu'il est arrivé, le lendemain, il t'a suffi de voir avec quelle expression il te tendait les journaux pour tout comprendre. Tous publiaient ta photo en train de jouer au ballon et tous s'indignaient contre ces ignobles calomnies lancées par les radios étrangères, selon lesquelles tu avais les menottes aux poignets depuis neuf mois, que tu dormais par terre comme un chien, que tu ne voyais jamais la lumière du jour, que tu étais enterré vivant : les journalistes grecs et les correspondants de tous les pays avaient pu vérifier qu'au contraire, tu étais en bonne santé, propre, bien habillé, sans menottes, que tu sortais de ta cellule quand tu voulais, que tu étais si peu assoiffé de lumière que tu rentrais dans ta cellule avant même qu'on te le demande. Morakis était accablé : « C'était ma matinée de repos... Si j'avais été là, ça ne se serait pas produit... Je t'aurais prévenu... Je ne l'ai su que hier soir et... — Dis-moi, où étaient-ils cachés ? — Dans le parloir. Ils s'étaient cachés dans le parloir. Ils te regardaient par les fenêtres. » Tu n'as rien pu dire pendant quelques minutes puis tu as éclaté en sanglots ; enfin, tu as dit à Morakis de se tenir prêt : tu voulais t'enfuir dans la semaine.

*
* *

C'était la nuit du vendredi 5 juin 1969. La prison dormait. Morakis est arrivé avec l'uniforme dans un sac et tu l'as enfilé aussitôt. Puis tu as mis tes vêtements dans le sac, disposé les couvertures de façon à faire croire qu'une forme humaine dormait et tromper ainsi le gardien qui regarderait par le judas, puis tu as ordonné autoritaire : « On s'en va ! » On aurait dit que tu partais pour une excursion à la campagne. Morakis, par contre, avait l'air nerveux : la conscience de devenir un déserteur et le responsable de l'évasion la plus redoutée par le régime lui faisait trembler les mains. « Ferme-la, moi je n'y arrive pas », a-t-il dit en montrant la porte de ta cellule et en te tendant le trousseau de clefs. Tu l'as fermée avec assurance et vous êtes partis dans le noir, sans savoir comment résoudre la première difficulté : passer le portail de la prison. Et si la sentinelle te reconnaissait ? Si elle te demandait tes papiers ? La sentinelle dormait à moitié. « C'est toi qui lui parles », a dit Morakis. Tu t'es avancé vers le soldat et : « Réveille-toi, bidasse ! » Tu lui as lancé le trousseau de clefs : « Ouvre le portail, bidasse ! — En réalité, mon caporal... — Au garde-à-vous quand tu parles à un supérieur ! — Oui mon caporal. — Et cette veste déboutonnée, c'est quoi ? Une nouvelle manière de porter l'uniforme ? — Non, monsieur, non mon caporal. Excusez-moi, mon caporal. — Voyons un peu si tout est bien en ordre par ici. — Oui, mon caporal. Faites donc, mon caporal. » Derrière toi, Morakis te suppliait entre les dents : « Oh non ! Ce n'est pas la peine ! Oh non ! » Mais tu ne l'écoutais même pas et, pris par ton jeu, tu continuais effrontément : « Regardez-moi ça ! C'est comme ça qu'on garde les clefs ? Tu n'as pas honte ?! Bon Dieu ! mais n'importe qui pourrait s'échapper avec des négligences pareilles ! N'importe qui ! Bon, va pour ce soir. Mais demain, au rapport ! Compris ? — Oui, mon caporal. — Ouvre le portail. — Tout de suite, mon caporal. — Et si on revient, ne te mets pas à crier qui-va-là ou d'autres âneries du même genre, compris ? — Oui mon caporal. » Il a ouvert le portail. Vous étiez dans l'enceinte du camp militaire dont la prison faisait partie, et il fallait à présent affronter la deuxième difficulté : sortir du camp. Mais comment ? Il était impensable de se présenter devant l'autre sentinelle et répéter la même comédie. Escalader le mur et sauter de l'autre côté était très risqué : les projecteurs des miradors l'éclairaient toutes les cinquante secondes. Pourtant, c'était la seule issue. Accroupis à l'endroit le plus éloigné des baraquements, vous avez attendu le moment propice, et dès qu'il s'est présenté : « Allez ! » Morakis est monté vite sur tes épaules, s'est agrippé au mur, s'est rétabli, t'a tendu les bras et t'a hissé : « Fais attention aux barbelés ! » Aux barbelés ou au faisceau de lumière qui avançait inexorablement et allait bientôt vous centrer ? « On saute ! » On entendit le bruit d'une double déchirure : vos pantalons étaient lacérés, vos vestes aussi. Mais le saut était réussi : pas d'entorses, pas de bleus, vous pouviez dévaler la colline et rejoindre la route ; le seul obstacle, c'était un berger avec son troupeau et son chien, juste à moitié chemin. « Le chien va nous voir ? — J'espère que non. — Courage ! » Morakis a bondi le premier. Plié en deux, il courait comme un lièvre, alors que toi tu devais t'arrêter assez souvent pour reprendre ton souffle, et le chien t'avait vu et aboyait, aboyait. Il continua à aboyer jusqu'à ce que, couvert de terre, hors d'haleine et mort de fatigue, tu ne sois arrivé à la route. Maintenant, il fallait rejoindre Athènes.

D'habitude, lorsqu'un prisonnier s'évade, il le fait avec la complicité de quelqu'un à l'extérieur par exemple, d'une personne qui l'attend avec une voiture et lui permet ainsi de continuer à fuir. Mais ta méfiance, et aussi ton goût pour les jeux impossibles, t'avaient fait écarter cette solution et tu avais interdit à Morakis de chercher de l'aide. Personne ne devait savoir que tu allais t'enfuir avec lui, tout devait dépendre de la chance et de ton initiative, si bien que sur la route, il n'y avait absolument personne. « Et maintenant ? a demandé Morakis. — Maintenant, on prend l'autobus. — L'autobus ? — Oui, l'autobus. Comme deux caporaux qui partent en permission. » L'autobus est arrivé, vous êtes montés et il ne vous fallut que peu de temps pour comprendre que c'était une erreur : avec vos uniformes déchirés et sales vous ressembliez à tout sauf à des militaires en permission. Perplexe, le contrôleur vous a examinés : « Une bagarre ? — Eh oui. Un salaud qui se permettait d'insulter l'armée. — Vous allez en ville ? — Non. On descend à la prochaine. » Et vous êtes descendus. Morakis avait l'air de plus en plus inquiet. « Et maintenant ? — Maintenant, on prend un taxi. » Un taxi passait. Mais il ne vous a pris que pour quelques kilomètres, car il ne travaillait que dans la zone de Boiati. Et vous voilà de nouveau à pied, protégés par l'obscurité et rien d'autre. « Et maintenant ? — Maintenant, j'enlève cet uniforme. » Tu t'es caché derrière un arbre, tu as pris les vêtements qui se trouvaient dans le sac de Morakis et tu t'es changé avec un soupir de soulagement : on perdrait ainsi les traces des deux caporaux en uniforme. « Et maintenant ? — Maintenant, on cherche un deuxième taxi, puis un troisième, jusqu'à Athènes. » Le troisième taxi vous a déposés en ville à minuit, et c'est alors qu'apparut clairement l'extrême fragilité d'un plan laissant une aussi grande part au hasard : où se cacher ? Pendant les préparatifs, Morakis t'avait demandé à maintes reprises : « Où iras-tu après ? Moi, je peux me cacher chez une fille, un parent, mais toi ? Ta famille est surveillée et tes amis sont en prison Comment vas-tu t'en sortir ? » Tu lui avais toujours répondu : « Ne t'en fais pas, il y a des centaines de maisons qui sont prêtes à m'accueillir. » Mais les maisons de qui ? De ceux qui se réveillent seulement quand il n'y a plus de risques, quand la liberté est revenue, des bavards, des lâches qui se dégonflent comme des baudruches dès qu'on les met à l'épreuve ? Certains ne t'ont même pas ouvert leur porte. « Qui est-ce ? — C'est moi, Alekos, je me suis évadé, fais-moi entrer. — Arrêtez de plaisanter, allez ! » D'autres ont entrouvert leur porte en laissant la chaîne de sûreté et, à ta vue, ont été pris de panique : « Je ne peux pas, c'est trop dangereux, je ne peux pas ! » Même une fille qui t'avait dit qu'elle t'aimait t'a chassé comme un mendiant atteint de la peste : « Va-t'en, vite ! Tu ne voudrais tout de même pas que je finisse à l'ESA par ta faute ? » A trois heures du matin, vous étiez encore en train d'errer d'un quartier à l'autre et Morakis se désespérait : « Qu'est-ce qu'on fait ? Où vais-je te laisser ? » Tu étais épuisé ; cette marche t'avait coupé les jambes et tu te traînais en murmurant : « J'ai perdu l'habitude, je dois me reposer, je dois me reposer. » Finalement tu as aperçu un immeuble en démolition : « Et si on se reposait ici ? — D'accord », a répondu Morakis. Vous vous êtes endormis aussitôt, couchés l'un à côté de l'autre comme des enfants, et le matin, un braillement vous a réveillés : « Pédés ! On ne vient pas faire des cochonneries dans les chantiers, sales pédés ! Police, police ! » Vous avez à peine eu le temps de vous lever et de fuir, poursuivis par une horde menaçante d'ouvriers. A l'angle de la rue tu t'es arrêté : « Il faut qu'on se sépare, vite ! — Je ne peux pas te laisser seul, Alekos, je ne peux pas ! — Bien sûr que si ! Va-t'en, je te dis, va-t'en ! — Mais toi, où vas-tu aller, où ? — J'en sais rien, n'y pense pas, cours ! » Les ouvriers approchaient : « Police, arrêtez-les, police ! » Morakis fila. Tu n'as même pas eu le temps de lui dire merci, au revoir.

Et te voilà seul dans la ville qui se réveille. Exposé à la lumière du soleil avec ce visage photographié par tous les journaux six mois plus tôt, ces moustaches qui te rendent reconnaissable même dans un pays où presque tous les hommes portent des moustaches : si au moins tu avais pensé à les raser ! « Il porte un pantalon foncé, un tricot bleu clair, et il a des moustaches », voilà quel serait le signalement. Sans doute que déjà, sept heures du matin, on avait découvert ta fuite et diffusé un signalement : il était donc hors de question de prendre un taxi par exemple. Un autobus : encore pire. Continuer à marcher dans les rues, désertes ou fréquentées, revenait au même. Il fallait trouver une solution tout de suite, dans ce quartier. Dans quel quartier te trouvais-tu ? Ah oui : Kipseli. Qui habitait à Kipseli ? Patitsas ! Demetrios Patitsas ! Comment avais-tu fait pour ne pas y penser hier soir ? Demetrios était un parent éloigné, un cousin au deuxième degré, il avait eu des rapports avec la Résistance : Théophiloyannacos t'avait du reste demandé de le lui confirmer durant l'interrogatoire à coups de phalange. « Qui c'est ce Demetrios, celui des faux passeports, qui est-ce ? » Là encore, pas un seul mot n'était sorti de ta bouche : ne serait-ce que par reconnaissance. Demetrios t'hébergerait pour une nuit. Mais son adresse, c'était quoi ? Ah oui : 51 rue Patmos. Voyons : par où faut-il passer pour aller rue Patmos ? Par là : on tourne à droite, puis à gauche, et encore à droite... Rue Patmos ! Qu'est-ce qu'elle est longue tout de même, elle n'en finit plus : ça c'est le numéro cent quarante-neuf, je ne suis pas encore arrivé ! Cent quarante-neuf, cent quarante-sept, cent quarante-cinq... Quatre-vingt-dix-neuf, quatre-vingt-dix-sept, quatre-vingt-quinze... Toujours la tête baissée avec la peur que quelqu'un se retourne et dise : « C'est pas Panagoulis, ce type ? » Cinquante-sept, cinquante-cinq, cinquante-trois... Cinquante et un ! Enfin. Tu as trouvé sa sonnette. L'avant-dernier bouton en haut à gauche. Par l'interphone une voix ensommeillée t'a répondu : « Qui est-ce ? — C'est moi. — Qui moi ? — Ouvre, Demetrios ! Ne perds pas de temps, je t'en prie. » Un bruit sec et la porte s'est ouverte. Tu as hésité un instant, l'ascenseur ou l'escalier, et puis tu t'es rué dans l'escalier en soufflant. Mon Dieu, que de marches pour un homme qui n'a pas monté un escalier depuis onze mois et qui a les jambes brisées ! Huit rampes avant d'atteindre le quatrième étage où un petit visage terrifié te fixait, incapable de te chasser. Cette fois-ci, tu n'as pas perdu de temps en préambules. D'un bond, tu t'es retrouvé dans la maison et tu as fermé immédiatement la porte : « Je me suis évadé, Demetrios. Tu dois me garder au moins cette nuit. — Evadé ? Explique-toi... — Plus tard. Donne-moi plutôt un rasoir, je dois couper ces moustaches immédiatement. »

**

Sans moustaches, tu étais presque méconnaissable. Tu t'es regardé avec satisfaction dans la glace, puis tu t'es mis à inspecter la maison. Un rapide coup d'œil t'a suffi pour comprendre que tu étais tombé dans une excellente cachette : la rue Patmos se trouvait dans une sorte de casbah, et l'appartement de Demetrios dans une maison identique à toutes les autres. De plus, il y avait une double terrasse qui, en cas de nécessité, pouvait te permettre de sauter sur le toit de la maison voisine et disparaître. Mais cela ne serait pas nécessaire : qui pourrait deviner que tu te cachais à cet endroit ? Personne ne t'avait vu entrer, personne ne t'avait vu monter et les fenêtres d'en face étaient beaucoup trop basses pour permettre de voir ce qui se passait dans cet appartement. Tu as compté les pièces : séjour, salle de bains, cuisine et une chambre dont la porte était fermée : « Il y a quelqu'un, dans cette pièce ? — Oui, un ami. — Tu ne vis pas seul ? — Non. Mais ne t'affole pas. C'est un ami, un vrai, un camarade. — Comment s'appelle-t-il ? Qu'est-ce qu'il fait ? — Il s'appelle Perdicaris, c'est un étudiant. — Je veux le voir, lui parler. » Patitsas a ouvert la porte Sous les portraits des frères Kennedy et un poster représentant la place Rouge avec ses églises à flèches et le Kremlin un jeune homme dormait. Tu as retenu un sourire et tu es entré dans la pièce. Tu l'as réveillé et tu l'as regardé d'un air décidé. « Je suis Panagoulis. Je me suis évadé de Boiati. Pas de faux pas, c'est compris ? » Après un instant de surprise, il a sauté du lit et t'a embrassé, te jurant fidélité. Alekos-tu-ne-sais-pas-quelle-admiration-j'ai-pour-toi, Alekos, je-donnerais-ma-vie-pour-toi. Et Patitsas, en t'indiquant les affiches des frères Kennedy, de la place Rouge avec ses églises à flèches et le Kremlin : « Je te l'avais bien dit, non ? Tu peux être tranquille ! Tu es avec des camarades, bon Dieu, tu ne pouvais pas mieux tomber, pourquoi n'es-tu pas venu ici tout de suite ? Maintenant, repose-toi, mange et raconte-nous comment tu as fait, sacré Alekos ! » Ils ont continué ainsi à te rassurer et à te faire des compliments, jusqu'au moment où la radio donna la nouvelle. On s'était aperçu de ta fuite à huit heures du matin, dit la radio, quand les gardes avaient dû forcer la porte parce qu'on ne retrouvait plus les clefs confiées au caporal Morakis. Morakis aussi avait disparu, il était recherché pour désertion et complicité d'évasion. Une discussion animée a suivi : il fallait, bien sûr, que tu quittes le pays, mais comment ? Valait-il mieux partir par terre ou par mer ? Patitsas disait par mer, en embarquant sur un cargo étranger ou un yacht. Perdicaris disait par terre, en passant la frontière albanaise ou yougoslave, tu disais que l'avion était la meilleure solution, personne ne t'aurait reconnu avec une paire de lunettes et sans moustaches, à condition d'avoir un passeport. Demetrios allait s'en occuper. « C'est vrai, Demetrios ? — Bien sûr, demain. » Mais le lendemain, le problème a été reporté. Tu sais, c'est dimanche, le dimanche tout le monde va à la mer, on peut rien faire le dimanche. De plus, ils avaient rendez-vous avec deux filles et ne pas y aller risquerait d'éveiller des soupçons. Salut, on se voit à l'heure du dîner.

A l'heure du dîner, ils n'étaient toujours pas rentrés. A minuit non plus, ni plus tard, ni le lundi matin, ni le lundi après-midi. Pourquoi ? Moite d'angoisse, tu comptais les minutes et à chaque minute une hypothèse noire. Et si on les avait arrêtés ? Mais non, la police serait déjà là. Un accident de voiture ? Mais non, quelqu'un serait venu. Et s'ils étaient en train de... Mais non, tu ne voulais pas y penser une seule seconde : c'était évident, ils étaient restés dormir avec les deux filles et... Evident, mon œil ! Ils savaient très bien que tu étais seul, inquiet, nerveux, et que tu ne pouvais pas perdre de temps, que tu devais partir pour l'étranger. Et en plus, tu n'avais plus rien à manger. Dans le réfrigérateur, ils avaient laissé deux œufs, une tomate et un morceau de fromage qui restait du repas de samedi. Tu avais tout de suite mangé les œufs et le fromage, plus tard la tomate, de telle sorte qu'il ne te restait qu'un croûton de pain et ils n'avaient même pas pensé à cela ? A moins que... Non, Demetrios était quelqu'un en qui l'on pouvait avoir confiance, Perdicaris un brave garçon. Ils étaient en train de chercher un passeport et c'est pour ça qu'ils n'étaient pas encore rentrés. C'est ce que tu te disais. Mais le doute était là et t'intoxiquait comme du poison : tu t'agitais, tu te jetais sur le lit, tu te relevais, tu allumais la radio, tu l'éteignais : la colère, l'impuissance, le doute te mettaient hors de toi. Partir ou pas ? D'accord, partir c'était presque de la folie, mais tu ne pouvais pas non plus rester là. Supposons que malgré leur accueil, ils aient soudain eu peur. Quand on a peur, on peut commettre n'importe quelle ignominie et tu les imaginais avec leurs visages pleins de boutons, leurs cheveux graisseux, leurs jeans vulgaires, et tu avais l'impression de les entendre : « Pourquoi c'est sur nous que ça tombe ? Moi je vais pas en prison à cause de lui ! — Moi non plus ! — Et si on allait prévenir la police ? — C'est plus simple de ne pas rentrer à la maison, la faim le fera sortir tôt ou tard, il sera bien obligé de filer. » Oui, c'était une erreur de s'être réfugié rue Patmos. Tu t'en rendais compte à présent. Une erreur et une perte de temps précieux. Tu partirais avec l'obscurité. Tu as attendu l'obscurité et juste au moment où tu allais sortir la porte s'est ouverte toute grande : « Nous voici ! Ah, les femmes ! Quelles putains, les femmes ! Tu as beau chercher, c'est toujours de leur faute. Elles nous avaient enlevés. Et nous on se disait : si on pouvait au moins lui téléphoner ! Mais on s'est occupé de toi tout le temps. On a même été au port. Et on a trouvé un bateau. C'est un cargo qui part du Pirée mercredi en direction de l'Italie. »

Durant les années que nous avons vécues ensemble, j'ai appris à te connaître, j'ai remarqué qu'il y avait un sujet dont tu parlais peu et à contrecœur : les jours que tu avais passés dans l'appartement de Patitsas et de Perdicaris. Dès que je cherchais à en savoir plus, tu pâlissais et tu disais : « Laisse tomber. » Un jour cependant tu as abandonné tes réticences et tu m'as fait le récit que je viens de rapporter, tu m'as dit que lorsque tu les avais entendus te dire nous-voici-quelles-putains-les-femmes, tu avais senti ton estomac se nouer. En regardant leurs visages, une étrange inquiétude t'avait envahi. Il y avait quelque chose qui n'allait pas : ils étaient trop gais, trop gentils, ils bavardaient trop et ils se contredisaient. Par exemple, étaient-ils restés avec les filles ou s'étaient-ils occupés de toi ? Les deux choses ne collaient pas ensemble. Et le cargo, de quel cargo s'agissait-il ? Comment l'avaient-ils trouvé, avec qui s'étaient-ils mis d'accord, quels arguments avaient-ils employés ? Tu es devenu dur : « Trêve de bavardages, expliquez-vous. — Bien sûr, Alekos, bien sûr, mais ne sois pas si nerveux, un peu de patience, du calme, on a toute la nuit devant nous, et puis d'abord nous pourrions manger, tu ne crois pas ? Tu n'as pas faim ? Regarde un peu ce qu'on t'a apporté : des aubergines, du chevreau et des paupiettes. — Les nouvelles d'abord et les paupiettes ensuite. — Ah, mais alors tu n'as pas confiance en nous ! On t'a laissé seul trop longtemps, hein ? Ça t'a rendu nerveux, Dieu sait ce qui a pu te passer par la tête. On aurait dû rentrer hier soir, c'est vrai. Mais ces deux putains... Ce matin je voulais passer ici, mais c'était déjà trop tard et je serais arrivé en retard au bureau. » Tu t'es retourné vers Perdicaris : « Toi aussi tu serais arrivé trop tard au bureau ? Toi aussi tu vas au bureau ? — Non, mais j'avais un cours à la Faculté. — A midi aussi tu avais un cours à la Faculté ? Et l'après-midi aussi ? — Voyons, Alekos, tu es injuste. L'après-midi, je suis allé au port. Et j'ai cherché le commandant... — Comment s'appelle-t-il, ce commandant ? — Franchement, je ne me rappelle plus, Alekos. Un nom étranger, compliqué. Il était suédois ou japonais, Demetrios ? — Suédois, je crois. — Et le bateau ? — Suédois, probablement. » Tu l'as empoigné par le cou : « Pas de ça, gamin ! » Si Patitsas n'avait accouru tu l'aurais étranglé : « Du calme, détends-toi, tu as les nerfs en pelote, je te comprends. Mais pourquoi tu t'en prends à lui, le pauvre ! Tu n'as qu'à t'en prendre à moi ! C'est moi qui l'ai envoyé au port. Tu n'as pas confiance en moi ? Je suis ton cousin, ton ami. Quand on était petits on jouait ensemble. Tu ne t'en souviens plus ? » Tu l'as repoussé : « Moi, je m'en vais. — Tu es devenu fou ? Tu veux te faire tuer ? » Et l'autre : « Non, Alekos, non ! Tu te trompes ! » Et en disant cela, ils te prenaient les mains, te caressaient et pleurnichaient. A la fin, tu as capitulé : « Bon, d'accord, mangeons ces paupiettes et ces aubergines. » Tu as mangé et tu as bu. Il y avait du vin en abondance, du vin blanc, comme tu l'aimais, résiné ; ça faisait presque un an que tu n'avais pas bu une goutte de vin. La colère s'est vite transformée en gaieté et la gaieté en étourdissement. « Et maintenant, les enfants, parlons un peu de ce bateau qui part mercredi. — Plus tard, Alekos, plus tard. On a trop bu. Faisons d'abord une petite sieste ! — Oui, oui, encore un verre et puis la sieste, Alekos ! » En bâillant, tu t'es retrouvé dans la chambre de Perdicaris, et sous les portraits des frères Kennedy et le poster représentant la place Rouge avec ses églises à flèches et le Kremlin, camarades-nous-sommes-des-camarades, tu as sombré dans un rêve angoissant. Avec des poissons. Tu étais avec Morakis, sur le bord de mer de l'attentat, mais lui se tenait légèrement en retrait, alors que toi tu étais sur un rocher, près de l'eau. Morakis criait : « Quatre yeux voient mieux que deux. Pourquoi nous sommes-nous séparés ? » Puis une vague jeta deux poissons sur les rochers. Tu voulais les attraper, mais ils étaient vivants et tellement glissants qu'ils t'échappaient des mains ; lorsque tu en tenais un, l'autre te glissait entre les doigts et, en essayant de le rattraper, tu perdais celui que tu avais pris, c'était terrible parce que tu savais qu'en attraper un ne servait à rien : il aurait fallu les attraper tous les deux. Morakis, appelais-tu, Morakis, viens m'aider ! Mais Morakis ne t'entendait pas et tu es tombé du rocher et, au moment où tu allais te noyer, tu t'es rendu compte que Morakis était tombé à l'eau avant toi. Patitsas t'a secoué : « Qu'est-ce qu'il y a ? Ça ne va pas ? — Pourquoi ? — Tu t'agitais, tu criais. — J'ai fait un cauchemar. Il va se passer quelque chose. — Mais non, Alekos, tout va bien. Tu peux dormir tranquille. »

Le lendemain matin, mardi, Patitsas est sorti très tôt, alors que tu étais encore tout ensommeillé. « Ah, on n'a pas parlé du bateau, hier soir ! Avec tout le vin qu'on a bu ! On en parlera à midi. Salut, excuse-moi, je dois filer. » Tu n'as pas même eu le temps de lui répondre non-parlons-en-tout-de-suite-nom-de-Dieu. Cela a ranimé le malaise que le vin avait fait disparaître et tu as dû faire un effort pour le surmonter ; et deux heures plus tard, en te levant, tu étais presque confiant. En sifflotant, tu as préparé le café, tu l'as bu et tu as allumé la radio et, immédiatement le malaise t'a repris. Le speaker disait qu'on n'avait toujours aucune trace ni de toi, ni de Morakis et que le gouvernement offrait un demi-million de drachmes à toute personne qui fournirait des renseignements permettant de vous arrêter. Bon sang ! Un demi-million de drachmes ! C'était une belle somme. Plus qu'il n'en fallait pour faire saliver quelqu'un. Tu devais faire attention, éviter de faire du bruit quand Patitsas et Perdicaris n'étaient pas à la maison, garder les lumières éteintes, n'écouter la radio qu'en sourdine, sinon les voisins risqueraient d'avoir des soupçons. Hum ! Un demi-million de drachmes. Est-ce qu'ils le savaient, ces deux-là, que tu valais un demi-million de drachmes ? Tu as réveillé Perdicaris qui dormait d'un sommeil d'ivrogne : « Eh ! Est-ce que tu sais que je vaux un demi-million de drachmes ? — Ouais, on en parle depuis hier », a marmonné Perdicaris en se tournant de l'autre côté et en recommençant à ronfler. Depuis hier ? Comment ça, depuis hier ? Pourquoi ne l'avaient-ils pas dit ? Et à eux, qui le leur avait dit ? Certainement pas la radio. Tu n'avais pas perdu un seul journal parlé et c'était bien la première fois qu'on parlait d'une récompense. Les journaux peut-être ? Non, il n'y en avait pas le lundi. Si c'était les journaux, la nouvelle avait dû paraître le dimanche et... Tu es revenu auprès de

Perdicaris : « Eh, toi ! Comment sais-tu qu'il y a une récompense ? — Je n'en sais rien, je ne me rappelle pas, j'ai trop bu, laisse-moi dormir, qu'est-ce que ça peut te faire ? » Il avait l'air sincère et tu l'as cru. Allez, ça suffit maintenant avec cette méfiance, ces soupçons : avais-tu perdu ton optimisme ? Aurais-tu oublié ce qu'est la patience ? Tu allais t'étendre sur le lit et attendre tranquillement Demetrios. Je-reviens-à-midi, t'avait-il dit. A midi juste la clef a tourné dans la serrure. Tu t'es soulevé sur un coude : « Demetrios ? » La réponse fut un grand remue-ménage, un bruit de chaise renversée, et la maison fut envahie par une vingtaine de policiers civils qui braquaient sur toi leurs pistolets : « Les mains en l'air ou je tire ! »

Voici les photos qu'on a prises de toi pendant qu'on t'exhibait aux journalistes, dans l'après-midi, avant de te conduire au camp militaire de Goudi. Tes yeux regardent le sol, ta bouche fermée exprime une amertume déchirante, tes mains pendent inertes cerclées par des menottes : le symbole même de l'échec et de l'humiliation. Une humiliation qui venait moins du fait qu'on t'ait capturé que de la déclaration à la presse du ministre de l'Ordre public : « Ce sont des membres de sa propre organisation qui l'ont trahi pour toucher la récompense. Ils sont deux. Ils s'appellent Patitsas et Perdicaris. » A toi, le commissaire en avait raconté davantage : « Tu croyais disposer de serviteurs obéissants et dévoués, hein ? On le savait depuis dimanche que tu étais au 51 de la rue Patmos ! On n'est pas intervenu plus tôt parce qu'on espérait que tu sortirais : on avait promis à ton petit cousin de ne pas te prendre dans l'appartement. Il était venu ici et nous avait dit : " Il est tellement nerveux qu'il sortira. Je ne lui ai pratiquement rien laissé à manger ! " Nous avons attendu pendant deux jours en surveillant tes moindres mouvements. Puis on a commencé à perdre patience et on a hurlé à ton petit cousin et à son ami : " Alors, à quoi on joue, il est capable de rester là plusieurs mois, habitué comme il est à la prison ! " Et lui : " Je me débrouillerai pour qu'il sorte, je le conduirai au port. " On a perdu patience. On s'est fait donner les clefs de la maison. Mais un demi-million de drachmes, ça ne lui a pas suffi ; il a également demandé une place à la Olympic Airways. On lui en a procuré une. On est des gentilshommes, nous, on tient notre parole, on n'est pas des petits tricheurs comme tes amis. » Plus tard, il t'a annoncé que Morakis aussi avait été arrêté. On était déjà en train de l'interroger avec beaucoup, beaucoup de fermeté. Et il avouait, il avouait.

CHAPITRE IV

Ce n'était qu'en te connaissant que l'on pouvait comprendre comment un homme condamné à mort, capturé après une évasion qui tenait du miracle, pût surmonter son découragement et préparer immédiatement un autre projet de fuite. C'est bien ce qu'il advint un mois et demi plus tard, lorsqu'ils t'ont ramené de Goudi à Boiati. Patsourakos n'était plus directeur, après cette bavure qui lui avait coûté sa place et c'était un homme gros, sur la cinquantaine, avec une énorme tête chauve et un grand nez crochu, qui t'attendait devant la porte de ta cellule. « Bonjour, Alekos, bon retour. » Bon retour ! Tu l'as observé par en dessous. Il avait des yeux porcins, à la fois bêtes et malins. Une bouche charnue, à la fois molle et méchante. Des mains lourdes, tremblotantes, qui pouvaient implorer ou frapper avec la même facilité. « Qui es-tu ? — Je suis Nicolas Zakarakis, Alekos, le nouveau directeur. — Qu'est-ce que tu veux ? — Je veux te parler, Alekos, t'expliquer mon point de vue. — Et quel est ton point de vue, Zakarakis ? Je t'écoute. — Eh bien voilà, je pense que tu es courageux, Alekos, que tu as des couilles. Et puisque je pense que tu es courageux, que tu as des couilles, je me suis mis d'accord avec le brigadier général Joannidis. Je lui ai dit : monsieur le brigadier général, le passé c'est le passé, mettons une croix dessus, n'en parlons plus. Oublions les erreurs commises par ce garçon, prouvons-lui que nous sommes humains, ne lui donnons pas de prétextes pour qu'il se conduise mal, il finira par se repentir, changer d'attitude. Et le brigadier général : qu'est-ce que vous proposez, Zakarakis ? Je propose qu'on soit plus indulgent avec lui, ai-je répondu, qu'on lui parle, qu'on lui ôte ses menottes. Oui, débarrassons-le de ces menottes, il les porte depuis presque un an, il faut faire un geste, lui prouver notre bonne volonté ! Naturellement, monsieur le brigadier général n'était pas enthousiaste, mais il a fini par céder. Monsieur Zakarakis, m'a-t-il dit, c'est vous le directeur

100

Je vous donne carte blanche, à vous de choisir la méthode qui convient le mieux. » Ah Dieu Imbécile mais malin, menaçant mais conciliant : tu connaissais ce type d'individu. Ceux qui s'inclinent devant n'importe quel pouvoir, n'importe quelle autorité, n'importe quelle arrogance. Vive Papadopoulos, vive Staline, vive Hitler, vive Mao Tsé-toung, vive Nixon, vive le Pape, vive le premier venu : pourvu qu'on soit tranquille. Ces individus qui, en outre, s'en prennent à moins vernis qu'eux, parce que c'est la seule façon de ne pas penser à leur petitesse, de se venger des affronts qu'ils subissent. C'est grâce à eux que les dictatures s'installent, que les totalitarismes se renforcent. Ce n'est pas par hasard si, souvent, ils font de très bons directeurs de prison. Il fallait tout de suite jouer cartes sur table, lui rappeler qui tu étais, le repousser et le provoquer afin d'engager ta nouvelle bataille. Tu l'as interrompu : « Tu as fini, Zakarakis ? — Non, Alekos, je voulais justement te dire que… — Te fatigue pas, Zakarakis. Je sais ce que tu es venu me dire. Tu es venu me dire que je suis beau, que je te plais, que tu veux baiser avec moi. C'est une vieille histoire, tout le monde sait bien que les valets de la Junte sont tous pédés. Mais je n'ai pas envie de te baiser, Zakarakis. Ni aujourd'hui, ni jamais. Je ne peux pas te faire cette faveur, tu es trop laid, trop gras. Tu es répugnant. — Hein ? Quoi ? Comment ? — J'ai dit que je ne te baiserai pas, Zakarakis, parce que tu es laid, gras et répugnant. Je n'arriverais même pas à t'enlever ton froc ni à supporter la vue de ton sale cul. — Salaud ! Communiste ! Vendu ! Mercenaire ! » Et il est parti en gesticulant.

Têtu, il est revenu quelques heures plus tard. « Eh ! Je regrette pour la scène de tout à l'heure. C'est de ma faute, Alekos, je n'avais pas compris que tu plaisantais. Pourtant, on me l'avait bien dit que tu aimes la plaisanterie, que tu es un farceur. Je n'aurais pas dû l'oublier. Et pour me faire pardonner, je t'ai apporté ceci. Tiens. » Une lueur est passée dans ton regard : il te tendait un koboloi. Cela faisait au moins un an que tu rêvais d'un koboloi, jouer avec cet espèce de chapelet était une de tes manies et, dans l'oisiveté de cet isolement c'était devenu une nécessité, mais il ne fallait surtout pas l'accepter. Cela aurait été une façon de lui pardonner, de lui dire je-te-comprends-Zakarakis-toi-aussi-tu-as-une-famille-toi-aussi-tu-es-un-fils-du-peuple-faisons-la-paix. Tu serais alors devenu un pantin entre ses mains. Tu devais tenir bon, lui montrer qu'on ne pouvait te plier ni avec le bâton ni avec la carotte, que vous étiez ennemis et que vous le resteriez. Tu as donc refoulé l'envie de tendre la main vers ce cadeau si précieux et feignant l'indifférence, tu as dit : « Je n'en veux pas. — Allez, prends-le. Je t'en fais cadeau de bon cœur — Je t'ai dit que je n'en veux pas. Il n'y a qu'une seule chose que je veux de toi : des chiottes avec une chasse d'eau. — Des chiottes avec une chasse d'eau ! Mais pourquoi ? — Parce que j'en ai assez de cette tinette. Ça pue. Et c'est pas hygiénique. — Mais toutes les cellules ont une tinette, ici ! Il n'y en a pas une avec chiottes et chasse d'eau ! — La mienne en aura ! — Allez, sois raisonnable. Et accepte mon cadeau. — Je n'accepte aucun cadeau des fascistes. Je n'accepte des fascistes que des chiottes avec une chasse d'eau. Parce que j'y ai droit. » Zakarakis a frémi. Il savait que tôt ou tard tu prononcerais le mot fascisme et il avait préparé une réponse sur le mot fascisme. « Tu es jeune, mon petit Alekos. Il y a des choses que tu ne comprends pas. Moi aussi, à ton âge, je parlais de fascisme ! — Ne me dis pas que tu en disais du mal, Zakarakis. — Mais si. Parce que je n'avais pas de cervelle. Et puis Mussolini nous a attaqués ; je n'avais aucune estime pour lui. Je me souviens d'un soir, à Rimini. Tu sais, en 40, j'étais prisonnier de guerre à Rimini et, parfois je discutais avec les Italiens et ce soir-là, je leur disais que Mussolini était un criminel, un désastre pour l'humanité... — C'est bien ça Zakarakis, bravo ! — Et eux ont répondu que Mussolini avait fondé une nation, rétabli l'ordre et la paix dans le pays tout entier... — Et toi, tu l'as cru, n'est-ce pas ? — Pas du tout. Je t'ai déjà dit que j'étais naïf à l'époque, comme toi aujourd'hui. Je ne l'ai pas cru un instant et j'ai protesté. Je leur ai crié : vous ne voyez pas tous les malheurs que vous endurez par sa faute ? Et ils m'ont répondu : les responsables de nos malheurs, ce sont les Anglais, les juifs, les communistes. Et écoute bien ce que je leur ai répondu, moi. Parce que je sais m'en tirer, moi, tu ne peux pas savoir quel fin diplomate je suis : j'aurais pu devenir ambassadeur, moi. Je leur ai répondu : moi non plus je n'aime pas les juifs, mais qu'est-ce que vous êtes venus faire en Grèce ? Chercher les juifs ? — Abrège, Zakarakis, abrège. — Mais non, sois gentil, attends ! Car tu sais ce qu'ils m'ont répondu, eux ? Ils m'ont dit : on est venus pour l'Albanie, parce que sinon, vous les Grecs, vous l'auriez récupérée pour en faire l'Epire du Nord. — Ça, c'était vrai, Zakarakis. — Tu ne veux vraiment pas m'écouter, alors ? C'est justement ce que je leur ai dit : oui, l'Albanie est à nous mais le fascisme est un crime. Et leur conclusion, tu veux la connaître ? Ils ont conclu que les criminels étaient ceux qui luttaient contre le fascisme ; car lutter contre le fascisme revient à aider les communistes ! Et ils avaient raison, mon garçon. Tout à fait raison, maintenant j'en suis sûr et certain. Et j'ajoute : tu commets le même crime en toute bonne foi. — Tu crois ça, Zakarakis, vraiment ? — Mais bien sûr, c'est mathématique, mon garçon. Quiconque est antifasciste travaille pour le communisme et l'Union soviétique. — Hum ! » Tu as fait semblant d'être perplexe puis tu lui as lancé un des sourires auxquels personne ne résiste : « C'est intéressant. C'est même très intéressant. Je peux te poser une question, Zakarakis ? — Je suis ici pour cela, mon garçon. Je t'écoute. — Tu parles italien, Zakarakis ? — Non. Le grec et c'est tout. Figure-toi que je n'ai jamais voulu apprendre l'anglais ni le français ni l'allemand. Je suis un nationaliste, moi. — Je vois. Et à Rimini, tes Italiens ils parlaient grec ? — Non. Ils ne parlaient pas un mot de grec. — Et alors, comment as-tu fait pour bavarder avec eux, imbécile, toi qui ne sais même pas le grec et qui t'exprimes encore plus mal qu'un analphabète ? » Il a oublié alors les promesses qu'il s'était faites et qu'il avait faites à Joannidis. Il t'a frappé à coups de bâton jusqu'à ce que tu tombes évanoui. Mais cela t'était égal, c'était en fait ce que tu voulais. Parce qu'ainsi tu avais un prétexte légitime pour lui imposer une de tes grèves de la faim et obtenir les chiottes avec la chasse d'eau dont tu avais besoin pour t'évader.

N'ayant jamais vu une grève de la faim, Zakarakis ignorait l'importance des trois premiers jours, les seuls pendant lesquels on est vraiment pris d'une envie irrésistible de nourriture, après, on plonge dans une douce torpeur où on n'a même plus envie de manger. Ainsi il a commis l'erreur de ne revenir te rendre visite qu'au bout de ta troisième semaine de jeûne. Pour survivre, tu n'acceptais qu'un peu d'eau. Tes joues avaient fondu, tes jambes n'étaient plus que des allumettes, et de ta bouche sortait une odeur tellement fétide qu'il était difficile de rester à côté de toi. En te voyant, il a eu peur et il a décidé d'en informer le ministre de la Justice : « Il est en train de mourir ! — S'il meurt, on vous met aux arrêts. On ne peut pas se permettre un scandale international », lui a-t-on répondu au ministère de la Justice. Aux arrêts ! Bon sang, il fallait absolument te convaincre d'avaler quelque chose ! Zakarakis est allé aux cuisines, a regardé le dîner qu'on lui avait préparé, constaté avec amertume que c'était son plat préféré, des lentilles, et il te l'a apporté. « Kaliméra, bonjour, c'est pour toi ! » Un murmure : « Qu'est-ce que tu veux, Zakarakis, qu'est-ce qu'il y a ? — Un plat préparé pour moi ! Je te le donne. Des lentilles — Des lentilles ? Va-t'en, Zakarakis. — Allez, goûte, goûte-les au moins. Elles sont bonnes, ça te fera du bien ! — Va-t'en, je t'ai dit ! — Tu n'aimes peut-être pas les lentilles ? Tu préfères peut-être un petit steak ? Une petite soupe, un bouillon ? » Ah ! un bouillon ! Que n'aurais-tu pas donné pour un bouillon ! « Non, Zakarakis. Pas de bouillon, pas de soupe, pas de steak. Je veux des chiottes avec une chasse d'eau et c'est tout ! — Mais je te l'ai déjà expliqué, personne, ici, n'a de chiottes avec une chasse d'eau ! — Toi, tu en as ! — Moi, je suis le directeur ! — Et moi je suis moi. Je veux des chiottes avec une chasse d'eau. — C'est impossible ! — Si, c'est possible. Tu n'as qu'à en acheter et les faire installer. — Non, non et non ! — Alors, je vais mourir. Comme ça c'est toi qu'on va mettre dans cette cellule, pour homicide par imprudence. Voire pour homicide volontaire. Tu verras. Les journalistes du monde entier vont accourir, ils t'accuseront de m'avoir tué à force de coups et en me privant de nourriture. Tous les pays voteront des sanctions contre la Grèce qui, par ta faute, ne pourra pas entrer dans le Marché commun. — Qu'est-ce que tu dis ? — Tu vas voir. Et Papadopoulos ne te le pardonnera jamais, Joannidis non plus. Maintenant, laisse-moi, je veux mourir en paix. Au ciel, j'aurai au moins des chiottes avec une chasse d'eau. » Zakarakis est reparti presque en larmes. Cette nuit-là, il n'a pas dormi et les jours suivants, il a passé son temps à venir te prendre le pouls, poser sa main sur ton front en poussant des soupirs de désespoir. Ton état empirait à vue d'œil et tu ne faisais rien pour le lui cacher. Dès qu'il s'approchait, tu entrouvrais les lèvres : « Je meurs... je meurs. » Finalement il a capitulé : « Alekos, tu m'entends ? — Oui... — Si je décidais de t'installer des chiottes avec une chasse, tu accepterais un petit bouillon ? — Je ne comprends pas... répète... — Si je te fais installer des chiottes avec une chasse, tu boiras un petit bouillon ? — Non. D'abord les chiottes et la chasse, on verra ensuite pour le bouillon. — Booon !! Tu les auras tes chiottes ! — Tout de suite. — Tout de suiiite !! » Une demi-heure plus tard, ta cellule était envahie par des ouvriers avec des pioches et des truelles. Et tu as accepté le bouillon, tu as recommencé à t'alimenter.

L'idée des chiottes avec la chasse, ou plutôt de l'évasion basée sur les chiottes avec la chasse, remontait déjà à plusieurs mois ; mais elle avait mûri à Goudi, quand tu avais compris que tôt ou tard on te ramènerait dans cette même cellule à Boiati. C'était la cellule idéale pour une évasion. Non seulement elle se trouvait au rez-de-chaussée, au bord d'un chemin peu fréquenté, mais ses murs étaient tellement imbibés d'humidité qu'ils semblaient avoir été construits pour être percés. Il suffisait d'avoir un instrument pour creuser, quelque chose pour cacher le trou et un système pour se débarrasser des gravats au fur et à mesure. Ce système, c'était justement les chiottes avec la chasse. Maintenant qu'ils étaient en train de les installer, tu avais l'impression que tu avais fait la moitié du chemin. Tu pouvais même te permettre de plaisanter avec Zakarakis : « Eh, papadopoulaki, où est-elle ton assiette de lentilles ? — Je n'en ai pas aujourd'hui. Mais je peux t'offrir un morceau de poulet. — Va pour le poulet ! » Pendant ce temps tu réfléchissais à la manière de résoudre les deux autres problèmes. Tout d'abord, avec quoi creuser le trou ? Tu n'avais même pas une fourchette ; il ne te donnait qu'une cuillère pour manger et... Mais oui ! La cuillère ! Qu'espérais-tu d'autre : une pioche, une perceuse ? Tu as caché la cuillère sous le lit et, quand le gardien l'a cherchée, tu as haussé les épaules : « Qu'est-ce que j'en sais, moi, de l'endroit où se trouve ta putain de cuillère ? Ils ont dû l'emporter... » Alors, tu as fait des essais sur le mur. Ça marchait, le plâtre était friable et partait facilement ; les briques cédaient plus facilement que prévu. Tu as tout remis en place à l'aide d'un gros morceau de mie de pain. Il restait le problème du trou à cacher au fur et à mesure. Il te fallait un rideau. Mais comment justifier la demande d'un rideau ? Quel stratagème employer pour l'obtenir ? Une autre grève de la faim ? C'était exclu : il s'agissait d'une arme dont il ne fallait pas abuser. Peut-être le chantage. C'est ça, tu attendrais que Zakarakis vienne se faire remercier et tu le ferais chanter. Il est venu. « Tu es content ? Elles te plaisent tes chiottes avec la chasse d'eau ? — Oui, il ne manque plus que le rideau. — Quel rideau ? — Un rideau pour qu'on ne me voie pas. Tu ne voudrais tout de même pas que je fasse mes besoins pendant qu'on m'observe par le petit trou du judas ? — Mais qui donc te regarde par le judas quand tu fais tes besoins ? — Tout le monde, y compris toi. — Moi ? — Oui, Zakarakis. Ne fais pas le malin. Je t'ai vu. — Salaud ! Crapule ! — Si tu m'insultes je raconte tout. — Qu'est-ce que tu vas raconter ? C'est du chantage ! — Ce n'est pas du chantage, je suis tout simplement pudique, moi. Est-ce de ma faute si je suis pudique, si je rougis pour un rien ? Et puis un petit rideau c'est plus gai ; je n'ai même pas une table, une chaise... — Bon. J'ai compris. Tu veux meubler un peu ta chambre. Et je veux te prouver que j'ai bon cœur. Tu l'auras, ta table, tu l'auras, ta chaise. — Et un petit rideau. — Encore ton rideau ? Mais où est-ce que je vais le trouver, moi, ton rideau ? »

Non, le chantage ça ne marchait pas. Les prières non plus. « S'il te plaît, Zakarakis, le rideau. — Je n'ai pas de rideau. — Il suffit d'un bout de tissu quelconque et de deux clous. — Non. — Pourquoi ? — Parce que c'est moi qui décide, tu comprends ? Le directeur, c'est moi, tu comprends ? Et si je continue à t'écouter, c'est toi qui vas finir par diriger cette prison ! J'en ai assez de toutes tes exigences ! Je t'ai donné une table, je t'ai donné une chaise. Mais le rideau, je ne te le donnerai pas ! Non ! Pas question ! — Si tu me donnes un rideau, je te rends la table et la chaise. — Non. C'est une question de principe. Tu es complètement fou. » Fou ? Voilà la solution. Tu allais lui faire croire que tu étais fou et à la fin il céderait. Le soir même tu as attendu qu'il aille se coucher ; puis tu as placé la table sous la fenêtre, tu as posé la chaise dessus et, en t'agrippant aux barreaux tu t'es mis à hurler : « Zakarakis ! Tu dors, Zakarakis ? Tu ne devrais pas dormir, Zakarakis ! Tu devrais être en train de faire mon rideau ! Je le veux bleu ciel ! Avec des petites franges ! » Ou bien : « Zakarakis ! Tu as terminé mon petit rideau ? Et les petites franges sont prêtes ? » Tu as continué comme ça pendant trois, quatre, cinq nuits. Les autres détenus protestaient : « Donnez-le-lui son rideau, monsieur le directeur ! On voudrait dormir ! » La sixième nuit, Zakarakis a débarqué avec quelques gardiens, et ils t'ont battu. Mais après t'avoir frappé à coups de bâton, ils ont posé le rideau. Bleu ciel avec des petites franges. Et tu as pu commencer à creuser. Infatigable, tu travaillais jour et nuit, creusant avec tes mains lorsque la cuillère pliait : tes doigts étaient écorchés et saignaient toujours. Mais tu ne sentais même pas la douleur et, de voir le trou s'élargir jusqu'à un diamètre de quarante-cinq centimètres était une joie anesthésique. Tu chantais, tu sifflotais, tu riais. Surtout quand tu jetais les gravats dans les chiottes et que tu tirais la chasse d'eau : tu ne te souciais pas des soupçons que tu pouvais éveiller. Tu ne t'es même pas inquiété quand Zakarakis est venu te trouver et t'a demandé en fronçant les sourcils : « Tu es malade ? Tu as de la diarrhée ? — Moi ? Non, pourquoi ? — Tu tires tout le temps la chasse. — Je le fais parce que ça m'amuse. C'est défendu ? — Non, ce n'est pas défendu. » Mais dans ses petits yeux porcins avait jailli une étincelle d'intelligence.

*
**

Enfin, le jour est arrivé où l'épaisseur du mur n'était plus que de deux ou trois centimètres : encore quelques coups secs et tu l'aurais percé. Il n'y avait plus qu'à attendre la nuit et tu t'es couché sur le lit en poussant un grand soupir et tu t'es mis à rêvasser : une fois sur le petit chemin, vaudrait-il mieux prendre à droite ou à gauche ? A gauche, il y avait les quartiers de Zakarakis, à droite les cuisines. Il valait mieux aller à droite. Oui, mais comment faire avec les sentinelles ? Ce n'était pas un problème insurmontable, tu l'avais bien vu lors de l'évasion avec Morakis. Même chose pour le mur d'enceinte, sauf que cette fois-ci tu devais le franchir seul. La chance ne t'avait jamais abandonné, jusqu'à présent. Au fond, même la présence de Zakarakis était une chance. Pauvre Zakarakis. Il t'avait offert un koboloi, des lentilles, il t'avait installé des chiottes avec une chasse d'eau, un rideau avec des petites franges, et toi tu l'avais provoqué jusqu'à lui faire perdre la raison, même tu avais tiré profit de sa bêtise. Mais avais-tu vraiment raison de dire que ce sont les gens comme lui qui engendrent et soutiennent les tyrannies ? En y réfléchissant bien, ce sont eux les premières victimes : au fond, il était lui aussi un détenu. Toujours enfermé dans cette prison, à se faire injurier et maudire, toujours à la merci des Joannidis et des ministres de la Justice, toujours victime de la peur, la peur de ceux qui commandent aujourd'hui, la peur de ceux qui commanderont demain. Tu aurais aimé lui dire qu'au fond tu ne lui en voulais pas, que tu le considérais, lui aussi, comme un prisonnier. Tu aurais aimé aussi le sortir de là, lui expliquer qu'en te frappant, toi et ceux qui te ressemblaient, c'est lui qu'en fait il frappait, l'homme qu'il aurait pu être : un homme libre, désobéissant, et non pas un esclave. Dommage, tu n'avais plus le temps. Tu étais en train de penser à tout cela lorsque Zakarakis est entré dans ta cellule. Il avait l'air très fatigué et il te parla avec gentillesse : « Alekos, je dois te demander un service. — Vas-y, Zakarakis... — Je ne me sens pas très bien ce soir, j'ai besoin de repos. Ne chante pas ce soir, ne t'amuse pas avec la chasse d'eau. — D'accord, Zakarakis. — Vraiment ? Tu me le jures ? — Je te le jure, Zakarakis. — Je sais bien que tu m'en veux, je suis ton geôlier et... — Ce n'est pas à toi que j'en veux, Zakarakis, j'en veux à ceux que tu sers. Tu es un détenu toi aussi, Zakarakis, comme l'était Patsourakos, comme le sont tous les directeurs de prison avec ou sans dictatures. Quand ce pays aura retrouvé la liberté, tu comprendras ce que je veux dire et pourquoi j'agis comme ça. Vous êtes des victimes de l'ignorance et de la lâcheté, ce n'est pas de votre faute. Les coupables sont ceux qui commandent, ce sont eux qui sont cruels. Tu n'es pas cruel, Zakarakis. Tu es seulement bête. » Zakarakis t'a regardé avec le même sourire étrange que celui qu'il t'avait fait le matin où il t'avait demandé si tu avais de la diarrhée. Cette fois-ci, tu t'en es aperçu, tu as ressenti un léger pincement et tu t'es inquiété. Mais il était trop tard pour prendre des précautions ou changer tes plans. La nuit avançait et, chassant tes craintes, tu as attendu que sonne le coucher et que tombe le silence.

Onze heures. Deux solides coups de poing, un coup de coude, et l'écorce de mur a cédé. Tu as passé ton visage à travers le trou : le petit chemin avait l'air désert. Tu as tendu l'oreille, à l'écoute du moindre bruit : rien. La voie était libre ! Retenant ton souffle, tu as glissé ta tête dans le trou, puis un bras, puis une épaule. Tu as commencé à sortir. Au moment de passer l'autre épaule, tu t'es senti coincé. Avais-tu mal calculé la largeur ? Non. C'était à cause des vêtements : la veste en cuir, la chemise en laine, le maillot de corps. Tout nu, tu passerais sans problème. Tu t'es déshabillé complètement, tu as fait une boule de tes affaires, que tu as jetée à l'extérieur. Elle est tombée avec un bruit feutré. Il y avait à peine cinquante centimètres à sauter. Parfait ! Tu as passé à nouveau la tête, un bras, une épaule, puis l'autre bras, l'autre épaule, et tu t'es glissé en avant jusqu'à la taille. Il suffisait maintenant de rentrer le ventre : voilà. Passer une jambe : voilà. Et maintenant te glisser encore un peu : très bien. Et... Un ricanement te blessa les tympans, puis une voix goguenarde : « Il fait froid, Alekos. Qu'est-ce que tu fais là à moitié nu ? Et ta pudeur alors ? » C'était Zakarakis, accompagné d'une vingtaine de soldats qui se tenaient le long du chemin. Zakarakis riait, riait. Et les soldats aussi riaient. Ils riaient tellement que les canons de leurs fusils se balançaient comme les branches d'un arbre secoué par le vent.

⁂

« Tu croyais que j'étais bête, hein ? Tu-es-seulement-bête-Zakarakis. Bête, aveugle et sourd, hein ? Tu croyais que je n'avais pas compris ce qui se tramait sous tous ces petits bruits, cette chasse d'eau que tu tirais sans arrêt, ce rideau derrière lequel tu te cachais du matin au soir, hein ? Prétentieux ! Innocent ! Tu sais pourquoi je te laissais faire ? Pour que tu ne me casses plus les pieds, crétin ! Pour te prendre la main dans le sac ! Pour m'amuser, oui, m'amuser ! » Et les coups pleuvaient sur ton visage, ta poitrine, tes parties génitales. « Comme ça, moi je ne compte pas, hein ? Je suis un pauvre type, un détenu comme toi ? ! Imbécile ! Je suis le directeur, moi ! Je suis le chef ! Le chef ! Un chef intelligent : j'avais même calculé combien de temps ça durerait, vermine ! Je savais très bien que c'était pour cette nuit ! Tout le monde le savait, tout le monde ! Tout le monde avait remarqué la fissure dans le mur ! Tu n'y avais pas pensé à la fissure qui se formerait à l'extérieur, pas vrai ? » Et les coups continuaient à pleuvoir : sur ton visage, ta poitrine, tes parties génitales. Mais ce n'était pas les coups qui faisaient mal, c'était l'humiliation, le son de cette voix, le souvenir de ce ricanement qui t'avait transpercé les tympans lorsque avec ton corps moitié dedans moitié dehors, tu avais levé les yeux et vu ces soldats alignés le long du chemin, tandis que lui te répétait de sa voix goguenarde il-fait-froid-Alekos-qu'est-ce-que-tu-fais-là-à-moitié-nu. Tu avais senti tes joues s'enflammer de honte, tu aurais voulu mourir. Oh, Théos ! Théos mou ! Oh, Dieu ! Mon Dieu ! Etre frappé, torturé, déchiré, d'accord : mais pas ridiculisé ! Ce n'était pas juste, ce n'était pas humain. « Tu croyais que j'étais allé me coucher, hein ? Que je me prélassais bien au chaud sous les couvertures en méditant à tout ton baratin, pas vrai ? Tu sais

combien de temps je suis resté là à t'attendre avec mes gardes ?
Trois heures ! Trois ! » Tes paupières gonflées se sont entrouvertes
sur un regard méprisant et tes lèvres tuméfiées se desserrèrent avec
difficulté : « Tu me le paieras, Zakarakis. Je ne sais pas encore
comment, mais je te le ferai payer. Je te ferai devenir fou,
Zakarakis, je t'enverrai à l'hôpital psychiatrique. » Zakarakis t'a
répondu par un dernier coup de pied, puis, fatigué de te frapper, en
sueur, il t'a livré aux gens de l'ESA qui t'ont enveloppé dans une
couverture et emmené au camp militaire de Goudi. Là, comme de
coutume, interrogatoires et sévices ont repris. Ils ont recommencé
avec le pèlerinage rituel des éternels participants : Malios, Babalis,
Théophiloyannacos, Joannidis.

Encore une fois, le plus féroce était Théophiloyannacos. « Dis-
moi avec quoi tu as creusé ? Avec quoi ? — Avec une cuillère,
Théophiloyannacos. — Ce n'est pas vrai, ce n'est pas possible, je
ne te crois pas. Dis-moi qui t'a aidé ! Qui sont tes complices ? —
Personne, Théophiloyannacos. — Menteur, hypocrite ! Mais je te
ferai avouer ! — Avec une de tes fausses confessions, Théophiloyannacos ? Tu n'as pas encore appris à me connaître, Théophiloyannacos ? Tu peux te les foutre au cul tes confessions, illettré. Et torche-
le bien, parce qu'il en a vraiment besoin ! — Je vais te tuuer-er ! »
Le moins surpris était Joannidis. Il te fixait sans rien dire, le visage
glacial comme figé en une grimace d'indulgence ; et ce n'est que bien
des minutes plus tard qu'il t'a dit en hochant la tête : « Panagoulis,
Panagoulis ! Je l'avais bien dit qu'il fallait te fusiller, Panagoulis !
C'est de la faute de Papadopoulos qui n'a pas eu les couilles de
t'envoyer à dix pieds sous terre ! » Il y avait également Phédon
Ghizikis, le commandant en chef de la place d'Athènes, qui avait
signé le décret de ton exécution. Il était sévère, lui, triste. Sur la
manche gauche de sa veste, il portait un brassard noir en signe de
deuil : sa femme était morte quelques jours auparavant. Il s'est
penché vers toi qui gisais par terre, menottes aux poignets, à côté
d'un plateau de nourriture que tu n'avais pas touché. Et : « Monsieur Panagoulis ! Je vous en prie, monsieur Panagoulis, mangez
quelque chose. » Il était le premier, en quatorze mois, à te
vouvoyer. Tu lui as rendu sa politesse : « Sans couverts, monsieur le
général ? Pardonnez-moi, monsieur le général, mais je ne suis pas
un chien. — Je le sais, monsieur Panagoulis, je le sais. Mais
comprenez ces messieurs. Dès qu'ils vous donnent une cuillère, vous
l'utilisez pour creuser un trou dans le mur ! » L'étincelle ! Voilà
l'homme qu'il fallait, voilà la bonne occasion de te venger de
Zakarakis et de ceux qui t'avaient humilié, qui s'étaient moqués de
toi. Si tu arrivais à convaincre cet homme courtois et influent, le

piège pourrait se refermer sans difficulté. Tu as cherché ses yeux un peu ingénus et tu as contracté tous les muscles de ton visage en une expression d'étonnement extrême : « Monsieur le général ! Vous n'allez tout de même pas croire cette histoire de cuillère ? ! Un mur n'est pas une crème caramel ! — Qu'est-ce que vous dites, monsieur Panagoulis, qu'est-ce que vous dites ? — Je dis que ce sont les gardes qui m'ont aidé, monsieur le général : ceux-là mêmes qui m'ont ensuite arrêté. Je dis que le coupable est Zakarakis, monsieur le général. Cette idée a toujours été celle de Zakarakis. C'est lui qui me l'a suggérée. Il espérait être muté à la suite de ma tentative d'évasion. Il espérait partir, comme Patsourakos ! Est-ce que je pouvais savoir, moi, qu'il jouait un double jeu, monsieur le général ? Je l'ai cru et, si je puis me permettre, je pense que vous auriez agi comme moi ! Quand le directeur d'une prison entre dans la cellule d'un détenu et lui dit : mettons-nous d'accord, ton intérêt est de t'évader et le mien d'obtenir qu'on me mute, conjuguons nos efforts, et caetera ! Quand il met ses gardes à la disposition de ce détenu, quand il lui fait voir le mirage de la liberté... Monsieur le général, je me demande même si ce double jeu faisait vraiment partie de son plan : il avait l'air si sincère avec moi ! Il a peut-être changé d'attitude à la dernière minute, de peur qu'un des gardes ne parle. Il tenait trop à quitter Boiati, exactement comme Patsourakos ! — Monsieur Panagoulis, je n'en crois pas mes oreilles. C'est incroyable ! Absolument incroyable ! — C'est ce que je pense aussi, monsieur le général. Et ce n'est qu'à vous que j'ai bien voulu confesser une pareille affaire, parce que vous êtes un gentilhomme, une personne digne de respect, correcte, un vrai militaire. Vous ne m'avez jamais fait subir de mauvais traitements, vous, jamais. Et vous savez bien qu'avec les autres je n'ouvre pas la bouche : moi, sous la torture, je ne parle pas. — Je le sais, monsieur Panagoulis, je le sais. Et je dois en convenir : vous êtes un homme d'honneur. Mais ce que vous m'avez dit est si scandaleux, si incroyable ! — Certes, monsieur le général, mais c'est la vérité. C'est malheureusement la vérité. Imaginez-vous que, lorsque le trou n'avançait pas, Zakarakis allait même jusqu'à me dire : du nerf, allez, du nerf ! Je te donnerai une pioche ! Et lorsqu'un jour, fatigué, je n'y arrivai vraiment plus, il s'est mis en colère. Il me dit : tu ne voudrais tout de même pas que je le creuse à ta place, ce trou dans le mur ? ! Et par la suite, il m'envoya quelques gardes pour m'aider. Comme-ça-je-m'en-irai-comme-Patsourakos. Et puis... Qu'est-ce qu'il a pu dire sur les officiers et sur vous, oui, sur vous en particulier, monsieur le général ! Je ne parle pas de ces militaires que moi aussi je méprise, des valets de la Junte, je parle de militaires tels que vous, monsieur le général! — Merci, monsieur Panagoulis. Vous êtes un ennemi très correct, monsieur Panagoulis. Mais vous comprendrez que je ne puis garder ces informations pour moi seul. Je dois faire immédiatement un rapport. — Je m'en rends compte, monsieur le général. Tant pis, je paierai. Mais ça n'a pas d'importance. Faites un rapport, monsieur le général, faites un rapport. — Alors, au revoir, monsieur Panagoulis. — Au revoir, monsieur le général. — Je vous ferai apporter une cuillère, monsieur Panagoulis. — Merci, monsieur le général. — Et mangez quelque chose, je vous en prie. D'accord? — Oui, monsieur le général. »

Il t'a salué en portant sa main au képi, presque comme s'il saluait un supérieur, et il s'est éloigné en proie à une indignation violente. Quelques minutes plus tard, il a rapporté toute l'histoire à Joannidis qui, tout aussi indigné, a convoqué Théophiloyannacos. « Alors, le trou a été creusé avec une cuillère! — Oui, monsieur le brigadier général. Ce bandit a avoué. — Une vulgaire cuillère à soupe. — Oui, monsieur le brigadier général, nous en avons maintenant la certitude. — Et personne ne l'a aidé, personne ne lui a procuré une pioche, par exemple? — Non, monsieur le brigadier général. C'est une vraie bête sauvage, ce type, on le sait bien. — Et vous, vous êtes un imbécile! Un incapable! Un abruti! — Monsieur le brigadier général! — Un handicapé mental! Un inquisiteur d'opérette, une amibe! — Monsieur le brigadier général! — Otez-vous de ma vue ou je vous botte le derrière! » Les gardes qui s'étaient moqués de toi dans le chemin avaient été entre-temps emmenés à Goudi et, des pièces où l'on était en train de les frapper, leurs cris arrivaient jusqu'à toi, plus suaves que les sons d'une harpe. « Non, au secours, non! Je n'y suis pour rien! Je suis innocent, je le jure, innocent! Non, moi je ne l'ai pas aidé, non! Ça suffit, maman, ça suffit! » On t'a même confronté à certains d'entre eux, et ils étaient tellement mal en point que tu as eu la tentation de les disculper. Mais le souvenir de la honte qui avait enflammé tes joues était encore trop récent, et tu as confirmé ce que tu avais dit à Ghizikis, en allant même jusqu'à forcer la dose : « Oui, ce sont eux. Zakarakis leur avait donné des pioches et ils m'aidaient. Puis, ils emmenaient les gravats afin que le cabinet ne se bouche pas. — Ce n'est pas vrai! Ce n'est pas vrai! — C'est malheureusement vrai. Et comme ils étaient paresseux, et que même Zakarakis ne réussissait pas à leur faire dégager les gravats rapidement, à un moment donné, j'ai dû tout jeter dans le cabinet qui s'est bouché pour de bon. Et eux, pour se venger, ont refusé de le réparer. » Par contre, tu n'as pas été confronté à Zakarakis. Joannidis le voulut pour lui tout seul. En réalité, Joannidis se doutait sûrement de quelque chose. Il t'avait compris mieux que quiconque et te savait capable de tout, y compris de renoncer à la gloire de cette évasion, en mentant, pour créer des ennuis à Zakarakis. Mais ses doutes avaient nourri un raisonnement et, de quelque côté qu'il examinât la question, son raisonnement lui semblait parfait. Eloigner Zakarakis ? Pourquoi ? Si tu avais menti, dorénavant aucun geôlier ne serait plus sûr, plus inflexible que Zakarakis. Si par contre tu avais dit la vérité, il fallait punir Zakarakis, mais pas de la manière qu'il espérait. Inutile donc de se lancer dans des enquêtes ou des reproches : un peu de mépris suffirait. Il l'a convoqué et : « En somme, Zakarakis, vous aviez envie de prendre votre retraite. — Je ne comprends pas, monsieur le brigadier général. — Vous me comprenez très bien, Zakarakis, très bien. L'homme qui ne parle jamais, cette fois-ci, a parlé. Je sais tout. Inutile de jouer la comédie. — Monsieur le brigadier général, j'insiste, je ne comprends pas. Je suis fatigué, c'est vrai, vous ne pouvez pas imaginer ce que ce bandit m'a fait endurer durant ces cinq mois. J'aimerais bien être muté, oui, ne plus le voir, ne plus l'entendre, oublier qu'il existe. Mais prendre ma retraite ? Non ! Non ! — Muté, Zakarakis ? J'ai bien entendu ? Vous avez dit muté ? — Oui, monsieur le brigadier général. Oui. Si c'est possible, oui. Je n'en peux plus, monsieur le général ! C'est un démon, mais vraiment, un démon ! » La voix de Joannidis se fit plus glaciale que jamais. « Je le connais mieux que vous, Zakarakis. C'est un démon, oui, mais il est honnête. Exactement le contraire de ce que vous êtes, vous, c'est-à-dire un imbécile et un malhonnête. Je devrais vous mettre aux arrêts, Zakarakis, vous traîner devant la cour martiale pour trahison. Mais ce n'est pas assez pour vous, ce serait vous faire un cadeau et... — La cour martiale, monsieur le brigadier général ? Un procès pour trahison ? Mais monsieur le brigadier général, c'est moi qui ai arrêté ce bandit, c'est moi... — Ne m'interrompez pas, Zakarakis. Je vous ai dit qu'il est inutile de jouer la comédie. Je le répète : la cour martiale, ce n'est pas assez pour vous, ce serait vous faire un cadeau. Je la connais, moi, la punition qu'il vous faut. Et vous savez ce que c'est ? Vous resterez à votre poste, Zakarakis, vous resterez à Boiati ! Avec lui ! Vous l'aurez sur le dos tant qu'il vivra, je vous le jure ! — Non, monsieur le brigadier général, non ! Pas ça ! Non ! — Si, au contraire. Et à compter d'aujourd'hui, je vous confie une nouvelle tâche, Zakarakis : lui construire une cellule spéciale, une cellule d'où il lui sera impossible de s'enfuir même si vous lui ouvrez la porte. Et maintenant, disparaissez ! Mais attention : si vous échouez, Zakarakis, je vous promets quelque chose d'encore pire. Je vous enferme avec lui derrière les barreaux ! »

Pendant deux semaines, Zakarakis s'est traîné comme une larve. L'entretien avec Joannidis l'avait tellement bouleversé, comme il te le confessa plus tard dans un moment de faiblesse, qu'il ne réussissait même plus à accomplir son devoir conjugal, et c'était en vain que sa femme tentait de le secouer en lui lançant des plaisanteries : « On dirait qu'ils t'ont demandé de construire le Parthénon ! » Cette aboulie qui le ramollissait, cette conscience amère de son incapacité, il n'arrivait à les surmonter qu'en rêvant de te tenir enfermé dans une cellule d'où tu ne pourrais plus jamais t'évader. Mais quel genre de cellule ? Voilà la question qui l'empêchait de dormir, de manger, d'avoir des rapports sexuels. Joannidis avait même été jusqu'à lui imposer la responsabilité du choix : « C'est votre affaire, Zakarakis. Vous avez trois mois. Après Noël, cette cellule doit être prête. » Après Noël ! Trois mois ! Dans l'espoir de résoudre le problème, Zakarakis feuilletait des catalogues et des livres d'architecture, il apprenait des expressions difficiles, énergie potentielle, coefficient de frottement, théorème de Maxwell, de Betti, de Clapeyron. Mais en vain. D'accord, il fallait que cette cellule fût en béton armé, et avec des bases si solides, des murs si massifs qu'il serait impossible de percer le moindre trou, même avec un marteau piqueur. D'accord, elle devait avoir des doubles portes en acier, des fenêtres presque invisibles, un toit équipé d'un circuit électrique à vous électrocuter rien qu'à le regarder. Mais rien de tout cela ne suffisait. Zakarakis le sentait. Il fallait quelque chose de plus, de mieux. Quelque chose, voilà, qui emprisonne non seulement ton corps mais aussi ton imagination : quelque chose qui empêche ton cerveau de penser. Dans sa petite tête, il avait, en effet, compris que c'était là, le problème : la prochaine fois tu ne tenterais pas de percer le mur, tu chercherais quelque nouvelle trouvaille diabolique. Et malheur à lui si tu réussissais : Joannidis serait alors impitoyable. « Attention, Zakarakis ! Si vous échouez, je vous promets quelque chose de pire encore que la cour martiale. Je vous enferme avec lui derrière les barreaux ! » Enfin, un jour, vers la fin de novembre, alors qu'il marchait dans un cimetière, il a vu une tombe en forme de chapelle, et l'idée est venue : une tombe ! Voilà ce qu'il fallait pour ce démon ! Une tombe, une cellule ayant la forme et les dimensions d'une tombe. Il te construirait une tombe. Peut-être avec un petit cyprès à côté. N'y avait-il pas déjà un petit cyprès dans la cour centrale ? Et, tel un artiste qui craint de voir s'échapper l'impulsion créatrice s'il n'obéit pas sur-le-champ à l'appel de l'inspiration, Zakarakis est rentré immédiatement à Boiati, a dessiné un parallélépipède, noté les dimensions. Deux mois plus tard, la cellule était prête. La terrible cellule où tu es resté durant quatre ans, depuis un matin du mois de février.

Cette terrible matinée de février. Tu te trouvais à Goudi, en cette terrible matinée de février, et tu n'imaginais vraiment pas que Zakarakis eût fini de construire son Parthénon. Tu vivais même dans l'illusion d'être débarrassé de lui. Tu n'étais pas trop malheureux à Goudi, le directeur ne t'obligeait pas à porter des menottes, les gardes bavardaient assez souvent avec toi et, surtout, tu avais fait la connaissance d'un autre Morakis : un soldat disposé à favoriser ton évasion. « Regarde-moi, Alekos, tu ne te souviens pas de moi ? — Non. — Et pourtant tu me connais, Alekos, tu m'as vu. — Où ? Quand ? — Au quartier général de l'ESA, juste après ton arrestation, durant un passage à tabac. — Un passage à tabac ? — Oui. J'avais reçu l'ordre de te frapper et je t'ai frappé à coups de bâton. Mais après, j'ai eu tellement honte... — Je ne te crois pas. — C'est la vérité, Alekos, la vérité. J'ai éprouvé un tel sentiment de honte que j'ai juré qu'à la première occasion je t'aiderai et... — Je n'y crois pas. — J'ai juré de t'aider et je me suis dit : s'ils ne le tuent pas, un jour je ferai quelque chose pour lui. — Souviens-toi de Morakis. Il en a pour seize ans. — Je sais. — Et la prochaine fois, ils ne perdront pas de temps à m'arrêter, ils tireront sur moi et sur qui sera avec moi. — Je sais. — Mais qu'est-ce que tu sais, minable ? » Suivant ton système habituel tu l'avais effrayé, menacé, humilié, mais, à la fin, tu t'étais convaincu qu'il ne mentait pas et, ensemble, vous aviez mis sur pied un nouveau plan. Pas d'improvisation, cette fois-ci, pas de bravades. Outre un uniforme, il te fournirait des papiers militaires pour sortir de Goudi, un faux passeport, une paire de lunettes pour changer ton signalement ; une automobile t'attendrait à la sortie, un yacht te prendrait dans la baie de Vouliagmeni, prêt à prendre le large et à sortir des eaux territoriales. Une seule difficulté, les deux cadenas qui fermaient la porte de ta cellule : un capitaine avait les clefs. « Je ne peux pas les lui voler, Alekos. — Pas la peine. Va chez un serrurier et achète toutes les clefs qui te semblent correspondre. » Il y était allé, il était revenu avec une cinquantaine de clefs dont l'une ouvrait l'un des cadenas. Mais pas l'autre. « Comment faire, Alekos ? — C'est simple. Va en acheter d'autres. Achète toutes les clefs que tu trouveras. En les essayant toutes nous finirons bien par y arriver. » Il était à nouveau parti, et à nouveau revenu avec une centaine de clefs. De huit heures du matin à onze heures, durée de sa faction de jour, puis de dix heures à minuit, durée de sa faction de nuit, il avait travaillé sur le second cadenas, transpirant, tremblant à l'idée d'être surpris. « Essayons celle-ci. — C'est pas la bonne. — Celle-ci. — C'est pas la bonne. —

114

Celle-ci. — C'est pas la bonne. » Et à la trente-huitième clef :
« C'est la bonne ! » Le cadenas s'était ouvert. « Bien. Tu seras prêt
pour demain ? — Oui, tout est prêt. — L'automobile et le yacht
aussi ? — Oui. Ils attendent depuis plusieurs jours déjà. — A
minuit, donc. A demain. » Minuit était l'heure idéale. A minuit,
tout le camp était endormi.

Tu chantais, ce matin-là, comme à l'époque des chiottes et de la
chasse d'eau. « Les blanches colombes se sont envolées-ées ! Le ciel
s'est rempli de corbeau-eaux ! » Mais tu n'as pas chanté bien
longtemps car, vers neuf heures, un peloton est entré dans la
cellule : « Fais tes paquets, Panagoulis, tu déménages. — Je
déménage ? Et où ça ? — Tu retournes à Boiati, Panagoulis. » Une
camionnette, un voyage qui n'en finissait plus, une envie de pleurer
qui t'empêchait de respirer, et voilà la masse grise et sinistre de
Boiati, avec ses murs et ses miradors. Zakarakis t'attendait à
l'entrée, les mains sur les hanches, et son gros visage olivâtre avait
du mal à retenir un sourire de triomphe. « Regardez qui c'est,
regardez qui nous revient ! Viens par ici, mon cher ami, viens. Tu ne
devineras jamais ce que je t'ai préparé pendant que tu étais en
vacances à Goudi. » Il t'a pris par le bras et t'a poussé sur le chemin
qui menait à la cour où se trouvait la cellule d'où tu avais tenté de
t'évader, mais il est passé devant sans s'arrêter. Il a tourné à droite,
puis à gauche, puis encore à droite. Ton cœur battait à tout rompre :
tu sentais qu'il allait se passer quelque chose de terrible lorsque
Zakarakis s'arrêterait et te dirait nous-y-sommes-mon-cher-nous-
sommes-arrivés, quelque chose d'horrible, quelque chose qui te
déchirerait encore plus que tout ce que tu avais connu jusqu'à
présent. « Nous y voici, mon cher ! Nous sommes arrivés ! Ça te
plaît ? C'est pour toi, tout pour toi, pour toi tout seul ! » Et, au
milieu de la cour, tu as vu, comme si tu recevais une gifle sur les
yeux, la tombe avec le petit cyprès. « Le cyprès est encore tout
petit. Mais il grandira, mon cher. »

Tu disais qu'il était impossible de se rendre compte de ce que
pouvait être cette cellule si on ne l'avait pas vue. C'est pourquoi,
après l'effondrement de la Junte, tu as demandé au ministre de la
Défense, Evangelos Tossitsas Averof, l'autorisation de la photographier. Mais il te l'a refusée. Tu avais renouvelé ta demande lorsque
tu avais été élu député, en expliquant qu'il ne s'agissait pas d'un
caprice mais de la nécessité de montrer au monde comment les
détenus sont traités par les tyrannies. Encore une fois, il avait
refusé. Pendant trois ans, tu as continué à solliciter cette autorisation, avec opiniâtreté, en soulignant à chaque fois ton soupçon
qu'Averof voulait cacher au monde une telle ignominie, qu'il avait

carrément l'intention d'en effacer le souvenir en la faisant raser, mais il persistait à refuser. Il ne t'a même pas laissé franchir la grille de Boiati pour jeter un coup d'œil, pour te dire voilà, c'était là-dedans que j'étais muré, et j'ai survécu, j'ai triomphé. Tu ne l'as jamais revue, tu ne l'as jamais photographiée. Mais après ta mort, lorsque je suis partie comme un pèlerin à la recherche des vestiges d'un passé englouti, routes ou bâtiments qui souvent n'existaient plus, poutrelles en morceaux, fers à béton battus par le vent, je l'ai revue pour toi, je l'ai photographiée pour toi. Les bulldozers d'Evangelos Tossitsas Averof étaient en train de la démolir. Les miradors avaient déjà été abattus et une bonne partie des murs d'enceinte ainsi que les baraquements étaient en train de s'effondrer sous les coups des machines, c'est pourquoi j'ai eu des difficultés à reconnaître la cour où on t'avait fait jouer au ballon en ce jour si humiliant, le bureau de Zakarakis, la cellule d'où tu t'étais enfui avec Morakis et celle où tu avais mené ta bataille des chiottes et de la chasse d'eau. Celle-là, je l'ai reconnue, à cause du trou dans le mur : du chemin, on en voyait encore les traces. Mais lorsque je suis arrivée dans la cour que Zakarakis avait choisie pour ériger son Parthénon, je l'ai reconnue immédiatement, car le seul fait de la voir m'a coupé le souffle. C'était vraiment une tombe, tu n'avais pas exagéré. Elle avait la couleur, les proportions, l'aspect d'une tombe : seul un soupirail de trente centimètres sur trente interrompait la plate uniformité du béton, ainsi que la petite ouverture qui donnait dans l'antichambre de la cellule. A l'intérieur, c'était pire. Parce qu'à l'intérieur, on se rendait compte que tout était beaucoup plus petit qu'on ne l'imaginait de l'extérieur : deux tiers de l'espace étaient accaparés par l'antichambre. La cellule proprement dite se trouvait au fond, au-delà d'une petite grille qui, jusqu'à la hauteur du menton, était une plaque d'acier prolongée par des barreaux. De surface, elle ne dépassait pas les deux mètres sur trois : la grandeur, disons, d'un lit à deux places. Guère plus. Une telle comparaison est cependant inexacte, car elle peut faire croire qu'il y avait pour bouger un espace comparable à celui d'un lit à deux places. Ce n'était pas le cas. Pour bouger, il n'y avait en fait qu'une bande d'un mètre quatre-vingts de long et quatre-vingt-dix centimètres de large. Le reste était occupé par un bat-flanc et un minuscule réduit avec un lavabo rudimentaire et des w.-c. Le bat-flanc était accroché à cinquante centimètres du sol et était coincé dans un angle, tout contre la cloison du réduit ; s'étendre était donc comme se coucher dans un cercueil, d'autant que le plafond était très bas et qu'il régnait une obscurité presque totale. A part une pâle ampoule bleue, le peu de lumière qu'il y avait s'infiltrait de l'antichambre dont le plafond était constitué par une grille horizontale. Mais il ne s'agissait pas exactement de lumière, car, après la grille, il y avait une seconde herse métallique, puis encore un autre grillage, et c'était par ce grillage que le soleil filtrait, comme à travers une passoire : distillant juste une lueur ténue, quelques faibles éclats de jaune. Par contre, la pluie y pénétrait facilement, ainsi que le froid de l'hiver et la chaleur de l'été. C'était en somme une tombe exposée à toutes les intempéries. Je m'y suis enfermée, à l'intérieur. J'ai essayé de marcher sur la bande d'un mètre quatre-vingts par quatre-vingt-dix centimètres, en me souvenant du poème que tu m'avais dit : « Trois pas en avant/trois pas en arrière/mille fois le même parcours/la promenade d'aujourd'hui m'a fatigué... » Trois pas ? On en faisait deux au maximum et, immédiatement, on avait la tête qui se mettait à tourner. J'ai essayé de m'étendre sur le bat-flanc. Le plafond et les parois étaient si près qu'ils m'empêchaient de respirer. Je me suis agrippée aux barreaux, pour reprendre mon souffle, je me suis obligée à vaincre la tentation d'ouvrir la petite grille donnant dans l'antichambre. Quand j'ai eu l'impression d'être là depuis plusieurs heures, j'ai regardé ma montre : dix minutes à peine s'étaient écoulées. Alors, j'ai fait une nouvelle tentative, en concentrant toute ma volonté, mais le temps s'égrenait si lentement que je perdais le sens du devenir, que mon esprit se cristallisait en un silence de mort, et dans ce silence, une unique idée m'envahissait : sortir, sortir, sortir !

Et pourtant, pas un seul instant tu n'as donné à Zakarakis l'impression que tu te sentais perdu, et, avec un grand sourire, tu lui as dit : « Bravo, Zakarakis ! C'est toi qui l'as réalisée ? — Oui, c'est bien moi. — Je ne te crois pas, Zakarakis. Tu n'es pas assez intelligent. — Mais si ! je te jure que c'est bien moi ! J'ai dessiné tous les plans — Félicitations ! » Puis tu as désigné du doigt l'antichambre. « Ça aussi c'est pour moi ? — Non, ça c'est pour les gardiens quand ils t'apportent la soupe. Mais si tu es sage, je t'autoriserai à t'y promener trente minutes par jour. — C'est parfait, Zakarakis, c'est parfait. Je m'évaderai, Zakarakis. — Tu n'as rien d'autre à me dire ? — Si, Zakarakis. — Non, d'ici, tu ne t'évaderas pas. — J'y arriverai. On parie ? — On parie. Quoi ? — Un uniforme de colonel. — D'accord. » Il a ouvert la petite grille et t'a laissé seul. Il fallait faire travailler ton cerveau, penser sans te laisser vaincre par la colère, sans ruminer à propos du mauvais sort qui avait fait que tu n'avais pas trouvé la clef du second verrou vingt-quatre heures avant, sans laisser cette larme qui naissait couler le long de ta joue. Il devait bien y avoir une solution, en réfléchissant quelques jours tu trouverais sûrement. Un jour, deux jours, trois jours, quatre jours, cinq jours ont passé. En attendant tu recueillais des informations, des impressions dont tu essayais de tirer parti : autour de la tombe, il y avait seize gardiens, trois de chaque côté et un à chacun des quatre coins, ils arrivaient à quatre pour t'apporter la soupe... Des visages nouveaux, fermés. La solution se trouvait peut-être dans ces visages nouveaux, fermés : peut-être était-il possible de berner ces gardiens, de découvrir un moyen de sortir de cette cellule. L'obstacle n'était pas la cellule mais le mur d'enceinte avec ses barbelés : s'agissait-il de barbelés normaux, comme à l'époque de l'évasion avec Morakis, ou bien ces barbelés étaient-ils électrifiés ? Tu ne pouvais pas le demander car tu aurais immédiatement éveillé des soupçons. Il ne te restait plus que le hasard, jouer à l'aveuglette, rouge ou noir et rien ne va plus : s'il y avait du courant, tu mourrais électrocuté, s'il n'y en avait pas, tu réussirais à passer. Le jeu en valait la chandelle, d'autant plus que le truc que tu venais de trouver pour sortir de la cellule était tout à fait sensationnel, le plus sensationnel et le plus drôle que ton imagination eût jamais inventé. Et le sixième jour, tu as mis ton projet à exécution. Le soir tombait, les quatre gardes sont entrés avec la soupe, deux se sont arrêtés dans l'antichambre, l'un a ouvert la petite grille et le second est entré avec le plateau qui, aussitôt, lui est tombé des mains. Bon Dieu, la cellule était vide et il y avait un petit mot sur le bat-flanc : « Cher Zakarakis, je reviendrai un de ces jours prendre mon uniforme de colonel. Si tu vois Théophiloyannacos et Hazizikis, dis-leur que je leur ferai pisser le sang. Si tu vois Joannidis, dis-lui de t'envoyer à la retraite. Ton vieil ami Alekos. »

Les deux gardiens qui étaient dans l'antichambre se sont précipités à l'intérieur. « Où est-il ? — Il n'est plus là ! — C'est impossible. — Impossible ? Mais regarde ! — Qui lui a apporté son déjeuner, ce matin ? — C'est toi, c'est toi qui le lui as apporté. — Menteur ! — Moi, un menteur ? — Parfaitement ! — Du calme, les gars. Réfléchissons une seconde. Tu as bien refermé la porte en sortant ? — Bien sûr ! — Et les clefs ? A qui tu les as données, après ? — A toi, c'est à toi que je les ai données ! — A moi ? Menteur ! — Pas de bagarres entre nous, les gars ! Essayons plutôt de le retrouver ! » Et leurs yeux fouillaient le plafond, les murs, comme si tu avais été une mouche ! Pendant ce temps, à plat ventre sous le lit de camp, tu retenais ton souffle et ton envie de rire. Il était en train de se produire exactement ce que tu avais prévu : ils oubliaient de chercher dans le seul endroit où tu pouvais te cacher, c'est-à-dire sous le bat-flanc. Allaient-ils être assez stupides pour commettre la seconde erreur, c'est-à-dire de sortir en oubliant de fermer la grille et la porte d'entrée ? Voilà ils s'asseyaient sur le lit, ils se lamentent, mais-comment-a-t-il-fait-bon-sang-mais-comment, ils disent il-faut-donner-l'alarme et, voilà, ils s'en vont en oubliant la petite grille et la porte. « Alerte ! Alerte ! » Maintenant, le camp n'était plus qu'un cri : « Alerte ! Alerte ! » Tu as attendu quelques secondes et puis, en avant, toi aussi tu t'es mis à crier alerte-alerte. Tu as foncé vers un arbre, de là, vers le bâtiment des cuisines. Une ombre t'a frôlé, un soldat. Il t'a demandé : « Tu l'as vu ? — Oui, là-bas ! », lui as-tu répondu en indiquant quelqu'un qui courait dans la direction opposée. Il t'a remercié et il est reparti en criant là-bas-là-bas. Personne ne faisait attention à toi, personne ne pensait à allumer les phares, tu pouvais tenter d'atteindre le mur d'enceinte. Tu l'as atteint, tu as commencé à l'escalader, tu es arrivé au faîte, rouge ou noir et rien ne va plus, tu as touché les barbelés. Non, ils n'étaient pas électrifiés, mais ils entaillaient ta chair plus encore que le soir de l'évasion avec Morakis. Combien de temps faudrait-il cette fois-ci pour te sortir de ces barbelés ? L'obscurité t'aidait, mais il fallait que l'alerte cesse. Tu mis tes deux mains en porte-voix : « Fin de l'alerte ! Fin de l'alerte ! » Une voix a répété : « Fin de l'alerte ! Alerte annulée ! » Puis, la voix irritée d'un sergent : « Qui a dit que l'alerte était finie ? — Lui ! — Lui qui ? — Ce type en civil ! — Ce type en civil ?! Crétins ! Trouvez-le ! » Tu as libéré ta jambe emprisonnée par les barbelés mais ton bras alors s'est accroché. Ta manche s'est imbibée de sang. Tu t'étais arraché une veine. La douleur t'a paralysé une seconde de trop. « Je l'ai vu ! — Où ça ? Sur le mur ! Attrapez-le ! » Un phare a été allumé, il t'a inondé de lumière. Et tu étais sur le point de sauter lorsque deux mains te bloquèrent les épaules : « Sergent, je le tiens ! »

La conséquence a été une grève de la faim qui n'a pas duré très longtemps. A l'étranger, on continuait à s'occuper de toi et Zakarakis avait toujours peur de te voir mourir. « Mange ! — Non. — Mange, s'il te plaît ! — Non. — C'est de la nourriture apportée par ta mère. — Dis-lui de la manger. — Allez, dis-moi ce que tu veux. — Je te l'ai déjà dit : je veux un uniforme de colonel. Je l'ai gagné. Je me suis enfui, oui ou non ? — Non, puisque je t'ai attrapé. — Peu importe. Je suis sorti de la cellule et je t'ai prouvé que tu es un imbécile. — L'imbécile, c'est toi ! — Non, moi je suis intelligent. Et je veux cet uniforme de colonel. — Mais qu'est-ce que tu vas en faire, de cet uniforme de colonel ? — Je vais le porter. C'est le carnaval, et pour le carnaval, on se déguise, et le déguisement le plus drôle c'est bien un uniforme de colonel, parce que c'est ce que porte ton maître, Papadopoulos. — Salaud ! — Minable ! » Le lendemain, même dialogue. Et enfin, un hurlement exaspéré de Zakarakis : « Trouvez-lui son uniforme de colonel ! — Il n'y en a pas, monsieur le directeur, il n'y a pas de colonels ici. — Trouvez-en un ! » Ils en ont trouvé un. Tu l'as enfilé et tu as mangé. Zakarakis est revenu. « A présent, rends-le-moi. — Jamais de la vie. — Je te l'ai prêté pour que tu manges. Tu as mangé, maintenant rends-le-moi. — Pas question. — Ôtez-lui cet uniforme ! » Ils t'ont sauté dessus à cinq. Gênés par le manque d'espace, se cognant les uns contre les autres, donnant des coups de coude dans le mur, ils te l'ont enlevé. Ils t'ont également confisqué tes chaussures pendant plusieurs jours, et il faisait froid. Tu as repris la grève de la faim. « Mange. — Non. — Qu'est-ce que tu veux ? — Mes chaussures. — Voilà tes chaussures. Alors, tu manges ? — Non. — Qu'est-ce que tu veux encore ? — Je veux prendre un bain. Parce que je pue et que j'ai des poux. Comme toi, Zakarakis. — Moi, je ne pue pas ! Et je n'ai pas de poux ! — Si, tu en as ! Tu en as même un qui pèse quatre-vingt-dix kilos. C'est toi. — Je vais te tuer ! — Comme ça tu finiras devant la cour martiale pour meurtre. Joannidis t'a prévenu. — C'est bon ! Qu'il prenne un bain ! — Chaud. Je veux prendre un bain chaud. Sinon je vais attraper une pneumonie, je mourrai et tu iras devant la cour martiale pour homicide par imprudence. — Chaud ! Préparez-lui son bain chaud ! — Je veux également un coiffeur. — Appelez le coiffeur ! » On t'a apporté un baquet avec de l'eau chaude, le coiffeur est venu. On t'a lavé, le coiffeur t'a coupé les cheveux et t'a fait la barbe. Mais sur ordre de Zakarakis, le coiffeur ne t'a laissé qu'un demi-centimètre de cheveux, et la bataille reprit de plus belle. « Sale porc, tu m'as fait raser. — Je ne t'ai pas fait raser, j'ai demandé qu'on te coupe les cheveux court. Tu ne m'avais pas dit que tu avais des poux ? — Les poux ne se logent pas seulement dans les cheveux, ils s'installent partout où il y a des poils. Par conséquent, tu dois m'épiler partout, y compris sous les aisselles, et autour des couilles. — Tu es fou ! On m'a collé un fou sur les bras ! — Non. Je ne suis pas fou, Zakarakis. Tu sais très bien que je me comporte comme ça pour te faire devenir fou, toi. Et j'y arriverai, aussi vrai que j'habite cette tombe. — Epilez-le ! — Non, pas eux. Toi. Parce que je sais que tu aimes me toucher, que tu n'es pas seulement un porc et un fou, mais également un pédé. » Il t'a fait attacher sur le bat-flanc. Il t'a roué de coups lui-même. Il t'a frappé si fort qu'il a dû ensuite faire appel au médecin. Ce dernier, en te voyant, a été scandalisé : ton corps était bleu, de la tête aux pieds. « Qui t'a fait ça ? — Zakarakis. Il voulait m'épiler. — T'épiler ? — Oui, pour ensuite me violer. Il dit que c'est ce qu'on fait dans les bordels d'Istanbul. Je me suis défendu et il m'a frappé. — Te violer ? — Mais oui. Il essaye avec tout le monde. Tout le monde est au courant. C'est un pédé. » Cette fois-ci, Zakarakis a eu une crise de foie qui l'a cloué au lit pendant une semaine.

Désormais, vous étiez devenus tous les deux à la fois victimes et bourreaux : ce rapport se fondait sur une permutation continuelle des deux rôles, lorsque vous ne les interprétiez pas simultanément, tous les deux, et il était difficile de savoir lequel de vous deux était le plus cruel envers l'autre. Peut-être toi, parce tu comprenais bien le fonctionnement de Zakarakis, alors que ce dernier n'arrivait pas à te comprendre. Comment aurait-il pu ? Ce que tu représentais et exprimais était encore plus éloigné de son pauvre monde que l'étoile Centaure ne l'est de la Terre. Il se serait mis à rire si on lui avait expliqué que le héros véritable ne se rend jamais, que ce qui le distingue des autres n'est pas son geste initial ni la fierté avec laquelle il affronte les tortures et la mort, mais la constance qui l'anime, la patience avec laquelle il subit et réagit, l'orgueil grâce auquel il cache ses souffrances et les balance à la figure de ceux qui le persécutent. Son secret est de ne jamais se résigner, de ne jamais se considérer comme une victime, de ne jamais montrer aux autres sa tristesse ou son désespoir. Mais, le cas échéant, il sait utiliser l'ironie et la dérision : c'est-à-dire les armes de l'homme enchaîné. Et c'est ainsi que lorsque tu as lancé ta nouvelle offensive, à nouveau, il a été pris au dépourvu.

* * *

Cette nouvelle offensive éclata avec le fracas d'un boulet de canon, à peine étais-tu remis de tes blessures du dernier passage à tabac. Un soir, tu t'es agrippé aux barreaux de la petite grille et, criant en direction du plafond grillagé de l'antichambre, tu as réclamé l'attention des gardiens et des prisonniers « Attention, attention ! Journal parlé de Boiati ! Edition spéciale ! Nicolas Zakarakis, directeur de ce merdier, a une crise de foie. Le bruit a couru que cette crise était due à un excès de colère consécutif à l'échec cuisant qu'il a subi récemment lorsqu'il a essayé de violer un détenu qui n'aime pas les pédés, mais la nouvelle est fausse. Nous avons maintenant la certitude que les insuffisances biliaires de Zakarakis sont causées par le profond chagrin de n'avoir pas été comblé dans ses désirs du postérieur de ce détenu. Les volontaires acceptant d'accomplir ce macabre sacrifice sont priés de s'adresser au secrétariat de la direction et de fournir des détails sur leur personne. Zakarakis paye en lentilles. » Et le soir suivant : « Attention, attention ! Journal parlé de Boiati. Edition spéciale ! Zakarakis ment. Il n'a pas une crise de foie, il a des hémorroïdes. Le détenu

121

qui vous parle le sait, parce que ce porc les lui a montrées. Il lui a également expliqué que ce sont les Turcs qui les lui ont fait attraper, lorsqu'il travaillait comme putain dans un bordel de Constantinople. Les douleurs de Zakarakis se sont aggravées à la suite d'un entretien qu'il a eu avec le ministre de la Justice au cours duquel ce dernier l'a pris à coups de pied dans le cul. » Tous les soirs c'était comme ça, avec une ponctualité démoniaque, et dans les baraquements qui se trouvaient au-delà du mur d'enceinte, le plaisir était tel que les demandes de quartier libre avaient considérablement diminué. « Qu'est-ce que tu fais ce soir? Tu vas au cinéma? — Non. J'écoute l'édition spéciale de Panagoulis. » Ou bien : « Tu es allé en ville hier soir? — Non, je suis resté ici pour écouter l'édition spéciale du journal parlé de Panagoulis. » Souvent, plusieurs officiers, prenant une attitude faussement indifférente, venaient grossir ton public, anxieux qu'ils étaient de savoir ce que tu allais inventer dans l'émission suivante. Peu à peu, ton émission était en effet devenue un feuilleton à épisodes sur les expériences érotiques de Zakarakis dans ce fantomatique bordel de Constantinople, et ton adresse consistait à t'arrêter toujours sur un coup de théâtre. « Et demain, très chers auditeurs, vous connaîtrez la suite. » Je ne me souviens plus très bien de l'intrigue mais, si je ne me trompe, à un moment donné Zakarakis cessait d'être une putain et était châtré pour devenir l'eunuque du Grand Vizir. De là, toute une série de cochonneries incroyables où intervenaient d'autres personnages, le Grand Vizir qui s'appelait Papadopoulos, un Calife qui s'appelait Joannidis, un bourreau qui s'appelait Théophiloyannacos et un conseiller très louche qui s'appelait Hazizikis. Le Grand Vizir et le Calife se haïssaient mortellement, le bourreau et le conseiller très louche se faisaient mutuellement un certain nombre de vacheries, mais tous se réconciliaient, formaient une alliance d'acier pour humilier l'eunuque qui, pour se défendre, devait se soumettre aux pires bassesses.

A la fin Zakarakis est venu te trouver. Il est arrivé, s'est appuyé avec lassitude contre la petite grille et t'a regardé, les yeux éteints : « Alekos, je dois te parler. — Installe-toi, Zakarakis, c'est telle-ment spacieux, ici! C'est un grand salon! Tu préfères le divan ou l'un de ces fauteuils? Mais n'essaye pas de me caresser, hein? Ne me touche pas. Aujourd'hui, je suis plus chaste que jamais. — Ecoute-moi, Alekos. Je sais que tu plaisantes. Je sais que tu sais que je suis un homme propre et normal. J'ai une femme et deux enfants. — Zakarakis, la femme c'est une excuse. Beaucoup de pédés sont mariés, quant à leurs enfants, on ne sait pas trop de qui ils sont... — Salaud! — Ne m'insulte pas et ne me touche pas, Zakarakis, sinon je dirai, durant mon émission, que tu es également cocu. D'ailleurs, je n'y avais pas pensé, ce soir je te fais interrompre ton rôle d'eunuque et je te marie à la favorite du Grand Vizir, comme ça tu deviens immédiatement cocu et ta femme c'est le Calife qui se la baise. — Ecoute-moi, Alekos. Je te comprends. J'ai lu un livre de psychologie et je connais certaines choses. Tu es jeune, tu as des besoins sexuels. C'est ça qui te rend si agité. Moi aussi, quand j'étais à Rimini, prisonnier des Italiens, j'étais toujours inquiet parce que j'avais besoin d'une femme. Donc, si tu veux, je te fais venir une femme. Une fois par mois. Non, une fois par semaine. Ça te plairait ? Ça te plairait ? — J'ai compris, Zakarakis. C'est toujours la même histoire : tu veux que je te baise. Mon pauvre Zakarakis, tu es vraiment amoureux de moi. Tu as perdu la tête, en somme. Et tu es tellement malheureux que tu m'attendris et que, si je pouvais, je te rendrais ce service. Oui, tu mériterais un petit service rapide. Mais je te l'ai déjà dit mille fois : je n'y arrive pas, tu ne me plais pas ! — Ordure ! — Non, ne sois pas hystérique, Zakarakis. Ne sois pas injuste. Ce n'est pas de ma faute, quand même, si tu ne me fais pas bander ? Tu es chauve, par-dessus le marché ! Ecoute, Zakarakis : Pourquoi ne m'amènerais-tu pas ta femme ? Ça se passerait en famille ! — Pendre ! Je te ferai pendre ! — C'est bon. Il va falloir que je me sacrifie. Je vais te baiser. » Avec la rapidité d'un éclair, tu as fermé la petite grille, immobilisé ses bras de ta main gauche et, de la droite, tu fis glisser son pantalon, puis, de tes genoux, tu le poussas contre le mur : alertés par ses cris de terreur les gardiens ont eu à peine le temps de te l'arracher des mains. Quelques jours plus tard, c'était le 9 avril, ta paillasse a pris feu.

Zakarakis a toujours juré sur la tête de sa femme et de ses enfants que c'était toi qui y avais mis le feu. Et, connaissant bien tes dons de farceur, je serais plutôt tentée d'accepter sa version. Comme stratagème, en effet, c'était loin d'être idiot : les gardes se précipitent, laissent la porte ouverte, et dans la fumée et la confusion générale tu en profites pour sortir et sauter par-dessus le mur d'enceinte. Il est vrai cependant que, deux jours avant, ils étaient venus prendre ta paillasse et te l'avaient rapportée en prenant d'étranges précautions. Il est vrai aussi qu'un garde qui était ton ami t'avait glissé à l'oreille : « Alekos, tu avais caché quelque chose dans ta paillasse ? J'ai vu le caporal Karakaxas farfouiller dedans. » Il est vrai également que Zakarakis, après l'agression, t'avait puni en te confisquant cigarettes et allumettes. Il est vrai aussi que lorsque tu as été rétabli, un certain Koutras, major de l'ESA, est venu te dire : « Si tu ne racontes à personne ce qui s'est passé, tu as ma parole d'honneur que nous te laisserons libre de fuir à l'étranger. » Il est vrai enfin que, jusqu'au bout, tu as continué à me répéter avec une sincérité passionnée . « Je te le jure, ce n'est pas moi qui avais mis le feu. C'étaient eux. J'ai menti sur d'autres points, par opportunité ou par nécessité, mais à ce propos, j'ai dit la vérité. Je n'avais pas une seule allumette, même si j'avais voulu, je n'aurais pas pu le faire. Pourquoi tu ne me crois pas ? Vers sept heures du soir, j'ai entendu un coup de sifflet, puis une petite explosion, et la paillasse a pris feu. Je suis sûr qu'ils avaient mis quelque chose à l'intérieur de cette paillasse, du plastic ou du soufre. » Quoi qu'il en soit, ce qui est certain c'est que Zakarakis a tout fait pour te laisser mourir. Agrippé aux barreaux, tu les suppliais, ouvrez, je brûle, je suffoque, je meurs. Et personne ne bougeait. En même temps que tu criais, la fumée devenait de plus en plus dense et s'échappait de la grille de l'antichambre, et pourtant aucun des seize gardiens qui se tenaient autour de ta cellule n'a fait le moindre geste pour te venir en aide : comme si Zakarakis le leur avait interdit. Le garde qui t'avait prévenu au sujet de Karakaxas continuait à lui répéter : « Il faut intervenir, monsieur le directeur ! Il va rôtir ! » Et Zakarakis : « Du calme, ne t'inquiète pas, du calme. C'est encore une de ses combines. » Il a mis un certain temps à se décider, et pendant ce temps la cellule devenait un vrai four, tu gisais au sol tandis que les flammes étaient de plus en plus hautes. Quand le médecin est arrivé, il a dit qu'il fallait t'hospitaliser car tu risquais de mourir. Zakarakis a formellement interdit qu'on te transporte à l'extérieur : « Laissez-le dans l'entrée. » Tu y es resté pendant deux jours, couché sur une couverture. Le second jour, il a plu et l'eau t'a transpercé jusqu'aux os ; le médecin n'a réussi à obtenir qu'un parapluie pour te protéger le visage. Il a fallu téléphoner au ministère de la Défense, puis demander l'intervention de Papadopoulos, pour que Zakarakis capitule. Mais tu étais désormais dans un état catastrophique, tes moustaches, tes cils et tes sourcils avaient brûlé, la peau de ton visage et de tes mains était couverte d'ampoules : tu ne voyais plus et tu ne parlais plus. A l'infirmerie de Goudi, où ils t'ont transporté, on a relevé dans ton sang une proportion de quatre-vingt-douze pour cent d'anhydride carbonique. Tu es resté dans le coma soixante-douze heures. Et, à ton retour à Boiati, Zakarakis t'a accueilli par les paroles suivantes : « Hé ! J'ai une bonne nouvelle pour toi. Ton ami a cassé sa pipe. » Et il t'a tendu un journal qui titrait : « Mort hier à Chypre de l'ex-ministre de l'Intérieur et de la Défense, Polycarpos Gheorgazis. »

On l'avait retrouvé dans sa voiture, tué à coups de mitraillette, expliquait le journal. Les assassins avaient pris la fuite et il n'y avait pratiquement aucun espoir de découvrir leur identité. Quant aux indices, ils étaient vagues. Le soir précédent, Gheorgazis avait accepté un rendez-vous avec des individus mystérieux, dans un village isolé ; en partant il avait embrassé sa femme plus tendrement que d'habitude et lui avait dit : « Si je suis en retard, fais-moi rechercher. » Tu as pleuré à chaudes larmes, et pas seulement à cause de la douleur. Oui, durant l'interrogatoire et le procès, tu avais nié de toutes tes forces sa participation à l'attentat, tenter-d'impliquer-Polycarpos-Gheorgazis-est-ridicule, je-ne-connais-pas-ce-monsieur, vous-croyez-qu'un-simple-soldat-puisse-engager-sous-ses-ordres-un-ministre-de-la-Défense ? Mais Hazizikis avait quand même réussi à découvrir le rôle joué par Gheorgazis dans l'attentat et ses preuves avaient été si accablantes qu'à la suite de cela, les rapports entre le gouvernement grec et le gouvernement chypriote s'étaient définitivement détériorés. Joannidis avait doublé le nombre de ses officiers sur l'île et, en l'espace de quelques semaines, Gheorgazis avait perdu le pouvoir, l'amitié de Makarios, l'estime des autres hommes politiques qui l'avaient dès lors considéré comme un aventurier capable de toutes les légèretés et il s'était enfin attiré la haine de Papadopoulos qui avait juré en public de se venger. Qui avait organisé le traquenard de ce rendez-vous dans un village isolé, les hommes de main de Papadopoulos ou ses complices de la CIA ? Peut-être les deux, dans une opération coordonnée, et quoi qu'il en soit, ton grand ami avait disparu : cet homme qui avait cru en toi, qui t'avait aidé, qui avait été ton professeur, que tu admirais avec cet enthousiasme de l'enfant pour son maître d'école. Mort, lui aussi, comme Georges. Par ta faute, comme Georges. Tes sanglots sont devenus si convulsifs que tu t'es mis à vomir et que tu es tombé malade. Tu as été malade pendant un mois. Et tu étais à peine guéri que Zakarakis t'a apporté une nouvelle douleur : « Allez. Prépare-toi. Vite. Monsieur le président t'autorise à sortir quelques heures. — Pourquoi ? — Parce que ton père est en train de mourir et que monsieur le président consent à ce que tu ailles lui dire adieu. Quel geste magnanime, pas vrai ? A sa place, même en photo, je ne te permettrais pas de le revoir. »

Tu aimais ton père avec tendresse. Un jour tu me confesseras n'avoir jamais éprouvé aucune tendresse pour ta mère, si dure, si virile et indépendante, mais avoir toujours aimé tendrement ton père. Peut-être parce qu'il était plus vieux qu'elle : il s'était marié vieux et il avait eu ses fils étant vieux, il les avait vus grandir, de plus en plus vieux, comme un vieux, c'est-à-dire avec l'indulgence d'un vieux. Lorsque tu étais enfant et que tu te cachais sous le lit pour fuir les coups de ta mère, tu y restais des journées entières, triomphant de la faim et de l'envie de faire pipi, elle criait : « Sors de là que je m'occupe de toi ! » Lui, par contre, murmurait : « Sors, il ne t'arrivera rien, je suis là. » Quand tu étais écolier et que tu ne supportais pas de passer l'après-midi à la maison pour étudier, elle t'enfermait à double tour dans ta chambre, lui, il te faisait un clin d'œil : « File ! J'arrangerai ça. » Et pourtant, ton père n'avait jamais été un rebelle. Militaire de carrière, il avait été élevé à l'école de l'obéissance et avait toujours gaspillé son courage dans les guerres avec les canons et les fusils. L'armée était son univers, le drapeau national son dieu, et quel chagrin pour lui lorsque tu avais choisi les mathématiques au lieu de l'uniforme militaire comme Georges ! Quel douleur pour lui, lorsque tu avais déserté, quel désarroi lorsque tu avais été mis en prison, quel déchirement lorsqu'il avait été emprisonné lui aussi, durant cent trois jours ! Tu l'avais appris plus tard, ce qui s'était passé durant ces cent trois jours. Gifles et injures de toutes sortes malgré ses soixante-seize ans, ses médailles, son grade de colonel. « Si tu n'as pas commis d'autres fautes dans ta vie, tu as commis celle d'avoir mis au monde un délinquant ! » Ou bien : « Pourquoi veux-tu rentrer chez toi ? Ta femme t'a abandonné, elle a choisi une vie plus agréable, elle en avait assez d'un vieux croulant comme toi. » Une gifle plus forte que les autres l'avait rendu presque aveugle d'un œil ; mais une humiliation, plus forte et irrémédiable pour lui que toutes les violences subies, l'avait paralysé physiquement et mentalement : depuis huit mois, il flottait dans une sorte de brouillard sans tristesse ni joie, ne se souvenant plus de ce qui était arrivé. Il n'imaginait même pas que tu étais un condamné à perpétuité sur lequel pesait encore la menace d'une exécution. Dans son fauteuil ou dans son lit, il posait toujours les mêmes questions : « Où est Alekos ? — A l'étranger. — Qu'est-ce qu'il fait ? — Il étudie. — Pourquoi ne vient-il pas me voir ? — Il viendra. — Je veux le voir, je veux l'embrasser avant de mourir. » Toi aussi tu aurais voulu l'embrasser. Il y avait des moments où tu le désirais tellement que tu avais l'impression d'être redevenu un petit enfant et... Zakarakis s'est agité, impatient : « Alors, tu te prépares ou non pour aller voir ton père avant qu'il ne meure ? — Non. — Non ? Tu as dit non ? — J'ai dit non, Zakarakis. Ton Papadopoulos ne m'utilisera pas pour jouer la comédie de la magnanimité. Il n'appellera pas la presse et la télévision pour décrire le voyage du fils prodigue vers le chevet de son père mourant. Va-t'en, Zakarakis. — Bête sans cœur ! — Va-t'en, Zakarakis. — Tu changeras d'avis, tu changeras d'avis ! — Va-t'en ou je t'étrangle, Zakarakis. » Zakarakis est parti et il est revenu le soir suivant : « Il est mort, salaud ! Il est mort sans pouvoir t'embrasser ! »

Sur le coup, tu n'as pas réagi, comme si tu étais sourd ou muet ou complètement indifférent. Mais Zakarakis a craché par terre, peut-être indigné par ce qu'il considérait comme de l'insouciance, et ton corps, alors, a bondi, de ta bouche est sorti un rugissement qui n'avait plus rien d'humain : « Zakarakiiiiiiis ! » Tu l'as saisi à la gorge. Tu as serré jusqu'à ce que son visage devienne complètement congestionné, que sa langue pende horriblement. Quand les gardiens ont réussi à te faire lâcher prise, tu l'avais presque étranglé.

CHAPITRE V

Comme l'eau d'un robinet qui goutte monotone, toujours identique à elle-même, obsessionnelle, martelant le silence vide de la nuit, si bien qu'à force de l'entendre tu crois devenir fou et tu pries pour un bruit différent, une explosion peut-être, un coup de feu qui tue, tout plutôt que cette atroce uniformité, cette obscurité, ainsi s'écoulaient les années après la nuit où Zakarakis t'avait annoncé la mort de ton père et où les gardiens t'avaient empêché de l'étrangler. Au cours de ces années, en effet, tu n'es jamais sorti de ce sépulcre éclairé seulement par la lampe bleue, tu n'as jamais franchi le seuil au-delà duquel il y avait le jour et la nuit, le soleil et les étoiles et la pluie et le vent. Ni pour te dégourdir les jambes, ni pour respirer une bouffée d'air frais. Ni pour aller à l'infirmerie lorsque tu entrais dans le coma, ni même pour voir ta mère quand on l'autorisait à te rendre visite. Avant, tu pouvais la voir au parloir comme les autres détenus ; donc tu sortais, tu faisais cent vingt-six pas à l'aller et cent vingt-six pas au retour et, en marchant, tu pouvais voir le ciel. A partir de ce soir-là, au contraire, tu ne l'as plus rencontrée que dans ta cellule, séparé d'elle par les barreaux. Pourtant, bien des choses ont eu lieu au cours de ces années. Tout d'abord, tu as commencé à me connaître à travers les livres que j'avais écrits et par mes articles qui, quelquefois, étaient reproduits dans les journaux d'Athènes. A la suite de cela, tu as étudié ma langue, en apprenant au rythme de vingt mots et deux verbes irréguliers par jour ; afin que nous puissions communiquer après notre rencontre. Cet effort de mémoire te servait, en outre, à lutter contre l'inertie mentale qui est une des conséquences de l'isolement, ce brouillard terrible qui annihile toute capacité de concentration et par là interdit de poursuivre un souvenir, de s'abandonner à un fantasme Et puis, comme nous le verrons, au cours de ces années, tu as écrit tes poèmes les plus beaux Mais, surtout, tu ne t'es jamais résigné, tu

n'as jamais abandonné ton rôle du héros qui ne cède pas. Dix-sept fois, tu as été surpris à scier les barreaux de la petite grille avec les limes minuscules qui servent à ouvrir les ampoules de médicaments, cinquante-deux fois tu as été puni par la confiscation du stylo, du papier, de la grammaire italienne, du dictionnaire Rapaccini, des livres et des journaux ; vingt-neuf fois, on t'a confisqué chaussures et cigarettes. Dix-huit fois, on t'a frappé jusqu'à l'évanouissement, autant de fois on t'a mis la camisole de force en criant que tu étais fou, quant aux grèves de la faim, elles ont été tellement nombreuses que rapidement tu n'as plus été en état de les compter. En me parlant de celles-ci, en m'en faisant une liste détaillée, tu ne te souvenais que des plus longues : sept de quinze jours, quatre de vingt-cinq jours, deux de trente, une de trente-sept, une de quarante, une de quarante-quatre, une de quarante-sept jours. Au cours de ces dernières, tu t'alimentais exclusivement d'eau et de café sucré, d'un morceau de chocolat caché sous le matelas, et tu devenais tellement squelettique que le médecin fut obligé de te nourrir au moyen d'une sonde dans ton nez. La pire torture. Tu n'arrivais vraiment pas à supporter ce tuyau qui, par la cavité nasale, descendait dans la gorge, puis dans l'œsophage, car il t'étouffait comme la main de Théophiloyannacos à l'époque des interrogatoires et, en plus, il te donnait envie de vomir sans que tu puisses vomir. Dès qu'on te l'enfilait dans la narine, tu n'avais plus qu'une pensée, arrêter le jeûne, arrêter ! Puis, tu recommençais et bien sûr, tu recommençais surtout pour garder l'entraînement ; parfois, tout cela te semblait être la répétition monotone d'un rite, et tu aurais voulu que Zakarakis invente une nouvelle perfidie pour t'exciter un peu, t'empêcher de t'assoupir. La première fois qu'il t'avait confisqué tes chaussures, cela t'avait presque amusé, bien que ce fût en hiver, tout comme lorsqu'il t'avait mis pour la première fois la camisole de force. Cela avait été une curiosité. Mais, avec le temps, tu t'y étais habitué et, maintenant, ta seule distraction venait des petites limes avec lesquelles tu prétendais scier les barreaux. C'était un délice de les retrouver dans la nourriture que ta mère t'apportait, de mettre dans ta bouche un morceau de lapin et sentir entre les dents cette petite lame métallique, parce que, lorsqu'il entendait le bruit du fer sous la lime, Zakarakis arrivait en courant :
« Qu'est-ce que tu fais, salaud ?! — Moi, rien, ... — Où l'as-tu cachée ?! — Cachée quoi ? — La lime, crapule. La lime ! — Quelle lime ? — Je t'ai entendu, tu étais en train de scier les barreaux ! » Puis il appelait les gardiens qui te fouillaient partout, dans le revers de ton pantalon, dans le col de ta chemise, dans l'ourlet de ton caleçon, dans la semelle de tes chaussures, mais ils ne trouvaient

rien parce que la petite lime était dans un endroit auquel ils ne pensaient jamais : dans tes cheveux, entre tes dents, dans les pages d'un livre. « Tu étais pourtant en train de scier, salaud ! — Mais non, Zakarakis, je faisais de la musique. » En riant, tu prenais un verre, tu en mouillais le bord avec de la salive, et tu faisais glisser ton index pour en tirer le son du fer qu'on lime : « Ecoute, imbécile ! »

Faire des farces t'amusait, t'aidait ainsi à surmonter le poids de l'ennui : tu ne t'es jamais lassé de te moquer d'eux avec tes trouvailles à la Cagliostro. L'histoire du revolver en pain et en savon par exemple. Patiemment, avec de la mie de pain et des restes de savon, tu avais fabriqué un fac-similé de revolver, puis avec des allumettes brûlées, tu en avais noirci la crosse, tu avais enveloppé le canon dans du papier métallisé, et un soir, tu en avais menacé les gardiens qui t'apportaient le dîner : « Les mains en l'air ! Passez-moi les clefs ! » Cette fois-ci, ils n'étaient que deux et désarmés ; dans la pénombre, ton jouet avait vraiment l'air d'un revolver, le gardien qui tenait le plateau l'a laissé tomber et l'autre t'a tendu les clefs en tremblant. Tu les lui as rendues en ricanant, tu ne pouvais pas t'en servir car, dehors, il y avait les seize sentinelles. « Crétins ! » Il y a eu, encore, l'histoire du fil de fer avec lequel tu voulais qu'on t'ouvre la grille. Un pauvre idiot te surveillait à l'entrée de ta cellule, une recrue qui arrivait tout juste de sa campagne. Zakarakis l'avait placé là pour t'empêcher de scier les barreaux, il lui avait dit que tu étais un prisonnier « très important » et les mots « très important » l'avaient tellement impressionné que, tout en ne te quittant jamais des yeux, il t'obéissait avec le zèle d'un esclave. Il allait même jusqu'à t'appeler « excellence ».

« Bleu, allume-moi cette cigarette. — Oui, Excellence. — Evente-moi, Bleu. — Oui, Excellence. » Ce jour-là, par terre, dans le couloir, il y avait un fil de fer. « Bleu, viens ici. — Oui, Excellence. — Ouvre le cadenas, je dois sortir faire pipi. — Oui, Excellence, je cours chercher les clefs. — Quelles clefs, imbécile ? Un cadenas ne s'ouvre pas avec une clef ! Tu ne vois pas ce fil de fer ? Pourquoi donc crois-tu qu'on le laisse là ? Pour ouvrir le cadenas, tu ne crois pas ? — Oui, Excellence. Excusez-moi, Excellence mais, dans mon village, on ouvre les cadenas avec des clés ! — Qu'est-ce que j'en ai à faire, moi, de ton foutu village ? ouvre, dépêche-toi, je ne peux plus tenir ! — Oui, Excellence, à vos ordres, Excellence. Mais en attendant, Excellence, ne pourriez-vous pas uriner dans vos toilettes ? — Imbécile, tu ne vois donc pas qu'elles sont bouchées ? Tu n'as pas entendu le directeur me prier de ne plus y faire pipi avant qu'elles soient réparées ? Allez, vite, ramasse ce fil de fer et ouvre ! » Tout excité, le pauvre garçon travaillait, travaillait, mais sans résultat.

« Pardonnez-moi, Excellence, mais je n'y arrive pas, je vais appeler le sergent. — Si tu l'appelles, je te dénonce ! Allez, insiste ! » Finalement, les choses en étaient restées là, parce que, attirés par le bruit de la dispute, les autres gardiens étaient intervenus pour l'arrêter : « Qu'est-ce que tu fabriques, imbécile ? » Mais comme celle du revolver de pain et de savon, cette histoire t'avait aidé à vaincre un peu cette mélancolie, ce sentiment de vide que ni l'étude ni la lecture n'arrivaient à combler et que, parfois même, elles renforçaient. En fait, c'est justement en lisant et en étudiant, disais-tu, qu'il est possible de mesurer, en prison, l'affaiblissement de ses capacités intellectuelles. Sur le coup, tu crois avoir appris un verbe, et tu t'aperçois une demi-heure après que tu l'as déjà oublié. Alors, tu révises, tu recommences à déclamer je vais-tu vas-il va-nous allons-vous allez-ils vont, mais, les paupières s'alourdissent, tu t'allonges pour faire un somme et tu dors tout l'après-midi, et quand tu te réveilles, tu es tellement abruti que tu as l'impression de ne plus être un homme mais un légume.

Non que tu aies renoncé à l'idée de fuir. Jusqu'à ce que vienne l'habitude qui, inévitablement, inexorablement, t'a fait admettre la réalité du sépulcre et canaliser ta résistance dans la veine poétique et c'est tout, tu n'as jamais cessé de cultiver ce mirage. Mais c'était toujours avec un peu moins de conviction, un peu plus de légèreté, ou selon un humour qui constituait une fin à soi seul. A preuve cette tentative à laquelle tu as renoncé pour des raisons manifestement ancrées dans les profondeurs de ton inconscient, tentative dans laquelle tu avais impliqué le gardien qui avait remplacé le simple d'esprit du fil de fer : un jeune homme qui rêvait de devenir acteur. Une brève conversation t'avait suffi pour comprendre qu'il n'était pas, lui non plus, très intelligent, et que tu pouvais le manipuler comme bon te semblait, si bien que tu avais immédiatement commencé à le circonvenir. « Hum ! Ainsi, tu aimerais devenir acteur. Tu n'as pas tort, avec une tête comme la tienne. Fais-moi voir un peu ton profil... Eh oui, un profil magnifique. Tu as un bel avenir devant toi. — C'est que je ne connais personne, monsieur Panagoulis. Personne ! — Ça, ce n'est pas un problème. Mais dis-moi : es-tu sûr de vouloir devenir acteur ? C'est une belle carrière, j'en conviens : des femmes à foison, une villa avec piscine, des milliards. Mais au début, ça demande de très gros sacrifices. Il y en a qui ont risqué leur peau pour devenir acteur. Pense à Laurence Olivier, à ce qu'il a fait pour Churchill ! — Qu'est-ce qu'il a fait ? — C'est une longue histoire. Un jour, je te la raconterai ; mais en attendant, dis-moi, tu as suivi des cours de théâtre ? — Oui, quand j'étais petit. — Tant mieux, jouer c'est comme apprendre les langues : si tu les apprends tout petit, tu ne les oublies plus. Tu es photogénique ? — Oh, oui ! Mais, pourquoi me demandez-vous ça ? — Parce que je peux t'aider. — Ici ? En étant ici ? — Pas tout à fait. On en reparlera demain. Mais surtout, pas un mot à Zakarakis : il déteste les acteurs, le théâtre, le cinéma. Il est jaloux. — Ne vous en faites pas, monsieur Panagoulis. — Tu peux me tutoyer. — Ne t'en fais pas, Alekos. — Bon, demain, apporte les photographies. » Et le lendemain : « Excellentes. Il n'y a pas de doute, tu es vraiment photogénique. Hum ! Tu n'es jamais allé à Rome ? — Jamais. — Une ville merveilleuse. Mes meilleurs amis vivent tous à Rome. Sofia me disait toujours... — Sofia ? Quelle Sofia ? — Ne m'interromps pas ! Sofia Loren, bien sûr. A Rome, j'habitais dans une aile de son château. Eh oui, c'est là que j'ai préparé l'attentat. Mais garde ça pour toi. Figure-toi que son mari m'a même aidé à fabriquer les mines ! En échange, il m'a seulement demandé de lui écrire un scénario. — Un scénario ? Tu as écrit un scénario pour Sofia ? — Pas pour Sofia, pour Carlo ! Carlo, son mari, le producteur ! — Oh ! — Sous un pseudonyme, bien entendu ! Mais qu'est-ce que ça a d'extraordinaire, je n'allais quand même pas refuser de rendre service à un ami qui risquait de se retrouver en prison par ma faute ? — Non ! Non. — Je te disais donc que Rome c'est vraiment la ville pour faire du cinéma. La seule. Aujourd'hui, même Marlon Brando doit aller à Rome s'il veut faire un film. Si tu veux vraiment devenir une star, à Hollywood, c'est fini ! C'est à Rome que tu dois aller. Hum ! Fais-moi voir encore ces photographies. — Voilà. — Excellent. Le nez est très bien, et le profil droit aussi ; le profil gauche, un peu moins. Comme c'est bizarre, exactement comme Laurence Olivier. Rappelle-moi de te raconter l'histoire de Churchill et de Laurence Olivier. Mais oui, je crois que je pourrai te recommander à Sofia. Ou plutôt à Carlo. Sofia ne compte pas pour ces choses-là. Tout au plus, une fois que Carlo t'aura signé un contrat, peut-elle te demander de jouer avec elle. A cause de tes traits virils, marqués. — Que dis-tu, Alekos, vraiment ? — Du calme, mon garçon. Ne t'imagine quand même pas que j'ai une baguette magique. Puis Carlo est très prudent. Il lui faudra bien un an pour te confier un rôle aux côtés de Sofia. Il te fera faire des essais, il t'enverra à la télévision. — Tu sais, même la télévision, ce sera déjà très bien pour moi. — Oui, mais, je ne veux pas que tu te fasses des illusions. La télévision ne paie pas les cachets du cinéma, ce sera déjà pas mal si j'arrive à te faire gagner cinquante mille drachmes par mois. — Cinquante mille ! — Ça te paraît une fortune n'est-ce pas ? C'est une misère en réalité. Mais par ça suite, tu pourras gagner jusqu'à cinq cent mille. »

Cela dura des jours et des jours. Il s'exaltait de plus en plus et toi, tu attendais le bon moment pour lui porter le coup final. Le moment est venu lorsqu'il t'a demandé d'écrire une lettre à Carlo et Sofia. « Tu es fou ? Tu veux que je ruine mes amis, l'homme qui m'a aidé à préparer la bombe ? Tu ne sais donc pas qu'il travaille avec les Américains ? Tu ne sais pas que si la lettre s'égarait, il finirait en prison lui aussi. Et puis, tu crois qu'une chose pareille, on peut la demander par écrit ? Il faut lui parler de vive voix. Il faut que j'aille à Rome avec toi. Cela me paraît évident ! Si tu ne me donnes pas un coup de main pour m'évader, comment veux-tu que je t'aide à devenir acteur ? — T'évader ? Mais c'est difficile, Alekos, c'est dangereux ! — Difficile ? Dangereux ? Mais non ! Même Laurence Olivier y est arrivé avec Churchill. Crétin ! Ignorant ! Apprends donc un peu l'histoire ! Tu ne sais même pas que Churchill s'est évadé de cette prison nazie grâce à l'aide de Laurence Olivier. Et Laurence Olivier n'était pas un des gardiens, il était cuisinier. Ah, pour lui, c'est sûr, c'était difficile, dangereux ! Mais Churchill n'a jamais oublié ce qu'il avait fait. Quand il devint Premier ministre, il l'a imposé. D'accord, disait-il, le profil gauche n'est pas bon, mais Larry, c'est un ami, profil ou pas, je veux qu'il devienne Laurence Olivier ! La vérité, c'est que Laurence Olivier avait des couilles et pas toi. Quand je pense que j'ai perdu tout ce temps à m'occuper de toi et, voilà le résultat. Allez, va-t'en, file ! Je ne veux plus jamais te revoir ! — Non, Alekos, écoute... — Dehors ! » Pendant deux semaines tu as joué les offensés, et c'est en vain qu'il te priait de le pardonner, il te répétait que son hésitation n'avait été qu'un moment de faiblesse, que cela ne se reproduirait plus. « Je refuse de t'écouter ! » Tu ne lui as adressé à nouveau la parole que lorsqu'il s'est jeté à tes genoux et t'a supplié de lui permettre de t'aider à t'échapper : tu étais son seul espoir, il n'avait personne d'autre qui puisse lui donner un coup de main pour devenir acteur, pour réaliser sa vocation ; à Rome, sans toi, Sofia et Carlo ne daigneraient même pas lui accorder un regard. Tu as accepté son offre comme si tu lui faisais un cadeau somptueux. A condition, toutefois, qu'il se mît bien en tête ceci : tu ne cédais qu'à cause de ce terrible vice appelé générosité. Tu ne voyais pas pourquoi tu devais t'adresser à lui plutôt qu'à Laurence Olivier qui, lui, était si courageux et avait déjà téléphoné à ta mère pour lui proposer ses services. « Laurence Olivier ? Pas possible ! » Evidemment. Non que Larry fasse rien pour rien, tu savais très bien qu'il t'offrait son aide pour t'emmener à Londres et obtenir ton scénario d'*Œdipe-Roi*, mais Londres ne te

plaisait pas, trop de brume et trop de monarchie, par conséquent :
« C'est à toi que je veux rendre service. Faisons un plan. » De
nouveau l'uniforme, de nouveau l'heure nocturne, après tu trouveras bien un moyen de quitter le pays. Quant au problème des seize
gardiens autour du sépulcre, il n'y avait pas lieu de s'en inquiéter.
Jusque-là, le plan Sofia était parfait. A cette époque, la soupe du
soir t'était toujours apportée par deux gardiens seulement, et, assez
souvent, l'un d'eux était ton aspirant acteur. L'autre était encore
plus bête, il suffisait de l'assommer, le déshabiller, l'attacher au lit,
le bâillonner avec du sparadrap et enfiler son uniforme. « Mon
garçon, tout ce qui te reste à faire, c'est me procurer un peu de
corde et du sparadrap. »

Le lendemain, l'aspirant acteur t'apportait la corde et le sparadrap. « Ce soir, lui et moi, on est de garde. — Bon. » Tu as caché la
corde derrière les waters, le sparadrap sous ton aisselle et tu as
attendu. Mais, comme tu me le racontas plus tard, la foi te manquait
et, à la tombée du jour, tu mourais de sommeil ; tu t'es endormi en
rêvant que tu possédais une femme. Il t'arrivait très rarement de
rêver que tu possédais une femme ; après la nuit d'Egine, cela t'était
arrivé peut-être quatre fois et toujours très brièvement, car la peur
de ne pas faire assez vite et d'être conduit devant le peloton
d'exécution avant l'orgasme final t'avait marqué comme un complexe. Cette fois, au contraire, le rêve fut plutôt long. Tu avais
l'impression d'avoir l'éternité devant toi et tu pénétrais la femme
avec calme, avec les mouvements lents et doux d'une mer tranquille
qui lèche la plage de ses caresses d'écume, puis se retire tout
doucement, se retient, patiente, avant de revenir lécher encore,
toujours avec lenteur, et c'était doux de retarder l'explosion,
l'instant où la mer grossirait pour éclater en une cataracte rugis-
sante, c'était bon de gonfler l'attente d'une conclusion qui ne
pouvait pas ne pas venir, qui maintenant s'approchait, de plus en
plus, encore un peu et la dernière vague allait se briser, t'éclaboussant de ses embruns glorieux... Voilà, elle montait, elle venait, elle
allait te submerger, et... « Réveille-toi, Alekos, réveille-toi ! Je suis
là, on est là ! » L'aspirant acteur te secouait à deux mains et son
regard te suppliait, t'implorait, te désignait son compagnon que tu
devais attaquer. Tu l'as regardé furieux. « Espèce de salaud, tu ne
m'as pas laissé finir ! » Puis, toujours en criant tu-ne-m'as-pas-
laissé-finir, tu-ne-m'as-pas-laissé-finir, tu l'as repoussé, lui lançant
ton plateau à la figure. Il est parti en sanglotant. « Tu es fou,
fou... répétait-il. Ils avaient bien raison de te passer la camisole
de force... » Puis il a demandé à Zakarakis d'être dispensé de
garder ta cellule et tu ne l'as plus revu Tu n'en as pas été

mécontent. Ton lit n'était pas si inconfortable que ça. ta cellule n'était pas si petite : tu t'étais habitué au sépulcre.

* *
*

L'habitude est la plus infâme des maladies en ce qu'elle nous fait accepter n'importe quel malheur, n'importe quelle douleur, n'importe quelle mort. Par habitude, on vit avec des personnes détestables, on apprend à supporter les chaînes, à subir les injustices, à souffrir, on se résigne à la douleur, à la solitude, à tout. L'habitude est le plus insidieux des poisons en ce qu'elle nous envahit lentement, en silence, qu'elle grandit peu à peu, se nourrissant de notre indifférence et quand on découvre qu'elle est là, que toutes les fibres de notre être en sont imprégnées, que chacun de nos gestes en est conditionné, il n'y a plus de remède possible pour en guérir. C'était bien ce qui s'était produit le soir où tu avais renoncé à une nouvelle tentative d'évasion. Ce que tu n'aurais jamais cru possible venait de se produire : la verdure, le ciel, les grands espaces ne te manquaient plus. En été, quand le soleil filtrait par le plafond de l'entrée et faisait une grande tache de lumière au sol, le reflet te gênait tellement qu'en clignant les paupières, tu allais te réfugier dans l'angle le plus obscur de ta cellule et que tu y restais jusqu'au coucher du soleil, comme une taupe qui ne sort jamais de son trou. Si Zakarakis t'avait construit une fenêtre pour que tu puisses voir le ciel durant le jour et les étoiles durant la nuit, tu l'aurais bouchée avec un journal. Pourtant, il restait en toi une chose que ni l'habitude de l'obscurité, ni le manque d'espace, ni la monotonie n'avaient éteinte : ta capacité à rêver, à imaginer, et à traduire en vers la douleur, la rage, toutes tes pensées. Plus ton corps s'adaptait, s'atrophiait à la paresse, et plus ton esprit résistait, plus tu laissais libre cours à ton imagination en composant des poèmes. Tu avais toujours écrit des poèmes, dès ton adolescence, mais c'est durant cette période que ta veine créatrice a explosé, irrépressible. Des dizaines et des dizaines de poèmes. Presque un poème par jour, parfois très court. « Ne pleure pas pour moi / Sache que je meurs / Tu ne peux pas m'aider / Mais regarde cette fleur / Celle qui se fane, te dis-je / Arrose-la. » Ou bien : « J'aimai tant la lumière / que je parvins à allumer une bougie / Hélas, je perdis cette frêle lueur opaque / Car avant même d'en jouir / je vis avec désespoir / que je projetais ailleurs une ombre menaçante / parce que la lumière que je tenais dans ma main / de par l'ombre de mon corps / plongeait mes chemins dans l'obscurité. » Ou bien : « Je ne te comprends pas, mon Dieu / Réponds-moi

135

encore une fois / Dois-je te remercier / ou t'excuser ? » Tu en écrivais même si Zakarakis te retirait papier et crayon parce qu'alors tu prenais une lame de rasoir que tu gardais à cet effet, tu te faisais une entaille au poignet gauche, trempais une allumette ou un petit bâton dans cette blessure, et tu écrivais avec ton sang, sur tout ce qui te tombait à portée de la main, l'emballage d'un pansement, un petit morceau de tissu, un paquet de cigarettes vide. Puis tu attendais que Zakarakis te rende papier, crayon, et tu recopiais, avec une écriture minuscule, faisant attention à ne pas gâcher un millimètre de ce papier précieux que tu pliais en bandes étroites et tu l'envoyais à travers le monde pour raconter l'histoire de l'homme qui ne cède jamais, même pas à l'habitude. Les stratagèmes étaient nombreux : tu jetais les rubans de papier dans les poubelles où un gardien ami les recueillait, tu les enfilais dans les ourlets des pantalons que tu envoyais chez toi pour être lavés, tu les glissais à ta mère lorsqu'elle venait te rendre visite. Mais surtout, tu apprenais les vers par cœur, pour prévenir leur perte ou destruction éventuelle, et quelles disputes quand Zakarakis prétendait les lire pour les approuver ou les censurer ! « Où les as-tu mis ? Donne-les-moi ! Tu sais très bien que le directeur doit censurer tout ce qui s'écrit dans la prison ! — Je le sais, mais je ne peux pas te les donner, Zakarakis. Je les ai enfermés dans mon magasin. — Quel magasin ? Je veux voir ton magasin ! — Il est là, Zakarakis. » Et tu lui montrais ta tête. « Je ne te crois pas, sale menteur ! Je ne te crois pas ! » Il aurait dû pourtant, car dans ce magasin, nous avons retrouvé, bien des années plus tard, tous les poèmes perdus ou détruits : tu en as tiré un livre et beaucoup de gens pensèrent qu'il s'agissait là du début d'une carrière littéraire.

Bien sûr, les querelles ne naissaient pas seulement à propos des poèmes ; parfois, sur certaines feuilles que Zakarakis prétendait censurer, des chiffres étranges, des calculs mystérieux voisinaient avec les textes : agrippé comme un naufragé au radeau de ton esprit, tu t'étais remis à l'étude des mathématiques. « Dis-moi ce que c'est ? — C'est un théorème, Zakarakis. — Quel théorème ? — Si je te le disais, tu ne comprendrais rien. — Pourquoi ? Je suis trop con, hein ? — Eh oui. Alors, ferme-la et laisse-moi en paix. » Habituellement, vaincu par son ignorance, il battait en retraite. Parfois, au contraire, il insistait, et il en résultait des joutes grotesques, des tensions qui te ramenaient à l'époque de la guerre ouverte entre vous. L'accrochage qui a empoisonné tes derniers mois à Boiati a justement été provoqué par les mathématiques. C'était au printemps 1973, et ce jour-là, Zakarakis était revenu pour trouver le magasin où tu cachais tes poèmes. « Où est-il ? Dis-moi où il est ? —

Je te l'ai déjà dit, Zakarakis, dans ma tête. — Ce n'est pas vrai ! Ce n'est pas possible ! Tu ne peux pas te souvenir de tout ! » Tout d'un coup, son regard est tombé sur un petit billet où tu avais écrit : « $X^n + Y^n = Z^n$. » Il le saisit d'un bond : « Et ça, c'est quoi ? Je ne vois pas de chiffres ici. Ah, c'est un code, salopard ! — Mais non, ce n'est pas un code, Zakarakis. — Ah oui ? ! Tu veux que j'appelle le brigadier général ? Tu veux qu'il te fasse dire qui sont X, Y, et Z ? Et les n ? Qui sont les n ? » Tu lui as montré le bat-flanc et tu l'as invité à s'asseoir. « Viens ici, Zakarakis. — Non, non, après tu m'arraches mon pantalon et tu essayes de me violer, comme l'autre jour. — Je ne vais pas te violer, Zakarakis. Je te le promets ! — Tu me diras qui sont X, Y, et Z, et qui sont les n ? — Je te le dirai, Zakarakis. Les n sont des nombres, X, Y, et Z sont des inconnues. — Salaud ! Menteur ! Tu crois te payer ma tête, hein ? Je découvrirai qui sont ces inconnus, moi ! — Tu serais vraiment un génie, Zakarakis, car depuis trois cents ans personne n'y est parvenu ! — Trois cents ans ? Tu vois bien, tu te moques de moi, tu vois ? Gardes ! Attachez-le ! » Ils t'avaient attaché au lit, et tu étais étrangement docile. Zakarakis, en revanche, était de plus en plus en colère. « Et maintenant, vas-tu parler ? — Je vais parler, Zakarakis. Mais si tu ne comprends pas, dès que tu me détaches, je te déculotte. — Parle ! — Bon, écoute-moi bien. Si n est un entier positif supérieur à deux, l'équation ne peut être résolue par des valeurs entières différentes de zéro pour les inconnues X, Y, Z, donc... — Vaurien ! Ordure ! Voilà ce que tu es, une ordure ! — Et toi, tu es un imbécile, Zakarakis ! Est-ce de ma faute si l'équation est comme je te le dis ? — Quelle équation ? Salaud ! — Celle que tu as à la main : X^n plus Y^n égalent Z^n. C'est une équation, Zakarakis, une équation mathématique. Tu sais bien que j'étudiais les mathématiques à Polytechnique. Et si tu poses comme hypothèse que le calcul différentiel... — Assez ! » Il est sorti presque en pleurant. Il tenait dans sa main le papier qui lui servirait à éventer le complot. Car il ne pouvait s'agir que de cela, bien sûr, un complot pour t'évader à nouveau. Et il voulait trouver l'explication, te démontrer que l'imbécile c'était toi.

Pendant des nuits entières, Zakarakis l'a étudié, décidé à recueillir les éloges de Joannidis. Naturellement, il aurait pu s'adresser au Service de Renseignements, au KYP, mais cela aurait été faire cadeau à d'autres d'un triomphe qu'il voulait tout entier pour lui. Et sans l'aide de quiconque, il est arrivé aux conclusions suivantes : Les trois n, c'était trois soldats qui faisaient partie du complot et qui devaient t'aider à fuir ; Monsieur X, Monsieur Y, et Monsieur Z étaient trois civils qui agissaient de l'extérieur. X signifiait Xristos, ou Xristopoulos, ou Xarakalopoulos ; à moins qu'au lieu de représenter des personnes, X, Y, Z n'indiquent des noms de villes ou de pays ; dans ce cas, X pourrait avoir un rapport avec Xania, la capitale de la Crète, Y avec le Yémen, et Z avec Zurich. Ou bien encore, X voulait-il dire Xristougena, c'est-à-dire Noël ? Oui, c'est cela, Noël ! Voilà le sens du message : avec la complicité de trois soldats, le jour de Noël, tu t'enfuirais à Zurich via le Yémen. Il est revenu te voir. « Tu me prends pour un idiot, hein ! Mais, j'ai tout compris, j'ai trouvé la solution ! — La solution ? Incroyable, Zakarakis ! Mais non, ce n'est pas possible, je te jure que ce n'est pas possible. — Bien sûr que si. Je sais qui sont X, Y et Z ; tu veux fuir à Zurich, hein, fumier ? — Qu'est-ce que tu dis, Zakarakis ? — Je sais très bien que Z veut dire Zurich ! — Et si ça voulait dire Zakarakis ? » Silence de mort, Zakarakis te regardait complètement hébété. Bon Dieu, il n'y avait pas pensé ! Si Z représentait son nom, cela ne pouvait signifier qu'une seule chose : avec la complicité des trois soldats et d'un monsieur Y, tu voulais le tuer à Noël. « Tu veux me tuer, hein ? J'aurais dû m'en douter ! — Mais non, Zakarakis, tu es tellement bête que te tuer serait une grosse erreur. Sans toi, je m'ennuierais à mort. Je te jure qu'il ne s'agit pas de cela. Il s'agit de Fermat. — Qui c'est ? Je ne le connais pas ! — C'est impossible, Zakarakis, il vivait il y a trois cents ans. C'était un mathématicien qui, tout en s'intéressant aussi à la politique et à la littérature, était un spécialiste du calcul différentiel et du calcul de probabilité. Cette équation... » De nouveau, il est parti en courant sans te donner le temps de lui expliquer que l'équation existait bel et bien, qu'il s'agissait du fameux problème que Fermat avait résolu mais dont la démonstration avait été perdue si bien que depuis trois siècles, on cherchait à démontrer que X à la puissance n plus Y à la puissance n était égal à Z à la puissance n, que personne n'y était arrivé et que l'Académie des Sciences anglaises promettait une récompense à celui qui y parviendrait, que maintenant tu voulais gagner cette récompense, non pas tant pour l'argent, mais surtout pour le plaisir de donner une gifle morale à ceux qui te gardaient prisonnier dans ce sépulcre. Mais le pire est arrivé : Zakarakis a donné l'ordre qu'on te confisque papier et crayon, qu'on cherche bien, que l'on passe ta cellule au peigne fin, afin qu'il ne te reste pas même un petit bout de mine, de papier, rien. Ils ont bien cherché. Ils ont même trouvé la lame de rasoir rouillée. Privé de papier, de stylo, même de la lame pour t'entailler les poignets, faire jaillir ton sang et t'en servir comme encre, résoudre ce problème devenait une entreprise impossible. Pourtant, tu t'y es remis. C'était comme tenter d'attraper une anguille à la main. Dès que tu fixais dans ta mémoire une partie de l'équation, elle t'échappait. C'est une chose que d'enregistrer mentalement des vers, c'en est une autre que de mémoriser des calculs mathématiques. Un après-midi, il t'a néanmoins semblé avoir trouvé la solution. Tout excité, tu t'es agrippé aux barreaux. « Papier ! Stylo ! Vite ! S'il vous plaît, je vous en prie. » Mais personne n'a répondu, et quand Zakarakis t'a restitué papier et stylo, il était trop tard. Tu avais tout oublié.

Des années plus tard, tu en parlais encore avec amertume. Ou plutôt, tu commençais à raconter cette histoire en riant mais, vers la fin, ta voix se troublait et ton visage se voilait de tristesse. Tu disais que cet épisode t'avait blessé davantage que bien des passages à tabac et, qu'ensuite, tu avais nourri à l'égard de Zakarakis un étrange sentiment, une sorte d'indulgence qui avait entamé tes certitudes sur la responsabilité de l'individu. Parce que la conclusion de cette histoire avait été déchirante pour vous deux. Zakarakis, incapable d'établir avec certitude si X, Y, et Z voulaient dire Xristos, Xristopoulos, Xarakalopoulos, ou Xania, ou Xristougena, et Y, Yémen, Z, Zurich, ou son propre nom, s'était adressé au KYP. Et le KYP lui avait répondu avec des ricanements de mépris que tu avais raison, qu'il ne s'agissait pas d'un complot, mais bien du célèbre problème de Fermat, mathématicien français du xviie siècle : que Monsieur le Directeur évite de faire des rapports ridicules. Tu l'avais vu arriver complètement désemparé, tenant à la main un cahier et deux stylos à bille, un rouge et un bleu. « Moi... voilà... je suis venu te dire que je regrette. J'ai appris que ce Fermi est vraiment mort. — Pas Fermi, Zakarakis, Fermat. — Fermi, Fermat. Pour moi, c'est la même chose. Tiens, voilà deux stylos et un cahier. — Je n'en ai plus besoin, Zakarakis. Je ne me rappelle plus ce que j'avais trouvé. — Ça te reviendra, peut-être. — Je ne crois pas, Zakarakis. Allez, va, Zakarakis. » Mais, sur le seuil de la porte, tu l'as arrêté. « Eh, Zakarakis ! — Oui ? — Ecoute, Zakarakis, je te l'ai déjà dit, dès que nous nous sommes connus, et je te le répète maintenant : tu es un vrai con, mais ce n'est pas de ta faute. Quand tu seras sur le banc des accusés, et que je viendrai témoigner contre toi, je dirai ceci : c'était un vrai con mais ce n'était pas de sa faute ! Et je demanderai que tu ne sois condamné qu'à une semaine de réclusion, ici où je suis. — Je suis le Chef, moi ! Je suis le Directeur ! — Tu n'es rien, pauvre Zakarakis. Rien que le symbole du troupeau qui subit, qui obéit toujours quel que soit celui qui commande. Tu ne comptes pas, tu ne compteras jamais, et ça ne changera pas, tu te feras toujours baiser par tout le monde, Zakarakis, que tu le veuilles ou non. C'est ça le problème : que tu le veuilles ou non ! » Puis, tu t'étais allongé sur le lit à fainéanter et à ruminer la tristesse d'une vérité inattendue : le haïr, désormais, te demandait un effort.

*
* *

Et ce fut le dimanche 19 août 1973. La nuit, à cause de la chaleur, tu n'avais pas réussi à fermer l'œil ; la cellule était un véritable four : tu t'es levé à la recherche d'un souffle d'air mais tu t'es aussitôt laissé retomber sur le lit, épuisé. Un convoi de fourmis avançait sur le sol, formant une ligne parfaite. Elles venaient de la petite entrée, passaient sous la porte, traversaient la cellule en diagonale, puis disparaissaient derrière les w.-c., en un ruban compact. Tu les avais remarquées depuis une semaine déjà, et, au début, tu avais voulu les écraser mais tu t'étais souvenu du cafard mort sous le talon du gardien et tu t'étais retenu. Tu avais même décidé de faire attention à ne pas les écraser et, chaque fois que tu allais aux toilettes ou que tu marchais de long en large, tu les enjambais avec précaution. Du reste, elles le méritaient. C'étaient des fourmis très bien élevées, elles ne montaient jamais sur le lit et il était agréable de les observer. Tu les as comptées : elles étaient cent trente-six et la cent trente-sixième traînait une brindille de cyprès. Le cyprès ! Avait-il poussé au cours de toutes ces années ? Tu ne l'avais plus revu depuis le jour de ton retour de l'infirmerie de Goudi, après l'incendie. N'était-il pas absurde d'avoir à côté de soi un arbre qu'on ne peut pas voir ? Un arbre, c'est mieux qu'un convoi de fourmis et même qu'un cafard ! Quand était-il mort le cafard ? Le 23 novembre 1968. Mon Dieu ! Déjà cinq ans ! Avais-tu beaucoup vieilli pendant ces cinq années ? Tu ne pouvais pas le savoir parce que Zakarakis ne voulait pas te donner de miroir, de peur que tu ne t'en serves comme arme, il disait que c'était déjà trop de t'accorder le verre sur lequel tu jouais tes petites musiques, et, pour te voir, tu devais donc attendre que le coiffeur vînt te couper les cheveux ou te faire la barbe ; mais ce dernier n'avait que rarement un miroir. A Pâques, il en avait un, tu t'étais regardé un instant, et cela t'avait impressionné. Tu ne t'étais pas reconnu dans ce visage fripé, ces rides qui creusaient tes joues et se perdaient dans tes moustaches, cette peau verdâtre : tu avais l'air d'avoir cinquante ans. Tu venais à peine d'en avoir trente-quatre. « Suis-je toujours comme ça ? » avais-tu demandé, et le coiffeur de te répondre : « Non. Non. » Tu as bâillé. Tu as pris ta grammaire italienne pour te consacrer à l'étude du subjonctif : « Se io fossi amato, se tu fossi amato, se egli fosse amato, se noi fossimo amati, se voi foste amati, se essi fossero amati… » « Se io fossi capito, se tu fossi capito, se egli fosse capito,

140

se noi fossimo capiti, se voi foste capiti, se essi fossero capiti. » Après l'affaire Fermat, tu n'avais plus envie de te plonger dans les mathématiques. Quant à la poésie, tu commençais à t'en sentir saturé. L'année la plus féconde avait été 1971 : tu avais écrit les poèmes dont tu étais le plus fier, *Le Voyage,* celui dédié à Georges, celui pour Morakis, celui pour Gheorgazis, et tes meilleurs sizains. En 1972, tu avais composé *Les Quatrains d'automne* et d'autres morceaux, bons mais courts : une année assez pauvre. Cette année, ensuite, tu n'avais rassemblé qu'une trentaine de vers. Trop peu. En fait, tu traversais des semaines de complète torpeur, des jours où ton corps ne participait pas à l'activité de ton âme, où même un stylo te semblait trop lourd à porter.

Tu as repoussé la grammaire italienne, ramassé un vieux journal. Tu le connaissais par cœur, pourtant, tu ne te lassais pas de le relire. Il parlait de la révolte avortée de la Marine, de la brève arrestation de l'ex-ministre Evangelos Averof. Tu ne l'aimais pas cet Averof. Avant le coup d'Etat, tu ne l'aimais pas parce qu'il était monarchiste et réactionnaire, maintenant, tu ne l'aimais pas parce qu'on l'avait relâché un peu trop vite. Allons, une personne reconnaît avoir participé à un complot pour renverser le régime, et puis il rentre chez lui sans qu'on ne touche à un seul de ses cheveux ? « Je vous en prie, monsieur Averof, par ici, voilà la sortie. Mes respects. Portez-vous bien. » A moins que... N'était-ce pas lui qui avait eu l'idée de la politique du pont ? Jeter un pont entre la Junte et l'opposition. « L'opposition ! Quelle opposition ? — La sienne ? » Oui, sa sortie de prison cachait un piège : même de ton sépulcre tu flairais le piège. Tu ne serais pas étonné si, avec la contribution directe ou indirecte d'Averof, Papadopoulos faisait un petit tour de passe-passe en recourant, par exemple, à une fausse démocratie, pour légaliser la Junte, la rendre constitutionnelle. Tu aurais donné ta tête à couper qu'il en existait des preuves. Ah ! pouvoir trouver les preuves, les documents ! Pouvoir révéler un jour la vérité, démontrer que les vrais coupables sont ceux qui se cachent derrière le paravent de la respectabilité, les dignes messieurs qui se servent de tout le monde, et s'en tirent toujours, quel que soit le régime qui arrive, quel que soit le régime qui vient de tomber. Les Averof. Le pouvoir qui jamais ne meurt, qui se pare de toutes les couleurs, de tous les mensonges. Une grande colère t'a envahi. Tu as retrouvé ton énergie. Tu t'es mis debout sur le lit et tu écrivis sur le mur avec le stylo à bille rouge de Zakarakis : « Tha martirizò. Je témoignerai. » Au même moment, des cris de joie déchirèrent le silence de ce dimanche : « Zito, zito ! Hourra, hourra ! » Tu as sauté du lit, tu t'es agrippé aux barreaux pour mieux entendre. Qui donc criait comme ça, les soldats ou les détenus ? « Zito, zito ! Hourra, hourra ! » C'étaient les détenus qui criaient. En un éclair tu as compris. Il n'y a qu'une seule chose capable de faire crier hourra à des prisonniers : l'amnistie. Donc ce que tu craignais venait de se produire : la politique du pont avait déjà porté ses fruits, le Pouvoir s'était rendu compte qu'il fallait lâcher du lest et avait convaincu Papadopoulos de concéder une amnistie, pour mieux baratiner sur la normalisation, sur la démocratisation. A moins que la dictature ne soit tombée et que ces cris ne soient dus à ce miracle. Tu as attendu les gardes qui apportaient la soupe. « Qu'est-ce qu'il y a ? Qui applaudissent-ils ? Pourquoi ces cris de joie ? — Ils sont contents, demain ils rentrent chez eux ! » Tu as baissé la tête, brisé par la confirmation. Et si on te libérait toi aussi ? Ce serait vraiment un pépin ! Qui pourrait encore parler de vraie tyrannie ? On dirait, alors, il n'est pas si méchant que ça, ce Papadopoulos, et, en tout cas, il est intelligent : il n'a pas fusillé celui qui a attenté à sa vie, bien que ce dernier ait refusé de demander la grâce, et maintenant, il lui rend même sa liberté ! Cinq années de lutte, ton sacrifice, ta douleur... neutralisés ! Non, tu ne voulais pas qu'il te libère. Tu ne voulais, en aucun cas, devenir un instrument entre ses mains, son complice ! Gagner la liberté en s'évadant, c'est une chose, la recevoir en cadeau de son ennemi en est une autre. En te disant tout cela, tu marchais de long en large et tu écrasais les fourmis dont tu avais complètement oublié l'existence.

Tu y as pensé toute la nuit. Tantôt en y croyant et tu te sentais déchiré dans ta conscience, tantôt en n'y croyant pas, et tu retrouvais ta tranquillité. Un homme est un homme, il est fait de générosité et d'égoïsme, de courage et de faiblesse, de logique et d'incohérence : si une moitié de toi désirait que cela ne se produise pas, l'autre moitié le désirait ardemment. Tu étais jeune, bon Dieu ! Vivant ! Et tu n'en pouvais plus de rester enfermé dans ce tombeau ! Sans jamais voir le soleil, sans jamais voir le ciel, sans jamais toucher une femme, sans pouvoir la caresser, sans pouvoir lui dire je t'aime, rester toujours seul, seul, seul, se déplacer dans un boyau d'un mètre quatre-vingts sur quatre-vingt-dix centimètres, être enterré sans être mort ! Hors de la vie ! L'espace, la vie. La lumière, la vie. Les gens, la vie. L'amour, la vie. Demain, la vie. Que c'est difficile d'être un héros. Que c'est cruel et inhumain, et au fond, stupide, inutile. Les gens te remercieraient-ils pour ton héroïsme ? T'élèveraient-ils un monument ? Donneraient-ils ton nom à une rue, une place ? Et même, dans une telle hypothèse, quel intérêt ? Un monument, une rue, une place restituent-ils la jeunesse perdue, la vie non vécue ? Assez ! Tu étais en train de blasphémer. On ne fait pas son devoir pour être remercié, on le fait par principe, pour soi-même, pour sa propre dignité. Sais-tu combien de gens, au même moment, à droite et à gauche, à l'est et à l'ouest, étaient en prison, dans une cellule d'isolement, ensevelis vivants par dignité, et sans attendre de remerciements ? Des gens dont on ne savait même pas le nom et dont on ne le saurait jamais. Des héros anonymes, inconnus, eux aussi assoiffés de soleil et de ciel et d'amour, de présence, eux aussi opprimés par le manque d'espace et de lumière, eux aussi martyrisés par un Zakarakis qui, pour les punir, les privait de chaussures, de cigarettes, de livres, de journaux, de stylos, de papier, confisquait leurs poèmes, leur passait la camisole de force : « Il est fou ! Il est fou ! » Le monde était plein de ce genre de fous. Les meilleurs, les fous, finissent presque toujours en prison. Ceux qui s'adaptent, qui se rabaissent aux compromis, qui se taisent, qui obéissent, subissent, trahissent, acceptent d'être des esclaves, ceux-là ne vont jamais en prison. Allons bon, étais-tu en train de céder ? Il te suffisait d'avoir envie de courir dans un pré ou le long d'une plage, de désirer une femme, de vouloir t'allonger à ses côtés dans un lit pour te faire oublier qui tu étais, qui tu voulais être ? Tu avais résisté à la torture, tu avais tenu bon lors du procès, en attendant le peloton d'exécution, face à la solitude atroce de cette nuit de cinq années où tu n'avais rencontré qu'un cafard et cent trente-six fourmis ; nom de Dieu, tu tiendrais bon, aussi, face à l'amnistie ! Et si cette porte s'ouvrait et que Zakarakis entrait en te disant : « Tu es libre, Alekos ! », toi, tu lui répondrais... Mon Dieu, qu'allais-tu lui répondre ? Tu as fermé les yeux, épuisé. Tu t'es assoupi. Il faisait déjà jour quand la voix de Zakarakis t'a réveillé. « Lève-toi, Alekos ! Tu es gracié. »

⁎

Long est le silence qui gèle le son d'une phrase très redoutée ou très désirée, pour le meilleur ou pour le pire, tandis que le cerveau se tait, que le corps reste paralysé, que ne peuvent bouger ni les bras, ni les jambes, ni la tête, ni la langue : il n'y a que le cœur qui bat. Puis, des profondeurs d'une volonté retrouvée, naît une impulsion dont on ne saura jamais ce qu'elle est, et un pied bouge. Un bras bouge, une jambe bouge, et la tête, et la langue : le cerveau recommence à penser.

Tu t'es levé. « Quelle grâce ? Je n'ai demandé de grâce à personne, Zakarakis. — Tu ne l'as pas demandée, mais le Président te l'a accordée ! — Président de mes fesses ! — Malheureux, puisque je te dis que demain, tu peux partir. Malheureux, ne comprends-tu pas ? Tu t'en vas, tu libères le plancher ! — Et si je refuse, Zakarakis ? — On t'emmène de force, de force ! » Tu t'es adossé à la cloison des cabinets, tu as mis les mains dans tes poches, croisé les jambes, provocateur. « Oui, il vous faudra me sortir de force, parce que moi, je ne bouge pas d'ici, Zakarakis ! — Tu sortiras, Alekos, tu verras. Tu parles pour le plaisir de parler, tu ne sais pas ce que tu dis. Dès que tu auras le nez dehors, tu changeras d'avis. Tu te rendras compte que la vie est belle dehors, et... — Et vous verrez qu'il est plus facile de m'enfermer que de me faire sortir ! » Cette fois, Zakarakis n'a rien dit et en haussant les épaules s'est éloigné laissant la petite grille ouverte. Par hasard ou exprès ? Tu l'as appelé : « La grille, Zakarakis, tu as oublié de fermer la grille. » Zakarakis, toujours sans te répondre, a continué vers la porte. Et là, il a eu un éclair de génie parce qu'après un instant d'hésitation, il est sorti en laissant également la porte grande ouverte. Tu l'as appelé encore une fois : « Zakarakis, la porte ! Tu as oublié de fermer la porte. » Tu es resté figé. Tu n'as même pas fait un geste pour aller dans la petite entrée, puis jusqu'au seuil, regarder dans la cour. Tu en avais envie plus que de toute autre chose, m'as-tu confié un jour. Et pourtant, tu es resté immobile. Et une heure plus tard, quand Zakarakis est revenu, tu étais toujours là, le dos au mur, les mains dans tes poches, les jambes croisées. Si bien que son étincelle de génie s'est évanouie. Il s'est mis à crier fou, ingrat, salaud, il a fermé tous les verrous et tu as passé ta dernière nuit à Boiati comme à l'accoutumée.

**

La procédure qui accompagne la mise en liberté en cas de grâce ou d'amnistie comporte une véritable cérémonie en présence du procureur général qui lit le décret, des autorités de la prison au garde-à-vous, d'un soldat portant le drapeau et d'un peloton présentant les armes. Tu savais tout cela et rien de ce qui s'est passé le mardi 21 août n'a été le fait du hasard. A part l'épisode de la chaise, chacun de tes gestes, chacune de tes paroles étaient le fruit d'une mise en scène que tu avais étudiée dans les moindres détails. Tout d'abord, le fait d'être en caleçon, au moment où Zakarakis est venu te chercher. « Quoi, tu ne t'es même pas habillé ?! — Non, pourquoi ? — Parce qu'il y a la cérémonie ! — Quelle cérémonie ? — La cérémonie de ta mise en liberté ! — Je ne t'ai pas libéré, Zakarakis, tu es toujours mon prisonnier ! — Pas ma mise en liberté, la tienne ! Vas-tu t'habiller, oui ou non ?! — Non, je préfère venir en caleçon ! — Ecoute-moi bien, Alekos, tu t'es assez vengé comme ça. Maintenant sois sage, ne me rends pas ridicule devant le procureur général. Tu ne peux pas venir en caleçon. — Mais bien sûr que si, Zakarakis. — Je te le demande à genoux, Alekos. — A genoux, vraiment ? ! — Oui, si tu t'habilles, je me mets à genoux. — Dis pas de conneries, Zakarakis. Je n'aime pas voir les gens à genoux, même quand ils s'appellent Zakarakis. » Et, très lentement, tu as enfilé ton pantalon, tes chaussures, un tricot bleu. Puis : « Oh, ma barbe ! Et la barbe, Zakarakis ? — Faites-lui la barbe ! Vite ! — Pourquoi vite ? Je ne suis pas pressé ! — Moi, oui, le procureur attend. Et le commandant aussi, les autorités sont là ! — Mais qu'est-ce que ça peut me faire ? J'aime bien prendre mon temps chez le coiffeur, moi. » Le coiffeur est arrivé. Il t'a rasé. Mais ce n'était pas assez et tu as voulu qu'il te coupe aussi les cheveux. Ce n'est pas non plus assez et tu as voulu qu'il t'égalise encore les moustaches. Zakarakis frémissait. « Tu es prêt maintenant ? — Non, il me manque l'eau de Cologne. — Quelle eau de Cologne ? — Bien sûr, l'eau de Cologne. Je ne suis pas un cul-terreux comme toi ! Je me parfume, moi. — Ne me provoque pas, Panagoulis ! — Et sinon, qu'est-ce que tu fais, Zakarakis ? Tu me passes la camisole de force ? Tu me frappes ? Tu me traînes à ta cérémonie en camisole de force, ou dans un brancard, couvert de sang ? — Apportez-lui l'eau de Cologne. » Ils ont apporté l'eau de Cologne. Elle ne te plaisait pas. « Elle n'est pas française ! Je n'emploie que des parfums français ! Cherchez-en une française ! » Personne n'avait d'eau de Cologne française, mais un officier avait une lotion anglaise, et, après une longue discussion sur les différences entre l'eau de Cologne française et la lotion anglaise, tu t'es aspergé de lotion anglaise. Finalement, vers midi, tu étais prêt et tu es sorti. Mais cela faisait trois ans et cinq mois que tu n'avais franchi ce seuil et au deuxième pas, la tête t'a tourné, et tu t'es senti si mal qu'on dut te ramener dans ta cellule, t'étendre sur le lit quelques instants. Après, pour aller jusqu'aux quartiers du commandant, il t'a fallu vingt minutes. Un caporal te soutenait, car tu fermais les yeux, la lumière du soleil brûlait tes pupilles.

Dans les quartiers du commandant une petite foule d'uniformes t'attendait avec impatience. A ton arrivée, ils se sont mis au garde-à-vous, bombant la poitrine et c'est à ce moment-là que tu as repéré la chaise, tu t'y es assis, sourd aux protestations de Zakarakis. « C'est la chaise du procureur général ! — Pourquoi ? Il l'a achetée ? — Rends-la-lui ! — Non. » Le procureur général est intervenu : « Panagoulis, levez-vous ! — Pourquoi ? de toute façon, je ne te donnerai pas cette chaise ! — Parce que je dois lire le décret présidentiel ! — C'est peut-être un décret présidentiel pour toi, valet de la Junte ! Pour moi, ce n'est que le papier d'un pitre. Avec les papiers de ton Papadopoulos, moi, je me torche le derrière ! — Panagoulis, tu dépasses les limites ! — Arrête-moi alors ! Ou plutôt renvoie-moi dans ma cellule ! — C'est impossible ! Tu viens d'être gracié ! — Ça, c'est ce que tu dis. Je n'accepte aucune grâce ! — Allez, lève-toi ! — Non, même si tu me tues ! » Un silence embarrassant a suivi. Que faire ? Risquer un esclandre en te forçant à te tenir debout, ou feindre l'indifférence et te laisser assis. Il valait mieux te laisser assis, c'était plus prudent. « Commençons », a dit le commandant. Le peloton a présenté les armes, un soldat hissé le drapeau, le procureur lu les premières lignes du décret. Vautré sur ta chaise, tu bâillais, tu sifflotais, tu n'arrêtais pas de te gratter. En particulier les chevilles. Le procureur a interrompu sa lecture : « Que fais-tu ? — Je me gratte ! — Mais qu'est-ce que tu te grattes ? ! — Je me gratte les couilles ! Elles sont si longues qu'elles m'arrivent aux chevilles ! » Le procureur a rougi, Zakarakis grinça des dents, le commandant a eu un geste d'agacement, la lecture a repris. Quand tout fut terminé, au grand soulagement de tous, excepté toi, ils t'ont demandé à nouveau de te lever. « Panagoulis, allons-y ! — Où ça ? Je suis très bien ici. Je m'y plais ! Et puis, je suis très fatigué ! — Tu dois retourner dans ta cellule jusqu'à l'arrivée du lieutenant-colonel. — Portez-moi ! — Comment ça ? ! — Comme on fait avec le pape lorsqu'on le promène sur sa chaise à porteur, pour qu'il bénisse le peuple. » Le commandant riait, Zakarakis pleurait. « Vous voyez, mon commandant ? Vous voyez ? Cela fait quatre ans que ça dure ! Un criminel, je vous dis, un criminel ! »

Et toi de dire : « Pleure, Zakarakis, pleure. Moi, je ne bouge pas d'ici ! » Et tu t'accrochais à la chaise à deux mains en y enroulant tes jambes. Ils ont dû t'emmener avec la chaise, eux de plus en plus embarrassés, et toi, tout à coup, sérieux et compassé, exactement tel le pape sur la chaise pontificale. Mais au moment de quitter la cellule, tu as recommencé. Avec un lieutenant-colonel, cette fois. « Prends tes affaires, Panagoulis, tu es libre ! — Moi, je ne prends rien, prends-les toi-même ! — Tu ne veux pas sortir ? — Non. Je vous l'ai déjà dit mille fois, je suis bien ici, je préfère rester ici ! — Une fois sorti, tu changeras d'avis et... — Et je découvrirai que la vie est belle, Zakarakis me l'a déjà dit. En attendant, prends mes affaires. » Partagé entre l'amusement et la résignation, le lieutenant-colonel pris tes bagages : un petit sac de voyage plein de dictionnaires et de livres. Les limes étaient cachées dans la poignée, tu les y avais mises pour rire, de toute façon, maintenant, il ne s'agissait que de reliques. « Allons-y, Panagoulis. — C'est bon.

Allons-y. » Tu as jeté un dernier regard à ta cellule, un très étrange regard où se mêlaient regret et chagrin. Tu as fixé avec une douloureuse intensité le graffiti « Je témoignerai », puis, tu es sorti, tu t'es retrouvé dans la cour, dans la ruelle à gauche, dans la ruelle à droite, dans le petit chemin, là où Zakarakis s'était moqué de toi, lors de la terrible nuit de ta deuxième évasion. Tu marchais la tête basse, les yeux mi-clos comme lorsque tu t'étais rendu à la cérémonie, évitant obstinément de regarder le ciel, les gardes avaient un peu de difficulté à te soutenir tellement tu te laissais porter. Tu étais très fatigué, toute cette comédie de provocation et d'insolence t'avait achevé, à chaque pas tu te demandais ce que tu allais faire une fois arrivé au portail, là où les gardes t'abandonneraient, et sur ton visage, il n'y avait pas la moindre trace de joie. Tu es arrivé finalement au portail, tu t'es éloigné des gardes, tu as franchi le seuil et tu as balbutié, égaré : « Oh, Théos ! Théos mou ! Oh, Dieu ! Oh, mon Dieu ! »

Devant toi, il y avait un abîme si large, si profond, si vide, que sa seule vue te donnait la nausée, envie de vomir. Et cet abîme, c'était l'espace, l'espace ouvert. Dans le sépulcre, tu avais oublié ce qu'était l'espace, l'espace ouvert. C'était terrible. Parce que c'était quelque chose qui n'était pas : sans mur qui limite, sans plafond qui bouche, sans porte qui ferme, sans une serrure, sans barreaux ! Il était grand ouvert devant toi et tout autour de toi, comme un océan mystérieux, insidieux, et l'unique point de repère était la terre qui s'étendait le long de la vallée et vers les collines, à peine interrompu par quelques touffes d'herbes ou quelques arbres : hallucinant. Mais le pire, c'était le ciel. Dans le sépulcre, tu avais aussi oublié ce qu'était le ciel. C'était du vide sur le vide, un vertige sur le vertige : si bleu, non, si jaune, non, si blanc. Si méchant. Il te brûlait les pupilles plus qu'un acide, plus qu'une flamme. Tu as fermé les yeux pour ne pas devenir aveugle, tu as tendu les bras pour ne pas tomber. Et aussitôt la pensée de ta cellule t'a étreint avec une nostalgie irrésistible, un désir irrésistible d'y retourner, de te réfugier dans son obscurité, dans son ventre étroit et sûr. « Ma cellule, rendez-moi ma cellule ! » L'officier qui portait ton sac avec les dictionnaires et les limes a compris, il t'a rattrapé, t'a touché l'épaule. « Courage ! » Tu as ouvert les yeux à nouveau, clignant les paupières, tu as fait un pas, puis un autre, et puis un autre encore. Tu t'es arrêté à nouveau. Ce n'était pas un problème de courage, c'était un problème d'équilibre. Marcher dans cet espace, cette lumière, tout seul, ce n'était pas comme marcher le long des chemins de la prison, encadré entre deux gardes qui te soutiennent par les coudes : c'était comme avancer à tâtons au bord d'un précipice. En fait, marcher droit était très difficile, car, en l'absence de murs, d'obstacles, tu ne distinguais pas le droit et l'oblique, l'avant et l'arrière, tu savais seulement qu'il y avait le haut et le bas, le ciel et la terre, le soleil aveuglant. Mais, peu à peu, alors que la nausée montait et l'incertitude et la peur, alors que tout s'élargissait et tournait et se renversait, te faisant répéter « ma cellule, rendez-moi ma cellule », tu t'es repris. Et tu as aperçu quelque chose. Quoi ? Il y avait une ombre là-bas, des taches en mouvement. Elles venaient vers toi, flottant, agitant d'étranges appendices qui semblaient tantôt des ailes, tantôt des bras. Des oiseaux ou des gens ? Des gens car on pouvait entendre des sons indistincts qui devaient être des voix. « Alekos ! Alekos ! » Quel effort atroce pour aller dans cette direction. « Alekos ! Alekos ! » Tout à coup, une petite tache s'est détachée des taches, une figure noire, compacte. Elle est devenue une femme avec une robe noire, des bas noirs, des chaussures noires, un petit chapeau noir, des lunettes noires. Elle a couru à ta rencontre, les bras tendus, les mains tendues. Ta mère. Tu es tombé dans ses bras. Et alors tout le monde s'est pressé autour de toi, les amis et les parents et les journalistes, pour te toucher, t'embrasser, t'appeler afin que tu ne regrettes plus ta cellule, et en effet, tout d'un coup, tu ne la regrettas plus, tu t'es senti inexplicablement heureux : même si tu as éprouvé un immense besoin de pleurer. Tu aurais voulu ne pas pleurer, tu aurais voulu dire quelque chose d'important, d'historique. Mais, plus tu cherchais, plus le besoin de pleurer montait, gonflait, te prenait à la gorge, devenait un torrent sur ton visage. Parce que la panique que tu avais éprouvée face à cet abîme se traduisait maintenant en une intuition précise, la conscience que la liberté serait pour toi une nouvelle souffrance, une nouvelle douleur.

Et tel était l'homme que le lendemain je rencontrai, enfin, m'écrasant contre lui comme un train qui circule en sens inverse sur les mêmes rails.

Deuxième partie

CHAPITRE PREMIER

L'amère découverte que Dieu n'existe pas a tué le mot destin. Mais nier le destin est arrogance, affirmer que l'on est le seul artisan de son existence est folie : si l'on nie le destin, la vie devient une série d'occasions perdues, le regret de ce qui n'a pas été et qui aurait pu être, un remords de ce que l'on n'a pas fait et que l'on aurait pu faire, et l'on gâche le présent en en faisant une occasion manquée. Avec regret, tu me demandais : « Pourquoi ne nous sommes-nous pas rencontrés avant ? Où étais-tu quand je posais les mines, quand ils me torturaient, quand ils me jugeaient, quand ils me condamnaient à mort, quand ils m'enfermaient dans ce tombeau ? » Avec remords, je te répondais Saigon, Hanoi, Phnom Penh, Mexico, Sao Paulo, Rio de Janeiro, Hong Kong, La Paz, Cochabamba, Amman, Dacca, Calcutta, Colombo, New York, Sao Paulo encore, Phnom Penh encore, La Paz encore, et, tout en énumérant ces noms lointains, j'avais l'impression d'aligner les étapes d'une trahison. Jamais je ne t'ai répondu que je me trouvais là où le destin exigeait que je sois, parce que c'était lui qui avait décidé que nous nous rencontrerions tel jour et à telle heure, pas avant. Jusqu'à ce jour, cette heure, nos chemins étaient tellement éloignés, différents, que même la plus ferme volonté n'aurait pu les amener à se croiser. Une fois seulement nous nous étions effleurés en coup de vent : le jour où, de Chypre, tu étais arrivé en Italie. En effet, en étudiant les dates, nous avions découvert que tu étais en train d'arriver quand je partais. Mais le destin a sa logique, et rien ne se produit au hasard : si nous nous étions rencontrés à ce moment-là ou avant, nous ne nous serions pas reconnus. Nous nous sommes reconnus après parce que nous nous étions déjà vus cent fois à Saigon, à Hanoi, à Phnom Penh, à Mexico, à Sao Paulo, à Rio de Janeiro, à Hong Kong, à La Paz à Cochabamba, à Amman, à Dacca, à Calcutta, à Colombo, à

Sao Paulo encore, à Saigon encore, autant de détours pour arriver jusqu'à toi, autant d'étapes pour un grand amour fidèle.

Tu as eu bien des visages, bien des noms, au cours de ces années. Au Vietnam, tu t'appelais Huyn Thi Anh et tu étais une jeune fille vietcong avec les joues, le menton et le front couverts de cicatrices. La charge de dynamite avec laquelle tu voulais tuer le tyran Van Thieu avait explosé chez toi et tu avais été arrêtée. Ils t'avaient torturée avec de l'eau bouillante, étouffée avec des torchons, et les officiers en uniforme vert bouteille allaient te condamner à mort quand nous nous sommes rencontrées dans un bureau de la police spéciale et tu me regardais avec haine parce que je portais l'uniforme militaire. Moi, je te disais : « Je ne suis pas un soldat, Huyn Thi Anh. Je suis une journaliste, je viens d'un pays qui n'est pas en guerre avec le tien, et je veux écrire du bien sur toi. Parle-moi, Huyn Thi Anh. » Et tu me répondais : « Je ne veux pas que tu écrives sur moi. Ça ne me sert à rien. Ce qui est important, c'est que je réussisse à sortir d'ici pour retourner me battre. Peux-tu me faire sortir d'ici ? — Non, Huyn Thi Anh. Je ne peux pas. — Alors, tu ne m'intéresses pas. Va-t'en. Adieu. » Tu t'appelais aussi NGuyen Van Sam et tu étais un petit homme pieds nus habillé de noir, avec deux petites épaules fragiles, deux jolies petites mains maigres. Tu avais commis un acte terrible, tu avais fait exploser deux Clymore au restaurant My Canh, au bord du fleuve, et tu avais massacré des dizaines d'êtres humains : pour rien. La veille d'un autre attentat, on t'avait tendu un piège et tu t'étais retrouvé au « Premier Arrondissement », le quartier général de l'ESA de Saigon où Malios et Babalis et Théophiloyannacos n'étaient pas parvenus à te faire parler. Hazizikis, cette fois-ci, y était arrivé. Il s'appelait Pham Quant Tan, ton Hazizikis de Saigon et il t'avait proposé un marché : « Si tu parles, tu seras fusillé avec les honneurs. Si tu ne parles pas, je te ferai écraser par un camion et tu mourras sans gloire ! » Tu n'étais pas un héros, cette fois-ci, tu ne pouvais pas te résigner à mourir sous un camion au lieu d'être fusillé, et, bougeant avec difficulté tes lèvres tuméfiées par les coups de poing tu avais demandé à Pham Quant Tar : « Vraiment, tu me feras un procès et tu me fusilleras ? — Oui. — Alors je dirai tout. » Nous nous sommes rencontrés dans la même pièce que celle où j'avais rencontré Huyn Thi Anh et tu étais très gentil, tu aimais bien rester avec moi parce qu'ils te laissaient fumer et te détachaient les mains. Je t'ai interviewé pendant deux nuits entières, et c'était beau de t'écouter parce que, là aussi, dans la prison de Saigon, tu étais devenu un poète. Tu me parlais d'un dieu avec une barbe blonde, que les hommes appellent Jésus-Christ et a des ailes et vole au-dessus des nuages et meurt comme un résistant vietcong, fusillé ; tu me parlais de ton village où, à la tombée du jour, le soleil devient rouge et se noie dans les rizières tandis qu'un vent léger fait courber la tête aux plants de riz ; tu me racontais combien c'est inutile, stupide, de tuer, tu me disais que les hommes sont innocents parce qu'ils sont des hommes et qu'ils font des choses inutiles, stupides, comme celle de tuer leurs ennemis, et que, donc, il faut les regarder avec beaucoup de pitié. Nous nous étions quittés avec regret, toi parce que tu n'aurais plus l'occasion de fumer tant de cigarettes et d'avoir les mains libres, moi parce que je commençais à t'aimer. En prenant congé de toi, je t'ai souhaité de bien mourir. C'était ton unique pensée : bien mourir.

En Bolivie, tu t'appelais Chato Peredo et tu étais le dernier des frères Peredo, le premier était mort avec Che Guevara et le second lors d'un accrochage avec la police. Pour organiser la résistance armée tu t'étais réfugié dans les forêts de l'Illimani et j'étais sur le point de te rendre visite quand l'armée du général Miranda t'a encerclé et capturé. C'étaient tes compagnons de La Paz qui m'en avaient informée pour que je fasse quelque chose ; j'ai couru voir le président Torres qui était un brave homme, tellement un brave homme que Miranda l'a tué ; je lui ai dit, président, ils ont pris Chato et ils veulent le fusiller, sauvez-le s'il vous plaît. Torres t'a sauvé et tu n'as jamais su que c'était lui qui t'avait sauvé, moi qui l'en avais supplié. En effet, nous ne nous sommes jamais rencontrés quand tu t'appelais Chato ; mais nous nous sommes rencontrés quand tu t'appelais Julio et que tu étais enfermé dans la prison centrale de La Paz. Grâce à un truc, un faux document, je suis entrée dans la prison et je suis arrivée jusqu'à ta cellule : pour savoir où elle était située et donner des indications précises à ceux qui s'apprêtaient à te libérer. Tu portais une grande barbe noire, en ce temps-là, et tu n'écrivais pas des poèmes, tu écrivais des livres : avec ton éternelle écriture toute petite, régulière, élégante. Nous sommes restés ensemble quelques instants et tu m'as fait confiance, tu m'as dit ce que je devais savoir, et cela a été utile : le jour où j'ai appris que tes compagnons étaient parvenus à te libérer, j'ai pleuré de joie. Et je suis allée te chercher au Brésil. Au Brésil, ton nom était Carlos Marighela et tu étais un vieux communiste, un ex-député que Fleury chassait comme l'on chasse le lièvre. L'infâme Fleury, chef de la police de Sao Paulo, complice et protecteur des assassins en uniforme qui constituaient le tristement célèbre Escadron de la mort. Tu vivais caché, à cette époque, changeant constamment d'adresse et de perruque, mais tu tenais à me rencontrer parce que tu voulais me raconter la vérité sur ceux qui se battaient contre la dictature au Brésil et trois fois, tu m'as fixé des rendez-vous. Deux fois, je n'ai pas réussi à te rejoindre parce que Fleury m'avait collé ses agents aux trousses, partout où j'allais, je les trouvais derrière moi avec leurs imperméables havane, et la seule fois où ils ont perdu mes traces tu as manqué le rendez-vous parce que c'était toi qu'ils filaient. Puis Fleury t'a tué. Au croisement de la rue Lorena et de la rue Casabranca, il t'avait tendu un piège avec deux moines résistants qu'il avait déjà arrêtés et avec beaucoup de policiers en civil, hommes et femmes. Ce furent deux femmes qui te tuèrent et qui, pour prix de leur exploit, reçurent une promotion et une augmentation de salaire. C'était le 5 novembre 1969 et je crois que la conscience de mon amour pour toi explosa après que Fleury t'eut tué au croisement de la rue Lorena et de la rue Casabranca, par la main de ces deux femmes dont l'exploit fut récompensé par une promotion et une augmentation de salaire.

Et puis, tu t'appelais père Tito de Alencar Lima, un moine dominicain dont je ne connaissais ni le visage ni l'âge. Tu es devenu le père Tito de Alencar Lima, le 17 février 1970 quand le capitaine Mauricio est venu avec son équipe t'arrêter et t'a emmené au siège de l'ESA qui, à Sao Paulo, s'appelait Opérations Bainderantes et il t'a dit : « Maintenant, tu vas connaître la succursale de l'enfer. » Il t'a donc complètement déshabillé et t'a suspendu à une barre de fer qui pendait au plafond. Le *pau de arara*. En portugais, cela signifie le barreau du perroquet, en effet, il ressemblait vraiment à un perchoir de perroquet, même si aux Opérations Bainderantes ils l'utilisaient pour les hommes et les femmes, pas pour les perroquets : on enroulait les prisonniers de manière à ce que le barreau reste bloqué dans le creux de leurs bras et de leurs jambes, on leur ligotait les chevilles et les poignets réunis, et on les laissait dans cette position grotesque, très douloureuse, jusqu'à ce que le sang cesse de circuler, que le corps gonfle et que la respiration s'arrête. Il t'y a suspendu et laissé tout l'après-midi et toute la soirée, ne te détachant que pour te faire le téléphone, une torture qui consiste à frapper les oreilles de la victime à deux mains, puis il t'a jeté dans une cellule semblable à celle de Boiati, sans lit ni matelas, sans couverture : « Demain tu parleras, curé, tu parleras. » Mais le lendemain, tu n'as pas davantage parlé et alors le capitaine Omero est venu, spécialiste de la phalange et des coups sur les parties génitales. Tu n'as toujours pas parlé, même avec le capitaine Omero. Alors, le capitaine Albernaz est venu, qui commandait l'équipe la plus redoutable de toutes. « Curé, moi, quand je viens aux Opérations Bainderantes, je laisse mon cœur à la maison et pour savoir ce que je veux savoir je suis prêt à cracher sur la

Madone. Chaque fois que tu diras non ou que tu te tairas, j'augmenterai le courant », t'a-t-il prévenu. Et immédiatement il t'a attaché sur la chaise du dragon qui était une sorte de chaise électrique, il t'a appliqué les fils aux tempes, aux mains, aux pieds, aux parties génitales, et ton corps tout entier a reçu une décharge de deux cents volts. « Tu vas parler, oui ou non ? — Non. — Tu vas parler, oui ou non ? — Non. » A chaque non, deux cents volts. A dix heures du soir, il était fatigué et il a décidé que dans ton cas, il fallait un petit traitement spécial : tu t'étais assez moqué de lui, demain il prendrait des mesures. Le petit traitement consistait à t'introduire le fil électrique dans l'anus, ainsi le lendemain, il t'a introduit le fil électrique dans l'anus et gratifié d'une décharge si intense, si prolongée, que tu as cru éclater en mille morceaux : ton sphincter s'est relâché, éclaboussant le sol d'une pluie d'excréments. Albernaz a enjambé la flaque d'excréments et : « Pour la dernière fois, curé, vas-tu parler, oui ou non ? — Non. — Alors, prépare-toi à mourir. » Puis : « Ouvre la bouche, je vais te donner l'hostie consacrée. » Tu as ouvert la bouche, heureux de mourir, et Albernaz a branché le fil électrique sur ta langue, t'administrant une décharge de deux cent cinquante volts. Quarante-huit heures plus tard, tu as tenté de te suicider, ce qui pour toi, catholique, père dominicain, était un double péché mortel. Ils étaient venus te raser et ils ne l'avaient fait que d'un seul côté, par mépris. Tu as appelé un soldat, tu lui as demandé de quoi te raser l'autre côté, il t'a donné une lame de rasoir et à peine l'avais-tu dans la main que tu l'as plongée dans ton bras gauche, à la hauteur du creux du coude. L'entaille a sectionné l'artère et le sang a giclé sur les murs. Tu es revenu à toi dans une chambre de l'infirmerie. Six gardes te surveillaient et le capitaine Mauricio, tout comme Zakarakis, suppliait le médecin : « Docteur, il ne doit pas mourir sinon je suis perdu ! » Tu n'es pas mort et, peu après, j'ai appris ton calvaire. Je l'ai appris par une lettre que tu avais écrite à ton archevêque et que j'étais venue chercher à Sao Paulo pour la publier, expliquer au monde qui tu étais, faire quelque chose pour toi.

Mais voilà le fond de l'histoire. Au cours des années où la roue du destin a tourné avec obstination pour me conduire à toi, pas une seule fois je ne t'ai appelé par ton nom. Pas une seule fois, je ne t'ai donné le visage qui est le tien. Pour l'homme qui portait ton nom, ton visage, jamais je n'ai signé une pétition, participé à un meeting, écrit une ligne. Je n'avais même pas lu les trente poèmes que tu avais réussi à faire sortir de Boiati, qui avaient été traduits et publiés en Italie. Je n'avais même pas tenté de creuser une histoire que je connaissais mal, superficiellement. Je n'avais appris l'affaire de l'attentat qu'avec beaucoup de retard, par une dépêche d'agence alors que je me trouvais au Vietnam : quelques lignes concernant un officier grec qui voulait tuer le tyran. Je les avais lues en pensant bon, c'est bon, ça bouge là-bas, puis j'avais oublié. Au Vietnam, un peuple entier mourait pour se libérer d'une oppression et tomber dans une autre oppression, la puanteur des cadavres et l'inutile odeur de l'héroïsme empestaient l'air : au cœur de cette tragédie il n'y avait pas de place pour toi. De ton procès et de ta condamnation à mort, par contre, j'ai eu connaissance alors que j'étais hospitalisée après le massacre de Mexico. J'avais été blessée moi aussi, dans ce massacre, une balle dans la jambe gauche, et une autre dans le dos ; cette blessure au dos s'était transformée en tumeur et on m'avait opérée. « L'auteur de l'attentat contre Papadopoulos sera fusillé », disait le journal. Et il ajoutait que tu avais toi-même réclamé d'être exécuté. Evidemment, cette nouvelle m'avait troublée, mais aussitôt le trouble s'était dissipé au souvenir des centaines de personnes massacrées devant mes yeux sur la place principale de Mexico, de ces corps qui roulaient sur les marches ou tombaient en avant dans une cabriole, de cet enfant qui avait eu le crâne ouvert par une rafale de mitraillette, et de cet autre qui s'était jeté sur lui pleurant, Uberto, qu'est-ce qu'ils t'ont fait, Uberto et la seconde rafale avait été pour lui, l'avait sectionné en deux ; de cette femme enceinte à qui l'on avait ouvert le ventre à coups de baïonnette ; de cette jeune fille qui n'avait plus qu'une moitié de visage et de ce médecin qui répétait moi, je la laisse mourir, oui, je la laisse mourir. Et de ces morts au milieu desquels on m'avait jetée pendant des heures, de ces morts qui étaient morts en prison et que l'on brûlait ou ensevelissait en cachette, si bien que d'eux personne n'aurait jamais parlé, personne n'aurait jamais pu dire avec admiration : c'est lui qui a réclamé d'être fusillé. Ce n'avait été qu'avec retard que j'avais appris que ta condamnation n'avait pas été exécutée, et j'en avais éprouvé une joie brève et abstraite ; ce n'avait été qu'indirectement que j'avais su que l'on t'avait traité de manière inhumaine, et j'en avais éprouvé une colère tout aussi brève et abstraite. Bref, si le destin n'existait pas, si de ton destin je n'avais pas dû devenir l'instrument, il faudrait se demander pourquoi ce jour du mois d'août je t'ai envoyé un télégramme et ensuite me suis précipitée à Athènes avec l'angoisse d'une personne qui accourt à un rendez-vous longtemps attendu, et pourquoi, à peine arrivée dans ta ville, j'ai eu le pressentiment que quelque chose de terrible allait m'arriver, allait nous arriver, quelque chose d'irréparable.

Il faisait très chaud à Athènes. De cette chaleur qui embrase les villes du Sud à deux heures de l'après-midi, l'été. Le bitume mou cédait sous mes semelles, mes vêtements collaient à ma peau, il n'y avait pas un souffle de vent. Je suis sortie de l'aéroport, je suis montée dans un taxi, j'ai donné ton adresse au chauffeur, et soudain une étrange inquiétude s'est emparée de moi, celle-là même que j'avais éprouvée au Vietnam lorsque je suivais une patrouille, le long de sentiers probablement minés, attentive au moindre bruissement et que je m'efforçais de poser les pieds là où d'autres les avaient posés tout en sachant que c'était inutile, que mes chaussures pouvaient percuter le détonateur évité par d'autres de quelques centimètres et repentie d'avoir dit je viens moi aussi, j'aurais voulu revenir en arrière, fuir en criant je-n'en-ai-rien-à-faire-de-votre-sale-guerre. C'était ce même sentiment qui m'envahissait. Et rapidement, l'inquiétude est devenue angoisse, la même angoisse que j'avais ressentie le matin où j'étais allée chercher la lettre du père Tito de Alencar Lima dans la banlieue de Sao Paulo et que les agents de Fleury me suivaient avec leur imperméable havane, la même angoisse que cet après-midi où je m'étais rendue au massacre de la place Tlatelolco sachant très bien ce qui allait se produire ; la même attente d'on ne sait quel malheur, quelle douleur, mais à coup sûr un malheur qui détruit, une douleur qui fait souffrir ; la même impatience contradictoire, tandis que le taxi fonçait dans cette chaleur étouffante et que le chauffeur, ne connaissant pas le quartier, empruntait toutes les mauvaises routes pour revenir au même point, un garage avec une enseigne Texaco. Sous ce garage une rampe étroite, un trou noir qui, à chaque fois, attire mon attention et m'énerve comme une menace. Ce trou noir dans lequel, trois ans plus tard, on te précipitera : Texaco, Texaco, Texaco. Le chauffeur se désespère, se justifie dans une langue mystérieuse, lointaine, sonorités qui rappellent des mots appris à l'école, *l'Iliade* et *l'Odyssée*. « Den xero, den katalavéno. Je ne sais pas, je ne comprends pas. » Mais, tout à coup, il agite le papier avec l'adresse et freine le long d'un trottoir bordé d'oliviers. Au-delà des oliviers, un petit jardin avec des orangers et des citronniers, des rosiers et des plantes grasses, au milieu du jardin, un petit chemin qui mène à un pavillon jaune avec des volets verts et la véranda tout autour, pleine de gens excités, à gauche du petit chemin un grand palmier avec un bouquet d'ail pendu au tronc, Dieu sait pourquoi. « Edò, edò ! Ici, c'est ici ! » Il fait le signe de croix, pour remercier Dieu d'être arrivé ou pour exorciser cette étrangère, petite et maigre, habillée en homme, qui lisse ses longs cheveux trempés de sueur et ne descend pas, comme si elle avait peur, puis descend brusquement, décidée et va à son rendez-vous avec le destin.

Je n'avais pas la moindre idée de ce à quoi tu pouvais ressembler, je n'avais jamais vu une photographie de toi. Je ne m'étais même jamais demandé si tu étais jeune ou vieux, beau ou laid, grand ou petit, blond ou brun. Comment étais-tu, me suis-je soudain demandé, et me dirigeant vers la foule, je me suis engagée dans le petit chemin, j'ai marché sur la véranda, me suis retrouvée dans une petite entrée pleine de gens excités, dans le bruissement d'un petit salon négligé où les hommes étaient assis d'un côté et les femmes de l'autre, comme en Arabie. Les hommes se ressemblaient tous, n'importe lequel aurait pu être toi, je t'ai cherché, certaine de ne pouvoir te reconnaître. Au contraire, je t'ai reconnu immédiatement parce que immédiatement nos yeux se sont rencontrés, nous nous sommes fixés : l'homme maigrichon, assez laid, aux petits yeux noirs, brillants et aux grandes moustaches tranchant sur la pâleur maladive du visage, ne pouvait être que Huyn Thi Anh et NGuyen Van Sam et Chato et Julio et Marighela et le père Tito de Alencar Lima. Et c'était bien Huyn Thi Anh qui se levait d'un bond, les bras tendus, c'était NGuyen Van Sam qui venait à ma rencontre, c'était Chato, Julio et Marighela qui me serraient dans un étau sans me laisser le temps de me présenter, de dire mon nom, c'était le père Tito de Alencar Lima qui me caressait la joue d'une main douce. Mais c'était ta voix qui me disait : « Salut, tu es venue. » Et c'était une voix qu'il suffisait d'entendre une fois pour perdre la paix à jamais.

*
* *

« Je t'attendais. Viens. » Tu m'as prise par la main, entraînée loin de la foule, guidée le long du couloir jusqu'à une chambre avec une armoire transformée en petit autel. Des icônes représentant le Christ, la Vierge, les Saints, s'entassaient en un scintillement argenté, superstitieux, avec des bougies, des encensoirs, des missels. A l'angle opposé, un lit couvert de livres écrits en grec. Au-dessus des livres, un grand bouquet de roses rouges. Tu l'as saisi, heureux, et me l'as tendu : « Pour toi. — Pour moi ? — Oui, pour toi. » Puis, autoritaire : « Andréas ! » Un jeune homme que tu avais appelé Andréas est entré, grand et bien habillé, costume bleu et chemise blanche, il s'est quasiment mis au garde-à-vous, et dans cette position absurde il a écouté ce que tu lui disais dans ta langue pour le traduire en anglais. Tu connaissais l'italien, a-t-il traduit, tu l'avais appris en prison, mais pendant des années tu n'avais pu converser qu'avec ta grammaire, tu préférais donc qu'il soit ton interprète. Tu voulais avant tout t'excuser de me recevoir dans une chambre à coucher, c'était la chambre à coucher de ta mère et le seul endroit où nous pouvions parler sans être dérangés, tu voulais ensuite me dire que ces livres étaient ceux que j'avais écrits, traduits en grec, que pour avoir l'un d'eux tu avais fait une grève de la faim, qu'ils t'avaient souvent tenu compagnie dans la solitude de ta cellule, et que les roses c'était pour tout cela. Tu me les avais fait expédier à l'aéroport par deux amis qui ne m'avaient pas trouvée car le télégramme ne précisait pas le numéro de mon vol, c'est pourquoi elles étaient là. J'écoutais, éberluée, incapable de répondre quoi que ce soit : quel homme était donc cet homme qui, à peine sorti de prison, s'attachait à me recevoir avec une telle courtoisie, à me dire de telles gentillesses et pourquoi, au lieu de me flatter, tout ceci ne faisait que redoubler mon inquiétude, mon angoisse, cette inexplicable appréhension que j'avais ressentie dès ses premières paroles ? Il fallait se libérer de lui au plus vite, ramener à de justes proportions cette rencontre, préciser que je me trouvais là pour un travail, pour une interview. Et sans même me demander si je pouvais te blesser, évitant de voir ton étrange réaction, ton visage à la fois mortifié et ironique, je t'ai remercié d'une voix sèche : « Très gentil, very nice. » J'ai posé les roses sur un tabouret, le magnétophone sur la table, je me suis assise et t'ai prié de t'asseoir en face de moi, oui, comme ça, nous commençons tout de suite et je t'ai interrogé : froide, professionnelle. Mais, en même temps, je t'examinais désespérément, frénétiquement, essayant de résoudre l'énigme, de déchiffrer la fascination, la magie qui émanait de toi. Il y avait quelque chose en toi, me disais-je, qui m'attirait et me repoussait à la fois, me fascinait et me terrorisait. Comme lorsqu'on regarde du dernier étage d'un gratte-ciel et qu'on a l'impression de voler, mais aussi de tomber dans le vide.

Qu'était-ce ? Peut-être le visage. Mais non, le visage était tout sauf exceptionnel. De beau, il n'y avait que le front : si grand, si large, d'une pureté sublime. D'intéressant, il n'y avait que les yeux parce qu'ils n'étaient pas identiques, ni par la forme, ni par la taille : l'un était large et l'autre étroit, l'un était ouvert et l'autre à demi clos ; celui qui était large et grand ouvert regardait avec dureté, presque avec méchanceté, celui qui était étroit et à demi clos, avec une tendresse presque enfantine mais ensemble, ils brillaient comme un feu dans une forêt, la nuit. Le reste n'avait rien de remarquable. Les paupières étaient deux cuillères de chair informe, le nez cassé et pas tout à fait droit, un peu autoritaire au niveau des narines, le menton était fuyant et capricieux, les joues trop rondes. Emaciées par les privations et pourtant rondes. Il fallait les moustaches, hérissées et touffues, et les sourcils lourds, comme deux coups de pinceau, pour redonner de l'importance à ce visage

Quant au corps, il était bien fait, les épaules, la taille et les jambes étaient solides et, la maigreur en moins, il aurait même pu être séduisant, mais il serait toujours le corps d'un homme du peuple, de taille moyenne, un peu rustaud. Non, dans ce physique il n'y avait vraiment rien qui aurait pu me séduire et me rendre nerveuse. Alors? La voix, peut-être. Cette voix qui avait bougonné Salut, tu es venue, m'avait pénétrée comme un coup de couteau : gutturale, profonde, trempée d'une sensualité indéfinissable. Ou bien était-ce l'assurance de tes mouvements et l'autorité dont tu faisais preuve? « Andréas! » Le calme de quelqu'un qui est très sûr de lui et qui n'admet aucune réplique parce qu'il sait ce qu'il dit. Tu avais sorti une pipe, tu l'avais bourrée avec flegme, allumée avec flegme, tu t'étais mis à la fumer en tirant de longues bouffées de vieillard, ce qui soulignait le détachement avec lequel tu répondais à mes questions. Mais il n'y avait pas de détachement dans ce que tu disais, ni dans le bond que tu avais fait pour venir à ma rencontre, m'embrasser. Il valait donc mieux ne pas y penser. Il valait mieux chercher Huyn Thi Anh et NGuyen Van Sam et Chato et Julio et Marighela et le père Tito de Alencar Lima, te donner le visage de ce dernier, regarder les poignets déformés par les cordes qui te suspendaient au plafond, le pied cassé par la phalange, l'estafilade sur les côtes, la cicatrice qui formait une excroissance violette sur ta pommette gauche. « Tu me rappelles un moine brésilien, Alekos. — Le père Tito de Alencar Lima! — Comment as-tu deviné? — Je sais. Je connais sa lettre, celle que tu as publiée; j'espérais que tu ferais la même chose pour moi! — Je n'ai jamais rien fait pour toi. — Ça ne fait rien. Maintenant, tu es ici! » Tu as posé ta pipe, tu m'as pris les deux mains, tu les as serrées fort en me fixant droit dans les yeux. « Tu es là. Nous nous sommes trouvés! »

Cela a été terrible. Tout devenait clair du coup et comprendre revenait à rationaliser le pressentiment qui m'avait tenaillée en arrivant à Athènes, admettre que dans cette chambre, devant cet absurde autel plein de christs et de madones, nous ne faisions pas seulement le bilan de mes choix et de mes engagements moraux, de ce que tu représentais ou de ce que je voulais que tu représentes pour moi mais qu'il s'agissait d'un duel, de la rencontre d'un homme et d'une femme qui allaient s'aimer de l'amour le plus dangereux qui soit : l'amour qui mêle les choix idéologiques, les engagements moraux avec l'attirance et les sentiments. J'ai retiré mes mains, je les ai cachées sous la table. Avec la lâcheté de l'escargot qu'il suffit d'effleurer pour qu'il rentre dans sa coquille, je t'ai opposé alors une résistance sourde, acharnée, tantôt évitant ton regard, tantôt me barricadant derrière des questions, tantôt m'agrippant à la présence d'Andréas, m'adressant à lui plutôt qu'à toi. Pourtant les choses que tu disais et racontais, les tortures, le procès, la condamnation à mort, l'enfer que tu avais vécu pendant des années sans perdre la foi, sans renoncer à rester toi-même, me ramenaient vers toi comme un vent qui balaye tout sur son passage, même la volonté. Et en plus de ce vent il y avait cette voix, il y avait ces yeux, ces doigts qui continuaient à me chercher obstinément. A la fin, je me suis rendue. J'ai cessé de fuir ton regard, j'ai laissé mes yeux s'y noyer, j'ai reposé mes mains sur la table pour que tu les trouves chaque fois que tu éprouvais le désir de les prendre, et l'interview s'est poursuivie ainsi : la présence d'Andréas commençait à prendre un caractère inopportun, indiscret, et les heures passaient à notre insu. Le soleil était haut quand nous avions commencé, il faisait scintiller les icônes d'argent. Puis, la lumière est devenue pénombre, et la pénombre obscurité, une vieille de noir vêtue est entrée et a allumé les lampes, mais même cela ne nous avait pas distraits. Comme si ma peur s'était envolée. Elle est revenue à l'improviste. Elle est revenue quand je t'ai demandé ce qu'était pour toi la politique, pas la politique qui se fait dans la clandestinité, mais la politique qui se fait au grand jour et tu m'as d'abord répondu que jusqu'à présent tu n'avais pas fait de politique, tu n'avais fait que flirter avec elle, à la Garibaldi, non pas à la Cavour, puis tu t'es enfermé dans un silence inattendu, et dans ce silence, très lentement, tu as approché tes mains des miennes. Très lentement nos doigts se sont mêlés. Très lentement, tu as dit dans ma langue : « Le flirt me plaît, mais je préfère l'amour. L'amour avec amour. »

J'ai bondi, comme piquée par une guêpe. Je t'ai dit que je devais partir, aller me chercher un hôtel. Tu m'as répondu sur un ton catégorique : « Tu ne vas nulle part ! Tu restes ici ! » Puis, boitant sur ton pied brisé par les coups de bâton de Théophiloyannacos, tu t'es dirigé vers la vieille vêtue de noir qui traînait ses savates dans la cuisine. Il faisait nuit désormais, et les visiteurs, déçus par ton abandon, avaient quitté la maison.

*
* *

Quatre policiers montaient la garde sur le trottoir mais sous la véranda, il faisait frais, l'air embaumait le jasmin et, une brise légère faisait bouger l'étrange bouquet d'ail suspendu au tronc du palmier. Je l'ai montré à Andréas : « A quoi sert-il ? » Il a souri : « A éloigner le mauvais œil, la police, et les complications. Vous restez, vraiment ? — Non. Dites-le-lui. — Il faudra le faire vous-même, et ce ne sera pas facile. Quand il a décidé quelque chose, c'est pratiquement impossible de lui désobéir. — Je ne suis pas ici pour recevoir des ordres ! — Oh, c'est ce que tout le monde dit et, finalement, tout le monde lui obéit. Quatorze personnes ont fini par aller en prison pour lui avoir obéi. Mais, vous pouvez partir tout de suite, il doit bien y avoir un vol de nuit pour Rome. Si vous voulez, je vous accompagne à l'aéroport. — Pourquoi ? Vous êtes inquiet à mon sujet ? Vous avez peur que ces policiers m'arrêtent ? » Il a souri à nouveau. « Non, les policiers, non. — Je ne comprends pas. — Je veux dire que ce n'était pas une interview, mais un coït spirituel. Et il devrait rester tranquille, au moins pendant un certain temps : se reposer. L'amour n'est pas un repos et quand il naît de coïts spirituels il peut se transformer en tragédie ! — N'exagérez pas », ai-je dit sèchement. Son sans-gêne m'irritait ainsi que le fait qu'il ait été plus clairvoyant que je ne craignais. J'aurais voulu l'inviter à se taire mais, en même temps, je ne pouvais m'empêcher de l'écouter et, donc, de l'encourager à parler. « N'exagérez pas. — Je n'exagère pas. Ou peut-être que si. Nous, les Grecs, nous sommes obsédés par la tragédie. Puisque nous l'avons inventée, nous la voyons partout ! — Mais de quelle tragédie parlez-vous ? — Il n'y a qu'une seule sorte de tragédie et elle repose sur trois éléments immuables : l'amour, la douleur, et la mort ! » Au moment où il me disait ces choses, tu as fait irruption en boitillant : « Tout est arrangé, tu dormiras dans le salon. Ce n'est pas aussi confortable qu'une suite au Grande-Bretagne mais c'est mieux qu'un bat-flanc à Boiati. On va manger dans un instant. — Ecoute-moi, Alekos... — Tu aimes la salade melitsano ? — Alekos... — Et la spanak ópitta ? — Alekos... — Ah, tu ne sais sans doute pas ce que c'est : une tourte aux épinards ; la salade melitsano par contre c'est une salade d'aubergines. Très bonne, tu verras. C'est mieux que les lentilles de Zakarakis, je te l'ai raconté, l'histoire des lentilles de Zakarakis ? » Tu parlais, tu parlais me coupant constamment la parole, en m'empêchant de répondre je-ne-reste-pas-merci, je-dois-m'en-aller-merci, et n'importe quel argument était bon : les lentilles de Zakarakis, la salade d'aubergines, la tourte aux épinards. A la fin, tu m'as passé un bras possessif autour des épaules, tu t'es appuyé à la balustrade de la véranda, et, en aspirant avidement : « C'est la première fois en cinq ans et dix jours que je sens l'odeur du jasmin. On ne le sentait pas hier soir. — On le sentait, dit Andréas. — J'ai dit on ne le sentait pas. — On ne le sentait pas », dit Andréas.

Le dîner a été anodin. Même Andréas qui avait été invité semblait penser de même. Tu avais l'air gai, tu décrivais Boiati comme si c'était un hôtel de très grand luxe pour les vacances, piscine chauffée et terrains de golf, cinémas privés et restaurants avec caviar d'Iran frais, un service de premier ordre, et jamais un coup d'œil trop appuyé, un geste trop intime, rien en somme, qui évoque à nouveau les craintes prophétiques dont j'avais parlé sous la véranda. A tel point qu'au bout d'un moment, j'étais arrivée à la conclusion que ce jeu de mains et de regards avait été une simple manifestation d'amitié, le discours sur l'amour une réponse politique d'une grande finesse : j'aurais très bien pu accepter ton hospitalité et partir le lendemain après-midi : petit à petit, la maison avait de nouveau été envahie par des amis, des gens qui voulaient te saluer, t'embrasser et ta manière de les recevoir, avec la nonchalance d'un chef qui revient d'un long voyage, m'emplissait de curiosité. Je voulais aussi voir comment tu leur parlais, tu leur donnais des instructions, tu les mettais en garde. Oui, c'était bon de se retrouver, mais il ne fallait pas perdre la tête, cette amnistie était un piège, un alibi pour renforcer la dictature avec l'accord de la droite, des Evangelos Averof. Oui, c'était bien agréable de dormir enfin dans son lit, mais on ne sort pas de prison pour dormir dans son lit, on sort pour reprendre le combat. Tu répétais le nom d'Averof de manière quasi obsédante et, selon la traduction d'Andréas, il semblait clair que tu le haïssais autant que le tyran. « Qu'est-ce qu'il dit ? — Qu'Averof est un collaborateur ! — Qu'est-ce qu'il dit ? — Il dit qu'un jour il le prouvera ! — Qu'est-ce qu'il dit ? — Il dit que les Papadopoulos passent et les Averof restent ! » Tout aussi fréquemment et avec des jugements tout aussi sévères tu prononçais le nom d'Andréas Papandréou, le représentant officiel de la gauche en exil. « Qu'est-ce qu'il dit ? — Il dit que c'est un opposant d'opérette ! — Qu'est-ce qu'il dit ? — Il dit que les gens comme lui remplacent les dictatures par des dictatures et, dans le meilleur des cas, préparent le terrain de l'autoritarisme ! » Ton discours confirmait ton caractère libertaire, l'indépendance idéologique dans laquelle je m'étais reconnue, au cours des heures dramatiques de l'interview, et me faisait mieux comprendre le mystérieux transport qui m'avait troublée : il ne s'agissait, au fond, que d'une fraternité idéologique. Oui, je pouvais rester, ai-je pensé, soulagée. Et je me suis levée pour aider la vieille dame vêtue de noir, ta mère, qui en ronchonnant, en traînant les pieds et en rajustant son chignon défait, débarrassait les restes du dîner. « Je vous trouve plus tranquille, a remarqué Andréas. — En effet, ai-je répondu. — Allez-vous rester vraiment ? — Je pense que oui. — Ah bon ! Bonne nuit ! — Bonne nuit ! » Je l'ai salué, je t'ai salué et morte de fatigue, j'ai refermé la porte du salon. C'était une porte en verre dépoli, laissant passer la lumière de l'entrée de manière insupportable. Mais une fois étendue sur le divan, je me suis endormie immédiatement.

Deux heures plus tard, un bruit de pas m'a réveillée, en même temps qu'une vague impression de danger. Je me suis soulevée sur un coude pour mieux tendre l'oreille, je n'ai rien entendu. La maison était plongée dans un profond silence comme le jardin d'où n'arrivait pas même le bruissement des feuilles. Pourtant, je ne m'étais pas trompée, le bruit de pas avait résonné avec tellement de précision à travers l'écran du sommeil que je me souvenais même de leur cadence : inexorable, lent, le bruit d'une personne qui pose le talon de façon à épargner son pied cassé. Une, deux. Une, deux. Une, deux. J'ai regardé plus attentivement vers la porte vitrée : dans l'entrée, il y avait une lampe allumée, très faible, et dans cette vague lueur je ne pouvais distinguer personne. Bizarre. Peut-être la crainte que tu viennes avait-elle été si forte qu'elle avait fini par forcer la barrière de mon subconscient. Je me recouchai sur le divan, espérant retrouver rapidement le sommeil. Je refermai les yeux et, presque au même moment, les pas qui m'avaient réveillée ont résonné une seconde fois, derrière la porte vitrée la silhouette de ton corps est apparue. Noire, immobile. Je me suis levée d'un bond, retenant mon souffle, et je suis restée là, fixant cette silhouette pendant un moment qui m'a semblé une éternité. La silhouette a bougé, s'est déplacée, s'est éloignée puis le pas a repris : inexorable, lent, repartant dans la direction d'où il était venu. Une, deux. Une, deux. Une, deux. Finalement, il s'est arrêté, pour revenir à nouveau avec la même cadence et la silhouette est apparue : plus proche, plus nette. Un bras s'est levé, s'est posé sur la poignée, s'est retiré aussitôt, comme si la poignée était brûlante. La marche obsédante a recommencé. Une, deux. Une, deux. Une, deux. Et à chaque coup de talon, l'attente angoissée que la porte s'ouvre, qu'on se retrouve face à face, dans le noir, que tu dises et que j'écoute le mot, la phrase, que je ne voulais pas entendre, pas écouter. Voilà, le pas s'arrêtait encore une fois. Le bras se leva encore une fois, les doigts se posaient encore une fois sur la poignée, s'y arrêtaient un moment cette fois. Et la poignée se baissait petit à petit, grinçant. Mais tout à coup, et ce fut si rapide que je n'ai compris que quand tout a été fini, tu as lâché la poignée et tu as fait demi-tour, tu es parti, tu es retourné dans ta chambre en claquant la porte. Clac ! La maison en a tremblé. Mes poumons se sont gonflés d'un soulagement fou.

Je connaissais déjà ce soulagement fou. Je l'avais éprouvé à la guerre, à chaque fois qu'une balle m'avait frôlée en sifflant, sans me toucher.

bande, demain, ces vingt-quatre heures m'apparaîtraient d'une tout
autre manière, et le brave Andréas n'était pas Casanova. Alors j

Ce qui est cruel, à la guerre, c'est que d'habitude on est touché
juste au moment où l'on croit s'en être tiré. Tant que l'on est sur ses
gardes, ou que l'on s'expose, avançant sous le feu à découvert, rien
ne se passe ; dès qu'on se distrait, ou que l'on se sent en sécurité, la
balle arrive. Peut-être juste un éclat qui semble être envoyé du ciel
pour apporter une bonne blessure, une bonne blessure qui permet
de retourner à l'arrière ou à la maison, mais qui, par la suite, s'avère
être mortelle, parce que l'éclat a sectionné une artère ou s'est
enfoncé dans le cœur. C'est ce qui s'est produit aussi ce jour-là ; la
première balle, du reste, je l'attendais, c'était le moment où nous
nous sommes revus le lendemain matin et je l'ai esquivée facilement, lorsque nous rencontrant dans le couloir, nous nous sommes
immobilisés tous les deux comme deux chats prêts à se battre :
« Kalimera, bonjour ! » Quant aux coups de feu qui ont suivi, une
pression de ton épaule contre mon épaule, un frôlement de ton bras
contre mon bras, contacts brefs mais alarmants, je m'en suis
toujours sortie indemne. Le danger mortel n'était pas là. Il était
dans le mot, la phrase que tu voulais me dire et que je ne voulais pas
entendre. Pour t'en empêcher, je cherchais refuge chez les autres,
chez les gens qui au fur et à mesure arrivaient, un journaliste par
exemple ou un photographe, et si on devait, malgré tout, rester
seuls un instant, je descendais dans la tranchée en détournant ton
attention avec des questions à brûle-pourpoint : As-tu-jamais-lu-
Proudhon, as-tu-jamais-lu-Bakounine, as-tu-jamais-été-marxiste ?
Ce n'est pas la peine de se demander pourquoi au lieu de recourir à
de pareils stratagèmes je ne partais pas. Mon avion décollait à sept
heures, je n'avais nullement l'intention de te laisser avant la
dernière minute, et l'attente m'emplissait de tristesse : chaque fois
que l'on entendait le bruit d'un avion dans le ciel, mon cœur se
tordait, et je devais me retenir pour ne pas venir tout près de toi.
Est-ce la parabole d'un grand amour qui finira mal ? Andréas est
arrivé vers une heure, puis deux autres amis que tu avais invités à
déjeuner ; tu t'es lancé dans une grande discussion qui m'excluait
parce qu'elle était en grec et cela a détendu l'atmosphère. Je
commençais à me dire qu'il est normal qu'un homme qui a passé des
années en prison soit attiré par une femme qui l'admire et qui le
comprend, normal qu'il ait envie de rentrer dans sa chambre pour
satisfaire une envie qui l'a trop longtemps fait souffrir : et quel
rapport tout cela peut-il bien avoir avec l'amour, la douleur, la
menace, c'est-à-dire une liaison dangereuse et profonde ? J'avais
interprété avec trop de sensibilité des épisodes somme toute assez

165

banals, demain, ces vingt-quatre heures m'apparaîtraient d'une tout autre manière, et le brave Andréas n'était pas Cassandre. Alors je me suis levée, et suis descendue dans le jardin, ravie de retrouver ma bonne humeur. Trois heures et demie de l'après-midi. Les cigales chantaient sur les oliviers du trottoir, mais un souffle de vent rendait l'air respirable. Je me suis appuyée au palmier, j'ai allumé une cigarette, jetant un œil amusé au bouquet d'ail. Puis j'ai levé les yeux et je t'ai vu.

Tu avançais dans le soleil et tu étais si pâle que la cicatrice sur ta pommette ressortait plus rouge qu'une cerise mûre. Tu avançais en me fixant d'un regard dur et ton pas avait la cadence de l'aller et retour nocturne. Une, deux. Une, deux. Une, deux. Tu t'es arrêté juste devant moi, sans rien dire, tu m'as pris le poignet, sans rien dire, tu m'as raccompagnée dans la maison, sans rien dire, tu m'as poussée dans ta petite chambre et j'ai à peine eu le temps d'entrevoir le visage inquiet d'Andréas que la porte était déjà refermée. « Parlons ! Assieds-toi. » Tu m'as montré une chaise, tu t'es assis sur le lit, tu as croisé les bras. « Tu ne pars pas. — Je ne pars pas ? — Non, tu ne pars pas ! — Et, pourquoi donc, Alekos ? — Parce que je ne veux pas. Et si je ne veux pas, je ne veux pas. — Ecoute-moi, Alekos. J'ai terminé le travail pour lequel j'étais venue. Il n'y a pas de raison que je reste. — Tu as terminé quoi ? — L'interview, mon travail ! J'étais ici pour une interview, un travail, tu te souviens ? Je l'ai fait. — Tu n'étais pas venue pour une interview, tu étais ici pour moi, tu es ici pour moi. — Pour toi comme pour les autres sur lesquels j'ai écrit en Bolivie, au Vietnam, au Brésil. — Menteuse ! — Ecoute-moi, Alekos... » Il fallait essayer de faire appel à ton bon sens, manier l'arme de la raison, s'adresser à l'homme qui, vingt-quatre heures plus tôt, m'avait parlé avec détachement de ses souffrances, en fumant sa pipe avec de longues bouffées de vieillard. « Ecoute-moi, Alekos, je ne suis pas à la recherche d'une aventure et... — Moi, non plus ! — Le fait qu'on soit du même côté de la barrière pour les idées et les sentiments ne suffit pas pour qu'on soit autre chose qu'amis, camarades, et... — Je sais. — Je ne parle même pas ta langue, et... — Ça ne fait rien. — Je vis dans un autre pays et... — Ça ne fait rien. — Je ne pourrais pas, je ne peux pas changer ma vie pour... — Ça ne fait rien ! — Mais si, ça fait ! Ce sont des choses importantes, et je crois que je te l'aurais dit cette nuit si tu étais entré ! » Tu as eu un tressaillement imperceptible, comme si on t'avait piqué avec une épingle. « Je t'ai vu cette nuit, Alekos. Et j'ai espéré que tu n'entres pas parce que... — Parce que tu n'as pas de courage ! » J'ai bondi sur mes pieds, vexée. Je n'avais peut-être pas de courage, ai-je répondu, mais je n'avais pas, non plus, besoin de toi, parce que je n'avais pas besoin de la douleur qui était en toi. Je n'étais pas superstitieuse, j'étais une femme évoluée, mais, instinctivement, je sentais qu'aller plus avant dans ma rencontre avec toi ne pouvait que me faire du mal. Oui, j'avais peur de toi. De toi, pas de coucher avec toi. Et là, j'ai joué ma carte : « Tu veux coucher avec moi ? Si c'est ça que tu veux, allons-y, tout de suite ! Parce que ce soir, je m'en vais ! — Qu'est-ce que tu dis ? — Je dis : si tu veux coucher avec moi, allons-y tout de suite. Parce que ce soir, je m'en vais. » Lentement, la grimace d'incrédulité se transforma en une expression de rage irrépressible et tu as explosé : « Mais, je t'aime, moi ! »

Ce cri rauque, rageur, de bête blessée et humiliée. Ce bond sauvage, ces bras tendus qui m'agrippaient et me secouaient et me serraient dans une prise d'acier. Cette haleine chaude, cette bouche avide. Et ces yeux, ces incroyables yeux dans lesquels j'avais vu les lueurs d'une forêt en flammes. Durant un très bref instant, j'ai été sur le point de te demander pardon, de reconnaître que moi aussi, malgré moi, je t'aimais. Mais j'ai rencontré ces yeux et j'ai été prise de terreur : il y avait la mort dans ces yeux. Aussi irrationnel et exagéré que cela puisse paraître, je te dis qu'il y avait la mort dans ces yeux, il y avait l'annonce de tout ce qui se serait passé dans les années à venir et qui aurait été impossible sans moi, c'est-à-dire si je n'avais pas été l'instrument et le véhicule de ton destin déjà écrit. Il y avait la défaite née avec toi, la malédiction qui allait te poursuivre jusqu'à cette nuit du premier mai, où tu t'es écrasé dans un trou noir de la rue Vouliagméni, la rampe de ce garage à l'enseigne de Texaco. Il y avait aussi les souffrances, les servitudes que tu allais m'imposer, me confinant au rôle de Sancho Pança avec son pauvre cheval, me volant mon identité, ma vie. Gare à moi si j'acceptais ton amour et si je t'aimais en retour ! Je l'ai su avec certitude, en un éclair. Et aussitôt, je me suis libérée de ton étreinte, de ta bouche, de toi, je me suis précipitée dans la chambre voisine, j'ai rempli pêle-mêle mon sac de voyage, appelé Andréas, lui ai demandé s'il pouvait m'accompagner à l'aéroport : il devait y avoir un vol vers cinq heures, avec un peu de chance, j'arriverais à le prendre, dix minutes, était-ce suffisant ? « Oui », a tout de suite répondu Andréas. Debout contre le mur, les mains dans les poches et un sourire énigmatique derrière tes moustaches, tu suivais la scène en silence et tu ne faisais rien pour m'arrêter ou me calmer. Ce n'est qu'après mes adieux à ta mère que tu t'es exclamé : « Je viens aussi. » Tu m'as accompagnée jusqu'à la voiture, tu t'es assis à côté de moi, bien sage : « Allons-y ! » Tu n'as pas dit un seul mot pendant tout le trajet, et je n'ai d'ailleurs pas ouvert la bouche. Il n'y avait plus rien à dire, semblait-il. A l'aéroport, je suis descendue, j'ai dit au revoir à Andréas, je t'ai serré la main, tu m'as serré la main : « Ciao, iassu. » Mais j'avais à peine fait quelques pas que j'ai entendu ta voix sèche comme un ordre : « Agàpi ! » Je me suis retournée. Tes doigts, à la fenêtre de la voiture, formaient le signe V et, sur ton visage, il y avait une expression à la fois ironique et affectueuse : « Tu reviendras ! Je gagnerai ! Tu reviendras ! » J'ai très vite été de retour. Le premier télégramme est arrivé le lendemain et il disait : « Je t'attends ! » Le deuxième, deux jours plus tard, et il disait : « Qu'attends-tu ? » Le troisième, quatre jours plus tard et il disait : « Je suis très triste parce que tu continues à manquer de courage ! » Puis la semaine suivante, alors que je me trouvais à Bonn, m'est parvenue une lettre où tu m'annonçais ton hospitalisation à la clinique de la rue Socratous. Avec cette nouvelle, il y avait un court poème : « Des pensées d'amour oubliées / resurgissent / et me rendent à la vie. » Ton message se terminait par ces mots : « Pour toi. » De Bonn, j'aurais dû aller à New York. J'ai annulé mon vol et cherché un avion direct pour Athènes. Il n'y en avait qu'un partant de Francfort, l'après-midi mais en louant une voiture jusqu'à Francfort, me dit le concierge de l'hôtel, vous arriverez à temps. C'est ce que j'ai fait. Et quelques heures plus tard, j'ai débarqué dans ton pays, aspirée par l'inévitable sortilège auquel je ne pourrais plus désormais échapper. Parce qu'il était plus fort même que l'instinct de survie, que le piège équivoque du bonheur.

**

Le bonheur, c'est le rire qui éclate à neuf heures du soir quand mon taxi s'arrête devant l'hôpital et qu'une ombre surgit de l'obscurité, ouvre la portière, me tombe dessus et dit au chauffeur : « Grìgora ! Vite ! » En arrivant, je t'avais trouvé dans une petite chambre du service de pathologie, entouré de médecins et de médicaments et tu avais l'air d'être le malade le plus malade du monde : dans un souffle de voix, tu m'avais demandé de revenir à neuf heures. « Je me sens mal, très mal... » Et maintenant, te voilà, tout pimpant, ressuscité, qui m'embrasse dans un taxi. « Grìgora ! Vite ! — Mais, que fais-tu ? Qu'est-ce qui te prend ? — Je me suis évadé ! — Comment ça évadé ? — Je me suis levé, je me suis habillé, j'ai donné à l'infirmier un grand coup sur la tête, et je suis venu ici t'attendre ! — Un coup sur la tête de l'infirmier ? — Oui, il ne voulait pas me laisser partir. Il prétendait que c'était impossible. Je l'ai mis là et je lui ai dit tu vas voir si c'est impossible ! — Mis là, où ?

— Dans mon lit ! Il y restera jusqu'à demain matin cinq heures. A cinq heures il faudra que j'y retourne pour le détacher. — Le détacher ? — Oui, j'ai dû le ligoter. Et même le bâillonner. Sinon, il se mettait à crier. — Je n'y crois pas ! — En effet tu as raison, ce n'est pas vrai. Je n'ai pas employé la force mais la ruse. Ecoute, lui ai-je dit, à quelle heure termines-tu ton tour de garde ? A neuf heures, qu'il répond. Et tu reprends à quelle heure ? A cinq heures qu'il répond. Tu habites loin ? Très loin, m'a-t-il répondu. Tu aimerais dormir tranquillement sans avoir à rentrer chez toi ? Bien sûr, qu'il répond. Bon, voilà mon lit et voilà mon pyjama, je prends tes chaussures. Je l'ai poussé sur une chaise, je lui ai enlevé ses chaussures et je suis parti. Il est bête, il ne bougera pas de ma chambre avant mon retour. » Alors j'ai ri, j'ai ri, sans hésitation, sans peur, amusée de découvrir un aspect de ta personne que je ne connaissais pas, que je ne soupçonnais même pas, ce goût du canular, cette gaieté. Et tu as ri avec moi. Tu as avoué m'avoir trompée, tu n'étais pas malade, tu avais fait semblant, on t'avait hospitalisé pour faire quelques analyses et c'est tout, demain ils te laisseraient partir. Le chauffeur a ri aussi, sans savoir pourquoi. Il nous observait dans son rétroviseur, et il a ri tandis que le taxi traversait la ville illuminée, s'engageait dans la rue Vouliagméni, passait devant le garage à l'enseigne de Texaco, nous déposait au restaurant où trois ans plus tard tu mangerais pour la dernière fois, peu de temps avant d'aller mourir. Mais si les dieux nous l'avaient annoncé, pour nous mettre en garde, s'ils nous avaient dit que tel était ton destin, notre destin, déjà écrit, nous ne les aurions pas crus, et j'aurais répondu, en me moquant, que le destin n'existe pas. « Où allons-nous ? — Chez Tsaropoulos. — Qu'est-ce que c'est ? — Un endroit en plein air, près de la mer, on y mange du poisson. Tu aimes le poisson ? — Oui ! — Pas moi. La veille de l'attentat, j'ai dîné là et j'ai mangé du poisson. — Pourquoi y allons-nous, alors ? — Parce que ce soir je veux défier aussi les poissons. »

Le bonheur, c'est l'orgueil qui vibre quand nous entrons au restaurant, transpercés par le regard inquisiteur et hostile de ceux pour qui tu n'es pas un héros mais un assassin manqué, un trublion, un visionnaire dans le meilleur des cas qui aurait dû rester où il était : dans une prison bien surveillée. C'est de leur table que venaient les toussotements vexants, les murmures apeurés : « Ne serait-ce pas... ? » Un petit snob d'ambassade s'exclame : « Look who's there ! Regarde qui est là ! » Tu l'entends et, pendant un instant, tu es saisi par une sorte d'égarement, tu t'appuies sur moi comme sur une canne, tu ne sais plus si tu dois continuer ou revenir sur tes pas, puis tu te redresses fièrement et me conduis à une table exposée à leur curiosité. Les murmures augmentent et c'est à chaque fois un nouveau coup de poignard, je le vois bien, par moments tu inclines la tête comme pour contenir la douleur, mieux la supporter : quelle déception la liberté, quelle fatigue ! Mais mes doigts cherchent les tiens, les serrent très fort pour te redire que tu n'es pas seul, et ton visage s'illumine : « Je sais. » C'est beau de vivre ensemble le défi. C'est beau aussi de se rendre compte que quelqu'un te sourit, même en cachette, avec les précautions de celui qui ne veut pas se mettre dans de mauvais draps. Puis, un garçon courageux avance avec une bouteille de vin à la main et te dit à voix haute : « C'est moi qui offre. C'est un honneur, Alekos, de t'avoir ici. » Le ciel est un émail bleu et constellé d'étoiles, à côté de nous il y a une fleur avec de longues corolles orangées, épanouies, peu à peu, nous nous isolons dans un enchantement qui nous fait glisser dans une sorte d'oubli. Ou d'inconscience ? Une marchande de fleurs entre avec un panier de roses, tu en saisis un bouquet et tu me les jettes sur la poitrine. Un bossu entre avec une planchette de bois où sont fixés les billets d'une loterie, tu en achètes toute une très longue rangée et tu les poses sur mon assiette. Chacun de tes gestes est un naïf transport amoureux, une prière maladroite pour être aimé, et ta fierté du début s'est dissipée. Tu fais tomber ta fourchette, tu fais tomber ta cuillère, et tu rougis soudain comme un enfant, tu me tends le cadeau que tu avais gardé pour mon retour : une feuille de papier chiffonnée recouverte d'une écriture toute petite : « Alekos, qu'est-ce que c'est ? — Mon poème préféré, *Voyage*. Je te l'ai dédié, regarde : il y a maintenant ton nom comme titre. » Puis, tu me le traduis avec cette voix à briser mon âme. « Je voyage sur des eaux inconnues dans un bateau / pareil à des milliers d'autres bateaux / qui errent sur océans et mers / suivant des parcours aux horaires parfaits / Et beaucoup d'autres / beaucoup d'autres que celui-ci / mouillent dans les ports / Pendant des années j'ai chargé ce bateau / de tout ce qu'on me donnait / et que je prenais avec une joie sans borne / Et puis / je m'en souviens comme si c'était hier / je le peignais de couleurs vives / et je faisais bien attention à ce qu'aucune tache ne le souille / Je voulais qu'il soit beau pour mon premier voyage / Et après avoir tant et tant attendu / l'heure de lever l'ancre arriva enfin / Et je larguai les amarres... » Là, tu t'es interrompu, tu m'as expliqué que le voyage c'était la vie, que le bateau c'était toi, un bateau qui n'avait jamais jeté l'ancre, qui ne la jetterait jamais, ni l'ancre des désirs, ni l'ancre des sentiments, ni l'ancre du repos mérité. Car tu ne te résignerais jamais, tu ne te lasserais jamais de poursuivre ton rêve. Et si je te demandais quel rêve, tu ne savais me répondre : aujourd'hui, il pouvait avoir pour nom liberté, et demain, vérité, que les objectifs soient réels ou non n'a aucune importance ; ce qui compte, c'est d'en poursuivre le mirage, la lumière. « Le temps passait / et je commençais à tracer ma route / ce n'était pas celle qu'on m'avait indiquée au port / bien que le navire me semblât déjà différent / Ainsi mon voyage, je le voyais désormais autrement / Sans m'inquiéter d'abordages ou de commerces / la cargaison me semblait désormais inutile / Mais je continuais à voyager / en connaissant la valeur du navire / en connaissant la valeur de ce que je portais... » Et moi, je ne me suis jamais lassée de t'écouter.

Le bonheur, c'est un abandon qui, à minuit, nous conduit à la maison avec le jardin des orangers et des citronniers où nous entrons sur la pointe des pieds et sans prêter attention aux policiers qui contrôlent tes moindres mouvements : deux au coin de la rue et deux sur le trottoir. C'est un arbre de jasmin qui fleurit sous la fenêtre à laquelle nous nous penchons pour que tu saisisses un bouquet et que tu me l'offres avec timidité. Le bonheur, c'est une chambre dont je ne vois plus le côté sordide, les fauteuils tachés et pelés, les horribles bibelots, les absurdes diplômes encadrés : parce que tu es là. C'est un baiser inattendu et pudique sur mon front, tandis que le vent souffle dans les branches d'olivier, et nous porte le chant de la mer. C'est une larme qui coule, soudain, le long de ta joue tandis que tu murmures : « J'ai été seul si longtemps. Je ne veux plus être seul. Jure-moi que tu ne me quitteras jamais. » Le bonheur, c'est ton visage sérieux qui s'approche de mon visage sérieux, tes yeux émus qui se noient dans mes yeux émus, ton bras hésitant qui cherche mon bras hésitant, comme si nous étions deux enfants lors de leur première rencontre amoureuse, comme si nous savions que nous étions sur le point d'accomplir un rite dont dépendraient toutes nos années à venir. C'est un silence long, impressionnant, alors que nos lèvres se touchent hésitantes, s'unissent décidées, et que nos corps s'enlacent sans crainte, s'allongent dans le noir, palpitants, submergés par un fleuve de douceur aveuglante, cherchant des gestes oubliés, longtemps désirés et les trouvant pour se pénétrer en harmonie, encore et encore et encore, comme si cela devait durer l'éternité. Le temps t'appartenait désormais, aucun peloton d'exécution n'avançait plus sur ses ordres secs, pour te conduire au polygone et te fusiller. Plus tard, exténués, nous nous sommes regardés, nos têtes sur le même oreiller, et tu m'as dit : « S'agapò tora ke tha s'agapò pantote. — Qu'est-ce que ça veut dire ? — Ça veut dire : je t'aime maintenant et je t'aimerai toujours. Répète. » Je répète à voix basse : « Et si ce n'était pas comme ça ? — Il en sera ainsi ! » J'essaye une dernière défense

inutile : « Rien ne dure toujours, Alekos, quand tu seras vieux et...
— Je ne serai jamais vieux. — Bien sûr que si ! Un vieillard célèbre
avec des moustaches blanches. — Je n'aurai jamais de moustaches
blanches. Ni grises. — Tu les teindras ! — Non, je mourrai bien
avant. Et alors, il faudra bien que tu m'aimes pour toujours. » Tu
parles sérieusement ou tu plaisantes ? Je me force à croire que tu es
en train de plaisanter, une lueur goguenarde brille dans ton œil noir,
une gaieté de lendemains heureux déchaîne ton corps qui me
couvre, à nouveau, insatiable. Il ne faut pas non plus penser au
dialogue de la véranda : « Nous, les Grecs, avons la manie de la
voyance et de la tragédie. C'est peut-être pourquoi nous l'avons
inventée. — Mais de quelle tragédie parlez-vous ? — Il n'y a qu'une
seule sorte de tragédie, et elle repose sur trois éléments : l'amour, la
douleur, la mort. »

Le bonheur, c'est ouvrir les yeux pour entendre ta voix dire avec
étonnement « Tu es belle ! » C'est se rendre compte qu'il est
presque cinq heures et que tu dois courir rendre les chaussures à
l'infirmier séquestré. C'est sortir dans l'air frais qui annonce le
matin, toujours sans se soucier des policiers qui nous suivent jusqu'à
l'arrêt des taxis, rester enlacés pendant tout le parcours, se dire au
revoir en sachant qu'on va se revoir bientôt. C'est rentrer à la
maison avec le jardin des orangers et des citronniers sans regretter la
responsabilité qui me pèsera dorénavant comme un fardeau. C'est
se réveiller pour venir à la clinique où, triomphant, tu racontes que
personne ne s'est rendu compte de ta fugue nocturne. Et le médecin
dit que tu peux partir sans problème, car on ne voit rien de
dramatique ni dans les radiographies, ni dans les analyses. Bien sûr,
les tortures et la prison ont marqué ton état de santé mais le cœur est
solide et les poumons en excellent état, tu te rétabliras petit à petit,
il te suffit de te réhabituer à la vie.

Enfin, le bonheur c'est savoir que cette nuit, justement, pendant
que nous nous aimions, dans la maison voisine un enfant est né,
auquel on a donné le nom de Cristos : peut-on imaginer meilleur
augure qu'un enfant né dans la maison voisine tandis que nous nous
aimions ? Nous devons fêter l'arrivée de Cristos, et c'est une journée
splendide, pleine de soleil, de ciel bleu. Allons à la mer ! Cela fait
cinq ans que tu n'as pas vu la mer, que tu rêves de revoir la mer.
Depuis le jour où tu as quitté Boiati, où tu as redécouvert l'espace,
tu n'es sorti que pour te rendre à l'hôpital, et pour m'emmener chez
Tsaropoulos : allons à la mer ! Et nous voici sur la plage de Glyfada.
Tu avances d'un pas hésitant, la tête baissée, on dirait que tu n'oses
lever les yeux, et quand enfin, tu te décides, tu as un frisson, tu
clignes les yeux, sur ton visage passe une expression que je ne

172

comprends pas. Joie ou peur ? Soudain, tu te jettes en avant et tu cours vers l'eau. Tu cours à grandes enjambées, tel un poulain agile et sans souci, tu es l'image même de la jeunesse et en courant tu cries : « I zoì ! I zoì ! I zoì ! La vie ! La vie ! La vie ! » Au bord de l'eau, tu bondis, tu pirouettes, tu m'appelles, tu me tends les bras, je cours moi aussi et nous roulons, en riant, sur le sable chaud. « I zoì ! I zoì ! I zoì ! La vie ! La vie ! La vie ! » Aujourd'hui, plus personne ne te poursuit sur les rochers, aujourd'hui, la mer n'est pas démontée, comme elle l'était un matin du mois d'août que tu veux oublier. Attends-moi, j'arrive, attends-moi ! Plate et calme, la mer ourle le rivage de petites vaguelettes d'écume blanche. Qui a peur des poissons ? « Personne ! » Annoncent-ils défaites, malheurs ? « Des bêtises ! » Allons-y alors ! Nous nous déshabillons à toute vitesse, impatients. Nous plongeons ensemble, nous nageons côte à côte dans l'eau tiède, lisse, nous nous arrêtons de temps en temps pour échanger un baiser frais et salé. S'agapò tora ke tha s'agapò pantote. Que c'est délicieux de s'étendre au soleil, la main dans la main, épuisés, de trembler de plaisir et de froid, sentir un désir qui fait frémir ton corps blanc jaloux de mon bronzage, penser qu'une fois à la maison nous le satisfairons. Existe-t-il vraiment un tyran appelé Papadopoulos ? Qui connaît Joannidis ? Et Théophiloyanna-cos, Hazizikis, et Zakarakis ? Jamais vu. Pendant une semaine, leurs noms ne furent même pas prononcés. Le bonheur, c'est un oubli qui dure une semaine.

Une semaine irréelle à laquelle je repense toujours avec une stupéfaction incrédule : isolés du monde, nous suffisant à nous-mêmes, nous avons végété dans une béatitude sourde et sans événement. Il y avait tant de petites choses à faire pour que tu te réhabitues à la vie. Par exemple, t'apprendre à nouveau à traverser la rue sans que tu aies peur d'être renversé par les voitures, par exemple, marcher sur le trottoir, en évitant les gens et sans être intimidé par leurs coups de coudes. Dans le sépulcre de Boiati tu avais même oublié cela, le chaos de la ville, et, après cette promenade à la mer, tu avais eu une réaction : tu ne voulais plus sortir de la maison pendant la journée. Ou bien, tu ne sortais que pour t'enfermer dans une voiture, où tu te sentais protégé, et quand tu en descendais tout te faisait peur. Pour te faire traverser des rues, il fallait t'encourager et te rassurer : « Allez, viens, le feu est rouge ! » Même pour marcher le long d'un trottoir, souvent il fallait t'encourager. En fait, tu n'allais pas droit devant toi, tu marchais en diagonale, si bien que tu finissais par te cogner dans les murs. Ainsi, le matin, je t'accompagnais dans le centre de la ville, dans les rues les plus encombrées, et là, vissé à mon bras, comme un aveugle rivé à la laisse de son chien, tu retrouvais lentement les habitudes perdues. « Tu vois ? Il venait sur moi mais je ne l'ai pas heurté ! » « Tu vois ? Tu n'avais pas vu que le feu était au rouge, moi, si. » L'après-midi, par contre, nous le passions à la maison où la chaleur étouffante et le silence à peine interrompu par le chant des cigales nous alanguissaient dans le silence d'étreintes interminables. Nous parlions très peu, les mots n'étaient pas nécessaires. A la tombée du jour, au contraire, tu te réveillais avec l'impétuosité d'une chauve-souris qui sent l'obscurité et tu devenais loquace. On sortait dîner. Parfois, on allait jusqu'au Pirée, parfois, on restait à Glyfada, où il y avait les tavernes de ton adolescence et où, un vieillard aux yeux bleus et aqueux, avec une guitare, nous chantait d'une voix de stentor *Un lit pour deux*. Tu adorais cette chanson parce qu'elle parlait de deux amoureux qui dorment dans un petit lit étroit. Le nôtre était petit et étroit, c'était ton lit d'enfant, et si nous n'y dormions pas serrés l'un contre l'autre, nous tombions par terre. Tout prit fin à l'improviste, sans un signe prémonitoire, le jour où nous nous sommes rendus à Egine.

CHAPITRE II

Tu n'avais pas dit que nous irions à Egine, tu avais parlé d'une île et c'est tout. Je ne t'avais pas demandé laquelle : je me laissais porter par le bonheur comme une feuille par le vent. Le bateau venait de prendre le large, nous étions sur le pont, et je regardais enchantée la proue qui fendait les flots dans un bouillonnement d'écume quand un dauphin fit surface. Je me suis accrochée à toi en criant : « Les dauphins ! Tu les vois, les dauphins ? » Une voix blanche m'a répondu : « Je ne voyais rien, on m'avait fait descendre dans la soute. — Dans la soute ? Je ne comprends pas, Alekos, de quoi parles-tu ? — Je parle du jour où ils m'ont emmené à Egine, pour me fusiller. » Et, après avoir prononcé ces mots, tu t'es enfermé dans un mutisme qui excluait toute approche, tout besoin de compagnie, tu n'as ouvert la bouche à nouveau qu'une fois débarqués pour me pousser dans un taxi, et donner au chauffeur une adresse que je n'ai pas réussi à comprendre. Le taxi s'est mis en route en silence et nous avons quitté le centre, en silence, nous nous sommes retrouvés sur une route qui montait, déserte, bordée de cactus, puis d'oliviers, puis de pistachiers, puis à nouveau de cactus. Ici ou là, une villa, une maison enduite de chaux, un tabernacle blanc avec une icône noire. « Où allons-nous, Alekos ? — Là-bas — Où, là-bas ? — Là-bas. » Pas moyen de briser la mystérieuse barrière derrière laquelle tu t'étais enfermé. Le visage tendu, les sourcils froncés, les yeux attentifs, tu fixais le paysage comme si chaque mètre, chaque virage, chaque pierre cachait un piège, ou comme si derrière ces cactus, ces oliviers, ces pistachiers, qui tantôt s'étendaient dans les champs, tantôt plongeaient dans des gorges abruptes, tantôt se mariaient aux buissons du maquis, se cachait un secret. Etais-tu en train de chercher quelqu'un, te rendais-tu à un rendez-vous dangereux ? Non, d'instinct, j'étais sûre que ce n'était pas cela. Voulais-tu me montrer la prison où tu avais passé trois

175

jours et trois nuits ? Oui, c'était possible, mais la prison se trouvait assez près du port ; le taxi, au contraire, se dirigeait dans la direction opposée. « Alekos... — Tais-toi ! — Ecoute-moi... — Tais-toi ! — Pourquoi ne... — Tais-toi ! » Depuis une demi-heure, nous suivions cette route lorsque le taxi a tourné dans un sentier défoncé, noyé dans les mauvaises herbes et tellement étroit qu'on ne passait que de justesse. Il a continué à monter pendant quelques kilomètres, et, après quelques soubresauts sur des pierres et des trous, nous nous sommes retrouvés dans une clairière couverte de bruyère, pour nous arrêter enfin devant un piquet, qui barrait le chemin, avec des rouleaux de barbelés. Au-delà des barbelés, un panneau : « Zone militaire. Accès interdit. » Alors nous sommes descendus et, avec une douceur retrouvée, tu m'as pris la main : « Viens, nous sommes arrivés. »

Perplexe, je t'ai suivi, en regardant autour de moi, sans comprendre. Nous étions sur un des sommets de l'île, face à la côte sud-est de l'Attique et à nos pieds, la montagne tombait à pic sur le golfe ; à droite, par contre elle s'élargissait en un promontoire aride : pas une maison, pas une cabane, pas un arbre. Aussi loin que portait le regard, on ne voyait que des rochers ou la mer et une solitude impressionnante de Genèse, une désolation totale, une immobilité presque angoissante. C'était pourtant un des endroits les plus beaux que je n'aie jamais vus. Surtout si on regardait vers le promontoire qui descendait doucement pour s'étirer dans l'eau, une harmonieuse langue de terre, et de petites baies aux reflets phosphorescents, de petites plages de sable blanc et pur, on était saisi d'une grande émotion. Comme un besoin de se jeter à genoux, et remercier le Seigneur d'être vivant. Etait-ce pour cela que tu m'avais emmenée là ? Que tu t'étais renfermé dans ce mutisme étrange ? Pour me faire une surprise, voir mon émerveillement ? Je me suis tournée vers toi pour te le dire mais tu étais ailleurs. Pâle, et le bras tendu vers la langue de terre qui s'étirait dans l'eau, tu m'indiquais quelque chose que je n'arrivais pas à localiser : « Là-bas, là-bas. — Où, Alekos, et quoi ? — Le terrain. — Quel terrain ? — Le gris, rectangulaire. Tu ne le vois pas ? » Non, je ne le voyais vraiment pas. « Là, en bas. Il commence à quelques mètres du rivage, et se termine par un petit mur. » Ah oui, maintenant, je le voyais : un rectangle de ciment, limité par un mur. Mais de quoi s'agissait-il, d'un terrain de boules ? D'un héliport ? Un héliport militaire, peut-être. Cela expliquait les panneaux qui en interdisaient l'accès. « Je le vois, t'ai-je dit. C'est une piste pour les hélicoptères. » Et toi : « Non, c'est le polygone de tir, celui où l'on fusille les condamnés à mort. C'est là qu'on devait me fusiller. Le dos au mur. » Silence. « Depuis cinq ans, je me demandais à quoi il ressemblait, où il se trouvait. Je savais seulement que d'ici on pouvait le voir. » Silence. « Est-ce triste, me demandais-je, est-ce laid ? Ni triste, ni laid, c'est parfait. Un endroit idéal pour mourir : le golfe de Saronique qui s'étend en face, l'azur au-dessus et au-dessous, Athènes... Regarde, à l'extrême droite, il y a le cap Sounion, les ruines du temple. Juste avant, il y a Lagonissi, la villa de Papadopoulos. Un peu plus loin, il y a le petit pont sous lequel j'avais placé les mines, puis Vouliagméni, puis Glyfada. Ma maison à Glyfada. Au fond, à gauche, c'est Le Pirée, et au-dessus du Pirée, on voit l'Acropole. Tu te rends compte ? Si on m'avait fusillé, je serais mort en regardant l'Acropole, et ma maison, et le lieu de l'attentat. Une belle mort. Une très belle mort. J'ai raté une très belle mort. »

On aurait dit que cette mort avec vue sur l'Acropole, et sur ta maison et sur les lieux de l'attentat était une très belle femme que tu avais désirée depuis toujours et qui t'avait échappé avec malice un instant avant l'étreinte. Ta pâleur s'était envolée, tes joues, tes lèvres et tes oreilles avaient rougi : tes yeux brillaient de désir. Ou de regret ? Je n'arrivais pas à t'éloigner de cet endroit. Partons, répétais-je, partons, s'il te plaît, et toi, tu restais là, fixant le polygone de cette très belle mort perdue. Il faisait presque noir quand le taxi est reparti sur le chemin où les cactus, les oliviers, les pistachiers se suivaient, monotones ; il faisait nuit quand nous sommes arrivés à la prison où tu avais passé trois jours et trois nuits, deuxième étape de ton pèlerinage. Mais, tu ne reconnaissais plus le bâtiment, tu ne retrouvais même pas la porte par laquelle tu étais entré, tu tournais en vain autour du mur d'enceinte, tu t'agitais, tu fouillais dans ta mémoire. Et : « Peut-être m'a-t-on fait passer par-derrière ? Oui, il doit y avoir un chemin à moitié caché qui arrive à une grille sur l'arrière, une sorte de rideau de fer, et au-delà, un enclos, qui sur la gauche, devient un couloir très étroit. Tellement étroit qu'une seule personne à la fois peut passer. Au-delà du couloir, il y a une petite cour, avec la casemate des condamnés à mort. Très vieille, très sale, à un seul niveau. L'entrée de cette casemate est petite car on arrive tout de suite à un couloir avec la porte des cellules, à droite et à gauche. La mienne était la dernière à droite. Elle faisait quatre mètres sur trois, les murs étaient d'un bleu délavé, le sol de brique, pas de lampe car la lumière venait de la cour. » Puis, les joues de nouveau rouges, les yeux de nouveau brillants de désir : « Qu'est-ce que j'aimerais la revoir ! Y entrer encore une fois, au moins quelques minutes... Qu'est-ce que ça me plairait ! Incroyable, non ? — Partons, Alekos, allons-nous-en, je t'en prie — Encore un peu — Rentrons, je t'en prie, rentrons à la

maison. — Encore un peu. — Je suis fatiguée, il est tard, il fait froid.
— Encore un peu. » Tu t'étais assis par terre, le dos contre une haie,
et tu ne te levais pas. Tu ne disais pas ce qui te retenait. Mais, quand
nous avons embarqué sur le dernier bateau, tu m'as dit que c'était la
nostalgie. La nostalgie de la mort. « Un homme qui a été condamné
à mort, qui a passé trois jours et trois nuits à attendre la mort ne sera
plus jamais le même. Il portera toujours la mort sur lui comme une
deuxième peau, un désir non assouvi. Il continuera toujours à la
poursuivre, à en rêver, peut-être avec l'excuse de nobles causes, de
devoirs. Il ne trouvera la paix que lorsqu'il l'aura rattrapée. »

Tu m'en as donné la démonstration avant même d'arriver à la
maison. Un taxi nous ramenait à Glyfada quand, rue Salonique, la
circulation s'est arrêtée pour laisser passer un cortège qui venait en
sens inverse. Quatre motards sont passés, puis une fourgonnette de
police, puis deux autres motards, et une autre fourgonnette, enfin
une voiture noire. La limousine de Papadopoulos. J'ai à peine eu le
temps de distinguer un visage rond et grisâtre, deux petites
moustaches noires, puis ta bouche s'est tordue en un hurlement
féroce, tes bras se sont tendus vers la portière : « Bouffon, sale
chien ! — Non, Alekos, non ! — Laisse-moi, je veux descendre,
laisse-moi ! » Il y avait une force terrible dans tes bras, je n'arrivais
pas à te retenir, à t'empêcher de saisir la poignée et la limousine
approchait, toujours davantage, le visage rond et grisâtre était de
plus en plus net, je pouvais même distinguer les petits yeux malins,
le sourire énigmatique qui retroussait imperceptiblement les lèvres
minces. Encore une seconde, et tu allais te lancer hors du taxi pour
te jeter contre lui et te faire tuer.« Aidez-moi ! », ai-je crié au
chauffeur. Il a compris, s'est tourné et t'a immobilisé en se jetant sur
toi : « Tu es fou mon ami ? » J'ai senti un grand poids sur moi et j'ai
compris que tu t'étais évanoui, que le bonheur était fini. Quand le
bonheur s'en va, souvent les idées deviennent plus claires, on se
réveille d'un sommeil qui étouffait l'intelligence et limitait le
jugement : j'ai compris que t'aimer serait dorénavant une longue
agonie.

*_**

« Quelqu'un s'en est aperçu ? », a demandé Andréas. J'ai haussé
les épaules. « Je pense que non. Tout s'est passé si vite, tous les
regards étaient concentrés sur le cortège. — Et le chauffeur de taxi ?
— Il a été très bien ; je lui ai donné l'adresse et il nous a conduits à la
maison. Il secouait la tête et c'est tout. » Lui aussi secoua la tête :
« Et ce n'est qu'un début, vous rendez-vous compte ? » J'ai opiné :

« Je me rends compte. » Puis je lui ai demandé pourquoi il était venu : pour annoncer des malheurs ? A nouveau, il a secoué la tête. « Non, parce qu'il m'a appelé. Il y a un chanteur à Athènes, assez connu et mal vu de la Junte. Il a une boîte à Plaka, et il vous a invités plusieurs fois ces derniers jours. Ce matin, Alekos m'a appelé pour que j'aille lui dire que ce soir, vous iriez. Mais à une condition : que l'on joue des chansons interdites par la Junte, les chansons de Théodorakis. — Et qu'arrivera-t-il ? — La police interviendra, je suppose. Et il fera n'importe quoi pour se faire arrêter, démontrer que rien n'a changé, que la dictature continue. Oui, je crains que ça ne soit cela son programme. A moins que... — A moins que ? — Je ne sais pas, peut-être est-il en train de mettre au point quelque chose de plus compliqué. Il faudrait... » Mais, juste à ce moment-là, tu nous es tombé dessus : « Complot, complot ! Qu'est-ce que vous complotez tous les deux ? Allez, vite, prépare-toi, on va sortir pour s'amuser, écouter de la musique. Je veux que tu sois élégante, ce soir, habillée en rouge ! »

Nous y sommes allés. Et maintenant, recroquevillée dans tes bras, j'écoutais la respiration profonde de ton sommeil, cherchant un sens à ce qui était arrivé. Mais c'était comme défaire un nœud pour en faire un autre et emmêler encore plus l'écheveau. Voyons un peu. Quand tu es entré, le chanteur a entonné un hymne de Théodorakis et, à partir de cet instant, l'orchestre n'a joué que des morceaux interdits, et nous étions sur une terrasse ouverte, on devait certainement entendre le bruit dans le quartier tout entier. Cependant, la police n'est pas intervenue. A un moment donné, tu avais même insisté pour que l'on chante en chœur la marche tirée de ton poème *En avant les morts,* et des dizaines de voix s'étaient élevées, hardies, fortes, perçant la nuit violette : « En avant les morts / porte-drapeaux sans fin de la lutte / et après nous / anxieux de brandir les étendards / un peuple entier / morts et vivants tous ensemble... » Là non plus la police n'avait pas réagi. Vers une heure du matin seulement deux gendarmes se présentèrent pour nous demander de ne pas faire trop de bruit, des gens s'étaient plaints dans l'immeuble, excusez-nous-merci. Aucune arrestation, aucun rappel à l'ordre. Pourquoi ? Le défi ayant échoué, tu étais sorti dans la rue pour hurler des injures féroces contre Papadopoulos, contre Joannidis, et même contre les passants qui cherchaient à te calmer, et, pour couronner le tout, après chaque injure, tu criais avec arrogance : « Ime Panagoulis ! Je suis Panagoulis ! » Mais de nouveau, rien ne s'était passé : c'était comme si la police avait reçu l'ordre de répondre par une complète indifférence à ce que tu disais ou faisais. Pourquoi ? A peine rentré à la maison, tu t'étais précipité sur le téléphone, tu avais appelé la Centrale de l'ESA : « Ime Panagoulis, je suis Panagoulis ! Telo Joannidis ! Je veux parler à Joannidis. » Puis tu avais raccroché disant calmement : « On va voir sur la tête, mais le préposé n'avait pas bronché : il avait répondu que le brigadier général Joannidis n'était pas dans son bureau, la nuit, voulez-vous laisser un message ? Oui, avais-tu vociféré, le voilà le message, qu'il le note bien, qu'il n'en perde pas un mot « Joannidis, pédé, enculé, Papadopoulos n'a pas eu assez de couilles pour me faire fusiller, mais toi, tu n'en as pas non plus pour me faire arrêter. Et tu as tort, Joannidis, tu as tort, je te ferai pisser le sang, Joannidis ». Puis tu avais raccroché disant calmement : « On va voir s'ils vont m'arrêter maintenant. » Mais, oh ! surprise, personne n'était venu. Il allait bientôt être dix heures du matin, et personne n'était venu, pourquoi ? Je ne comprenais pas. Mais je ne comprenais pas non plus pourquoi au lieu de profiter de ta liberté retrouvée, de l'employer à des choses sérieuses, utiles, tu la gâchais avec un geste si théâtral, des défis superficiels et rhétoriques, tel un dinosaure qui avance dans les forêts de la préhistoire, piétinant les arbres comme s'il ne s'agissait que de brins d'herbe. A quoi cela rimait-il, servait-il ? Etait-ce vraiment la recherche de la mort qu'on t'avait refusée à Egine ? Je me suis dégagée de tes bras : « Alekos… » Tu t'es réveillé avec un grand sourire : « Ils ne sont pas venus m'arrêter, hein ? — Non, ils ne sont pas venus. — Je le savais ! — Tu le savais ? — Bien sûr je le savais. Joannidis n'est pas un idiot. Qui donc va prendre au sérieux un fou qui monte sur ses grands chevaux ou qui téléphone au chef de l'ESA pour l'insulter ? — Ne me dis pas que tu l'as fait exprès ! — Mais si. Tu verras qu'aujourd'hui ils nous laisseront tranquilles. Nous pourrons aller sans problème au cap Sounion. — Qu'est-ce qu'il y a au cap Sounion ? — Un très beau temple, le temple de Poséidon. »

C'était un après-midi magnifique et les ruines blanches éclatantes du temple se dressaient sur un ciel couleur de bleuet, la mer brillait de reflets de nacre, les touristes étrangers poussaient des petits cris extasiés : « How marvellous ! Wunderbar ! Superbe ! » C'est ce que je pensais moi aussi tandis que je marchais à tes côtés, gênée par un sac en bandoulière, me penchant de temps à autre pour ramasser un caillou que je voulais garder en souvenir et toi scandalisé, tu me le retirais des mains : « C'est défendu ! C'est du vol ! Tu n'as pas honte ? — Mais quel vol ? Quelle honte ? Ce n'est qu'un caillou ! — Si tout le monde prenait un caillou, qu'est-ce qu'il resterait ? — Les colonnes, les plaques de marbre... — Et toi alors tu volerais les colonnes, les plaques ! Tu volerais même toute la falaise ! Quelle belle falaise ! C'est de là qu'Egée s'est jeté dans la mer. La légende dit qu'Egée attendit ici le retour de son fils Thésée, parti à la conquête de la Toison d'Or. Egée avait prié son fils de rentrer dans le port en hissant des voiles blanches s'il rentrait victorieux, mais Thésée était un ivrogne : exalté par le triomphe, il s'était mis à boire, oublia de hisser les voiles blanches et... » Quelque chose glissa dans mon sac qui me parut soudain très lourd. « Alekos, qu'y as-tu mis ? — Arrête, ne regarde pas, ne touche pas ! Deux fragments de marche. — Deux fragments de marche ? Tu ne voulais pas que je vole un caillou et tu as pris deux fragments de marche ? » Petit rire satisfait : « Ah, qu'est-ce que je ne ferais pas pour toi ! Tu me feras devenir voleur, voleur ! — Mais quand les as-tu pris ? » Tu étais toujours resté à côté de moi, tu ne t'étais jamais penché pour ramasser quoi que ce soit : quand les avais-tu pris ? « Ce que tu peux être embêtante ; je les ai pris ; qu'est-ce que ça peut faire, quand ? Et ne touche pas à ton sac, je t'ai dit. Tu veux me renvoyer à Boiati pour deux petits morceaux de marbre ? D'ailleurs, éloignons-nous. Avec un air discret, comme ça. Jouons les amoureux qui admirent le paysage. Comme ça. » Bras dessus, bras dessous, et le sac entre nous, tu m'as poussée vers le bord du promontoire, à l'écart de la foule, tout excité par ton vol. Puis, tu t'es arrêté à un endroit où un rocher forme une espèce de terrasse ouverte sur le golfe. « Asseyons-nous ici, le dos vers le temple. Non, toi, reste de profil pour contrôler que personne ne nous voie. » J'ai contrôlé. Disciplinés et compacts, les touristes admiraient la beauté du périptère dorique, et personne ne se souciait de nous. Il n'y avait qu'un jeune homme avec une chemise à carreaux qui se tenait un peu à l'écart et avait l'air de lire la plaque où est gravé le nom de Byron, mais qui, en réalité, nous observait. « Peut-être un jeune homme, là-bas. Il a dû s'en apercevoir, il nous observe. Mais, maintenant, il s'éloigne. Il s'en va. Tu crois qu'il va nous dénoncer ? — Hors de question. — Bon, maintenant, voyons ce que tu as volé. » J'ai ouvert la fermeture Eclair du sac avec une joie anxieuse mais aussitôt mon sourire s'est figé. Il n'y avait pas deux fragments de marbre, mais deux petites boîtes de métal couleur vert pomme « Alekos, qu'est-ce que c'est ? — Du tabac, c'est même écrit *Golden Virginia, hand rolling tabacco*. — Du tabac ? Et qui donc te l'a donné ? — Un ami ! — Un ami avec une chemise à carreaux ? — Oui. — Mais quand ? — Quand je te racontais l'histoire d'Egée et de Thésée Rapide, hein ? — Et tu avais besoin de venir jusqu'à Sounion pour ça ? — Bien sûr que oui ; un bon conspirateur aime toujours l'archéologie ! — Alekos, qu'est-ce qu'il y a dans ces boîtes ? — Je te l'ai déjà dit, du tabac, *Golden Virginia hand rolling tabacco.* » Je les ai soupesées. Sur le couvercle vert pomme, trois autres mots ressortaient : *Fifty grams net,* cinquante grammes net. Cinquante grammes ! Chacune pesait au moins deux ou trois cents grammes. « Alekos... » J'ai soulevé un couvercle, le papier métallique, et aussitôt le doute s'est évanoui ! Je connaissais bien cette pierre rugueuse et jaune. Je pouvais en décrire toutes les caractéristiques et les propriétés. Ce que tu avais mis dans mon sac comme un jouet ou un cadeau était en fait du plastic. Deux beaux pains de plastic.

« How marvellous ! Wunderbar ! Superbe ! Is itn't unbelievable ? Vraiment extraordinaire ! » Maintenant le soleil brûlait de lueurs roses et pourpres, le crépuscule commençait et les cris aigus des touristes redoublaient. Des mouettes fonçaient dans les lueurs roses et pourpres, et l'une d'elles piquait pour plonger dans l'eau du golfe, comme la mouette de ton rêve. J'ai détourné le regard. « Que veux-tu en faire, Alekos ? » Tu m'as répondu par une autre question : « Dis-moi, c'est quoi l'amour ? — Peut-être est-ce porter deux pains de plastic dans son sac. — Bravo, les porter ou les confier. Je te les ai confiés exprès pour te démontrer que l'amour c'est aussi l'amitié, la complicité. L'amour, c'est une compagne dont on partage le lit parce qu'on partage un rêve, un engagement. Je ne veux pas d'une femme avec laquelle je puisse être heureux. Le monde est plein de femmes avec qui on peut être heureux, si c'est le bonheur que l'on cherche. J'ai eu tellement de femmes qu'en y réfléchissant bien, cinq années de prison, c'est un peu comme une trêve. Mais je n'ai jamais eu de compagne. Et je veux une compagne. Une compagne qui soit mon camarade, mon ami, mon complice, mon frère. Je suis un homme en lutte. Je le serai toujours. Je le serai partout et quoi qu'il arrive. Même au paradis. Je n'arrive pas à imaginer une autre manière de vivre et de mourir. Combien de gens y a-t-il sur notre planète ? Trois milliards et demi ? Eh bien, si trois milliards quatre cent quatre-vingt-dix-neuf millions neuf cent quatre-vingt-dix-neuf mille neuf cent quatre-vingt-dix-neuf personnes décidaient de ne plus lutter, c'est-à-dire l'humanité moins une personne, je lutterais quand même. Le plastic n'a rien à voir. Le plastic n'est qu'une étape dans l'existence d'un homme en lutte. D'ailleurs, je n'aime pas le plastic. Je n'aime pas la violence sous quelque forme que ce soit. Je ne pourrais jamais, quant à moi, faire exploser un autobus avec des enfants, comme le font certains, au nom de la patrie ou de quelque autre merde d'idéologie. Je ne crois pas à la guerre. Je ne crois pas aux révolutions faites avec du sang. Je suis convaincu qu'elles ne servent qu'à changer de maître. Les fusillades, les explosions me gênent : je te l'ai déjà dit, aux Garibaldi je préfère les Cavour. Mais quand la liberté est en cause, car la seule chose qui compte c'est la liberté, quand... — Que veux-tu en faire, Alekos? — Quoi? Ecoute-moi, cinq cents grammes de plastic, c'est une misère. Mais on peut quand même faire beaucoup de choses avec cinq cents grammes de plastic. Il suffit d'un détonateur, d'une mèche, et d'un peu d'imagination. Et d'une compagne. J'ai besoin de toi. Tu m'es utile. — Pour que je me promène en ramassant des boîtes de Golden Virginia sans attirer l'attention? — Non, pour bien plus. Pour ne pas être seul. Si tu m'aides, si tu ne me laisses pas seul, je vais te dire ce que je veux faire. » Il y avait un démon dans cette voix, ces yeux : une passion lucide, froide, incontrôlable, obsessionnelle, qui peut commettre, au nom de sa foi, n'importe quelle absurdité, ruiner sa vie et celle des autres, sacrifier ses propres sentiments et les sentiments des autres, sa propre intelligence, et l'intelligence des autres. Mais tes paroles renfermaient la plus extraordinaire déclaration d'amour qu'on pouvait entendre. Elles valaient mille étreintes dans un lit, mille nuits d'enchantement, mille plants de jasmin, mille s'agapò - tora - ke - tha - s'agapò - pantote. Et le dinosaure que, la nuit précédente, j'avais entendu hurler, que j'avais vu avancer dans les forêts de la préhistoire en piétinant les arbres comme s'il s'agissait de brins d'herbe, n'était pas un dinosaure : c'était un homme. Un homme seul, en plus. Aussi, se refuser à lui eût été infâme. « Une compagne qui soit mon camarade, mon ami, mon complice, mon frère. M'aideras-tu? — Bien sûr! ai-je répondu — Bon, tu vois l'Acropole...? »

*
* *

Le plan de l'Acropole était une grandiose folie. Il consistait à occuper le site archéologique à l'heure où il est fermé au public, puis à hisser le drapeau rouge sur le Parthénon, non parce que tu aimais le conformisme du drapeau rouge mais parce que le rouge irritait la Junte et ressortait bien sur le fond blanc du marbre, enfin, à prendre en otage le Parthénon avec la menace de le faire sauter. « Alekos, deux pains de plastic ne suffiraient même pas à faire sauter une colonne! — Bien sûr! Mais ils ne savent pas que nous n'en avons que deux; et dès que j'en aurai fait exploser un, à titre de démonstration... — Ils ne te croiront pas. — Ils me croiront. Ils me croient prêt à tout, même à détruire le Parthénon. — Tu le ferais vraiment? — Jamais de la vie. » Dans un premier temps, tu avais aussi pensé à capturer un certain nombre de touristes, américains si possible, mais tu étais finalement arrivé à la conclusion qu'ils seraient devenus un fardeau, car ils auraient essayé de s'enfuir, il aurait fallu les nourrir, leur donner à boire, peut-être même leur fournir des médicaments. Bref, ils t'auraient cassé les pieds. Le Parthénon, lui, ne boit pas, ne s'échappe pas et n'a pas besoin de médicaments. De plus, existait-il un otage plus précieux que le Parthénon ? Tous ceux qui aimaient la beauté et la culture, disais-tu, continuaient à haïr ce Königsmarck qui, en 1687, l'avait canonné pour déloger les Turcs qui y avaient installé une poudrière. Détruire ce qui restait du Parthénon revenait donc à anéantir le symbole même de la civilisation : le monde entier se serait dressé pour défendre ses quarante-six colonnes, toutes les ambassades seraient intervenues auprès de la Junte pour la supplier d'accepter tes conditions. « Quelles conditions ? — Sous une dictature, ce n'est pas ce qui manque, et j'en ai une qui vaut bien le petit temple des Cariatides. » L'échec de ton entreprise était une éventualité que tu écartais a priori. L'Acropole, répétais-tu, est inexpugnable ; elle se dresse sur un promontoire aux parois abruptes, et il n'existe qu'une seule voie d'accès, l'entrée par les Propylées. Une douzaine de guerriers bien armés seraient plus que suffisants pour maintenir à distance la troupe et la police. Le seul problème, c'était de les trouver. « Douze guerriers, Alekos ? Deux hélicoptères et quelques tireurs d'élite suffiraient à les éliminer en cinq minutes. Sans compter les gaz lacrymogènes... — Non, si au premier coup de feu ou à la première grenade je fais sauter un petit bout du Parthénon. C'est un problème de psychologie. — Mais tu viens de dire que pour rien au monde tu ne toucherais au Parthénon. — Et qui t'a dit qu'il s'agirait vraiment d'un petit morceau du Parthénon. Comment pourraient-ils savoir si les pierres qui volent en éclats viennent du Parthénon ? — Admettons. Et pendant combien de temps penses-tu pouvoir tenir ? Un jour ? Une nuit ? — Avec une petite réserve de vivres, trois jours et trois nuits. Tu t'imagines le drapeau rouge flottant sur le Parthénon pendant trois jours et trois nuits ? Il ressortira comme un coquelicot au milieu de cette blancheur, toute la ville le verra. Les gens de la télévision, les journalistes, les photographes, on viendra du monde entier. La Junte sera complètement ridiculisée, et il sera obligé de capituler ! — Qui, il ? — Joannidis, évidemment. C'est Joannidis que je veux. Papadopoulos compte de moins en moins, et tôt ou tard, Joannidis l'éliminera. — Tu le veux où et pour quoi faire ? — Pour négocier, bien sûr. Sur l'Acropole, évidemment. Il faudra qu'il monte là-haut et... — C'est ça l'idée qui vaut bien le petit temple des Cariatides ? — Oui ! — Ecoute-moi, Alekos, Joannidis ne viendra jamais. — Toi, tu ferais mieux de m'écouter : je connais bien Joannidis, moi, et je te dis qu'il viendra : parce qu'il est courageux et parce qu'il me hait. » Sur ce point également tu n'avais pas le moindre doute. Ta certitude de réussite était tellement inébranlable que tu restais sourd à toute tentative d'analyse rationnelle de la situation. Oui, Joannidis viendrait sur l'Acropole, tu le recevrais dans le Parthénon. Avec une charge de plastic sur toi. Tu lui dirais : « Toutes mes félicitations, Joannidis ! Tu ne m'as pas déçu. Il y a cinq ans tu m'as bien dit que ça n'arrive qu'une fois sur cent mille de tomber sur une personne qui refuse de parler. Aujourd'hui, je te dis : ça n'arrive qu'une fois sur cent mille de trouver un général qui répond à une invitation pareille. Moi, ce jour-là, j'avais des menottes, Joannidis. Et aujourd'hui, c'est ton tour ! Ou, plutôt, nous porterons des menottes tous les deux. » Tu attacherais alors son poignet droit à ton poignet gauche : « Tu vois la charge que j'ai sur moi, Joannidis ? Elle est reliée à une mèche à combustion rapide. Si tu fais un geste, on saute tous les deux ! — Je n'y crois pas, Alekos. Tu ne le ferais pas ! — Mais si, mais si ! S'il le faut, je le ferai ! Tu verras bien. — Et après ? — Je pose mes conditions et on part pour l'Algérie. — L'Algérie ! — Oui ! — Directement de l'Acropole ? — Oui ! — Avec Joannidis ? — C'est évident. On l'emmènera comme otage, toujours attaché à mon poignet gauche. On exigera un avion rien que pour nous deux, et... — Et si Joannidis était prêt à mourir pour t'en empêcher ? — Lui, oui, mais pas ses fidèles ! Il est l'homme fort du régime, et une grande partie de l'armée est de son côté. L'Attique est à lui. Ceux qui veulent éliminer Papadopoulos ne lui permettront jamais de mourir et ils m'accorderont ce que je demande. D'ailleurs, j'aurai toujours la charge prête à exploser. S'il le faut, je mourrai avec lui, comme ce général allemand qui voulait sauter avec Hitler ! — Tu es fou ! — Peut-être, mais ce sont les fous qui font l'histoire, pas davantage la logique. Si on devait s'arrêter au bon sens, peser le pour et le contre, la terre s'arrêterait de tourner. Et la vie n'aurait plus de sens. »

Le rôle que tu me réservais dans ce plan démentiel n'était pas très clair. Je pensais que c'était tantôt un simple rôle moral, tantôt un rôle d'une grande importance stratégique. « Si je place trois hommes sur le côté nord, trois sur le côté sud, deux sur le côté est, quatre entre le portail et les Propylées, je reste à découvert sur le Parthénon et personne ne peut me couvrir. Sais-tu te servir d'une mitraillette ? » Le doute que je puisse avoir une objection quelconque, à propos par exemple de l'usage d'une mitraillette, ne t'effleurait même pas. D'ailleurs, tu ne t'inquiétais pas de savoir si j'étais d'accord ou non sur l'ensemble du projet : cet après-midi au cap Sounion avait scellé un pacte qui excluait toute désertion de ma part. J'étais désormais ton Sancho Pança et le devoir de Sancho Pança n'est-il pas de suivre Don Quichotte, l'aider dans ses folies ? Le seul point qui te préoccupait, tu en avais parlé au moment où tu m'avais exposé ton plan, c'était de trouver les douze guerriers. Sans un parti pour te soutenir, sans une idéologie brevetée, tu aurais beaucoup de mal à les rassembler. Tu devais les chercher en avançant dans le noir, à tâtons, et conscient de cela, tu t'enfermas à la maison pour aligner des noms, les étudier, en écarter : « Pas celui-là, je ne le connais pas assez. Pas celui-là, il irait tout raconter. Pas celui-là, il aurait peur. » Il valait mieux ne pas te parler d'autre chose, ne pas essayer de te distraire. « Ça ne me regarde pas, ça ne m'intéresse pas ! » Tu n'es sorti de ta coquille que lorsque tu as appris qu'il y avait eu un coup d'Etat au Chili et que Allende avait été tué : l'Acropole semblait avoir disparu de tes pensées. Mais bientôt, elle a refait surface, avec la force maligne d'un bouchon qu'on aurait en vain essayé d'enfoncer sous l'eau, et la mort d'Allende aussi a alimenté ta glorieuse folie. « On hissera le drapeau chilien et le drapeau rouge ensemble. La liberté n'a pas de patrie. » Tu avais constitué un éventail de candidats, et tu avais l'intention de les tester, un à un, sans leur révéler le motif de la rencontre. Ainsi, tu les accueillais avec un visage innocent, et, en leur ouvrant les bras, en leur donnant des tapes affectueuses sur le dos, tu les faisais entrer dans la salle de séjour où un magnétophone à cassettes faisait entendre, très fort, des hymnes de la Résistance. C'était un truc pour savoir tout de suite à quel genre d'homme tu avais affaire. Si le type devenait nerveux ou disait qu'il était dangereux de jouer certaines musiques, tu l'écartais immédiatement ; si, en revanche, il s'enflammait, ou restait calme, tu le prenais en considération. Caractère, goût du risque, niveau d'intelligence, volonté de lutte : tu l'étudiais, tu l'examinais, tu l'analysais, avec la froideur d'un entomologiste qui observe une fourmi, ou d'un tailleur qui tâte un tissu. Mais, presque toujours, sans succès. Quand, enfin, tu as sélectionné les cinq personnes qui, selon toi, devaient constituer le noyau du commando, trois avouèrent aussitôt qu'ils manquaient de courage. Et, avec les deux autres, ce fut encore pire.

Le premier a demandé quelques heures de réflexion, puis il est revenu avec une feuille couverte de calculs et t'a expliqué pourquoi le bluff ne pouvait pas marcher : c'était absurde, impossible de faire croire que le temple était miné. Le Parthénon, disait-il, est moins fragile qu'on ne veut bien le croire : n'importe quel ingénieur ou architecte sait que ses blocs de marbre ne sont pas si faciles à abattre. Il y a donc deux systèmes pour le faire sauter. Tous les deux reposent sur la chute des colonnes, une à une. L'un consiste à placer une charge de dynamite à la base de chaque colonne dans des trous de quinze centimètres de profondeur environ, et d'une largeur sensiblement égale. C'est le maximum possible et le minimum nécessaire. Il faut miner chaque colonne de l'intérieur, en plaçant dix kilos de dynamite, c'est-à-dire vingt barres : une barre pèse cinq cents grammes. Mais on ne peut en loger que dix dans un trou, donc il faut faire deux trous, assez éloignés l'un de l'autre. Etant donné que le Parthénon a quarante-six colonnes, il faut quatre-vingt-douze trous. Pour faire un trou dans du marbre il faut une heure avec un marteau piqueur. Quatre-vingt-douze heures de travail, divisées par douze guérilleros, qui posent la mitraillette et se transforment en ouvriers perçant trois ou quatre colonnes chacun, cela fait pratiquement huit heures d'activité ininterrompue. Disons de dix heures du matin à la tombée de la nuit, à part la nécessité de trouver douze marteaux piqueurs et une génératrice ultra-puissante, le bruit serait effroyable : un bombardement continu qui réveillerait la ville du Pirée à Kifissia. Naturellement, on pourrait faire tout le travail en une heure ; mais il faudrait alors disposer de quatre-vingt-douze hommes ; ou bien en deux heures, avec quarante-six hommes, et... Tu l'as interrompu, furieux : « Je ne t'ai pas demandé une thèse sur les démolitions et je n'ai jamais pensé à transformer le Parthénon en passoire ou en gruyère. Tout ça, c'est du bavardage inutile. » Mais lui : « Non, c'est un raisonnement ! Celui qu'un expert tiendrait à Joannidis, si Joannidis lui demandait les probabilités de réussite pour quelqu'un qui tenterait vraiment de miner le Parthénon. La réponse serait : aucune, à moins qu'il ne dispose d'une demi-tonne de dynamite. Dix kilos de dynamite dans chaque colonne, multipliés par quarante-six colonnes, ça fait presque une demi-tonne de dynamite. C'est trop ? Avec l'autre système, on n'a besoin ni de marteaux piqueurs ni de génératrice puissante, car il repose sur l'emploi de charges placées à l'extérieur des colonnes, mais il faut alors utiliser dix tonnes de dynamite soit deux cents kilos de dynamite par colonne. Deux cents kilos, ça fait quatre cents barres de dynamite. Pour simplifier l'opération, on peut mettre les barres dans un sac : puis on attache le sac à la colonne avec des rubans adhésifs résistants, comme on attacherait un fagot. Un sac par colonne, ça fait quarante-six sacs, et, en résumant : si tu arrives à convaincre la Junte et le monde entier que tu as porté dix tonnes de dynamite sur l'Acropole, ou au moins une demi-tonne, tu es tranquille. » Tu l'as interrompu à nouveau, mais cette fois, avec un calme inattendu. En effet, l'histoire des sacs te plaisait beaucoup.

« On n'a pas besoin de toute cette dynamite : tu viens de me donner une idée. Il nous suffira de porter quarante-six sacs vides, deux ou trois cents mètres de ruban adhésif solide et une bobine de fil électrique. L'Acropole est pleine de pierres et personne ne saura ce que nous avons mis dans les sacs. » Le jeune homme t'a regardé, déconcerté. Puis il s'est levé et s'en est allé.

Le deuxième n'a pas contesté la possibilité de l'entreprise avec des sacs vides. Oui, dit-il, conciliant, il connaissait ton imagination : elle rivalisait avec ton courage, tu l'avais bien prouvé au cours de tes cinq années à Boiati. Il n'était pas du tout d'accord avec l'idée que le bluff ne marcherait pas : ni la police, ni Joannidis, te connaissant, ne se demanderaient si les sacs contenaient vraiment de l'explosif. La seule chose dont il doutait, c'était que tu puisses en sortir vivant ; et que tu en sortes vivant ou mort, quel était ton but dans tout cela ? « Je l'ai déjà dit : polariser l'attention sur la Grèce, mobiliser la presse nationale et étrangère, ridiculiser la Junte. » Il fit oui de la tête, toussota et, en ayant l'air de chercher mon approbation, en me traduisant les phrases les plus importantes en anglais pour que je comprenne, il s'est lancé dans une sorte de harangue. Personne, dit-il, n'avait oublié que pendant la Seconde Guerre mondiale, un homme valeureux, du nom de Glazos, avait escaladé l'Acropole et arraché le drapeau allemand de sa hampe, près de l'entrée. Un geste spectaculaire, un acte de bravoure qui était entré dans la légende et que les enfants apprenaient maintenant à l'école. Mais à quoi avait servi ce geste, sinon à étonner le monde et à se moquer de l'envahisseur ? Avait-il soulevé le peuple, avait-il modifié le cours des événements ? Les gestes spectaculaires, les actions héroïques individuelles, n'ont aucun impact sur la réalité : ce sont des manifestations d'orgueil personnel et superficiel, des gestes romantiques gratuits, parce qu'enfermés dans les limites de leur caractère exceptionnel. Malheureusement, les Grecs étaient maîtres en la matière ; Bertrand Russell avait même écrit un essai sur ce sujet : Russell affirme que les citoyens de la « polis » grecque étaient animés d'un sens patriotique primitif, caractérisé par l'imprudence et non par la sagesse. La force de leurs passions leur fait obtenir des succès personnels, mais la cité n'en tire aucun profit et, tout compte fait, ils sont des symboles d'incapacité politique. D'ailleurs, on pouvait se passer de Russell pour comprendre que l'exemple ne sert pas à mobiliser les masses et, qu'au contraire, il les décourage : en ayant le sentiment d'être exclues, en étant intimidées par la valeur d'un homme ou de quelques-uns, elles restent bloquées par un complexe d'infériorité. En conclusion, le sacrifice du héros est un acte d'égoïsme. « Egoïsme ? » Ta question a résonné, sèche, comme une gifle. « Oui, un acte d'égoïsme, ou peut-être de narcissisme ? Une erreur en tout cas. — Narcissisme. Erreur ? » Cette fois, ta question avait sonné comme un coup de fouet. « Oui, Alekos, une erreur. Tu es en train de répéter la même erreur qu'il y a cinq ans : je l'ai déjà dit, on ne balaye pas les dictatures en jouant au héros solitaire ou en éliminant, tout seul, un tyran. On les renverse, en enseignant aux masses la révolte collective, la lutte organisée. Sinon, à la mort du tyran, un autre prend sa place, et tout recommence comme avant. » J'ai vu tes dents mordre violemment l'embout de ta pipe. « Autrement dit, je n'ai servi à rien, je ne sers à rien. — Je ne dis pas cela, Alekos, c'est un problème idéologique, j'étudiais la chose d'un point de vue idéologique rationnel. Il faut bien admettre qu'il y a une bonne dose de vanité chez les héros. — Vanité ? » Il y a eu un bond, le tien, et puis une sorte de râle, le sien. Tu l'avais saisi par la cravate et tu la lui enroulais autour du cou. « Ecoute-moi bien, beau parleur ! Ceux qui n'ont pas de couilles s'abritent toujours sous le parapluie des raisons idéologiques ! Ceux qui n'ont pas la foi se cachent toujours derrière le paravent de la raison ! Où étais-tu, toi, beau parleur, que faisais-tu, quand j'étais sur mon lit de torture, et que j'attendais d'être fusillé ? En train d'écrire des livres pour éduquer le peuple ? En train d'organiser les masses pour l'an 2133 ? Sors d'ici ! Sors !!! » Puis, tu as éclaté en sanglots, désespéré. Mines, marteaux piqueurs, divisions, multiplications, quarante-six fois deux ça fait quatre-vingt-douze, quatre-vingt-douze divisé par douze ça fait sept et je retiens huit, Bertrand Russell, égoïsme, narcissisme, les masses : n'y avait-il donc personne dans cette ville qui soit prêt à te donner un coup de main, à croire en ce que tu faisais ?

J'espérais qu'il s'agissait d'une crise bénéfique. Mais elle n a servi à rien, si ce n'est à alimenter en moi l'égarement qui avait débuté le soir où tu avais essayé de te jeter sous la voiture de Papadopoulos : dans quel piège étais-je tombée, dans quel labyrinthe m'étais-je donc fourrée ?

* * *

Tel un voyageur égaré dans un pays étranger et hostile, ne connaissant pas les chemins, s'arrêtant à chaque croisement, perdu, espérant en vain apercevoir quelque chose ou quelqu'un qui lui montre comment continuer ou revenir sur ses pas, c'est ainsi que je te voyais avec le refus des cinq hommes. Les deux dernières personnes rencontrées m'avaient en effet prouvé que même dans ton milieu, parmi ceux qui parlaient ton langage, tu étais considéré comme un être inclassable et incompréhensible ; une sorte de plante bizarre qui pousse pour semer la pagaille dans la forêt, un très beau champignon que personne ne cueille de peur d'en être empoisonné. Les questions que je m'étais posées et les craintes que j'avais éprouvées après notre voyage à Egine n'en devenaient que plus angoissantes : quel rapport y avait-il entre toi et Huyn Thi Anh, NGuyen Van Sam, Chato, Julio, Marighela et le père Tito de Alencar Lima ? Etais-tu vraiment l'homme que je croyais, avais-je bien fait de revenir, d'accepter d'être ta compagne, ou bien allais-je devenir cette Cassandre d'Andréas qui avait peut-être raison de prédire que je ne devais attendre que souffrance et tragédie ? Tout chez toi était un défi à la raison, une révolte contre le bon sens, une gifle à la logique : l'ardeur aveugle, sourde, exagérée avec laquelle tu te lançais dans une aventure ; l'emphase et la rhétorique avec laquelle cette ardeur s'exprimait ; l'arbitraire avec lequel tu l'imposais à l'autre en ignorant ses arguments ou en les ridiculisant ; la volupté à te consumer dans le danger perpétuel, l'effort incessant, la lutte sans fin. Mais pas une lutte avec un objectif précis : la lutte pour la lutte, comme si l'objectif était sans importance, simplement un prétexte, un mirage qui tantôt s'appelle liberté, tantôt ressemble à des moulins à vent que l'on poursuit, pour rien, pour vivre et c'est tout. Parce que vivre c'est avancer et s'arrêter c'est mourir. T'aimer, même t'accepter, signifiait vraiment assumer le rôle de Sancho Pança qui suit Don Quichotte et chante ses chimères, vivre le rêve impossible, combattre l'ennemi imbattable, supporter la douleur insupportable, corriger l'erreur incorrigible, atteindre les étoiles impossibles à atteindre. Et tout cela en me demandant si au fond du cœur, toi-même tu ne savais pas qu'il s'agissait de chimères : d'où, à chaque étape du chemin, ces envies de fuite qui, tour à tour, affaiblissaient et renforçaient ma relation avec toi. Car ces mêmes choses qui m'éloignaient de toi, je m'en rendais déjà compte, me rapprochaient de toi. Comme si la différence, même l'incompatibilité de nos caractères était le ciment dont les dieux se servaient pour nous garder ensemble.

Bloquée par le dilemme, avancer ou reculer, mais en même temps, de manière confuse, consciente de ne pouvoir me soustraire à la volonté des dieux, au destin déjà tracé, j'essayais de m'adapter et de te comprendre à travers le kaléidoscope de tes mille contradictions. Tes brusques sautes d'humeur, par exemple, qui te transformaient tantôt en un enfant, tantôt en un vieillard, l'un et l'autre bien différents de l'homme que j'avais connu et que le monde pensait connaître. Cependant, tous deux mêlés comme deux fleuves dans une mer. Le vieux marchait, tête baissée, le dos courbé, il ne se séparait jamais de sa pipe qu'il fumait lentement, les yeux mi-clos, et il était tendre, bienveillant, il supportait l'adversité avec une patience infinie, parlait avec cette voix magnifique qui m'avait séduite cet après-midi du mois d'août. Ses discours étaient solennels. Si tu lui parlais de l'enfant, il répondait : « C'est moi. La vraie sagesse. Le vrai visage de la sagesse n'est pas sombre et lugubre, il n'est pas inquiet, il est radieux, hilare. La finalité et l'accomplissement de la sagesse résident dans la joyeuse gaieté. » Il m'appelait petit garçon, alitaki. L'enfant, par contre, sautait et bondissait, quand par exemple, il croyait avoir trouvé les guerriers pour occuper l'Acropole ; il se déplaçait par à-coups, nerveusement, il avait le cœur en fête ou il était querelleur selon les moments et quand il avait le cœur en fête, avec les mines de toutou qui a trouvé un os, il m'entraînait dans de joyeuses danses enfantines : « On joue ? » Si tu lui parlais du vieillard, il répondait avec des calembours absurdes : « Moi, je suis moi. Moi, avec lui, je suis moi et lui. Moi, avec toi, je suis moi et toi. Et donc, moi, je suis toujours moi. » Il faisait aussi des jeux de mots un peu bêtes, fier de maîtriser ma langue : « Non voglio te, voglio il tè ! Non voglio il tè, voglio te ! » « Je ne veux pas de toi, je veux du thé, je ne veux pas de thé, je veux de toi. » De plus, il collectionnait les billes, les petits flacons, les boîtes, tout objet qui puisse devenir un jouet. Il adorait les jouets et il avait gardé le cadeau que j'avais acheté pour Cristos, l'enfant qui était né dans la maison voisine la nuit où nous nous étions aimés pour la première fois dans un lit : une cloche d'argent avec un carillon qui jouait une berceuse très douce. Et, inutile de dire que ce mélange était irrésistible : avançant sur des chemins parallèles et opposés, à la fois contradictoires et harmonieux, l'enfant et le vieillard cohabitaient chez un homme qui restait très séduisant même si l'on faisait abstraction de son passé glorieux. Et ce n'était pas par hasard si les femmes tombaient éperdument amoureuses de lui. Et même des hommes, parfois, bien qu'il ne s'en rendît pas compte. Ou qu'il fît semblant de ne pas s'en rendre compte. Tu avais toujours eu avec les femmes un succès hors du commun, j'ai rarement vu quelqu'un susciter autant que toi pâmoisons, passions, désirs effrénés, et cela, jusqu'au dernier jour de ta vie, surtout durant la période qui suivit ta sortie de Boiati. Quand jeunes et vieilles, riches et pauvres, idiotes et intelligentes, s'offraient à toi dans un plébiscite de cupidité sexuelle plutôt sinistre : par des coups de téléphone, des lettres, des dons, des messages confiés à des intermédiaires, des petits billets glissés dans tes mains ou tes poches, sous mes yeux car le fait que nous vivions ensemble ne les dérangeait absolument pas. Au contraire, cela les excitait. Maintenant que tu avais retrouvé de l'assurance pour traverser les rues, marcher sur les trottoirs pleins de monde, et que tu boitais de moins en moins, même celles qui t'avaient ignoré, auparavant, te désiraient. Moi, je restais fascinée par ce phénomène, et je cherchais là aussi la clef pouvant ouvrir la porte de ton personnage : si aussi bien les hommes que les femmes tombaient éperdument amoureux de toi, pourquoi donc te retrouvais-tu si seul, ne trouvais-tu personne pour te donner un coup de main pour combattre la dictature comme tu l'entendais ? Et pourquoi ne t'adaptais-tu pas un peu à la réalité, pourquoi n'agissais-tu pas au sein d'un mouvement organisé, d'un courant politique reconnu, pourquoi t'obstinais-tu à prétendre changer le monde tout seul, quelquefois avec des gestes ou des trouvailles qui ressemblaient à un jeu, comme le plan de l'Acropole par exemple ? Il me fallut beaucoup de temps pour comprendre que c'était là ta grande intuition de rebelle et d'artiste, ta grande cohérence.

Ce plan t'obsédait. Ni l'impossibilité de rassembler un commando prêt à le mettre à exécution, ni les raisonnements de celui que tu appelais le beau parleur, ni le temps qui passe avec ses distractions et ses tentations, rien ne pouvait t'en détourner. Et un matin : « On va aller en Crète. — Faire quoi ? — Chercher des guérilleros. En Crète, on en trouvera. »

* *

L'attente du voyage en Crète fut la révélation de ton obstination, de la monomanie dont tu étais atteint, chaque fois que ton ardeur accouchait d'une idée qui se transformait en psychose. L'histoire des sacs attachés aux colonnes t'avait tellement plu qu'elle t'avait inspiré, en effet, une ruse supplémentaire : non seulement tu les remplirais de pierres et de lests au lieu d'explosifs, mais encore tu les emploierais pour composer un slogan qui ferait le tour du Parthénon. « Sur le marbre, on ne peut rien écrire : à part les cannelures qui sont gênantes, ce serait un crime de salir le Parthénon avec de la peinture. Par contre, sur les sacs on peut écrire ce que l'on veut. Un sac par colonne, une lettre par sac : on pourra lire le slogan de loin. Ce n'était pas une trouvaille ? » Si. Le problème, c'était de choisir des mots dont le nombre de lettres corresponde à celui des colonnes tant sur la façade que sur l'arrière et les côtés du temple. Sur la façade et l'arrière du temple, il y avait huit colonnes, et il fallait donc des mots qui n'excèdent pas huit lettres ; il y avait dix-sept colonnes sur les côtés, et donc le ou les mots à employer ne devaient pas dépasser dix-sept lettres. Mais les colonnes qui se trouvaient aux quatre coins ne pouvaient avoir une lettre d'un côté et une de l'autre, ça créerait une confusion et donc, on ne pouvait utiliser que six lettres sur la façade et l'arrière, ou quinze lettres sur les côtés. Sans compter les blancs, qui te rendaient fou, car, à cause d'eux, tous les mots te semblaient ou trop longs ou trop courts. « Oppression ! Katapiesis ! — Trop long. — Peuple ! Laos ! — Trop court. » Finalement, nous avons trouvé une phrase qui allait presque bien, car elle était composée de huit mots pour un total de quarante-quatre lettres et sept espaces blancs : Agonas dia tin elefteria — Agonas kata tis tirannias, Combat pour la liberté — Combat contre la tyrannie. Le problème c'était ce presque. En effet, on pouvait parfaitement disposer les deux agonas sur la façade et sur l'arrière ; ils laissaient même deux blancs sur les colonnes d'angle. Les mots dia tin elefteria, pour la liberté, allaient tout à fait bien sur les côtés. Le kata tis tirannias, contre la tyrannie, contenait en revanche une lettre de trop. Mais si elle t'embêtait, la chose ne te décourageait pas pour autant. La phrase avait un sens, disais-tu, elle tournait harmonieusement autour du Parthénon, au diable l'esthétique : tu contracterais l'article tis sur deux colonnes, en mettant un seul sac, plus grand. Nous sommes allés souvent sur l'Acropole pour contrôler tout ceci et, au cours de ces nombreuses excursions, tu voulais absolument que je me comporte comme une fanatique d'archéologie : admirant, photographiant, étudiant inscriptions et chapiteaux, pour ne pas attirer l'attention. Pendant ce temps, toi, tu cherchais des cachettes possibles ; tu mesurais, en marchant, la distance entre les Propylées et l'Erechtéion, entre l'Erechtéion et le Parthénon, entre le Parthénon et les Propylées, tu examinais avec soin le rocher qui, à la limite de la paroi nord-est, s'élève sur la muraille, celle-là même que Glazos avait escaladée pour arracher le drapeau allemand, tu évaluais le nombre de touristes, tu étudiais le comportement des gardiens, les meilleurs endroits pour faire sauter les deux pains de plastic à but démonstratif. « Je veux emporter un plan complet en Crète, parfait jusque dans les moindres détails. » Et tu ne m'écoutais pas quand je me hasardais à émettre des réserves quant à l'utilité de ce voyage. « Tout ira bien, tu verras. »

Tu en étais convaincu, parce que tu savais que tu n'avais commis aucune faute : pas de rendez-vous, pas de réservation de vol, et l'hôtel retenu sous un faux nom. Seuls quelques camarades dignes de confiance avaient été informés de notre arrivée. Evidemment, il y avait encore le risque que la police nous suive, de notre sortie de la maison jusqu'à l'aéroport. Mais, ni pendant le trajet ni lors de l'embarquement, nous n'avions remarqué quoi que ce soit. « Tu vois ? Ils viennent à peine de se rendre compte que nous sommes parmi les passagers. » L'illusion s'est envolée quand nous sommes montés à bord. On ne nous avait pas perdus de vue une seule seconde, tout avait été organisé pour contrôler jusqu'à notre respiration. Les places qu'on nous avait attribuées, par exemple. C'étaient les deux dernières à gauche, différentes des autres, car il restait un espace d'un demi-mètre environ entre notre dossier et la paroi et dans cet espace se sont immédiatement installés deux agents en civil. S'agrippant au dossier, ils nous déversaient une haleine puante d'ail et ils ne nous cachaient même pas qu'ils se trouvaient là exprès pour nous. En effet, ils te taquinaient, te touchaient les cheveux, te provoquaient en ricanant et en te lançant des petites phrases : « Katálaves italiki ? Tu comprends l'italien ? — Né, oui. — Comment dit-on bon voyage en grec ? — Kalon taxidi. — Eh, eh ! » Je t'ai interrogé du regard : s'ils agissaient ainsi et qu'ils voyageaient debout, ce qui était contraire au règlement, cela signifiait qu'ils étaient en service, avec une mission précise. Tu as acquiescé de la tête et puis tu es resté immobile et taciturne jusqu'à ce que nous débarquions, accueillis par Marion et Phébus. Elle, c'était une de tes meilleures amies de l'époque de Polytechnique, et lui, un résistant qui était sorti de prison au moment de l'amnistie. Le temps que tu les embrasses et que tu leur expliques ce qui se passait, l'odeur d'ail avait disparu, et les deux hommes s'étaient envolés. Pour être remplacés par qui ? On avait de nouveau l'impression que personne ne nous surveillait. Dans les rues de Xania, il n'y avait pas une seule voiture derrière la Renault dans laquelle Marion et Phébus nous accompagnaient à l'hôtel. « Ils craignaient peut-être que tu ne détournes l'avion », a souri Marion. Et presque au même instant, elle s'est exclamée : « Oh, non ! » Nous étions arrivés à l'hôtel et une voiture blanche de la police était justement garée sur le trottoir. Nous sommes montés dans notre chambre, une belle chambre avec une fenêtre sur la mer ; tu es sorti sur le balcon puis tu t'es reculé d'un bond en criant d'une voix rauque : « Eteins la lumière, vite ! — Pourquoi ? — Eteins, je te dis ! » J'ai éteint et je suis venue près de toi : « Qu'y a-t-il ? Que se passe-t-il ? — Regarde ! » J'ai regardé et pendant quelques instants je n'ai vu qu'une nuit splendide éclairée par la lune, l'eau tranquille du petit port où les vagues clapotaient en petites gifles d'argent. Mais ensuite, avec une contraction à l'estomac, j'ai aussi aperçu ce que tu me montrais : un petit bateau qui avait jeté l'ancre à une vingtaine de mètres du rivage et sur ce bateau, trois hommes qui nous observaient avec une grosse paire de jumelles.

Il était là, chaque nuit, ancré au même endroit. Le matin, à une certaine heure, il s'éloignait, et, vers le coucher du soleil, il revenait avec ses trois hommes à bord, toujours les mêmes, et leurs jumelles pointées dans notre direction. C'était une persécution, à la fois subtile et absurde. Subtile, parce qu'elle visait à t'exaspérer à travers un système a priori innocent ; absurde, parce qu'elle obligeait les trois hommes à une attention très pénible : à tour de rôle, sans jamais s'arrêter, ils devaient scruter l'obscurité. Pour aggraver encore les choses, tu as refusé de changer de chambre ou d'hôtel et, même, de fermer les persiennes. Tu disais que ce serait de la faiblesse, un geste de reddition, qu'il fallait agir comme si nous ne nous étions aperçus de rien, comme si cela nous laissait indifférents. Et quand nous rentrions le soir, tu cédais toujours au défi d'allumer toutes les lampes et d'ouvrir la fenêtre : nous étions là, dans cette orgie de lumière, et le fait de savoir qu'on nous observait nous mettait tous deux douloureusement mal à l'aise. Mais toi plus que moi. Déjà éprouvé par l'effort de ne pas réagir aux provocations des deux hommes qui, en avion, te touchaient les cheveux, te taquinaient, se moquaient de toi, puis, secoué à la vue de la voiture de police sur le trottoir, tu cédais, d'heure en heure, à la guerre des nerfs. Tu t'étais mis dans la tête, par exemple, que notre chambre était truffée de micros ; et tu déplaçais constamment les meubles, tu inspectais les tiroirs, tu palpais les matelas, tu me parlais en écrivant de petits mots que tu brûlais ensuite dans le cendrier. Quand nous étions au lit, l'obscurité ne suffisait pas à nous faire oublier la désagréable sensation d'être épiés, de telle sorte que nous hésitions à échanger des caresses, comme si les murs étaient de verre, tu t'agitais en répétant de manière obsessionnelle : « Que c'est difficile de continuer ! » Avec ce refrain, l'attente de l'aube n'en finissait jamais et le lever du soleil apportait de nouvelles persécutions. Non, j'avais bien eu raison d'exprimer des réserves quant à l'utilité de ce voyage : essayer de contacter ou simplement d'approcher les guérilleros potentiels était un problème quasiment insoluble. En effet, dès que nous sortions, la voiture blanche de la police démarrait et nous suivait. Au pas quand nous marchions, et à quelques mètres quand nous prenions un taxi ou la Renault de Phébus, nous n'arrivions pas à voir s'il y avait aussi des agents en civil qui nous suivaient à pied. Le premier matin, tu avais pensé que le studio d'architecte de Marion au cinquième étage d'un immeuble plein de bureaux était l'endroit idéal pour rencontrer ceux que tu voulais voir, mais en prenant l'ascenseur, tu avais senti la même odeur d'ail que dans l'avion et tu avais annulé le rendez-vous. Pour mener à bien tes recherches tu t'étais rabattu sur les dîners dans des restaurants, l'astuce consistait à réunir de nombreux invités parmi lesquels le candidat ; mais l'examen devenait alors superficiel, tu te dispersais en bavardages inutiles, et le malaise ne faisait que croître « Quel temps perdu, quel temps perdu ! » Parfois, tu étais tellement déprimé que je n'osais même plus te demander si tu faisais quelques progrès. Du reste, je saisissais que les choses allaient mal en captant quelques mots malgré la barrière de la langue. « Den ine practicòs. Ce n'est pas pratique. — Den ine pragmaticòs. Ce n'est pas réaliste. »

Et le jour est arrivé, le cinquième je crois, où la tension et la déception ont explosé avec la violence d'un gaz trop longtemps comprimé. Nous étions allés voir la tombe de Venizelos, et, comme à Egine, la pensée de la mort t'avait envoûté. Tu disais qu'aucun homme vivant ne peut parler, ne peut réveiller les consciences comme peut le faire un mort et la preuve était là, dans cette tombe : si Venizelos avait été vivant et avait bavardé avec toi, en te prenant le bras, tu n'aurais pas éprouvé ce que tu ressentais maintenant, en sachant qu'il était sous la terre. Puis, tu avais commencé à parler de Jan Palach, de son sacrifice à Prague devant la statue de Wenceslas et : « Tu sais ce que je pense ? Le Parthénon est mieux que la statue de Wenceslas. Il n'y a que les Tchèques qui savent qui était Wenceslas, alors que tout le monde connaît le Parthénon. » J'ai réprimé un sentiment d'horreur et, feignant de ne pas comprendre, j'ai dit avec légèreté : « Quel rapport avec le Parthénon ? — Imagine un peu quel coup pour la Junte si quelqu'un se suicidait sur l'Acropole, devant le Parthénon. Tout le monde dirait que... — Tout le monde dirait que c'est un fou. — Pourquoi ? Il était fou, Jan Palach ? Ils étaient fous les bonzes vietnamiens qui s'immolaient par le feu, à Saigon ? Il y a beaucoup de façons de lutter, de résister. L'une d'elles est le suicide. Moi, je n'y ai jamais pensé, même quand on me torturait et que je n'en pouvais plus. Mais j'étais moins seul à l'époque, je savais que, dehors, on pensait à moi, on m'aidait en croyant en moi. Quand, par contre, personne ne t'aide, personne ne t'écoute, et que tu ne peux rien entreprendre parce que tu es seul, alors le suicide a un sens. Il est utile. — Il suffit d'un bidon d'essence, hein ? — Non, cinq cents grammes de dynamite, une mèche et une allumette ! — Alekos ! — Ne t'en fais pas. Les gens comme moi meurent seuls même s'ils aiment et s'ils sont aimés. Oh, ce soir, je veux me soûler à mort ! » Et tu as tenu parole : verre après verre, bouteille après bouteille, en mélangeant le vin et la colère, la colère et la douleur, la douleur et l'humiliation, l'humiliation et l'impuissance, c'est-à-dire la solitude, une solitude si profonde que l'idée de la soulager aurait été une illusion aussi absurde que de vouloir vider la mer avec une cuillère, tu as bu bien plus que je ne croyais possible à un homme de boire. Nous avions choisi une taverne en plein air, presque en face de l'hôtel, et nous nous étions assis à une table qui était juste au bord de la route. Une voiture bleue passait et repassait lentement avec deux hommes qui te fixaient avec insistance. Mais tu ne les voyais pas ; l'ébriété te rendait aveugle aussi. Si je te disais allons-nous-en il y a une voiture louche, tu écarquillais tes yeux embués et : « Je ne vois pas de voiture. Il suffit d'avoir un demi-kilo de dynamite, une mèche et une allumette. » Quand enfin tu as décidé de partir, tu ne tenais plus debout. Tu m'es tombé dessus comme un arbre qui s'écroule sur une faible plante, et j'ai dû fournir un effort terrible pour te faire traverser la rue, monter les marches, entrer dans l'hôtel, arriver jusqu'à l'ascenseur puis l'ouvrir, le refermer, le rouvrir et le refermer de nouveau, entrer dans la chambre, te jeter sur le lit.

Par la suite, au cours des mois et des années qui ont suivi, j'ai dû répéter bien des fois ces gestes terribles. Mais j'avais peu à peu appris les mouvements, les petits trucs pour te faire bouger un pied, une jambe, te donner un peu d'équilibre, et j'avais surtout compris que pour toi, boire n'était pas un plaisir physique mais un désespoir dont tu connaissais le moindre rouage et le moindre secret. J'avais même appris à distinguer ce que tu appelais le premier stade, le deuxième stade, le troisième stade : le premier celui qui excite, délie la langue, transforme l'acte de boire en un rite intellectuel et social, suivant les règles de la convivialité socratique ; le deuxième, celui qui lève les inhibitions, brise les barrières du contrôle de soi, fait oublier les soucis et conduit dans les limbes de l'oubli ; le troisième stade, celui qui abat et fait entrer dans les prairies sans fin de l'oubli et de l'inconnu. Une mystérieuse noyade à l'intérieur de nous, une indéfinissable chute dans les abîmes du néant, un repos absolu, une mort temporaire. A travers tes récits, j'ai compris enfin que tu savais à quel stade tu voulais arriver, avec un froid calcul, un état qui correspondait à une dose de douleur bien précise. Le sachant, j'allais m'obliger à l'indulgence qui permet d'aimer un être avec ses défauts, ses faiblesses, et j'allais m'habituer. Mais ce jour-là, je ne l'étais pas encore, et je n'éprouvais qu'un sentiment de désarroi, d'incrédulité, de dégoût et de pitié : un héros peut donc être si fragile ? « Un demi-kilo de dynamite, une mèche, une allumette. Tais-toi, Alekos, tais-toi ! Que c'est difficile de continuer ! Tais-toi, Alekos, tais-toi ! » Tu étais couché sur le lit. Tout d'un coup, ton corps est devenu de marbre et ta tête brûlante ; la fièvre a éclaté, s'est transformée en délire. Si je me penchais sur toi, tu reculais, tu te recouvrais le visage avec le bras, tu te recroquevillais en me fixant d'un regard terrifié. « Ochi ! Non ! Non ! Non ! » ou bien : « Ftani ! Assez ! Ftani ! » Et chercher à te calmer était inutile car ce n'était pas moi que tu voyais, c'était le spectre d'un passé jamais oublié et impossible à oublier, les visages de Théophiloyannacos, de Malios, de Babalis, de Hazizikis qui se matérialisaient toujours, j'allais le découvrir plus tard, quand une colère s'ajoutait à une douleur, et une douleur à une humiliation, et une humiliation à une impuissance. C'est-à-dire à ta solitude, et que tout cela se muait en conscience de la défaite. Puis, du délire tu t'es enfoncé dans un état de prostration baignant dans la sueur qui collait tes vêtements comme de l'huile, détrempait les draps, l'oreiller. Finalement, tu t'es endormi d'un sommeil de pierre, quasiment dans un état de catalepsie.

J'ai veillé sur ton sommeil jusqu'aux premières lueurs de l'aube, jusqu'au moment où tu as ouvert les yeux, tout à fait guéri : « Bonjour ! Tu as bien dormi ? Quel soleil magnifique ! Sais-tu où je vais t'emmener aujourd'hui ? A Hêraklion. Fais les valises ! — Et qu'y a-t-il à Hêraklion ? — Tu le sais bien, le temple de Knossos ! — Et à part le temple ? — Quelqu'un que je veux voir ! » Tu as appelé Phébus, tu lui as demandé de t'accompagner avec sa Renault, et nous nous sommes préparés. N'était-ce pas une idée géniale, disais-tu, de voyager de bon matin, avec ce beau soleil ? Et n'était-ce pas une chance inouïe d'avoir un ami comme Phébus ? S'il n'y avait eu Marion, tu lui aurais demandé tout de suite de participer à l'action : il n'aurait pas fait d'histoires. Mais tu ne pouvais pas lui dire, tu ne pouvais pas l'enlever à elle, aux enfants. Voilà l'inconvénient d'avoir une femme, une famille, en 68 non plus, tu ne voulais pas de gens mariés, avec une famille. Tu bavardais, tu bavardais, sans te soucier des micros qui, selon toi, étaient cachés dans les murs, les meubles, Dieu sait où, oubliant tout ce que tu avais dit devant la tombe de Venizelos sur les morts qui parlent, sur Jan Palach, sur l'idée de sauter avec les pains de plastic. Et pas un mot sur les événements de la nuit, l'épouvantable soûlerie, la fièvre, le délire.

*
* *

« Elle n'est plus là ? — Qui, quoi ? ! — La voiture blanche de la police ! — Tu en es sûr ? — Absolument sûr, regarde ! » J'ai regardé. C'était vrai. « Elle s'est probablement éloignée un instant, ne te fais pas d'illusions. — Non, le concierge dit qu'elle n'est plus là depuis hier soir. » J'ai fouillé en vain dans ma mémoire : durant le trajet du restaurant à l'hôtel, j'étais tellement prise par l'effort de te maintenir debout que je n'avais fait attention à rien d'autre. Drôle d'histoire quand même. Phébus a haussé les épaules. « Ils ont peut-être décidé de te laisser en paix. — Peut-être. — Ils nous rattraperont peut-être en chemin. — Peut-être. » Nous sommes montés dans la Renault. Lui au volant, toi à côté, moi à l'arrière, nous avons traversé la ville sans problème et bientôt nous avons pris la nationale qui va à Hêraklion. Personne ne s'occupait de nous. De temps en temps, une voiture, une camionnette nous dépassait, et c'était tout. « Je ne comprends pas. — Moi non plus. » Pour nous assurer que nous n'étions pas suivis à distance, nous nous sommes arrêtés dans l'auberge d'un village, nous avons laissé la Renault bien en vue et nous nous sommes assis à une table. Nous sommes restés là environ trente minutes. Mais à la fin, il nous a fallu nous rendre à l'évidence, la persécution avait bel et bien cessé : pour un motif qui nous échappait, ils ignoraient ton voyage à Hêraklion. Pourtant, en appelant Phébus au téléphone, tu avais bien dit Hêraklion : s'étaient-ils résignés à considérer ce séjour en Crète comme d'innocentes vacances ? C'était une hypothèse à ne pas négliger et soulagés, nous sommes retournés à la Renault : « Dans une heure et demie, nous y serons ! »

Il faut une heure et demie pour aller de Xania à Hêraklion, et le parcours est très beau. Pendant de longs moments, la route domine la mer la plus bleue de l'archipel, à d'autres, elle traverse des montagnes escarpées et rocheuses d'un marron rougeâtre, chaud et le ciel a la couleur de la mer en septembre, il n'y a pas un seul nuage dans le ciel. Il n'y a pas non plus de maisons pour gâcher ce paysage où ne vivent que des chèvres ; quand on sait qu'on n'est pas suivi, on éprouve une sorte de bonheur. On peut rire, parler de choses agréables, et même d'événements qui autrefois n'étaient pas drôles, mais le deviennent aujourd'hui. « Quelle brave femme la patronne de l'hôtel ! Figure-toi qu'elle ne voulait pas qu'on règle la note. Elle nous a priés de signer le registre des hôtes d'honneur, et elle était tout émue quand j'ai écrit Liberté. — A moi, elle m'a donné un sac rempli de fruits ! — Des fruits ! A Chypre, à une époque, j'ai souffert de la faim et je volais des fruits dans les champs. As-tu déjà essayé de voler une pastèque sans couteau ? Le supplice de Tantale ! — Alekos, raconte à Phébus comment tu volais des cigarettes à Athènes, explique-lui comment il faut faire. — On fait comme ça. Tu vois les kiosques à journaux où on vend les cigarettes ? On prend les cigarettes, et au moment de payer, on fait semblant de laisser tomber l'argent par terre. Ou mieux, on le jette par terre. On se baisse pour le ramasser, et en restant plié en deux, on tourne autour du kiosque et on s'enfuit. — Quelle honte ! — Je n'avais pas une drachme, j'étais déserteur ! — Raconte-lui comment on vole des gâteaux dans une pâtisserie — On fait comme ça. On arrête un enfant et on lui dit : tu aimerais te remplir le ventre de gâteaux ? L'enfant répond oui, alors on lui dit : viens avec moi, je n'aime pas manger des gâteaux tout seul. On rentre dans la pâtisserie tous les deux et on se goinfre de gâteaux, puis on lui dit : attends-moi ici, je reviens tout de suite, si le serveur me cherche, réponds que papa est allé aux toilettes. Et on sort pour ne plus revenir. Ils ne vont tout de même pas arrêter un enfant ! — Salaud ! — Tu dis ça parce que tu n'as jamais souffert de la faim, toi. Dis-moi, qu'est-ce que tu as mangé le jour de Pâques, en 1968 ? — Laisse-moi réfléchir... A Pâques, en 1968, j'étais au Vietnam, sur le front de Da Nang. J'ai probablement mangé la ration des soldats américains, des trucs en boîte, et toi ? — Une boîte de caviar ! — Et tu te plains ? — Ecoute-moi bien. Toi, tu étais au Vietnam, mais moi j'étais à Rome en train de préparer l'attentat. Et comme d'habitude, je n'avais pas un sou en poche, je mourais de faim ; à la maison, il y avait cette boîte de caviar et c'est tout ! Même pas une tranche de pain ! As-tu jamais apaisé ta faim avec une boîte de caviar et rien d'autre, même pas une tranche de pain ? Depuis ce jour, je déteste le caviar, je ne comprends pas pourquoi ça plaît à autant de gens. Phébus, tu aimes le caviar ? » Mais Phébus n'écoutait pas. Il était incroyablement pâle et il lançait des coups d'œil nerveux dans le rétroviseur : « Les salauds ! Les salauds ! — Phébus ! Qu'est-ce qu'il y a ? — On s'est fait des illusions ! Ils sont derrière nous ! »

Je me suis retournée, mais ce n'était pas la voiture de police blanche, c'était la voiture bleue qui, hier soir, passait dans un sens, puis dans l'autre, devant l'auberge où tu te soûlais. Elle était à trois cents mètres derrière nous, environ ; mais elle était très visible, car sur la ligne droite où nous roulions, c'était la seule chose qui bougeait : je n'arrivais pas à croire que nous ne l'ayons pas remarquée avant, ni l'un ni l'autre. Phébus l'avait repérée peu après notre arrêt au village. Il ne nous l'avait d'abord pas dit, parce qu'il pensait qu'elle voulait nous doubler, expliquait-il, puis, parce qu'elle était restée derrière nous, à au moins cinq cents mètres. Elle semblait inoffensive. Ce n'était que depuis peu qu'elle s'était mise à nous talonner. S'il accélérait, elle accélérait ; s'il ralentissait, elle ralentissait. Et il n'y avait pas un chat sur la route, dans un sens comme dans l'autre : « Merde ! Skatà ! — Pas merde, destin ! » as-tu commenté de ta voix glacée. Tu t'étais retourné toi aussi et ton visage n'exprimait ni la surprise ni la colère, mais un calme plein d'ironie, comme si toute cette affaire était tout à fait normale et confirmait ce que tu attendais. Mais ton œil gauche était plein de haine. « Essaye encore, Phébus. » Il a appuyé sur l'accélérateur et a gagné une cinquantaine de mètres. Aussitôt, la voiture bleue l'a imité, reprenant sa position. « Je vois, combien reste-t-il pour Hêraklion ? — Ça dépend. — On a déjà dépassé Retimnos ? — Oui. — Et Perama ? — Oui. » Tu m'as fait un sourire amer : « Grève totale de la police ! — Grève ? — Bien sûr ! Tu pensais que c'était une voiture de police ? Ce n'en est pas une, et ce ne sont pas des agents en civil. — Qui est-ce alors ? — Des fascistes. — Comment le sais-tu ? — Je le sais. Demande à Phébus. » Je lui ai demandé. Je n'ai obtenu aucune réponse. Penché sur son volant, Phébus cherchait à agrandir l'écart qui le séparait de la voiture bleue, et il roulait au moins à cent trente. Quand il prenait mal un virage, les pneus crissaient et, étant donné que cette portion de route était encastrée entre deux parois de rochers, on avait l'impression qu'on allait rentrer dedans. « Attention, Phébus ! Attention ! — Laisse-le rouler, n'aie pas peur. On aura suffisamment peur quand ils nous attaqueront. — Quand ils nous attaqueront ? — Evidemment, et ce n'est pas bête du tout de leur part. Car comment pourra-t-on savoir après s'il s'agit d'un crime ou d'un accident ? — S'ils avaient voulu le faire, ils n'auraient pas attendu si longtemps, Alekos ! » Et au moment même où je disais cela, les parois rocheuses cessaient : j'ai compris pourquoi ils avaient tant attendu. De l'endroit où nous étions jusqu'à ce virage là-bas, où le terre-plein s'élevait de nouveau, la route n'était plus protégée sur les côtés, ni par une glissière ni par un muret alors que la montagne s'était transformée en précipice. Rouler sur ce tronçon, en sachant que l'on pouvait être heurté, revenait à traverser un pont suspendu sur le néant, avec un bandeau sur les yeux. Nous nous sommes engagés, et, aussitôt, la voiture bleue a bondi.

Elle a bondi vers nous et, inexorablement, en un éclair, elle nous a rejoints, pour ralentir au dernier instant, éviter d'un poil de nous toucher et coller son museau contre la queue de la Renault. Il y avait si peu d'espace entre les deux voitures que l'on pouvait voir très distinctement la physionomie des deux hommes à bord, leurs moustaches, noires et brillantes, leur teint olivâtre, le rictus du conducteur. Je me suis surprise à crier : « Tu avais raison ! Ils veulent nous pousser dans le précipice ! » Je t'ai entendu murmurer : « Au milieu, Phébus, au milieu ! » Phébus a fait un signe de tête, s'est porté sur la voie centrale, s'écartant du bord mais la voiture bleue a suivi la manœuvre et s'est placée derrière nous, un peu sur la gauche. L'angle droit de son pare-chocs était quasiment collé contre l'arrière de la Renault : « Accélère, Phébus, accélère ! » Il a obéi avec un grognement : la voiture n'avait plus d'accélération, et il ne nous restait plus qu'à espérer qu'ils voulaient seulement nous faire peur. Et, au même instant, l'avant de la voiture bleue a effleuré le côté gauche de la Renault. Un coup très léger. Comme le petit coup de patte d'un chat qui joue, mais suffisant quand même pour nous déporter sur la droite : vers le ravin. J'ai vu Phébus serrer le volant avec force, braquer avant que les roues ne s'approchent trop du bord de la route, se reporter au milieu de la route, continuer tout droit pendant une minute. Et puis le deuxième coup est arrivé. Moins fort, cette fois. En fait, la Renault a glissé comme sur une nappe d'huile et pendant un instant, aussi long que l'idée de la mort, elle a dérapé au bord du vide. Quelques centimètres de plus, et nous aurions été aspirés par le vide, nous nous serions écrasés au fond de la vallée. Mais encore une fois Phébus a rétabli la situation. Après avoir regagné la voie centrale, il a réussi à distancer la voiture bleue d'une dizaine de mètres, puis de vingt, quarante, quatre-vingts, cent mètres, pendant que toi, tu allumais un petit cigare en disant « Bravo Phébus ». Qu'en de pareilles circonstances on puisse penser allumer un petit cigare et même qu'on l'allume était pour moi une chose absolument incompréhensible. Tu l'avais pourtant allumé et, en le fumant, ton visage continuait à exprimer un calme plein d'ironie, ta voix était toujours de glace, rien ne rappelait plus maintenant l'être vulnérable, brisé par le délire de la nuit précédente. Au contraire, on aurait dit que risquer ta vie et celle de deux personnes qui t'aimaient n'était pour toi qu'une entreprise négligeable, peut-être même un secret et cruel plaisir. « Ils reviennent, ils arrivent, donne-moi un stylo, vite ! Je veux noter le numéro de leur plaque. »

Ils étaient effectivement en train de revenir. Avec un rugissement décidé, la voiture bleue s'était à nouveau lancée en avant, avalant les cent mètres perdus. J'ai eu à peine le temps d'apercevoir son museau mauvais, ses orbites blanches, sa silhouette presque humaine, qu'elle était déjà à côté de nous. Elle nous a doublés en coup de vent, puis s'est rabattue sur la droite et a ralenti d'un seul coup. « Bon Dieu ! » a gémi Phébus, se jetant sur la gauche et évitant le choc de justesse. Cela les a agacés et en nous doublant à nouveau en coup de vent, la voiture bleue s'est replacée devant nous pour obliger Phébus à accomplir une nouvelle fois cette manœuvre dangereuse. C'était plus que nous n'avions prévu, ces tentatives pour fatiguer Phébus, pour lui faire perdre le contrôle du véhicule. Ce jeu du chat et de la souris. Le chat, c'était elle, et nous étions la souris. Elle était en effet plus solide et plus puissante que la Renault, elle. Elle ne dérapait jamais, elle nous doublait quand et comme elle voulait, elle nous coupait la route sans crainte d'être heurtée. Regarde-la nous dépasser pour la troisième fois, elle ralentit, nous dépasse une quatrième, une cinquième, une sixième fois ; quant à nous, nous dérapons pour la troisième fois, la quatrième, la cinquième, la sixième, à gauche, à droite, de nouveau à droite, à gauche, un zigzag qui inévitablement nous mène au bord du vide tant et si bien qu'on a l'impression que ça dure des siècles et non quelques minutes, des kilomètres et non quelques dizaines de mètres. Et Phébus a l'air de plus en plus tendu, de plus en plus fatigué, son visage a verdi, exactement le contraire de toi qui fumes imperturbablement ton petit cigare, en le dirigeant, le conseillant, le félicitant. « Très bien, Phébus, kalà ! Attention Phébus, voilà. Grigora, Phébus, plus vite. — Si quelqu'un pouvait arriver ! » répond Phébus en haletant. Mais personne n'arrive, même en sens inverse, sur le ruban de bitume, il n'y a que nous et la voiture bleue avec son museau mauvais, ses orbites blanches, sa silhouette presque humaine. Je dis « elle », parce que c'est à elle que tu t'adresses et non aux deux hommes qui sont à son bord, et parce que depuis ce jour-là, la Mort prendra pour moi (pour toi aussi ?) la forme d'une voiture, peu importe laquelle, la marque, la couleur : aujourd'hui, elle est bleue, demain, elle sera noire ou blanche ou vert olive ou rouge ou havane, et enfin vert pomme. Regarde-la encore une fois, tandis qu'à la fin du zigzag elle nous serre contre le talus et se prépare pour l'assaut final, en sachant que le pont lancé sur le vide ne durera plus longtemps, que bientôt, après le virage, le terre-plein s'élèvera et qu'il y aura à nouveau les parois rocheuses, que si nous arrivons jusque-là, nous pourrons nous en sortir. Mais y arriverons-nous ? A chaque tour de roue, elle se rapproche de plus en plus, son aile est presque collée à la nôtre, incapable de dominer ma peur j'enfonce mes doigts dans tes épaules, je me penche vers Phébus et je le supplie, fonce, Phébus, fonce, fais un dernier effort et près du talus, ralentis, comme ça, si elle nous heurte là, le choc sera moins violent, il ne reste plus que deux cents mètres. Deux cents mètres, cent, cinquante, quarante, trente, vingt, voilà le terre-plein, le voilà, dix, cinq, deux, un...

Elle nous a heurtés au début du terre-plein. Elle nous a heurtés de biais, sur l'aile gauche, et nous a poussés sur la droite, mais pas trop, car Phébus avait ralenti et tenait fermement le volant. Il le tenait aussi quand la Renault a tourné sur elle-même, en un tourbillon qui, pendant des millénaires nous a engloutis, avec la certitude qu'il ne s'arrêterait jamais. Mais il s'est arrêté, nous nous sommes regardés ébahis, incrédules, et nous avons découvert que nous étions indemnes sur une route complètement déserte. La voiture bleue avait disparu. En agitant la feuille sur laquelle tu avais écrit le numéro de la plaque, tu disais : « Maintenant, à Héraklion, on va vraiment s'amuser. »

*
*

Dès que la voiture blanche de la police est apparue, quelques
kilomètres avant l'entrée de la ville, j'ai compris que nous n'allions
pas nous amuser à Hêraklion. Elle venait en sens inverse avec la
lenteur circonspecte de celui qui cherche quelque chose ou quelqu'un, et sa seule vue nous avait indignés : venait-elle chercher trois
personnes vivantes ou trois morts au fond d'un précipice ? Il n'y
avait aucun doute, c'était nous qu'elle cherchait : après nous avoir
croisés, elle a fait un demi-tour brutal et nous a talonnés jusqu'aux
premières maisons. Là, une voiture rouge d'agents en civil s'est
jointe à elle et la surveillance a commencé à prendre des proportions
inquiétantes. Par exemple, pendant que nous mangions dans une
auberge, un agent montait la garde devant la porte, un deuxième
derrière la maison et un troisième à l'angle de la rue. Ça n'a pas été
facile de te convaincre de rester tranquille, de quitter l'auberge sans
leur prêter attention, c'est-à-dire en ayant l'air de touristes en
vacances sentimentales : vidé de ton sang-froid, rouge de colère, tu
voulais les affronter et peut-être te battre. Puis, tandis que Phébus
téléphonait pour annuler les rendez-vous que tu avais pris pour
l'après-midi, nous sommes allés tous les deux au palais de Knossos ;
mais, arrivés à la pente qui mène à l'aire archéologique, voilà à
nouveau l'odeur d'ail et la voix ricanante : « Katálaves italiki ? Tu
comprends l'italien ? » Une colère noire t'a à nouveau saisi, tu t'es
jeté sur celui qui ricanait le plus en lui criant esclave, enculé, lâche,
et ce n'est que l'intervention des policiers en uniforme qui a évité
ton arrestation. Il valait mieux rentrer tout de suite à Xania. Mais
comment faire, sans s'exposer encore une fois aux risques courus à
l'aller ? S'ils avaient déjà choisi l'autoroute pour t'éliminer, ils
allaient certainement essayer à nouveau, avec le coucher du soleil et
l'obscurité. Une vive discussion s'en était suivie ; je disais qu'il serait
plus sage de s'adresser aux policiers en uniforme : ils t'avaient bien
aidé au palais de Knossos, et si nous les avions informés de l'épisode
du matin, ils nous auraient protégés ; tu ne voulais même pas en
entendre parler et tu disais : « Moi, me faire protéger par la police,
moi ? Ime Panagoulis ! Je suis Panagoulis ! » A la fin, Phébus avait
proposé un stratagème : se comporter de telle manière qu'ils ne
nous quittent pas une seule seconde. Et c'est ce qu'il a fait. En
prenant des petites routes, des sens interdits, en changeant de
direction, bref, en faisant semblant de tout tenter pour qu'ils
perdent nos traces, il avait éveillé leurs soupçons, à tel point que la
voiture blanche des policiers en uniforme nous a accompagnés de

Hêraklion à Xania. Là, nous nous sommes arrêtés le temps de découvrir que la plaque de la voiture bleue était fausse.

En marchant de long en large dans le jardin de citronniers et d'orangers, je réfléchissais à cette fausse plaque, et le fruit de mes méditations n'était que des questions sans réponse. Qui avait engagé les deux individus de la voiture bleue ? Qui avait ordonné un assassinat qui, en cas de succès, serait passé pour un accident de la route ? Papadopoulos ? Peut-être, mais il avait tout intérêt à te garder en vie s'il voulait que la comédie de la tolérance reste crédible. Joannidis ? Peut-être, mais lui, il aurait aimé te voir fusiller et non tuer dans un accident de voiture. Théophiloyannacos, Hazizikis, la bande qui, dans la peur d'une vengeance, avait accueilli en tremblant la mauvaise nouvelle de ta sortie de prison ? Peut-être, mais il me semblait curieux qu'ils courent le risque de jouer une carte aussi dangereuse que celle du faux accident de voiture. Les services secrets alors, ou quelqu'un se trouvant à la périphérie du régime ? Peut-être. Naturellement, ils étaient tous suspects. Mais une chose était sûre : l'ordre de t'éliminer venait de haut, de quelqu'un qui se trouvait aux postes de commande. Sinon, on ne pouvait expliquer pour quelle raison la voiture de police blanche avait été envoyée à Hêraklion avant que nous quittions Xania, ni pourquoi le bateau ancré toutes les nuits dans le petit port et d'où ils te surveillaient à la jumelle n'avait jamais été dérangé. Quoi qu'il en soit, pourquoi t'avait-on attaqué en Crète et non à Athènes ? Pour une raison plutôt géographique, ou même stratégique, ou bien parce qu'on avait découvert le plan de l'Acropole ? Et en admettant qu'il eût été découvert, était-il possible qu'une idée aussi folle, qui ne pouvait donc fleurir que dans le jardin de la fantaisie, les eût effrayés au point de vouloir ta mort ? N'aurait-il pas été plus simple de déjouer ton projet, en t'ayant à l'œil et en surveillant la citadelle ? Puis, petit à petit, la réponse que je cherchais est venue. Non, le plan de l'Acropole n'avait rien à voir, ou très peu. Ce que le Pouvoir craignait ce n'était pas un demi-kilo de dynamite et l'usage plus ou moins spectaculaire que tu pouvais en faire : c'était ton personnage, le trouble qu'il causait partout et en toute circonstance. Depuis le jour où tu avais quitté Boiati, tu n'étais pas resté tranquille un seul instant. Déclarations à la presse nationale et étrangère, interviews, protestations, chicaneries juridiques. Tu avais même contesté l'amnistie, démontré que le décret était illégal, dans la mesure où il s'appliquait aussi aux tortionnaires : peut-on amnistier des gens qui n'ont jamais été jugés, jamais condamnés ? Et les amnistier ne revenait-il pas à admettre que les tortures niées par le régime avaient bel et bien été pratiquées ? Sans compter les scènes en public, les éclats au téléphone avec l'ESA, la popularité dont tu bénéficiais. Jamais tu ne marchais incognito dans la rue, il y avait toujours quelqu'un qui osait t'arrêter et t'embrasser. Et ce n'était pas tout, les journaux s'occupaient beaucoup de nous. Notre liaison imprévue et imprévisible éveillait un intérêt presque morbide. Nous étions un couple « à la une » : tu dérangeais encore plus. Mais surtout, il y avait ton caractère irréductible, indomptable, ta fantaisie. On ne pouvait jamais prévoir ce que tu allais préparer dans une minute ou le lendemain, et tous ceux qui se posaient cette question devenaient des Zakarakis qui, se réveillant en pleine nuit, s'écriaient : « Où est-il ? Que fait-il ? » En d'autres lieux, dans un autre contexte, cela aurait pu amuser ou plaire ; en politique, et surtout sous une dictature, une telle attitude équivalait à une condamnation à mort non écrite. Il fallait que tu quittes immédiatement la Grèce.

« Qu'est-ce que tu rumines ? » Tu venais d'arriver derrière moi et tu me regardais comme si tu avais entendu chaque mot. « Je ne ruminais pas, je pensais que... — Je sais, tu pensais que tôt ou tard quelqu'un me fera ma fête. Lequel-d'entre-eux-ça-c'est-le-problème. Laisse tomber, c'est sans importance. Je dérangerai toujours tout le monde, quel que soit le pays ou le régime. Et celui qui me fera ma fête n'est pas parmi ceux que tu imagines. — Alekos, je pensais que... — ... Que je devrais oublier le plan de l'Acropole ? Non, c'est une excellente idée, je n'y renonce pas. Tout au plus, je peux le réduire, si je ne trouve personne pour m'aider : le limiter à une action démonstrative. Pas de dynamite, pas d'armes, pas d'otages, rien que le slogan « Agonas kata tis tirannias — Agonas dia tin elefteria. » Hum ! Il suffirait de quarante morceaux de tissu et... La nuit, personne ne nous verrait. — On nous verrait, Alekos ! La nuit, le Parthénon est illuminé ! — Oui, c'est vrai. Mais on pourrait agir à l'aube. — Ils enlèveraient tout avant que la ville ne s'éveille ! — Alors, on emploiera de la peinture : au diable les marbres sacrés. On n'aura qu'à bomber les colonnes. — Ecoute-moi, Alekos. Il faut que tu renonces à cette idée. Il faut que tu quittes la Grèce. — Ah, c'est ça que tu complotais ? Voilà ! J'aimerais encore mieux sauter, vraiment, devant le Parthénon. — Parce-qu'aucun-homme-vivant-ne-parle-comme-un-mort ? — Exact ! — Tu te trompes, Alekos, les morts se taisent toujours ; quand tu as l'impression qu'ils parlent, ce sont en fait les vivants qui les font parler. Les morts ne servent à rien parce qu'on les oublie. Sur le moment, on dirait que c'est impossible de les oublier et qu'ils vivront à jamais : mais après quelque temps, on oublie même qu'ils sont nés. — Ce n'est pas vrai ! — Mais si c'est vrai, Alekos. C'est vrai, malheureusement. Les morts dépendent totalement des vivants. — Tu as tort ! — Non, Alekos, non. Les morts ont toujours tort. Parce qu'ils sont morts. Tu dois vivre, Alekos. Vivre ! Et pour vivre, tu dois quitter la Grèce. — Va au diable ! » Tu es rentré dans la maison et tu t'es enfermé dans la petite chambre. Mais quand tu es ressorti, tu étais serein. Et : « Tu sais ce que je pense ? Cette histoire d'Acropole commence à m'embêter. Je ne veux plus entendre parler de l'Acropole, du Parthénon. Je trouverai bien autre chose. — Avec des pains de plastic ? — Les pains de plastic... ! Je m'en suis débarrassé hier soir, dès que nous sommes rentrés de Crète ! Je les ai rendus à celui qui me les avait passés. Je lui ai dit, tiens, amuse-toi bien avec les feux d'artifice, moi, j'ai des choses plus importantes à faire. »

Comblée et soulagée par l'abandon de ton projet, convaincue que c'était grâce à mes raisonnements que tu avais renoncé, je ne me suis pas interrogée sur ce qui t'avait réellement déterminé. Je ne me le suis pas demandé par la suite, toi vivant. Mais des années après, quand ton fantôme est devenu un cauchemar de ma mémoire et ma mémoire un instrument de recherche, en recomposant la mosaïque de l'homme que tu avais été, j'ai essayé de te comprendre par-delà la mort, et l'abandon soudain du projet de l'Acropole a pris en moi le goût d'une découverte. Non, ce n'étaient pas mes raisonnements qui avaient déterminé ta volte-face, c'était une malédiction qui pesait sur toi. Et cette malédiction venait de ton incapacité à réussir ce que tu entreprenais, à réaliser ce dont tu rêvais. Je veux dire : autant tu semblais obstiné, irréductible, quand une idée devenait une idée fixe, une monomanie, autant tu étais inconstant et impatient dans la tâche de la réaliser. Ainsi, pendant un certain temps, tu te lançais corps et âme dans une entreprise en te torturant l'existence, en gâchant celle des autres, en ignorant les obstacles comme un tank qui renverse n'importe quoi ou n'importe qui se trouvant sur son chemin, et puis, tout à coup, la pirouette : tu y renonçais et tu n'en parlais plus. Il n'y a que deux occasions où ton entêtement l'a emporté : l'attentat contre Papadopoulos, qui allait déterminer ta vie, et la saisie des documents qui allait causer ta mort. C'est-à-dire au début et à la fin de ta fable de héros. Cela arrive souvent aux poètes, aux artistes. Cela arrive, en particulier, aux rebelles solitaires qui savent qu'ils doivent mourir jeunes : en général, leur vie est un feu d'artifice de mille aventures inachevées, une avalanche de graines jetées au vent ou plantées au hasard, sans savoir si la plante germera, sans attendre pour voir si elle poussera Ils n'ont pas le temps, ni l'envie, parce qu'ils doivent toujours poursuivre quelque chose de nouveau, toujours recommencer depuis le début, encore et encore, avec une incohérence qui, si on réfléchit bien, est une extraordinaire cohérence. Et tout sert leur but, même les idées des autres. Dans certains cas, en effet, l'idée qui remplaçait l'idée mise de côté ne t'appartenait pas : tu l'avais entendue chez d'autres. Et, après l'avoir écoutée, tu l'ensevelissais dans les abîmes de ton subconscient : « Je ne veux pas de conseil, je ne veux pas d'opinion. » Mais si là-bas, au fond des abîmes de ton inconscient, elle touchait une corde de ta fantaisie, elle revenait aussitôt à la surface, tu la refaçonnais, et tu la faisais tienne. C'est exactement ce qui arriva avec ma proposition de quitter la Grèce. Une nuit où je dormais tranquillement à tes côtés, tu m'as réveillée en me secouant : « Ouvre les yeux ! Ouvre les yeux ! — Qu'est-ce qu'il y a ? Qu'arrive-t-il ? — J'ai trouvé ! — Qu'as-tu trouvé ? — Je dois partir ! — Pour aller où ? — En Italie, en Europe ! Hors de Grèce ! — Ah ! — Tu n'es pas d'accord, hein ? Si tu n'es pas d'accord, tu te trompes ! De toute manière, ici, je n'obtiendrai plus rien, j'ai les mains liées. On me surveille trop et les gens ont peur : ils se défilent. A l'étranger, ce ne sera pas la même chose : je pourrai m'organiser, former des groupes d'action. Parmi les émigrés, tu comprends ? L'Europe en est pleine ! Puis, je reviendrai clandestinement ou, plutôt, j'irai et je reviendrai, et... Demain, je demanderai un passeport. Papadopoulos n'aura pas le courage de me le refuser ! — Et Joannidis ? — Lui, oui. — Et si c'est lui qui l'emporte ? — Pour certaines choses, c'est encore Papadopoulos qui compte ! »

Les tyrannies, on le sait, qu'elles soient de droite ou de gauche, d'Orient ou d'Occident, d'hier ou d'aujourd'hui ou de demain, se ressemblent toutes. Tout est identique, les systèmes de répression, les arrestations, les interrogatoires, les cellules d'isolement, les gardiens obtus et mauvais qui confisquent même le stylo et le papier pour écrire, identiques les persécutions quand on fait sortir de prison le réprouvé qui a osé désobéir, les contrôles, et menaces, et les tentatives pour l'éliminer s'il est incorrigible. Mais il y a un point particulier que partagent toutes les tyrannies, une chose curieuse au premier abord : le refus de laisser partir le réprouvé qui demande de s'en aller dans un autre pays. On pourrait penser, en effet, que cette personne, en s'en allant, rend un grand service au régime : Je-m'en-vais. Je-débarrasse-le-plancher. Je-ne-vous-dérange-plus. Mais pas du tout. En s'en allant, il agace, il fait de la peine. Car s'il part, s'il ne dérange plus, comment faire pour se venger de sa désobéissance ? Comment fait-on pour le contrôler, le tourmenter, le remettre dans la prison ou dans le goulag, ou dans l'hôpital psychiatrique ? Comment fait-on surtout pour l'empêcher de s'exprimer ou plutôt de penser ? Pour les tyrannies, le réprouvé en exil constitue un problème plus grave que le réprouvé dans le pays car, en exil, il pense, il s'exprime, il agit et, pour se débarrasser de lui, il faut prendre la peine d'envoyer un tueur qui l'abatte à coups de pistolet ou de piolet, par exemple. Le pistolet à Paris pour les frères Rosselli ; le piolet à Mexico pour Trotski. C'est vraiment casse-pieds, il vaut mieux l'avoir chez soi pour pouvoir le tuer tranquillement, petit à petit, avec la prison, l'hôpital psychiatrique, le goulag, l'impuissance, alors que le peuple se tait. Passeport, quel passeport ? Ah, oui, bien sûr, il te suffit de présenter le certificat de naissance, le certificat de bonne conduite, et...

Pour demander le passeport, tu devais, tout d'abord, présenter le certificat de naissance. Mais, à la mairie de Glyfada où il devait se trouver, on te répondit qu'on ne pouvait pas te le donner : la page avec ton nom n'était plus dans le registre. Perdue par simple accident ou arrachée par ordre de Joannidis ? Le registre semblait intact, les pages contenant les noms des membres de ta famille étaient bien à leur place, la tienne au contraire, non. Et les employés bafouillaient confus : que te dire sinon que du point de vue de l'état civil, tu n'existais pas ? La réponse fut rapportée par ta mère qui, bien habillée, petit chapeau noir, tailleur noir, sac noir, bas noirs, lunettes noires, était allée chercher le certificat de naissance : « Tu n'es pas né ! — Quoi ? — Ils disent que tu n'es pas né, que dans le registre, tu n'existes pas ! » Voilà une chose à laquelle tu ne t'attendais pas. Parmi toutes les insultes qu'on pouvait t'infliger, toutes les provocations, celle-ci était bien la pire et ton rugissement a fait vibrer les carreaux des fenêtres : « Je ne suis pas né ? Moi, je ne suis pas né ? » Si on t'avait dit que tu étais mort, tu ne l'aurais pas mal pris : mais dire que tu n'étais pas né, que tu n'existais pas ! Peu de gens au monde avaient démontré autant que toi qu'ils étaient nés, tu criais avec des sanglots dans la voix : tu étais tellement né qu'on voulait te fusiller, et comment fait-on pour fusiller quelqu'un qui n'est pas né, quelqu'un qui n'existe pas ? Tu allais te rendre à la mairie, et les prendre à coups de poing, un par un, depuis le maire jusqu'au dernier gardien de police, et tu n'arrêterais pas jusqu'à ce qu'ils chantent tous en chœur : « Tu es né, Alekos, tu es né ! » Ça n'a pas été facile de te convaincre que c'était justement ce qu'ils attendaient, une réaction de colère : il valait mieux faire semblant de croire à un contretemps et insister. Alors, petit chapeau noir, tailleur noir, sac noir, bas noirs, lunettes noires, ta mère est retournée chercher la page disparue. Elle s'est mise à y aller tous les jours, pour leur crier à chaque fois que tu étais né, bon sang, elle le savait bien, elle, qui t'avait gardé neuf mois dans son ventre, qui avait accouché de toi ; ils le savaient bien, eux aussi, fils de chiens, voleurs, valets de la dictature, sortez ce certificat. Beaucoup d'employés au lieu de se vexer avaient sympathisé avec elle et lui demandaient de revenir le lendemain. Mais, le lendemain, c'était la même chose. « Tu n'es pas né, tu n'es vraiment pas né ! » disait-elle en rentrant à la maison, puis elle se retirait dans la chambre avec le petit autel dans l'armoire et elle s'en prenait aux saints des icônes. Elle les accusait d'égoïsme, d'indifférence, de lâcheté, elle les menaçait en disant qu'elle éteindrait leurs bougies, qu'elle fermerait la porte de l'armoire, qu'elle les laisserait moisir dans le noir s'ils n'accomplissaient pas le miracle de retrouver la page : mais les saints se taisaient, sourds à tout chantage, toute menace, et la page restait toujours introuvable. On ne pouvait faire la demande pour obtenir un passeport. Aussi, un soir, as-tu étalé sur la table de la salle à manger une grande carte géographique : « Viens voir ici ! » Je me suis approchée, soupçonneuse : « Qu'y a-t-il ? — Un truc que j'étudie depuis qu'ils prétendent que je ne suis jamais né ! L'expatriation clandestine ! — Oh non ! — Oh, si, écoute ! »

Il y avait deux solutions, disais-tu, une par terre et une par mer. Par les airs, ce n'était même pas la peine d'en parler. Théoriquement, la solution par voie de terre permettrait de fuir dans l'un des quatre pays ayant une frontière commune avec la Grèce, du nord-est au nord-ouest, l'Albanie, la Yougoslavie, la Bulgarie, la Turquie. Mais il fallait écarter la Turquie a priori car les mauvaises relations entre les gouvernements d'Athènes et d'Ankara rendaient cette frontière pratiquement infranchissable, il fallait éviter la Bulgarie pour les mêmes raisons et l'Albanie, parce qu'elle supportait mal les intrus : au moins trois Grecs, qui avaient fui en Albanie, après le coup d'Etat, étaient en train de purger une lourde peine dans les prisons de Tirana pour entrée illégale. « De telle sorte que, par voie de terre, je m'en tiendrais à la Yougoslavie. Je dis je m'en tiendrais parce qu'il ne me serait pas difficile de passer la frontière à Ezvonis ni même obtenir l'asile politique. Mais le problème, ce n'est pas de passer la frontière, c'est d'arriver à Ezvonis. D'Athènes, il faut environ six heures de voiture ou de train. Ils auraient tout le temps de me suivre, de m'attraper, peut-être même de m'envoyer une balle dans la tête. Je préfère donc la solution par voie de mer. » Tu t'es penché à nouveau sur la carte : « Hypothèse numéro un de la solution par voie de mer : la baie de Vouliagméni. Vouliagméni offre deux avantages : celui de se trouver à une demi-heure de Glyfada, et celui d'être un petit port d'où on peut rapidement atteindre la haute mer. Mais, à cette période de l'année, il n'y a pas beaucoup de yachts qui y jettent l'ancre et ton yacht pourrait éveiller la curiosité ! — Mon yacht ? Quel yacht ? — Celui que tu me procureras ! Un yacht étranger avec quatre ou cinq personnes ayant l'air riche et insouciant, prêts à faire une croisière en mer Egée ! — Et où donc vais-je trouver quatre ou cinq personnes ayant l'air riche et insouciant, prêts à faire une croisière en mer Egée ? — En Italie, je suppose ! Est-ce que je sais, moi ? Ne m'interromps pas ! Hypothèse numéro deux : Le Pirée. C'est très surveillé, chaque embarcation est soumise à un contrôle sévère de la police et de la douane. En revanche c'est un endroit qui a l'avantage d'être animé et on attire moins l'attention. Oui, si on pouvait choisir, j'opterais pour Le Pirée. De toute façon, que l'on embarque au Pirée ou à Vouliagméni, le problème se pose au moment de lever l'ancre car il faut signaler à la capitainerie la direction que l'on prend. On dira qu'on compte se rendre en Crète, en se dirigeant vers le sud, en longeant le Péloponnèse. Mais, arrivés à la hauteur de Kitira, au lieu d'aller vers la Crète, on virera à droite. — Alekos... — On passera par Kitira, l'île qui se trouve à l'extrême sud du Péloponnèse, et on pénétrera aussitôt dans les eaux extraterritoriales de la mer Ionienne. Avec un peu de chance, les garde-côtes n'auront pas le temps de nous en empêcher. Puis on débarquera à Brindisi ou à Taranto. Naturellement, le chemin le plus court consisterait à passer par Corinthe et Patras, mais c'est trop risqué : c'est l'itinéraire des bateaux de ligne. — Alekos... — Du Pirée à Kitira ou de Vouliagméni à Kitira il faut environ un jour et une nuit. C'est trop. La conclusion évidente c'est qu'il faut limiter au maximum la durée du voyage. Tu devras donc choisir un yacht très rapide. — Alekos... — Je veux lever l'ancre dans une semaine ! — Une semaine ? ! — Disons, dix jours, nous sommes presque en octobre, et début octobre, un départ en croisière est encore vraisemblable. — Alekos, sois raisonnable, Alekos : un yacht n'est pas un taxi que tu appelles en sifflant, et trouver quatre ou cinq personnes disposées à improviser une fausse croisière pour t'emmener d'ici, ce n'est pas évident. — C'est très simple, au contraire. Tu les trouveras. Car si tu ne les trouves pas, je suis obligé de passer la frontière yougoslave au risque de prendre cette balle dans la tête avant d'arriver à Ezvonis. »

L'idée que tu me demandais l'impossible ne t'effleurait même pas. Peut-être que si, mais tu n'en tenais pas compte. Il ne servait donc à rien de répéter qu'une fuite de ce genre demandait au moins un mois de préparatifs : pour pouvoir l'organiser en dix jours, j'aurais dû disposer de la lampe d'Aladin. Comme toujours, lorsque

212

tu te perdais dans tes rêveries, un optimisme inébranlable te rendait aveugle aux obstacles et sourd aux appels à la raison ; tout argument que j'opposais à ce projet était anéanti par ton cri à briser l'âme : « Tu ne m'aimes pas ! » Tu voulais que je parte dès que seraient réglés les détails, tu n'avais que cette préoccupation en tête : avec la même ferveur qui t'avait pris quand tu mesurais la distance entre les Propylées et l'Erechtéion, l'Erechtéion et le Parthénon, le Parthénon et les Propylées, ou quand tu comptais le nombre de lettres nécessaires pour composer le slogan, maintenant tu étudiais les routes, les vents, les tempêtes d'automne, les habitudes des garde-côtes, les règlements des ports, la technique de perquisition des bateaux, le nombre de kilomètres d'eaux territoriales et extra-territoriales. Avec la même assiduité que lorsque tu m'avais emmenée sur l'Acropole, tu me conduisais maintenant au Pirée. « Oui, j'ai opté pour Le Pirée. » Il ne se passait pas un soir sans que nous n'allions dîner dans des tavernes proches de la rade où les yachts étaient amarrés et là, faisant semblant d'admirer les reflets de la lune sur les eaux, toi tu étudiais, enregistrais, élaborais de nouveaux stratagèmes, annonçais d'autres trouvailles. « Supposons que le yacht soit celui-ci. Qui donc peut me voir si je monte à bord la nuit ? Regarde ce groupe qui rentre en taxi, le taxi peut arriver jusqu'au quai, il n'y a que trois mètres jusqu'à la passerelle : en un bond, au milieu des autres, je monte à bord et je prends la place d'un marin. Oui, je me rase les moustaches et je m'habille en marin. A l'aube, on lève l'ancre et nous voilà partis » ou bien : « Deux jours d'arrêt à Athènes, c'est suffisant mais tu devras descendre à terre le moins possible, on pourrait te reconnaître. Tu auras une perruque noire et un faux passeport. Fais-toi prêter un passeport par une amie qui te ressemble un peu. Pour les autres, il vaut mieux qu'ils viennent avec des papiers en règle. Mais fais bien attention, ils doivent se comporter en touristes, l'air désinvolte. Et pas de coups de téléphone, pas de contacts avec moi. La seule chose que je dois savoir c'est le nom du yacht et sa date d'arrivée. Je m'occupe du reste. Pour me le faire savoir, tu m'enverras une carte postale signée Joseph. Tu écriras les informations sous le timbre. — Sous le timbre ? — Bien sûr, c'est un système très simple que j'ai découvert ! On écrit sur le petit carré qui correspond à la taille du timbre, puis on le colle et on envoie la carte postale. Celui qui la reçoit n'a plus qu'à la mouiller, décoller le timbre, et lire ce qui est écrit dans le petit carré. » J'écoutais, résignée, souhaitant de toutes mes forces qu'entre-temps la page du registre de l'état civil ressuscite pour démontrer que tu étais bien né et t'enlever de l'esprit toute cette histoire. Dans ce secret espoir, je me suis même surprise à lancer des œillades vers le petit autel de l'armoire, joindre mes prières à celles de ta mère qui, en traînant ses pantoufles, en murmurant et en menaçant, continuait à invoquer un miracle. Mais elle avait changé de stratégie. En effet, depuis qu'elle avait entendu parler de l'expatriation clandestine, elle ne s'adressait plus à tous les saints. Saint Georges, patron des militaires, et donc soupçonné d'entretenir des liens avec la Junte, avait été licencié ; saint Elie, patron des montagnards et donc soupçonné de vouloir favoriser l'expatriation par la Yougoslavie, avait été mis en congé ; saint Nicolas, patron des marins et donc soupçonné de favoriser la fuite sur le yacht, avait été éliminé, toutes ses prières et ses petites bougies se consumaient uniquement pour saint Fanure. Saint Fanure étant le patron des personnes égarées et donc des objets perdus. Et le vendredi où l'ultimatum devait arriver à échéance, saint Fanure accorda sa grâce.

J'étais en train de préparer les valises pour partir pour Rome quand un cri de joie fit résonner la maison : « Ghenitica ! Ghenitica ! » Je me précipitais, c'était toi, en train de brandir la feuille avec ton nom : « Je suis né ! Je suis né ! » Immédiatement mes valises étaient défaites et mon départ annulé : maintenant, la demande de passeport pouvait suivre son cours et on pouvait raisonnablement espérer l'obtenir. Inutile de dire que la page manquante n'avait pas été retrouvée par hasard, mais parce que Papadopoulos avait autorisé la remise des papiers. Il fallait voir maintenant combien de temps il lui faudrait pour imposer sa volonté à Joannidis. Joannidis, selon toi, ferait tout son possible pour t'empêcher de quitter le pays. Et tu n'avais pas tort : nous avons aussitôt remarqué que tout de suite après l'obtention du certificat, la surveillance autour de la maison s'était intensifiée. Deux autres policiers aux coins de la rue, trois autres dans la rue adjacente, et il y avait toujours quelqu'un qui t'épiait derrière les fenêtres d'un appartement voisin. Nous avons également appris qu'un agent de l'ESA avait dissuadé beaucoup de gens de continuer à te voir. Il va de soi que cette dernière mesure n'était pas vraiment nécessaire · une espèce de vide s'était créé autour de toi, après le retour de Crète. On pouvait compter sur les doigts d'une main les personnes qui venaient encore te rendre visite ou qui t'invitaient à dîner dehors ou chez eux. Même tes admiratrices les plus assidues, les mythomanes qui, auparavant, avaient recours à mille prétextes pour t'approcher, ceux qui se disaient tes amis, désormais, maintenaient les distances : « J'aimerais mais je ne peux pas. J'ai-une-famille-tu-comprends. »

« Il faut aller voir s'il est prêt. Est-ce que tu as appelé pour demander ? Demande encore s'il est prêt.» Tel un paysan qui appelle la pluie sur ses champs brûlés par le soleil, et qui, au moindre souffle de vent, scrute le ciel, en cherchant un nuage annonciateur de la fin de la sécheresse, ainsi tu attendais le moment où le bureau des passeports te dirait : « Voilà, bon voyage.» Avec les mêmes sentiments, mais aggravés par la frénésie de retourner dans mon monde à moi, à ma vie, à mon travail, j'attendais impatiemment, moi aussi, l'instant où l'avion décollerait de la piste d'Athènes et m'arracherait à ce bombardement d'angoisses, d'émotions violentes, de continuelles trépidations, de drames entrecoupés par une morne oisiveté. L'oisiveté des soldats qui, entre une bataille et l'autre, ne savent que faire, restent là, incapables d'occuper ces intervalles de paix, à bâiller, nostalgiques des coups de canon. Tout m'était odieux, maintenant : l'atmosphère de cette ville levantine qui me rappelait Tel-Aviv ou Beyrouth : ce n'était plus l'Occident et pas encore l'Orient, ses édifices sinistres, bêtement modernes, ses collines sans verdure, ses pierres, ses bouts d'arbres carbonisés par négligence et par ignorance, ses habitudes turques, son café noir dans des tasses de poupées pour te faire avaler à la fin un mélange de vase, la sieste de l'après-midi qui paralyse tout le monde jusqu'à six heures dans un état de paresse cataleptique, enfin, la mièvrerie, la résignation de la majorité des gens à la tyrannie. La mièvrerie de toujours, la résignation de toujours, bien sûr, celle-là même qu'à l'occasion on trouve en chacun de nous : Je-voudrais-bien-mais-je-ne-peux-pas-j'ai-une-famille-tu-comprends, mais, malgré tout, quand tu la touches du doigt parce que tu la vois chez les autres, ça rend fou. Puis le côté sinistre de cette maison qui n'avait d'agréable que le jardin d'orangers et de citronniers, mais, tu ne voulais jamais y aller à cause du type qui nous épiait par la fenêtre si bien qu'on restait enfermés dans des chambres froides où les portes vitrées rendaient toute vie privée impossible, il y avait deux portes au moins par chambre, parfois trois : à travers les vitres, on sentait toujours deux yeux qui te fixaient, barbares et haineux, maternels. Et les petits ennuis que tu ne supportes plus, une fois que l'enchantement de l'amour à ses débuts s'est atténué et que les concessions sont moins faciles : cette puanteur de poulailler dans l'arrière-cuisine, les poules qui, pendant la journée, nous assourdissaient avec leur caquet, le coq qui, au lever du soleil, nous cassait les tympans avec son cocorico. Je détestais ce coq dont le bisaïeul, empaillé, trônait dans la salle à manger, avec ses pupilles de verre, et sa crête en cire.

Le simple fait de le regarder m'aidait à répéter avec toi : « Il faut aller voir s'il est prêt ! Est-ce que tu as appelé pour demander ? Demande encore s'il est prêt ! »

Dans l'espoir d'accélérer les choses et en comptant sur le fait que ton téléphone était contrôlé, je me consacrais à des petits trucs comme, par exemple, appeler New York et faire comme si un groupe d'universités américaines t'avait invité pour tenir un cycle de conférences. Un ami, avec lequel je m'étais mise d'accord, jouait le rôle de l'agent littéraire chargé de demander ton départ et, quand ce n'était pas moi qui l'appelais, c'était lui qui le faisait, en protestant parce que la date approchait et qu'il fallait imprimer les affiches, envoyer les invitations, prévenir les journaux, rassurer le corps académique, ainsi que les maires des différentes villes qui allaient donner un dîner en ton honneur. Quand ce n'était pas un cycle de conférences, il s'agissait d'un diplôme ad honorem que tu hésitais à accepter dans ton infinie modestie, qu'enfin tu acceptais, mais comment résoudre le problème du passeport ? Le passeport n'existait pas, on ne te l'avait pas encore accordé, répondais-je, en soupirant, et alors des voix pleines de colère appelaient aussi de Chicago, de Boston, de Philadelphie, en se présentant comme des recteurs, des fonctionnaires de la mairie, des représentants du parti Démocrate ou Républicain, d'autres amis hurlaient leur indignation. Bref, c'était déjà grave que les autorités grecques mettent dans l'embarras la culture américaine en repoussant tes conférences mais, qu'elles l'insultent avec ton absence forcée à la cérémonie de remise du diplôme ad honorem, c'était vraiment honteux, il n'y avait qu'en Russie que de pareilles horreurs se produisaient ; si on ne t'accordait pas ton passeport dans les délais, les sénateurs provoqueraient un scandale au niveau international. On ne disait évidemment jamais de quels sénateurs, de quelles universités, de quel diplôme il s'agissait, de peur que les services aillent contrôler : mais l'affaire devenait de plus en plus vraisemblable et, deux ans plus tard, nous saurons qu'elle avait influé la décision de Papadopoulos. « L'affaire des sénateurs américains inquiéta beaucoup ses conseillers », te confiera un responsable des services secrets. Et il va de soi que mon stratagème ne t'amusait pas du tout, il te plongeait même dans un malaise profond, te déprimait, et plus je téléphonais, plus tu te fâchais, tu te maudissais en disant que c'était une bêtise d'avoir renoncé au plan du yacht, que tu n'attendrais aucun passeport, que même si on te le donnait, tu le refuserais et tu t'enfuirais en passant par la Yougoslavie : si tu prenais une balle dans la tête, tant mieux. La pire crise s'est produite la nuit où tu as annoncé qu'avant le lendemain midi, tu allais prendre un train pour Ezvonis et, c'est alors que ta mère a accordé un armistice aux saints mis de côté, au bénéfice de saint Fanure. En allumant des cierges pour tous, en leur promettant une dévotion éternelle, elle jura que si on te donnait le passeport, elle ne leur ferait plus aucun reproche. Et l'un d'eux, ému, lui a donné satisfaction. Nous avons été réveillés à l'aube par ses pas dans le couloir : elle était en train de préparer ta valise. Nous lui avons demandé la raison et elle a répondu catégorique : « Saint Christophe, patron des voyageurs, lui était apparu en rêve. Il avait une couronne d'étoiles sur la tête et tenait à la main une épée de feu, et sa tunique brillait tellement fort que seulement d'y repenser, ses yeux brûlaient. En levant l'épée de feu, saint Christophe lui avait souri et lui avait dévoilé que le passeport était prêt : tu pouvais aller le chercher à l'ouverture des bureaux et quitter le pays avant la tombée du jour. » Nous avons haussé les épaules. Si saint Fanure avait vu juste avec le certificat de naissance, pourquoi saint Christophe serait-il en reste ?... « Allons-y »... Nous sommes partis et effectivement, le passeport était là. Et tandis que tu le saisissais avec des doigts avides, ton seul commentaire fut : « Quelle heure est-il ? — Neuf heures et demie. — A quelle heure le prochain avion pour Rome ? — A deux heures de l'après-midi. — Tu veux bien aller acheter le billet ? — Oui, aller simple ? — Non, aller et retour. »

Je me sentais légère comme un oiseau qui s'envole, libre, dans le ciel, et toute laideur me semblait oubliée. Toute nausée, toute angoisse. L'avenir avait les couleurs de l'arc-en-ciel. Je souriais en courant vers cet arc-en-ciel, et les gens étonnés se retournaient sur mon passage mais, dès que j'ai eu en main le billet, tout ce bonheur s'est évanoui. C'était un simple billet, un petit papier rectangulaire avec le nom de la compagnie, et pourtant, en le touchant, j'éprouvai un malaise indéfinissable : l'angoisse mystérieuse qui m'avait prise le jour où j'avais débarqué à Athènes pour te rencontrer. Pourquoi ? La couleur peut-être ? Il était d'une couleur vert pomme, la même couleur que les boîtes de tabac Golden Virginia. J'essayai de ne pas y penser, je sautai dans un taxi en me disant qu'on devient superstitieux à force de vivre avec des gens superstitieux, le taxi s'est dirigé rapidement vers la rue Vouliagméni et, pendant un instant, j'ai de nouveau été heureuse. Puis je suis arrivée rue Vouliagméni, devant le garage à l'enseigne de Texaco, la rampe noire descendait vers l'obscurité et le mystérieux malaise a réapparu. L'angoisse indéfinissable. Pourquoi avais-je tellement chaud ? Pouvait-il faire si chaud en octobre ? Je commençais peut-être à avoir la fièvre, j'étais fatiguée. La crise nocturne avec ta menace de te rendre à Ezvonis, le réveil, tôt le matin, que nous avait imposé saint Christophe, la remise inattendue du passeport, le départ soudain : comme d'habitude, trop d'émotions à la fois. Avec ce diagnostic, j'ai mis mes questions sous silence, je suis rentrée à la maison, et je t'ai tendu le billet : « Le voici ! »

***

« Ils ne veulent pas nous laisser partir ! » Ta voix était un sifflement chargé de dépit. « Pourquoi dis-tu ça ? — Parce que je sens une odeur d'ail. Il doit y avoir au moins vingt policiers autour de nous ! » J'ai regardé autour de moi, mais je n'ai rien remarqué justifiant ton affirmation. La salle d'attente à l'aéroport était comme toujours, des voyageurs somnolaient affalés sur les fauteuils, des enfants couraient à droite et à gauche en dérangeant, des groupes de touristes achetaient des souvenirs, mais personne ne faisait songer à un policier en civil. Ail ou pas, les policiers en civil ont toujours quelque chose qui ne peut échapper à un observateur entraîné. Quelque chose qui se concentre dans le visage à la fois obtus et malin, et dans les yeux, vides et pourtant attentifs. Je veux dire : on les sent sur soi ces yeux, même si on leur tourne le dos, comme des mains derrière la nuque. Et si on se tourne pour les chercher, ils fuient en glissant, faussement distraits, puis ils reviennent prudents, en repassant sur toi avec indifférence, comme si tu étais un objet négligeable ou un obstacle sur la trajectoire du regard, cependant, il y a toujours un moment où ils renoncent à la comédie pour te fixer avec l'arrogance bête et méchante de celui qui se trouve du côté du manche, qui se croit puissant parce qu'il est au service du pouvoir. « Je ne les vois pas, Alekos. — Tu ne sais pas encore les reconnaître ? Celui-là, c'est un policier en civil. Et celui-là. Et celui-là. Et celui-là. — A quoi le vois-tu ? — Aux chaussures. Ils portent tous des chaussures à lacets. Y compris le jeune homme en bluejean. » J'ai observé les types que tu avais indiqués. Ils avaient l'air inoffensif et distrait de gens qui s'occupent de leurs affaires, et ils avaient tous des chaussures à lacets. « Tu as raison, mais je ne comprends toujours pas comment ils pourraient nous empêcher de partir. Nous avons déjà franchi le contrôle des passeports et nous avons nos cartes d'embarquement ; s'ils avaient voulu nous arrêter, ils l'auraient fait avant. — Avant, il y avait les journalistes ! » Cela aussi était vrai. La nouvelle de ton départ était immédiatement arrivée aux journaux, et jusqu'au contrôle des passeports, les reporters qui prenaient des photos, qui posaient des questions, qui enregistraient le moindre détail, nous avaient protégés : si on nous avait arrêtés devant de pareils témoins, il y aurait eu une grande publicité « D'accord, mais je continue à ne pas comprendre comment ils pourraient nous en empêcher, Alekos ! — Tu vas le comprendre bientôt ! » Tandis que tu prononçais ces mots, le haut-parleur annonça le vol pour Rome, les passagers étaient priés de se présenter à la porte numéro deux. Nous avons commencé à marcher. Nous avons fait la queue. Nous sommes arrivés au seuil de la porte numéro deux. Nous avons tendu notre carte d'embarquement. Une hôtesse, l'air effrayé, nous a repoussés : « Non, pas vous ! — Pas nous, pourquoi donc ? — Arrière ! — Arrière ? Mais, pourquoi ? » Je lui ai, à nouveau, tendu les cartes d'embarquement. En un clin d'œil, les types avec les chaussures à lacets se sont avancés et, les mains dans les poches, sans rien dire, nous ont encerclés en restant sourds à mes protestations. « On a déjà passé les formalités ! Nos papiers sont en règle ! » Silence. « Nous avons le droit d'embarquer ! » Silence. « Nous avons le droit de connaître les raisons de cette interdiction ! » Silence. « Je suis étrangère : si nous manquons l'avion, je préviendrai mon ambassade et mon gouvernement ! » Silence. Puis, ta voix, un sifflement méprisant : « Ne discute pas ! On ne discute pas avec de la merde ! Den sizitas, den sizitas me skatà ! » Un agent a sorti la main de sa poche et a fait le geste de celui qui allait se jeter sur toi. « Attention ! Alekos ! » Mais tu n'avais pas besoin de conseils : tu te maîtrisais parfaitement, le même contrôle, la même froideur qui nous avait sauvés sur la route d'Hèraklion, quand on avait été tamponnés par la voiture bleue. « Que devons-nous faire, Alekos ? — Il n'y a rien à faire, sinon voir qui va l'emporter : Joannidis ou Papadopoulos ! » L'hôtesse apeurée, pendant ce temps, continuait à prendre les cartes d'embarquement des autres passagers qui passaient devant nous, désintéressés ou neutres. Je-voudrais-mais-je-ne-peux-pas-j'ai-une-famille-tu-comprends. En cinq minutes, il ne resta plus que nous, enfermés dans la corolle muette des chaussures à lacets.

Cinq minutes, dix, quinze, vingt. A chaque minute, un nouveau coup au cœur, le supplice de Tantale qui meurt de soif et tend la bouche vers la chute d'eau, mais l'eau disparaît au moment même où il s'apprête à en boire une gorgée. L'avion était là, à quelques mètres, il se trouvait presque devant la porte numéro deux, parfaitement visible derrière la baie vitrée, sa porte était toujours ouverte et l'échelle était encore accrochée : il suffisait de franchir ce seuil, parcourir quelques mètres, pour se trouver à bord, sains et saufs. Mais non, pas nous. Un employé de la compagnie aérienne est passé, je l'ai arrêté, je lui ai demandé si le commandant laissait l'échelle à côté de l'avion et gardait la porte ouverte pour nous attendre. Dans un murmure il m'a répondu que oui, mais pendant combien de temps encore ? Je lui ai demandé si notre interdiction d'embarquement était définitive. Dans un murmure il m'a répondu que non, les coups de téléphone se succédaient, ils se disputaient entre eux, puis surpris par son audace, il s'éloigna. Vingt minutes, vingt-cinq, trente. Le fonctionnaire réapparut. « Tenez-vous prêts. Ils sont en train de parler avec le président de la République. Si on nous donne l'autorisation, on vous embarque tout de suite et on évite les contrordres ! — Les contrordres ? — Oui, il y en a eu déjà trois. Un instant ! » Son talkie-walkie clignotait. Il le porta à l'oreille, secoua la tête, se dirigea vers les policiers, se mit à discuter avec le ton moi-je-n'y-suis-pour-rien, puis il revint vers nous, tout rouge, prit nos cartes d'embarquement en disant : « Vite ! Dépêchez-vous ! » Et nous nous sommes retrouvés dans l'avion presque sans nous en rendre compte, à regarder le steward qui verrouillait la porte. « Nous avons réussi, Alekos ! — Peut-être ! — Pourquoi peut-être ? — Parce qu'ils n'ont pas encore allumé les moteurs ! » Ils n'avaient pas allumé et n'allumaient toujours pas les moteurs. Pourquoi ? Dans l'attente, en se posant cette question, le temps qui passait semblait à nouveau éternel. Cinq, dix minutes... Dix, quinze minutes... Quinze, vingt minutes... Vingt, vingt-cinq minutes... L'air conditionné ne marchait pas, les gens commençaient à perdre patience : « Alors, ça suffit ! Assez ! C'est une honte ! » Vingt-cinq, trente minutes. Trente, trente-cinq minutes. Trente-cinq, quarante minutes. Le contrordre était-il arrivé ? Certainement. Par le hublot, on apercevait deux policiers en train de se disputer avec le fonctionnaire qui nous avait laissés embarquer avec tant de hâte, il écartait les bras, désolé. Je te serrais la main, elle était tellement moite qu'elle glissa dans la mienne. Tout ton corps ruisselait de sueur. De grosses gouttes coulaient sur ton front, sur tes tempes, sur ton menton, et trempaient ta chemise en faisant de larges taches sur ta veste. Etait-ce la chaleur ou la tension que ton apparente maîtrise masquait ? Tu n'arrivais même pas à parler. « Tu vas voir qu'il va partir, Alekos ! — Hum ! — Ils n'oseront pas nous faire descendre ! — Hum ! — Ce serait vraiment un scandale. — Hum ! » Tout d'un coup, avec un vrombissement triomphal, les moteurs se sont mis à tourner, l'avion a avancé, glissé avec légèreté, il est arrivé sur la piste, s'est arrêté dans un frémissement qui s'est développé. Qui s'est développé, développé, jusqu'à devenir un coup de tonnerre. Et en tournant, il s'est lancé sur la piste, puis s'est élevé pour plonger dans le ciel bleu. Aussitôt, Athènes est devenue une carte de géographie, avec des maisons minuscules, des arbres de la taille de têtes d'épingles, une tache grise, le souvenir d'un soir du mois d'août avec son parfum de jasmin. Tu as soupiré et tu as dit, d'un air

torve « Une fois, j'ai enculé un général ! — Quoi ? ! balbutiai-je
— Et je ne m'en repens pas. La seule chose que je regrette c'est de
ne pas l'avoir raconté à Joannidis » Puis, tu t'es affaissé en fermant
les yeux. Quand tu les as ouverts à nouveau, on était en train de survoler le
golfe de Corinthe. Tu as levé le verre de champagne que l'hôtesse
t'avait apporté : « J'ai gagné une vie / un billet pour la mort / et je
voyage encore / Parfois, j'ai pensé être arrivé / à la fin du voyage / Je
me trompais / Ce n'était que les imprévus / de la route. — On dirait
une poésie, dis-je. — C'en est une. Une vieille poésie écrite à
Boiati, il y a deux ans, quand on devait me fusiller. J'ai attendu trois
ans. — Mais c'est une poésie triste ! — Tout sursis est triste quand
on sait qu'il ne s'agit que d'un sursis. » Deux avions de chasse, noirs
et inquiétants comme des insectes, sont apparus. Pendant une
minute environ, ils sont restés à nos côtés, allant exactement à la
même vitesse, comme une escorte, puis ils ont viré sur le côté
gauche, et ont rebroussé chemin, laissant derrière eux deux rubans
de fumée blanche, deux gigantesques points d'interrogation. Mais,
maintenant, ta tension s'était dissipée et, remonté par le champagne, oubliant la triste poésie, tu étais redevenu toi-même. Résistance armée dans les montagnes, assauts de casernes, stations de
radio pour inciter le peuple à la révolte : les mille projets que tu
pourrais réaliser en Europe. Je n'arrivais pas à te calmer. Mais à ce
moment, je n'entendais plus que le son de ta belle voix, et le mot
« sursis, sursis, sursis » a occupé toutes mes pensées : il expliquait le
mystérieux malaise, l'angoisse indéfinissable qui m'avait envahie à
la vue du billet vert pomme. En Italie ou en Europe, rien ne
changerait pour toi. Tu ne souffrirais pas moins, et tu ne courrais
pas moins de risques. Un après-midi, après le voyage en Crète, tu
l'avais bien dit : « Je dérangerai toujours tout le monde quel que
soit le pays, le moment, le régime ! » Tu serais toujours, où que tu
ailles, cette plante qui pousse pour semer la pagaille dans la forêt et
qu'il faut donc arracher, extirper. Ici ou là, à la fin, on t'éliminerait.
Et non pas à cause de ce que tu voulais faire, résistance armée dans
la montagne, assauts de casernes, stations de radio pour inciter le
peuple à la révolte : à cause de ce que tu étais, à cause de ta
singularité de poète rebelle, libre de toute entrave, de tout schéma,
de tout tabou, de l'idée même du licite et de l'illicite, à cause de ton
unicité de héros, solitaire, accroché aux chimères du rêve et de
l'imagination. Le poète rebelle, le héros solitaire, est un individu
sans partisans : il n'attire pas la foule sur les places, il ne provoque
pas de révolution. Mais il les prépare. Même s'il ne réalise rien de
concret dans l'immédiat et qu'il ne s'exprime que par des bravades

ou des actes de folie, même s'il est rejeté, et offensé, il agite les eaux du marais qui dort, il taraude les digues du conformisme qui étouffe, il dérange le Pouvoir qui opprime. En effet quoi qu'il dise ou qu'il entreprenne, même une phrase interrompue, un coup avorté, tout devient une graine qui fleurira, un parfum qui restera dans l'air, un exemple pour d'autres plantes de la forêt, pour nous qui n'avons ni son courage, ni sa clairvoyance, ni son génie. Et le marais le sait bien, le Pouvoir le sait bien que c'est lui le véritable ennemi, le vrai danger qu'il faut éliminer. Il sait même qu'on ne peut ni le remplacer ni le copier : l'histoire du monde nous a bien prouvé que lorsqu'un leader meurt, on en invente un nouveau, lorsqu'un homme d'action meurt, on en trouve un autre. Mais quand un poète au contraire meurt, quand un héros est éliminé, il se crée un vide impossible à combler et il faut attendre que les dieux le fassent ressusciter. Dieu sait où, Dieu sait quand.

Ainsi, t'emmener hors de Grèce ne servait à rien et cette fuite n'était en fait qu'un sursis. Une tentative désespérée de te garder en vie le plus longtemps possible.

Troisième partie

CHAPITRE PREMIER

La tragédie d'un homme condamné à être un poète, un héros, et de ce fait, à être crucifié, se mesure aussi à l'incompréhension de ceux qui par amour voudraient le soustraire à son destin et à son rôle : en le distrayant par exemple, avec les pièges de la tendresse, les flatteries du bien-être, le mirage d'une victoire possible avec un repos mérité. Celui qui l'aime, en effet, n'est pas prêt à le livrer à la mort et pour lui sauver la vie, l'allonger un peu, il recourt à n'importe quel moyen, n'importe quel stratagème. En ce sens, personne ne t'aura compris moins que moi, personne plus que moi n'aura tenté de t'arracher à ton destin et à ton rôle. Et cela, surtout quand nous sommes arrivés en Italie et que je n'étais pas encore résignée au fait que le défi perpétuel était ton pain, le danger permanent ta boisson, de telle sorte que, privé de ce pain et de cette boisson, tu t'étiolais comme une plante privée d'eau et de lumière. Tu as compris cela dès que nous sommes arrivés dans la suite de l'hôtel que j'avais choisi à Rome, et tu n'as rien fait pour me cacher que tu l'avais compris. Tu es entré, tu as examiné attentivement les trois chambres et la terrasse qui donnait sur la via Veneto, les meubles de style, les tapis de qualité, les lampadaires de cristal, puis tu t'es arrêté devant une belle corbeille de fleurs, qui était sur la table à côté d'un grand panier de fruits et d'un seau à glace avec du vin et : « Est-ce que les fleurs sont pour moi ou pour toi ? — Pour toi ! — Et les fruits, est-ce qu'ils sont pour toi ou pour moi ? — Pour toi ! — Le vin, pour toi ou pour moi ? — Pour toi. Tout est pour toi, Alekos ! — Humm. Je vois. » Un long silence a suivi. Pesant, immobile. Et dans ce silence, tu t'es assis, tu as bourré ta pipe, l'as allumée, et d'une voix très triste tu as dit : « Tu sais, une nuit, à Boiati, j'ai fait un rêve. J'ai rêvé que je me trouvais dans un hôtel semblable à celui-ci. Pas semblable : identique. Exactement les mêmes meubles, les mêmes tapis, les mêmes lampadaires, la même terrasse. Oui, il y avait même la terrasse. Et la corbeille à fleurs, le panier à fruits, la bouteille de vin. Et la femme qui m'avait emmené là disait : " C'est pour toi. Tout est pour toi, Alekos. " Mais, moi j'étais malheureux. Je ne savais pas très bien pourquoi au début : l'hôtel était beau et il me plaisait beaucoup. Mais très vite, j'ai compris : j'étais malheureux parce que j'avais des menottes. Bizarre. Quand j'étais allé me coucher, Zakarakis me les avait ôtées. Dans le rêve, par contre, elles étaient toujours là, et elles me serraient. Elles me serraient tellement que je n'arrivais pas à déboucher la bouteille. A un moment, elle est tombée par terre et elle s'est brisée. Alors, je suis parti de l'hôtel en courant et en criant : Skatà, merde, skatà ! Et je suis retourné dans ma cellule où je n'avais pas de menottes.» Je t'ai souri et je t'ai tendu le seau avec la bouteille : « Ouvre-la, aujourd'hui, elle ne tombera pas.» Tu l'as prise, tu l'as soulevée à la hauteur de ton visage et tu l'as laissée tomber sur le parquet où elle s'est cassée en mille morceaux. « Skatà ! merde ! skatà ! »

La tragédie d'un homme condamné à être un individu impossible à cataloguer, étranger à la phénoménologie de son temps, se mesure également par la cruauté involontaire de ceux qui lui attribuent un rôle qui n'est pas le sien et qui lui prodiguent donc des conseils, le critiquent, le mettent en garde, lui posent mille questions qui le font souffrir. Ceux qui le regardent ne soupçonnent pas du tout sa vraie nature, et ne le voient qu'à travers des formules toutes faites : les clichés que l'on a employés pour faire son portrait, par convenance ou mauvaise foi, ou paresse. Le portrait, selon, du terroriste, du martyr, du révolutionnaire, du leader. En ce sens, personne ne fut jamais aussi cruel que les gens qui te sont tombés dessus, dans les premières heures après ton arrivée à Rome, pour te couvrir de baisers, t'embrasser, s'exclamant : bienvenue-parmi-nous-alleluia. Le plus souvent poussés par la curiosité, il s'agissait de gens qui ne s'intéressaient absolument pas à toi et ne cherchaient ta compagnie que parce que tu étais un personnage important, ou des démagogues qui s'estimaient être tes créditeurs parce que, à l'époque du procès, ils avaient organisé un meeting ou participé à une manifestation. Plus rarement des gens qui t'aimaient vraiment, des amis de l'époque où tu avais vécu en Italie, des camarades. Mais, même ces derniers te voyaient toujours à travers les formules, des clichés. Conseils au martyr : « Ça suffit avec les sacrifices, avec la vie dure. Tu dois te reposer, prendre de vraies vacances, et ne penser à rien : tu as déjà rempli ton rôle. Mange, bois, dors, amuse-toi. Au diable la politique, tu n'es quand même pas venu pour t'emmerder avec la politique ! Demain, viens, on organise un dîner ! » Mise en garde au terroriste . « Fais attention à tes rencontres, à qui tu parles, ne te trompe pas de groupe quand tu veux faire quelque chose, et le prochain coup n'emploie pas de mines, on a toujours des ennuis. Et en plus, c'est lourd, peu malléable, le plastic qu'emploient les Palestiniens, c'est mieux. Tu devrais aller au Liban t'entraîner avec eux.» Critiques au révolutionnaire : « Quelle belle cravate ! Quelle belle chemise ! Tu te soignes, hein ! A propos, pourquoi es-tu descendu à cet hôtel ? Ça ne te va pas, ce sont les grandes vedettes qui viennent ici : Kissinger, le Chah d'Iran : que vont penser les classes laborieuses, que va penser le peuple ? Tu dois le quitter immédiatement. Viens chez moi, on va mettre un divan dans le couloir.» Questions au leader : « Qu'as-tu l'intention de faire ? Quel est ton programme, comment comptes-tu t'adresser aux masses ? Il faut que tu clarifies ta position idéologique, tu dois comprendre qu'il ne suffit pas de lutter contre les dictatures, c'est insuffisant de parler uniquement du problème de la liberté. Pourquoi ne convoques-tu pas une conférence de presse ? Pourquoi n'écris-tu pas un essai ?» Pas un chat pour te demander ce que tu étais venu faire, ce que tu étais venu chercher. Tout d'un coup, tu as perdu le contrôle. Tu étais en train d'écouter un de ceux pour qui le révolutionnaire doit dormir sur un divan dans le couloir, c'est-un-palais, tu-ne-peux-pas-dormir-dans-un-pareil-palais, tu-oublies-qui-tu-représentes et la patience avec laquelle tu avais subi ses remarques, tantôt en te taisant, tantôt en marmonnant quelques vagues monosyllabes, s'est transformée en une scène. Qu'ils en finissent, qu'on arrête de te casser les couilles, tu resterais dans ce palais autant que tu le voudrais, et tu t'achèterais aussi vingt-quatre chemises de soie, vingt-quatre imperméables anglais, vingt-quatre paires de chaussures à boucle : dehors ! Mais aussitôt, tu as éclaté en sanglots. Des pleurs si désespérés que j'ai même oublié la bouteille cassée exprès et le cri : « Skatà ! merde ! skatà !» « Je pars, sanglotais-tu. Je pars, je rentre à Athènes, rentrons à Athènes !»

La tragédie d'un homme condamné à rester seul parce qu'il dérange tout le monde, et que personne n'a besoin de lui, se mesure enfin par le désert qu'il doit affronter quand il sort de son milieu naturel, la politique en tant que rêve, et qu'il pénètre dans le monde qui ne lui est pas du tout familier, celui de la politique comme métier ou acte religieux. Tu allais comprendre cela onze mois plus tard, en rentrant dans ton pays, mais tu as fait ton apprentissage en arrivant en Italie. Des vaniteux uniquement poussés par la recherche de leur triomphe personnel, des carriéristes qui ne s'intéressent qu'aux avantages personnels d'un siège au Parlement, des boutiquiers dont la seule préoccupation est celle de se remplir les poches de pourboires, des vieillards enfermés dans le sarcophage de leurs vertus passées, dans le meilleur cas, des santons revêches, enfermés dans la sombre tour du Dogme. Et, de l'autre côté, des aventuriers de la désobéissance facile, les supporters du fanatisme sanguinaire, les fraudeurs pour qui le mot révolution est un chewing-gum qu'il faut garder à la bouche, un prétexte pour lutter contre l'ennui, un substitut à la Légion étrangère. Une fois dépassée la sensation d'emprisonnement que je te causais et l'impression d'être trompé par les autres, voilà quel était le panorama politique qui s'est offert à tes yeux quand tu es venu chercher de l'aide pour continuer la résistance contre la Junte. C'était comme vouloir parler de l'immortalité de l'âme avec un troupeau de sourds-muets. Tu as essayé pourtant. Tu as pris le téléphone et tu as commencé à appeler les chefs des partis, à l'égard desquels tu nourrissais quelque espoir : socialistes, communistes, républicains, catholiques de gauche. « Allô, je suis Panagoulis. — Qui ? — Panagoulis, Alexandre Panagoulis, Alekos. Je voudrais parler avec le camarade Untel ! — A quel sujet ? — Eh bien... je... je voudrais... lui dire bonjour ! — Il n'est pas là ; il est en réunion. Essayez de rappeler demain. Non pas demain, c'est férié, il y a le pont. Dans quelques jours. — Allô, je suis Panagoulis. — Targouli ? — Non, Panagoulis, Panagoulis Alexandre, Alekos. Je voudrais parler avec monsieur Untel. — Vous voulez dire, monsieur le ministre ! — Ah, je ne savais pas... Oui, monsieur le ministre ! — On ne peut pas déranger monsieur le ministre ! — Je vais laisser un message alors, il me rappellera dès qu'il pourra. — Sachez que monsieur le ministre a des choses importantes à faire, de très graves problèmes, s'il devait rappeler tous ceux qui cherchent à le contacter ! — Allô, je suis Panagoulis. — Parle plus fort, je n'entends rien ! Qui es-tu ? — Panagoulis, Alexandre Panagoulis. — Tu es du Parti ? — Oui ! — Est-ce que tu es Russe ? Tu as un accent ? — Non, je suis Grec ! — Et que veux-tu ? — Je voudrais parler avec le secrétaire général ! — Ah, mais puisque tu es Grec, il faut que je te passe le bureau Etranger. » Ou on n'arrivait pas à les trouver, ou on t'informait qu'ils étaient très occupés à résoudre les problèmes du genre humain, ou ils te renvoyaient aux lieutenants de leurs lieutenants. Ce qui ne servait absolument à rien, sinon à recevoir de grandes tapes dans le dos. Cher Alekos, cher Alexandre, quelle joie de te revoir, c'est un honneur que de te rencontrer. Mais, au fond de leurs yeux, tu voyais qu'ils se posaient la même question : qu'est-ce que je vais faire de ce type ? Comment vais-je l'utiliser ? Tant qu'on devait te fusiller, tant que tu étais condamné à perpétuité, tant que tu étais un homme enchaîné, tu étais très pratique ; bien sûr. Tu leur fournissais un prétexte pour jouer la comédie de l'engagement international, foutre un peu le bordel. Maintenant que tu étais libre, par contre, bien nourri, bien logé, que pouvaient-ils faire de toi ? Que voulais-tu au juste ? Pourquoi voulais-tu rencontrer les responsables ? Il valait mieux éviter que tu leur casses les pieds, te faire attendre, te décourager en retardant le moment d'être reçu. A cette époque, il n'y eut que trois vieillards qui t'écoutèrent.

*
* *

Le premier, c'était Ferruccio Parri, l'homme qui fut à la tête de la Résistance dans l'Italie du Nord. Lui parler t'a fait du bien. Tu as oublié toutes tes déceptions, emportées par une marée montante, et, ton refrain demain-je-rentre-à-Athènes, je-veux-rentrer-à-Athènes, rentrons-à-Athènes. En effet, à cette occasion, une profonde entente est née entre vous, assez étrange, en vérité, étant donné la différence d'âge, et tu ne pourras jamais te lasser de lui raconter le jour de votre première rencontre, et ta frayeur parce que tu n'arrivais pas à distinguer son visage. A l'époque, Parri avait quatre-vingt-trois ans, des ennuis de santé et je ne sais quelle maladie à la colonne vertébrale le pliaient en deux comme un arbre tordu par le vent et même quand il était debout, on ne voyait de lui qu'un pantalon noir, une veste noire, et une chevelure ondulée couleur d'ivoire. Pas de visage. Comme si ce n'était pas suffisant, et avec cet humour des vieillards qui s'amusent à se moquer d'eux-mêmes, il exagérait cette infirmité en se recroquevillant plus que nécessaire, en retardant le plus longtemps possible l'instant où il lèverait finalement la tête, pour montrer son visage. Blanc, sec, affublé de sourcils et de moustaches d'une absurde couleur marron, et illuminé par des yeux qui étincelaient de sarcasme, il avait l'air d'un elfe taquin. Ce jour-là, même jeu. Mais le sarcasme s'était immédiatement transformé en tendresse, et pendant que les mains décharnées se levaient pour te caresser les joues, le menton, la bouche, Parri s'était exclamé : « Mon garçon, mon garçon. Tu as bien fait de quitter la Grèce, tu as très bien fait. Maintenant, tu vas vraiment pouvoir organiser la lutte, recommencer à zéro. Assieds-toi, mon garçon, assieds-toi ici, près de moi : j'ai tellement de choses à te demander. Et la première : qu'est-ce que je peux faire pour toi ? Il faut que l'on t'aide, tu es si seul ! » Parler avec un second vieillard, Sandro Pertini qui, à l'époque, était président de l'Assemblée nationale, t'a fait également du bien. Il s'est créé entre vous une entente qui a duré jusqu'à ta mort, et tu raconteras souvent le soulagement que tu avais éprouvé lorsqu'il s'était levé d'un bond pour venir à ta rencontre : maigre, petit, nerveux, te ressemblant étrangement dans les sursauts de joie et les sautes de mauvaise humeur, avec la même manière de tenir la pipe et de la fumer. « Bravo, Alekos, très bien. C'est une sage décision que de t'installer en Italie, on trouvera bien le moyen de te donner un coup de main pour faire la résistance armée. J'ai pris cette décision, moi aussi, après bien des années de prison. La résistance armée, sûr, il n'y a pas d'autre voie. » Il parlait, parlait. Il t'encourageait, t'encourageait. Et la marée montait, montait. Puis, il y eut la rencontre du troisième vieillard, Pietro Nenni. Nous sommes allés le trouver à sa maison de Formia et la marée descendit tout d'un coup, te réveillant et laissant sur la plage de ta conscience des poissons morts, des algues desséchées, du goudron. Des détritus, la réalité.

Je le vois encore en train de te scruter derrière ses doubles verres de myope. Pas un seul muscle de son visage ne fait bouger la toile de rides qui couvre sa face de cuir et qui s'étend jusqu'à sa grande tête chauve, immobile, inaccessible comme la momie d'un pharaon, désenchanté comme un très vieux sage qui ne s'étonne plus de rien puisqu'il a tout vu, parce qu'il connaît tout et que, peut-être, il ne croit plus en rien. Il t'a accueilli en ouvrant les bras et en te disant d'une voix rauque : « Alexandre. » Il t'a embrassé deux fois, ému, mais aussitôt il s'est assis dans un fauteuil à large dossier, une sorte de trône, et il a commencé à t'examiner avec la froideur d'un savant qui analyse au microscope un cas très intéressant. Il n'a fait aucune allusion au passé, à tes souffrances, il ne t'a pas dit si tu avais eu tort ou raison de quitter la Grèce, il t'a posé des questions pratiques et précises. Combien de temps Papadopoulos durera-t-il ? Combien de temps faudra-t-il à Joannidis pour le défenestrer ? Le changement de garde va-t-il améliorer ou empirer la situation ? Quel pourcentage d'officiers soutient la Junte ? Tu es assis en face de lui, enfoncé dans un divan trop mou, qui t'embarrasse, et tu lui réponds en pesant chaque mot, mais sans aucun enthousiasme. Tu n'as pas envie de donner des nouvelles, tu veux parler de ce qui te tient à cœur, à la fin tu y parviens : « Ce n'est qu'avec la résistance armée qu'on viendra à bout de la Junte ! — Résistance armée ? » répète Nenni. Il sait qu'elle est impossible, mais il sait aussi que ça ne servirait à rien de te le dire, et donc il se tait en continuant à t'étudier. On dirait qu'il poursuit une idée qui lui échappe, puis soudain, il s'enflamme et s'exclame s'adressant à moi : « Il me rappelle un garçon de Turin que j'aimais beaucoup, un socialiste qui est mort pendant la guerre civile, en Espagne. Il s'appelait Fernando

De Rosa. En fait, il était plus anarchiste que socialiste. Exactement comme lui ; lui aussi a essayé de faire un attentat qui a échoué contre le prince Umberto de Savoie, qui se rendait à Bruxelles pour se fiancer à Marie-José. Il a tiré et l'a raté. Puis il est venu en Espagne, il s'est engagé dans les brigades, et a rejoint le front directement. Il est mort presque aussitôt : une balle dans la tête. C'était en 1936. Oui, il ressemble à De Rosa bien que De Rosa fût blond aux yeux bleus. Le même air sombre et rêveur, la même impatience. Et le même courage, la même pureté. » Un murmure, la tache sur ta pommette, tes oreilles rougissent : « Que dit-il ? — Il dit que tu ressembles à Fernando De Rosa, un socialiste ou plutôt un anarchiste qui est mort pendant la guerre d'Espagne. Il l'aimait beaucoup. — Anarchiste ? » Je sens bien que tu voudrais répondre quelque chose mais le grand vieillard continue à parler : d'utopie, de réalisme, de doute. Ce doute qui nous envahit, par exemple, quand on se demande si ce sont des hommes, comme toi ou comme De Rosa, qui ont raison ou bien ceux qui, comme lui, agissent au nom du bon sens et de la raison ; ce doute qui devient un tourment quand l'intelligence empoisonne l'optimisme de la volonté, et que l'on se rend compte que les hommes ne correspondent pas à l'idée de l'Homme, que le peuple ne correspond pas à l'idée du Peuple, que le socialisme ne correspond pas à l'idée du Socialisme et l'on découvre alors qu'être lucide veut dire être pessimiste. Il s'arrête là et : « Mais tu auras le temps de penser à tout cela maintenant que tu es en exil. A propos tu sais, moi aussi, j'étais en exil pendant le fascisme. Treize ans ! En exil à Paris et, dans le sud de la France, en Auvergne ! »

C'était la première fois que quelqu'un utilisait le mot exil à ton égard. Personne ne l'avait prononcé ces jours-là. Exil. Personne n'avait résumé, si clairement, si candidement, la vraie nature de ton séjour en Italie. Exil. Et il n'y avait pas de concept ou de terme que tu exécrais davantage. Exil. En cachette, j'ai cherché tes yeux. Ils étaient voilés de douleur, d'humiliation, de rage : isolé, blessé à mort, tu n'écoutais même plus les noms et les adresses que Nenni te donnait. Des gens qui t'auraient aidé : en tout cas il l'espérait. Et tu as murmuré qu'il se faisait tard, qu'il fallait partir. Nous sommes partis. Pendant tout le voyage de retour à Rome, tu as dormi. Ou fait semblant ? Car, arrivés à l'hôtel, tu as ouvert brutalement les paupières, tu es descendu rapidement de la voiture, tu as couru vers l'ascenseur et quelques minutes plus tard, un cri résonnait dans les trois pièces : « Mon billet ! » J'ai couru vers la chambre, tous nos vêtements étaient jetés par terre, sur les chaises, sur le lit : les vestes, les pantalons avaient les poches retournées. Mes sacs aussi étaient ouverts et mes papiers éparpillés partout : on aurait dit qu'un cyclone était passé. Je t'ai répondu ahurie : « Le billet ? Quel billet ? — Mon billet de retour ! C'était un aller-retour, oui ou non ? — Oui, pourquoi ? — Parce que j'ai perdu le billet de retour ! Où est-il ? — Calme-toi, tu ne peux pas l'avoir perdu. Tu l'avais dans ton portefeuille et il était tellement bien plié qu'il ne pouvait pas tomber. Cherche, cherchons ensemble ! — J'ai cherché et recherché ! Il n'y est pas ! — Ne t'en fais pas, tu le trouveras. De toute façon, tu n'en as pas besoin dans l'immédiat, tu ne dois pas te précipiter à Athènes ! — Qu'est-ce que tu dis ? — J'ai dit que de toute façon, tu n'en as pas besoin dans l'immédiat, tu ne dois pas te précipiter à Athènes ! — J'ai compris, c'est toi qui l'as pris ! Tu me l'as volé ! Tu m'as volé le billet de retour ! Pour m'empêcher de partir ! Pour me garder en exil ! Tu veux que je reste en exil ! En exil ! — Je n'ai rien volé du tout ; si tu as perdu ton billet, tu n'as qu'à informer la compagnie aérienne et ils t'en donneront un autre. Je ne te retiens pas en exil, tu es libre de partir, maintenant si tu veux ! » Puis, indignée, je me suis enfermée dans l'autre pièce et ce n'est que le lendemain matin que je me suis rendu compte que tu n'étais pas allé te coucher. Tu avais dormi par terre, tout habillé : « C'est comme ça que l'on dort quand on est en exil et pas en vacances. Quand on est fatigué de soi, quand on a besoin de se trouver ! » Tu avais l'air repenti, effondré. Je t'ai pardonné. Mais on n'a jamais pu retrouver ce billet et je n'ai jamais su si tu l'avais vraiment perdu ou si tu avais inventé cette scène absurde, peut-être après l'avoir détruit pour être dans l'impossibilité de courir à l'aéroport et rentrer immédiatement à Athènes. Car, comme d'habitude, tu le voulais et tu ne le voulais pas.

***

La Toscane est belle en automne. On peut marcher le long des sentiers que les champignons et les genêts embaument et entendre les appels du vent, dans les coteaux bordés de cyprès et de sapins, pêcher des anguilles dans des ravines où le torrent déferle sur des cailloux couverts de mousse, aller chasser le lièvre et le faisan dans le maquis de bruyère rouge, c'est le temps des vendanges, le raisin violet se gonfle, entre les pampres denses, les figues pendent doucement aux branches, frémissantes de pinsons et d'alouettes, dans les bois, les feuilles s'allument de couleurs jaune et orange, en brûlant le vert monotone de l'été. Si tu es fatigué et que tu as besoin de te retrouver, effacer les doutes, il n'y a pas de meilleur endroit que la Toscane, en automne : allons en Toscane, t'ai-je dit. Tu es venu, et la vieille maison sur la colline n'a jamais été aussi belle que cet automne-là. La vigne vierge l'avait recouverte de flammes rouges qui montaient jusqu'aux fenêtres du second étage et aux créneaux de la petite tour, le rosier était éclos dans une étonnante allégresse printanière, ainsi que les glycines qui tombaient en cascades bleu tendre de la balustrade de la terrasse. L'arbousier, juste devant la chapelle, avait fleuri, lui aussi ; les merles se jetaient avidement sur ses baies pourpres, et dans le bassin, les nymphéas flottaient, blancs, superbes. Mais toi, tu as lancé un regard indifférent puis tu t'es enfermé dans un silence qui excluait tout intérêt, toute curiosité. Pendant des jours et des jours, tu n'es pratiquement pas sorti. Tu ne t'es jamais aventuré entre les rangées de vigne pour prendre un grain de raisin, tu n'es jamais allé te promener dans les bois pour respirer le parfum des genêts et admirer le paysage du haut de la ligne de faîte. Une seule fois, tu t'es engagé à plus de trente mètres de la grille pour découvrir avec étonnement que les marrons mûrissaient dans une enveloppe hérissée de pointes et les noix dans une enveloppe que l'on appelle brou, et une autre fois, tu es descendu dans le jardin pour remarquer avec horreur qu'il y avait des poissons dans le bassin des nymphéas et pour demander s'il y avait des morts dans la chapelle. Mais le détail qui me déconcertait le plus était autre : bien que la maison fût très grande, pleine d'escaliers, de portes à ouvrir, de chambres à découvrir, d'objets à regarder, de livres à lire, tu restais toujours dans la même pièce à somnoler avec les volets fermés et la lumière allumée. Quand tu ne somnolais pas, tu marchais de long en large, trois pas dans un sens, trois dans l'autre, ou bien tu jouais avec ton koboloi, ou bien tu écoutais de la musique, flottant dans une sorte de léthargie. « Tu ne te sens pas bien, Alekos ? — Mais si, mais si... — Alors, pourquoi ne sors-tu pas, pourquoi gardes-tu toujours les volets fermés et la lumière allumée ? Eteins la lumière, laisse entrer les rayons du soleil ! — Non, pas le soleil ! Ça me dérange, ça me distrait ! — Mais c'est justement de te distraire dont tu as besoin ! Allez, viens te promener ! — Non, ça me fatigue. Restons ici, viens ici, près de moi ! — Alekos, mais vivre comme ça, c'est comme être en prison ! — C'est pour ça que ça me plaît. Je ne t'ai jamais dit combien un homme est libre en prison ? L'oisiveté lui permet de réfléchir autant qu'il veut, l'isolement lui permet de pleurer ou de roter ou de se gratter comme il l'entend, à l'extérieur, par contre, on ne peut réfléchir que pendant les pauses que les autres nous accordent. Pleurer est une faiblesse, roter, une grossièreté, et se gratter est indécent. — C'est donc ça que tu fais ici : tu pleures, tu rotes et tu te

grattes ! — Non, ici, je travaille ! — Tu travailles ? En faisant quoi ?
— Je pense ! — Tu ne penses pas, tu dors. — Tu te trompes. »
Je n'arrivais même pas à te mettre en colère. Comme des nuages
chassés par un vent soudain, tes actes de fureur avaient disparu.
Ainsi que tes crises d'angoisse, tes attaques de colère. A leur place,
stagnait une espèce d'indifférence, ou une paresse morne qui me
semblait être de l'abandon et dont tu ne sortais qu'à intervalles
précis et seulement si on te sollicitait. Par exemple, à l'heure du
déjeuner ou du dîner, tu te mettais à table, tu mangeais de bon
appétit, tu buvais avec plaisir, tu plaisantais même : « Chantons
ensemble, ah, si la mer était de vin et les montagnes de pecorino ! »
Ou encore tu scrutais par les fentes des fenêtres à la recherche de
Lillo, un bâtard noir et rebelle et quand tu découvrais qu'il était
attaché, tu courais pour le relâcher : « Même un chien, il ne faut pas
l'humilier avec des chaînes ! Allez, Lillo, échappe-toi ! » Ou bien
encore, après le dîner, tu essayais de te rappeler les poésies que tu
avais sauvées à Boiati en les entreposant dans le magasin de ta
mémoire et, tendu par l'effort, les yeux à demi clos, le front ridé, tu
les poursuivais comme des lucioles qui palpitent dans le noir. En
effet, dès qu'un vers te revenait à l'esprit, tu poussais un cri de joie
comme un enfant qui vient d'attraper une luciole dans le noir : « Je
l'ai, je l'ai ! » Après, on les traduisait en se disputant, parce que tu
voulais employer en italien des mots qui n'existaient pas : ce mot-
n'existe-pas, s'il-n'existe-pas-je-l'invente, et la querelle dégénérait
en petites rixes qui ne se calmaient que la nuit, quand tu me
cherchais sous la couverture brodée. Mais ce n'était que des
étincelles volées à la cendre de l'inertie et le lendemain matin, la
paresse dans le lit te reprenait, et tu recommençais à flâner, dans ta
chambre avec les volets fermés et la lumière allumée. « Ouvre au
moins les volets que le soleil rentre un peu ! — Non. — Sors de la
maison, bouge un peu ! — Non. — Tu veux un livre, tu veux lire
quelque chose ? — Non. — Mais que fais-tu ici dans le noir ? — Je
travaille. — Quel travail ? — Je pense. — Tu ne penses pas, tu dors !
— Tu te trompes ! » Si bien qu'à la longue, ma perplexité se noyait
dans l'indifférence, je m'éloignais en me disant qu'il m'était
impossible de consacrer chaque minute de mon existence à analyser
tes métamorphoses et tes bizarreries, d'autant que moi je travaillais
vraiment, j'étais en train de terminer un livre, en toute hâte,
frénétiquement, un livre que j'avais interrompu pour venir te voir à
Athènes, et il m'était difficile d'avaler la thèse selon laquelle
l'oisiveté nourrit l'intelligence. Parfois, au contraire, je m'inquiétais
car je remarquais des choses alarmantes : les poèmes que tu
repêchais dans le puits de ta mémoire,. par exemple, parlaient

presque tous de la mort : « Quand par la pensée tu ranimes les morts/n'oublie pas qu'eux aussi ont vécu/pleins de rêves et d'espoirs/comme les vivants de maintenant/Ils sont passés par les mêmes chemins que toi tu parcours aujourd'hui/et en marchant ils ne pensaient pas à la tombe… » ou bien : « Tout est mort/Ne crois pas que l'agitation que tu vois/soit de la vie/Le vent entraîne les ordures/les fait bouger/seulement bouger/non pas vivre/Tout ce que tu vois s'agiter/est mort. Des choses mortes/mortes et qui souffrent encore… » Comme si cela ne suffisait pas, il y avait aussi cette chanson qui t'obsédait, une chanson pleine de brio, mais très triste au fond, avec un refrain qui ressemblait à un sanglot, et tu l'écoutais sans jamais te lasser : les lèvres tordues en une grimace où l'on ne pouvait deviner si elle exprimait l'ironie ou la douleur. Quand je t'ai demandé pourquoi elle te plaisait tellement, tu m'avais répondu : « Elle dit quelque chose que je ne dois pas oublier. — Quoi donc ? — I zoï, ine micri, poli, poli micri. La vie est courte, très, très courte ! » D'ailleurs, même ton entente avec Lillo avait un goût de mort. Je m'en suis convaincue le jour où il a failli passer sous une voiture parce que tu l'avais détaché ; on avait commencé à se disputer : « Pourquoi l'as-tu détaché ? Ce n'est pas par méchanceté que je le garde ainsi ! Tu ne vois pas qu'il a horreur des voitures, dès qu'on le libère, il leur court après pour les mordre ? Tu veux qu'il meure écrasé par une voiture ? ! » Réponse : « S'il veut mourir écrasé par une voiture c'est son droit. Tu ne peux pas lui dénier ce droit. Aimer ce n'est pas mettre des chaînes aux gens qui veulent lutter et qui sont prêts à mourir, aimer, c'est les laisser mourir comme ils l'entendent. Voilà encore une vérité que tu n'arrives pas à comprendre ! » Puis, tu avais tourné les talons et, d'un pas grave, lent, tu étais monté dans la petite tour pour y rester jusqu'à tard à écouter le silence chanté par les grillons. Comme un mystique ravi par la propre contemplation de lui-même.

Pourtant Athènes était en train de brûler ces jours-là. Et tu le savais. La semaine où nous sommes allés à la campagne, des milliers de manifestants avaient défilé dans les rues et les places de la ville, en criant à-bas-les-tyrans-, à-bas-Papadopoulos, près du temple de Zeus, les heurts avec la police avaient été très violents : pierres, cocktails Molotov. La police avait tiré, et des dizaines de manifestants avaient été blessés, des dizaines et des dizaines arrêtés ; de nouveaux procès étaient en vue, de nouvelles condamnations. Tu savais aussi que les manifestants avaient crié ton nom, enfin sans en avoir peur. Pourquoi donc restais-tu immobile comme un sphinx, à écouter le silence chanté par les grillons, ravi comme un mystique l'est par la contemplation de lui-même ? Pourquoi t'enfermais-tu dans cet isolement ténébreux dont tu ne sortais que pour m'aimer sous la couverture brodée, ou pour me rappeler que la vie est courte, très-très-courte ? Te préparais-tu à arracher la laisse à laquelle je t'avais attaché pour t'empêcher de passer sous une voiture, ou bien étais-tu si fatigué, dans ton âme, que tu acceptais les chaînes sans réagir à l'appel de ceux qui se battaient en invoquant ton nom ? Il fallait trouver la réponse ou plutôt quelqu'un à qui tu veuilles bien la confier. Justement, alors, avec l'inexplicable logique qui dénoue les fils emmêlés de la vie, est arrivé dans la maison en haut de la colline un homme allant sur la cinquantaine, le visage docile et circonspect, l'air poli et prolixe, un je ne sais quoi de rassurant dans les yeux où l'on pouvait lire la patience et peut-être la bonté. Il s'appelait Nicolas, c'était celui qui, au temps de Polytechnique, quand t'avait saisi la passion politique, avait, le premier, succombé à la séduction de ton personnage, te confiant des responsabilités dans le front de la jeunesse socialiste dont il était le président. C'était lui, encore, que tu étais venu chercher en Italie après avoir quitté Chypre avec le faux passeport de Gheorgazis, c'était lui qui avait le plus cru en toi à l'époque où tu préparais l'attentat, en devenant ton conseiller, ton protecteur, partageant avec toi la faim, l'amertume, l'attente du jour où tu allais placer les mines sur la route de Sounion. Tu m'en avais parlé plusieurs fois, toujours avec un respect qui frisait la déférence même si tu t'amusais à souligner son aversion pour le danger, sa méticulosité tatillonne, le mouchoir blanc bien plié dont trois pointes ressortaient de la pochette de la veste bleue, et tu avais toujours regretté de ne pas l'avoir encore revu car il habitait à Zurich. « Nicolas est le seul homme en qui j'aie toute confiance car il est le seul qui me connaisse. » Il est donc arrivé, et sa venue a ouvert toutes grandes les portes de ta réclusion, brisé les digues de ton aboulie. Tout à coup, tu.es sorti pour te promener dans les champs, les bois, tu as découvert l'envie de soleil et tu es devenu d'une loquacité si torrentielle que mes craintes se sont dissipées. Mais, à peine lui ai-je demandé de quoi vous aviez parlé que mes jambes se sont pliées de désarroi.

« Folies, des folies pures et simples. Retours clandestins, attaques de casernes, résistance armée : tout seul. Il dit qu'ici non plus personne ne l'écoute, personne ne l'aide, qu'il n'y a que trois vieillards qui l'ont reçu et que donc, il fera tout, tout seul, et si on le tue, tant pis. Mais quels plans précis, soignés dans les moindres détails ! — Quand les a-t-il mis au point, Nicolas ? Où ? — Où ? Dans cette maison, ces jours-ci, quand vous pensiez qu'il somnolait ou qu'il jouait avec son koboloi. Pas du tout, il travaillait sérieusement, il programmait ses folies avec la rigueur d'un mathématicien. C'est son système. Il en a toujours été ainsi. — Mais je croyais qu'il pensait à la mort : il en parlait toujours. — Bien sûr : chaque plan, réalisé sans l'appui d'aucun parti, sans l'aide d'aucune organisation, est un véritable suicide. Et il le sait. Rien que le fait de rentrer en Grèce maintenant serait un suicide. Ils estiment qu'il est l'instigateur des troubles et... ils le tueraient comme un chien. — Rentrer en Grèce maintenant ? — Oui, il s'est mis en tête de rentrer le 17 novembre : l'anniversaire de sa condamnation à mort. — Sans rien me dire ! — Bien sûr. — A Athènes, il n'avait aucun secret pour moi. — A Athènes, il n'avait pas compris que vous vouliez seulement le garder vivant, en sûreté. Maintenant, il l'a compris et le jour où il partira, il vous prendra par surprise. Il sortira en disant qu'il va acheter un paquet de cigarettes puis, il partira pour la Grèce. Ou bien, il provoquera une dispute, fera semblant d'être offensé pour avoir une excuse et quelques heures plus tard, il débarquera à Athènes avec un faux passeport. — Il n'en a pas. — Il en trouvera un. — Avez-vous essayé de le dissuader ? — Evidemment, je lui ai rappelé qu'un agneau prêt à se sacrifier ne sert à rien, je lui ai expliqué pourquoi les troubles actuels n'aboutissent à rien et seront noyés dans le sang, je lui ai dit que l'histoire ne se répète pas et que son rôle a changé : il s'agit d'exploiter la popularité dont il bénéficie pour agir à l'étranger. Mais c'est quand on lui conseille de faire quelque chose qu'il ne vous écoute pas, quand on lui conseille de ne plus le faire, qu'il le fait. Si on cherche à le dissuader on ne fait que renforcer son obstination. Il n'existe qu'un moyen pour le détourner d'une idée : lui en donner une autre qu'il croit être la sienne et qui le pousse au défi. Comment avez-vous réussi à l'emmener en Italie ? — Plus ou moins comme ça. — Essayez, encore, excitez à nouveau son amour-propre, emmenez-le au loin. »

*
* *

Te détourner d'une idée, exciter à nouveau ton amour-propre, t'emmener au loin, le plus loin possible. Où ? De l'autre côté du globe, en Amérique ! C'est ce que je ferai, lui dis-je. Mais en le disant, il y a une chose que j'oubliais. Il y a une chose que le terrible Léviathan, le grand monstre qui s'est autoproclamé champion de la démocratie, l'Amérique, partage avec les tyrannies de gauche et de droite. Et cette chose, c'est un Etat fort, arrogant, sans pitié, soutenu par ses lois manichéennes, ses règlements mutilants, ses intérêts féroces, sa crainte et, même, sa haine pour des êtres qui ne représentent pas une masse, pour les individus qui ne correspondent pas à une fiche précise, à un code de conformisme, à une religion. Les contestataires isolés. Le contestataire isolé ne sort pas et n'entre pas, on ne lui donne pas de passeport pour sortir des frontières de la tyrannie, ni un visa pour pénétrer dans les frontières du grand monstre qui s'autoproclame champion de la démocratie. Justement parce qu'il est seul, parce qu'il ne dispose pas d'un parti, d'une idéologie donc d'un pouvoir qui se porte garant pour lui. Paradoxalement, les dissidents qui quittent l'Union soviétique ne sont pas pour lui des réprouvés isolés : ils ont, derrière eux, une casuistique, la doctrine du front opposé, l'avantage pour le Léviathan d'être un bien d'échange, une monnaie que l'on peut dépenser au nom de l'équilibre mondial. Je te donne un Corvalan et tu me donnes un Boukovski. Je te rends l'espion X ou Y, et tu me laisses partir un Soljénitsyne. Ce n'est pas parce que je tiens à sauver sa personne mais, parce que son cerveau me sert à démontrer que tu es méchant et que son cas est exemplaire. Qu'y a-t-il en revanche derrière un Don Quichotte qui ne sert à aucun pouvoir, qui n'arrange aucun front, qui casse les pieds à tout le monde, qui n'appartient à aucun conformisme, à aucune organisation, qui va poser sa bombe avec le taxi conduit par son cousin, qui n'agit donc qu'en fonction de sa seule morale, de sa fantaisie et de ses rêves les plus fous ? Quel Etat peut se porter garant de lui, intervenir pour lui, quelle politique ? Rentre-t-il dans la casuistique, peut-on l'utiliser comme bien d'échange, monnaie que l'on dépensera au nom de l'équilibre mondial ? Etant donné qu'il n'y a pas d'échange, le Léviathan devrait traiter avec lui. Et le Léviathan ne traite pas avec les individus, surtout pas les individus qui n'ont pas de fiche. Il traite avec les Etats, avec les doctrines, les religions, à la rigueur avec des partis qui constituent des Etats dans l'Etat. Et tant mieux si ce sont des partis qui se trouvent de l'autre côté de la barricade. Si tu n'es pas au moins communiste, mon cher, l'Amérique ne te veut pas. Communiste ou fasciste, ou socialiste, ou bouddhiste, en somme un *iste*, qui obéisse à une autorité constituée, un homme-standard que l'on peut cataloguer, mettre dans une case, un homme prévisible, commercialisable, pas une particule aberrante qui ne représente qu'elle-même, qui ne correspond pas à une fiche précise dans l'ordinateur, sinon, lorsqu'on l'interroge, ses engrenages se grippent. Théodorakis pouvait entrer en Amérique : il était communiste c'est-à-dire, catalogué, étiqueté et garanti, en outre musicien fort connu, donc un poids qu'on peut jeter sur le plateau de la balance, lui avait eu le droit d'entrer en Amérique... Et sans me rappeler tout cela, sans tenir compte de cette réalité, en outre distraite par l'illusion éternelle que le Léviathan est, au fond, un monstre plutôt débonnaire qui n'avait jamais oublié qu'il était né de rejetés, de réprouvés, je n'ai même pas pensé qu'on puisse te refuser le visa : le seul problème que je me suis posé était celui de te pousser à le demander.

« Alekos, je dois aller en Amérique. Je dois partir pour deux ou trois semaines. — En Amérique ? ! Deux ou trois semaines ? — Oui, malheureusement, c'est dommage que tu ne puisses m'accompagner. Pas en vacances, je veux dire : pour prendre des contacts, chercher des appuis. — Des appuis en Amérique ? Avec un président qui s'appelle Nixon, un ministre des Affaires étrangères qui s'appelle Kissinger et une CIA qui livre le Chili à Pinochet, qui fait assassiner Allende ? Tu oublies peut-être qu'elle a aidé Papadopoulos, qu'elle le protège, qu'elle a tout intérêt à le maintenir à la place qu'il occupe ? — Non, Alekos, non, l'Amérique, ce n'est pas toujours Nixon ou Kissinger ou la CIA : je connais plus de contestataires en Amérique qu'en Europe. Que ça te plaise ou non, tu dois l'admettre : plein d'idées nouvelles naissent là-bas. — Et elles y meurent plus vite qu'ailleurs. Ce sont des contestataires qui ne comptent pour rien, qui n'obtiennent rien, qui n'influent en rien les décisions des Nixon, Kissinger et de la CIA, qui n'empêchent pas les guerres injustes, les alliances sordides, les purges, les chasses aux sorcières. — D'accord, mais certains membres du Congrès se sont très bien comportés quand tu as été condamné. Ils ont poussé Johnson à intervenir auprès de Papadopoulos pour que tu ne sois pas fusillé. — Hum ! — Sans compter qu'en Amérique, il y a l'ONU, qu'à l'ONU, il y a U Thant, et que U Thant est intervenu avec davantage de rigueur que quiconque. — Hum ! — Il y a aussi beaucoup de Grecs en Amérique. Tu te rends compte, sept cent mille à New York, sept cent mille à Chicago, trois cent mille à San Francisco, au moins deux cent mille à Washington. Sans parler des autres villes. Il y a plus de Grecs en Amérique qu'en Italie, en Allemagne, et en Suisse réunies ! — Et alors ? Les Grecs en Italie, en Allemagne, et en Suisse sont encore des Grecs, ils parlent grec, ils s'intéressent à la Grèce. Les Grecs en Amérique sont devenus des Américains, ils ne parlent pas le grec, ils ne s'intéressent pas à la Grèce. — Tu te trompes ! Ils parlent le grec et, comment ! Même les jeunes. Mon fleuriste, à New York, est grec, et il parle le grec. Les garçons du restaurant qui se trouve à côté du fleuriste sont grecs et ils parlent le grec. Si tu étais venu en Amérique, je t'aurais emmené chez un tas d'étudiants grecs, qui parlent le grec, qui sont des ennemis de la Junte. Je t'aurais aussi emmené voir des sénateurs et des députés qui se sont battus pour toi. Et U Thant et d'autres amis à l'ONU. Tu aurais pu parler dans les universités. Et à la télévision et... — Tu crois peut-être qu'on va faire parler un type comme moi à la télévision. — Pourquoi pas ? L'Amérique est un pays qui accueille tout le monde, même ceux qui le critiquent. — L'Amérique est un éléphant qui peut se permettre n'importe quel luxe, même celui de la tolérance. Et si tu la critiques, tu ne la chatouilles même pas, et si tu y parviens, elle en rit, comme d'une petite démangeaison sous l'aisselle. En plus, je ne suis pas considéré comme un critique pour l'Amérique, je suis un obstacle. J'ai cherché à tuer un de ses protégés, tu te souviens ? Quand il s'agit d'obstacles, l'éléphant ne joue pas la comédie : il renverse, il écrase. » Bon, jusque-là, ça avait marché, il n'y avait plus qu'à lancer l'hameçon proprement dit. Je l'ai lancé. « Mais tu irais en Amérique ? — Pourquoi ? — Parce que beaucoup de gens ne peuvent même pas imaginer y aller, connaître sa culture, son peuple. Ils auraient l'impression de trahir en y allant et le manichéisme... » J'ai senti une corde vibrer ; tu as froncé les sourcils : « Manichéisme ? Qu'est-ce que ça signifie ? — C'est séparer le monde, la vie en deux : d'un côté, les bons et de l'autre, les méchants, d'un côté le beau et de l'autre le laid. Noir et blanc, quoi. — Hum ! Fanatisme. — Oui. — Dogmatisme. — Oui. — Tu ne vas tout de même pas insinuer que je suis de ceux-là ? — Non, mais... — Mais, quoi ? Tu crois peut-être qu'il y a des rideaux de fer en moi ? Qui t'a dit que je n'irais pas en Amérique ? J'y vais moi, en Amérique, en Russie, en Chine, au Pôle Nord, partout où il y a quelque chose à connaître ! Partout où je risque de trouver quelqu'un qui m'écoute ! Qui t'a dit que je ne peux pas y aller ? » Ça marchait. Bon sang, ça marchait. « Personne n'a dit ça, Alekos. Mais tu n'as pas de visa, et... — Un visa ça se demande, ça se prend ! Où doit-on le demander ? Où le donne-t-on ? — Je ne sais pas... Normalement, il ne faut pas plus de dix minutes au consulat de Milan. — Bon. Fais les valises ! — Les valises ?! — Oui, allons à Milan ! — A Milan ? — Oui, puis en Amérique. Je veux voir l'éléphant, je veux connaître ces sénateurs, ces députés, ces garçons de café, ces jeunes qui parlent grec. Et U Thant aussi. Et ce marchand de fleurs. Et tous ceux qui seraient disposés à me donner un coup de main. Je suis sûr que ce sera un voyage extrêmement utile. Comment se fait-il que je n'y aie pas pensé plus tôt ? »

A Milan, tu n'as même pas voulu entrer dans l'hôtel tellement tu frémissais d'impatience. Il allait être bientôt cinq heures, l'heure de la fermeture des bureaux. Nous avons laissé nos bagages à la réception, et nous avons couru au consulat où le fonctionnaire de service nous a reçus devant le drapeau du Léviathan qui est né des rejetés, des réprouvés isolés, ce qui fait que tu oublies toujours qu'aujourd'hui les choses ont changé, et cetera. Le fonctionnaire de service était un petit blond au visage couvert de taches de rousseur, au petit nez délicat, qu'une pancarte sur le bureau désignait comme vice-consul. Il s'appelait Carl Mac Cullen et il avait l'air ennuyé de celui qu'on vient de coincer juste au moment où il allait enfin rentrer chez lui pour se reposer d'une journée passée à ne rien faire. Pour ne pas perdre de temps, il t'a fait remplir à la va-vite le formulaire en te demandant si tu étais communiste et si tu croyais en Dieu, puis il a apposé le tampon du visa sur ton passeport et commencé à écrire ton nom, ton adresse, la date de délivrance, la date de validité. Il était sur le point de signer lorsque la secrétaire s'est exclamée en te regardant d'un air affectueux et maternel : « Mon pauvre garçon, on voit bien que vous avez dû beaucoup souffrir toutes ces années ! » Immédiatement il a levé son stylo et s'est mis à t'examiner d'un air soupçonneux : « Why ? Where have you been in these years ? — Il veut savoir où tu es allé au cours de ces années », ai-je traduit un peu surprise. En effet, on l'avait déjà écrit sur le formulaire. « Dis-le-lui ! » Je lui ai dit, il n'a pas compris : « Boiati ? What is Boiati ? Is it a clinic, an hospital ? — Il veut savoir si Boiati est une clinique, un hôpital. » J'ai traduit avec le vague pressenti- ment que ma confiance dans le Léviathan était une fois de plus piétinée, à tes dépens, cette fois. Toi, au contraire, tu as souri, amusé, ignorant du danger. L'idée que les choses puissent se gâter ne t'effleurait même pas ! J'avais vraiment dû être très convaincante quand je t'avais exposé les vertus du Léviathan qui-accueille-tout-le-monde-même-ceux-qui-le-critiquent. « Hôpital, non, pas tout à fait, ce n'est pas exactement un hôpital. » Il a compris : « Not exactly ? What do you mean by saying not exactly ? — Il veut savoir ce que signifie ce pas exactement », ai-je traduit tandis que mon pressenti- ment grandissait. « Cela signifie que Boiati est une prison, une prison militaire ; une sale prison militaire », as-tu répondu avec un nouveau sourire amusé, ignorant du danger. Le petit blond a laissé tomber son stylo. « A prison ? ! A military prison ? Why have you been in a prison, in a military prison ? ! — Il veut savoir pourquoi tu étais en prison, dans une prison militaire. » Ton sourire s'est figé, ta voix est devenue rauque. « Dis-le-lui ! » Je lui ai dit : « Monsieur le vice-consul, ce monsieur est Alexandre Panagoulis. Le héros de la Résistance grecque. — Greek Resistance ? What Resistance ? Resistance for what ? Against whom ? — Il veut savoir quelle résistance. »

Je t'ai regardé. Tu étais pâle et tu le regardais stupéfait, tes yeux étaient tellement figés qu'on aurait dit les pupilles d'un aveugle : « Qu'a-t-il dit ? — Il a dit qu'il ne peut pas le signer et il ne peut pas te le rendre non plus ! — Réponds-lui qu'il n'a pas le droit, lui, un

Américain, de séquestrer un passeport grec, et en Italie. Dis-lui que s'il ne me le rend pas, je le reprends moi-même ! » J'ai traduit en ajoutant quelque chose de mon cru, à savoir, qu'il était en train de commettre une appropriation illégale, passible d'une peine de prison, que j'allais appeler mes avocats, son ambassade, la police, et qu'il finirait en prison sans immunité diplomatique ; mais le seul effet fut de le plonger dans un état de panique indescriptible. Non, bégaya-t-il, il ne pouvait pas, il ne devait pas, il y avait déjà le tampon, quelle horrible erreur, mon Dieu, quelle impardonnable erreur, quel malheur, c'était sa faute, comment allait-il réparer, mon Dieu, non, non, non. Il tremblait. Tu vois, le tremblement convulsif qu'ont les lapins quand on s'approche de leur cage, pris de panique, avec le cœur qui bat à tout rompre sous la fourrure, ils ne savent que faire, où aller, comment se défendre, affolés, ils sautent d'un côté à l'autre de la cage, avec leurs petites pattes, ils s'agrippent à la grille en poussant des petits cris, et voilà : tantôt il fermait le tiroir à clef, cachait la clef dans la poche intérieure de sa veste pour qu'on n'essaye pas de la lui prendre, tantôt il saisissait le téléphone et le posait sur ses genoux pour qu'on ne puisse vraiment pas appeler les avocats, l'ambassade, la police, tantôt il le mettait sur la table, de là dans un autre tiroir pour l'enfermer mais il n'y rentrait pas, alors il le confiait à la secrétaire qui cherchait en vain à le calmer, monsieur le vice-consul, ne vous en faites donc pas comme ça, le tampon sans signature n'a aucune valeur. Mais cela ne menait à rien, et l'agitation grotesque se poursuivait, enrichie d'invocations au Seigneur miséricordieux et tout-puissant : ô mercyful Lord, ô mighty Lord ! Soudain, il s'est levé pour se rendre chez son supérieur, lui avouer son crime, lui demander conseil ; à son retour, il avait presque l'air apaisé. « Are you a communist ? — Non, je ne suis pas communiste ! » as-tu répondu. « Do you belong to any party ? — Non, je n'appartiens à aucun parti ! » as-tu répondu. Pas de bien d'échange. Pas de monnaie à dépenser au nom de l'équilibre mondial. Pas de fiche à mettre dans l'ordinateur. Pas d'autorité reconnue, d'idéologie, de pouvoir qui se porte garant. Vraiment ? Vraiment. Dans ce cas pour pouvoir te rendre le passeport, il devait demander l'autorisation du gouvernement grec. « De qui ? — Du gouvernement grec. » Je t'ai regardé à nouveau. Le mépris qui te raidissait tout à l'heure s'était maintenant transformé en une sombre colère. Tu t'es levé. Tu as levé ton bras droit, et l'index sous son nez : « Américain, rends-moi le passeport, immédiatement ! — But then... I must cancel... the stamping. — Il dit qu'en ce cas il doit annuler le tampon. — Réponds-lui qu'il peut s'annuler les couilles, s'il en a. — Mr Panagoulis says that you cancel your balls, if you have them. » Aussitôt, la clef cachée dans la poche intérieure de la veste a réapparu. Le tiroir s'est ouvert, le passeport s'est trouvé dans les pattes du lapin qui, d'une voix étouffée, a annoncé qu'il devait consulter un instant son supérieur, que tu ne te fasses surtout pas de souci. Quand tu as récupéré ton passeport, la page du visa était recouverte d'une grosse tache noire. Les neuf lettres qui en anglais composent le mot annulé : cancelled. Un homme isolé qui n'est égal aux autres qu'annulé, cancelled.

Annulé et calomnié. Le lendemain, en effet, j'ai écrit à l'ambassadeur du Léviathan, un dénommé Volpe, le Renard, que les Italiens appelaient Golpe, le coup d'Etat. Au lieu de s'excuser, ce dernier fit répondre par une certaine Margaret Hussman, consul à Rome. Après un examen attentif de l'affaire, disait cette dénommée Margaret Hussman, consul à Rome, M. l'ambassadeur tenait à nous informer que le vice-consul, M. Carl Mac Cullen avait réagi de manière parfaitement correcte et que, en vertu des Règlements 212 (a)9, 212 (a)10, 212(a) 28F (ii) de l'Immigration Nationality Act, on refusait de t'accorder le visa. Cette très grossière feuille ne disait pas à quoi se rapportaient ces Règlements, ces chiffres cabalistiques, mais j'ai appris bientôt qu'ils se référaient à ta « turpitude morale » : la tentative d'attentat réussie ou ratée, les actions qui, visant à renverser un régime légitime, constituaient, en effet, un délit que l'Immigration Nationality Act définissait en ces termes « turpitude morale ». J'ai appris, en outre, que le verdict avait été également approuvé et confirmé à Washington par le secrétaire d'Etat en personne, un certain Kissinger qui trônait à l'époque et que, donc, il ne fallait pas se faire d'illusion pour une modification. Mais les voies du destin sont infinies. Car avec l'idée fixe de te rendre dans une Amérique qui ne voulait pas de toi, tu es allé rendre visite à Nicolas, à Zurich, avec ton passeport tout taché. Et le 17 novembre, jour anniversaire de ta condamnation à mort, tu n'étais pas à Athènes où Joannidis te cherchait, bien décidé à tenir sa vieille promesse : je-te-fusillerai-Panagoulis.

**

« Et maintenant, comment vais-je rentrer, moi, comment ? » En deux jours à Athènes, les troubles avaient pris des proportions incroyables. Les journaux parlaient de barricades dans tous les points de la ville, des emblèmes de la Junte arrachés et brisés en morceaux, des manifestants qui conduisent des autobus réquisitionnés, des graffiti : Dehors-la-Junte, A-bas-le-fascisme, A-bas-les-Américains-et-leurs-laquais et sur une photo, on voyait ta mère,

243

petit chapeau noir, sac noir, lunettes noires, bas noirs, habit noir, panier à provisions au bras, portée en triomphe par les élèves de Polytechnique. Sur une autre, on voyait la foule qui débordait de l'enceinte de l'Université pour couvrir toute la rue Stadion, partout des drapeaux rouges : au moins dix mille personnes, et pas un seul policier. Mais il s'agissait de photos se rapportant à des événements de la veille, le contenu des articles était bien différent. Peu avant minuit, les chars avaient envahi la capitale, une cinquantaine de chars, avec des canons de 90, la plupart s'étaient dirigés vers l'Ecole Polytechnique où les étudiants barricadés concentraient la révolte. Ils avaient abattu les grilles, tiré, tué des dizaines d'étudiants : parmi les morts, le jeune homme avec une chemise à carreaux qui t'avait donné deux pains de plastic au temple de Sounion. Il était mort en chantant un de tes hymnes, personne jamais ne lui en saurait grâce. L'histoire ne s'occupe pas des comparses.

« Et maintenant, comment vais-je rentrer moi, comment ? » Et, avec la fureur d'un tigre qui, pris au piège, se débat dans un filet, tu mesurais à grands pas boitillants le salon de la maison de Nicolas. Quand je répondais calme-toi, même la volonté la plus déterminée doit tenir compte des imprévus du sort, tu me vomissais ta rancœur qui frisait la haine. « C'est ta faute à toi, à toi, c'est toi qui m'as fait perdre du temps avec ton idée de voyage en Amérique ! C'est toi qui m'as distrait avec ce consulat de merde, avec ces fascistes hypocrites qui n'ont même pas le courage de se montrer tels qu'ils sont ! C'est toi qui m'as emmené voir ce lapin bégayant ! Aujourd'hui je serais à Athènes si tu n'avais pas été là ! J'aurais pu rentrer avec mon passeport, maintenant, c'est impossible ! Impossible ! Impossible ! » Tes yeux étaient pleins de larmes, d'impuissance, de désespoir.

Nicolas est rentré avec les journaux du soir. L'Ecole Polytechnique avait été évacuée aux premières lueurs de l'aube, disait-il, le gouvernement reconnaissait qu'il y avait eu une douzaine de morts et des centaines de blessés : on parlait déjà de massacre. La répression s'était étendue à Salonique, à Patras, aux paysans du Mégare ; mais Athènes restait l'épicentre, les chars se trouvaient même devant le Parlement et le couvre-feu commençait à quatre heures de l'après-midi. De toute manière, le message transmis à la radio par Papadopoulos restait la chose la plus importante. Un message par lequel il annonçait le retour à la loi martiale, abolie en août, et s'engageait à restaurer l'ordre-troublé-par-des-minorités-anarchistes-au-service-du-communisme-international-et-de-politiciens-dépourvus-de-scrupules : « Il a dit ça ? — Oui ! — A la radio, pas à la télévision ? — Oui. » Aussitôt la fureur du tigre pris au piège a semblé s'apaiser et tu m'as regardée avec des yeux où il n'y avait plus aucune trace de reproche. « Alors Papadopoulos parle avec un revolver sur la tempe. Le revolver de Joannidis. Papadopoulos n'est plus qu'un fantoche dans ses mains, sa pseudo-démocratisation a échoué, son régime prend fin avec la tentative même de le légaliser par une force électorale, l'armée lui a tourné le dos. Ces chars ne sont pas les siens, ce sont ceux de Joannidis : c'est Joannidis qui a exaspéré les troubles en les laissant s'amplifier pour les briser avec violence ; c'est Joannidis qui a voulu le massacre de Polytechnique pour démontrer que Papadopoulos est un faible et un incapable ; c'est Joannidis qui commande aujourd'hui à tout point de vue, et il est soutenu par la faction des durs. — Donc, si tu rentres maintenant, je te donne cinq minutes de vie à partir du moment où tu débarqueras à Athènes », murmura Nicolas. Tu as souri avec mélancolie : « Je n'ai aucun besoin de rentrer maintenant. Cela ne servirait à rien sinon à me retrouver dans la cellule voisine de celle de Papadopoulos. — Quoi ? — Je dis que Joannidis n'est pas un homme à faire des compromis : il va arrêter Papadopoulos. On s'était tous trompés : il ne s'agissait pas d'une révolte populaire mais d'un coup d'Etat dans le coup d'Etat. Cette fois, c'est Joannidis qui a fait le coup d'Etat : pour évincer Papadopoulos et stabiliser la dictature, et même la replacer dans le cadre de la dictature militaire. Dans une semaine, tout cela sera évident et officiel. »

Et la prophétie s'est avérée. Huit jours plus tard en effet, Joannidis assignait Papadopoulos à résidence. A la présidence de la République en revanche il plaçait un général nommé Phédon Ghizikis. Le même Ghizikis qui en 68 avait signé le décret de ta condamnation à mort et qui était venu te trouver l'année suivante dans ta cellule de Goudi pour t'encourager à manger. « Je vous en prie, monsieur Panagoulis, mangez donc un peu. — Sans couverts, mon général ? Je ne suis pas un chien. — J'en conviens, monsieur Panagoulis, mais vous devez comprendre leur ressentiment. Dès qu'on vous donne une cuillère vous vous en servez pour creuser un trou dans le mur ! » Dans ton histoire les personnages sont presque toujours les mêmes : ce n'est qu'exceptionnellement qu'ils sortent de scène pour se perdre dans l'oubli. On aurait dit que les dieux s'amusaient à les utiliser et à les réutiliser comme appât pour t'attraper.

***

Nous étions rentrés dans notre luxueux hôtel de Rome et là, à mon grand étonnement, tu as demandé l'appartement qui t'avait culpabilisé et qui avait scandalisé les théoriciens du sacrifice apparent. Nous y sommes retournés le matin et depuis lors, en silence, tu ne faisais qu'inspecter les rideaux, les lampadaires, les abat-jour, l'intérieur de la cheminée, le rembourrage des fauteuils : comme si une bombe pouvait s'y trouver. « Mais qu'est-ce que tu cherches ? — Rien. — Pourquoi fouilles-tu partout ? — Chut ! » Finalement, après avoir passé au crible chaque objet pour la énième fois, tu t'es assis sur le divan du salon et tu t'es exclamé à haute voix : « Hum ! Nenni dit que je suis en exil mais ce n'est pas ce que pense Joannidis. Il paraît que ces derniers jours, convaincu que je me trouvais à Athènes, il m'a même cherché parmi les pierres du Parthénon. Il ne se résigne pas, Joannidis. Il est tenace comme un petit Robespierre. Et puis il sait bien comment se garde le pouvoir avec une dictature militaire, il sait que dans une dictature militaire ce n'est ni le gouvernement ni le président qui commandent mais celui qui dispose pleinement de l'armée. Pauvre Averof. Il va falloir qu'il reprenne tout depuis le début, avec sa politique du pont. Et cette fois il devra bien se frotter à Joannidis. — Averof ? » Au moment où tu t'y attends le moins voilà que ce nom est lâché : Averof. « Oui, Averof. Celui qui organise les révoltes de la Marine et puis qui rapporte tout, celui qui s'en tire toujours. Dieu sait ce qu'il avait promis à Papadopoulos, Dieu sait comment il se prépare à tromper Joannidis. Peut-être en utilisant Ghizikis. — Mais quel rapport avec Averof ? — Il y a un rapport. Pfft, quelle chaleur ! » Tu as ouvert la fenêtre, tu es sorti sur la terrasse et tu as commencé à me faire de grands signes pour que je t'y rejoigne. Je t'ai suivi à contrecœur : l'hiver approchait et il faisait froid dehors : « Mais pourquoi... ? — Chut ! Parle à voix basse ! — A voix basse ? Mais tu viens de crier jusqu'à maintenant ! — Parce que je voulais qu'on m'entende bien. — Qui donc ?! — Ceux qui écoutent. Je suis sûr qu'ils ont placé des micros quelque part. — Quels micros ?! Qui donc va mettre des micros ! — N'importe qui. L'ambassade grecque, les services secrets américains, les services secrets italiens pour faire une faveur aux Américains et à l'ambassade grecque... — C'est donc ça que tu cherchais, les micros ? — Evidemment. — Mais alors pourquoi es-tu revenu ici, en demandant le même appartement ? — Parce qu'il n'existe pas d'endroit plus sûr que celui qui est contrôlé et dont on sait qu'il l'est. Quand tu le sais, tu prends tes précautions, tu peux même tendre des pièges avec de fausses nouvelles. Faisons un essai. — Quel essai ? — Tu vas voir. On va rentrer et je vais dire que je veux retourner à Athènes. Tu dois seulement jouer le même jeu. Sans rire, hein ? » Bon, ça valait mieux que grelotter au vent de fin novembre. Et puisque tu avais en tête cette histoire de micros il fallait bien te faire plaisir. « D'accord. » Nous sommes retournés dans le salon où à nouveau tu as parlé à haute voix, en scandant bien chaque phrase. « Donc, je pars demain. Je prends l'avion qui arrive à Athènes à sept heures du soir. — Tu as réservé ta place ? — Il ne faut jamais réserver. Jamais donner d'indice. On va à l'aéroport à la dernière minute et on demande une place. Tu crois que c'est malin de mettre mon nom sur la liste des passagers, deux jours à l'avance ? — Tu ne vas tout de même pas donner ton nom, Alekos, partir avec ton passeport ? — Peut-être que si. — Je suis inquiète. — Tout ira bien, je te le promets. — Alekos, que vas-tu faire à Athènes ? ! — Qu'est-ce que tu peux être innocente ! Que veux-tu que j'aille faire ? Un attentat évidemment. — Contre qui ? — Joannidis, qui d'autre ? »

Tu avais préparé ton piège avec un soin vraiment diabolique. Tu avais tout d'abord prévenu un ami à Athènes pour qu'il se rende à l'aéroport le lendemain pour voir s'il remarquait quelque chose d'anormal. Un mouvement de policiers vers sept heures du soir par exemple. Puis tu avais pris tes dispositions pour te trouver à l'aéroport de Rome quarante-cinq minutes avant le décollage de l'avion, et c'était le détail le plus astucieux car il impliquait Nicolas qui n'était au courant de rien. Nicolas devait, cette semaine, t'accompagner à Stuttgart pour prendre des contacts avec des émigrés grecs, et au lieu de le rencontrer à Zurich, ce qui aurait été normal, tu l'avais persuadé de venir te rejoindre à Rome. On t'aurait donc vu en sa compagnie avant le faux départ pour Athènes, ce qui effacerait les derniers doutes quant à la véracité du dialogue intercepté par les micros cachés. « Alekos, ils se rendront quand même compte que tu bluffes. — Mais non, ils ne se rendront compte de rien, laisse-moi travailler. Il suffit qu'ils nous voient ensemble quand il passera la douane, après je saurai bien me faufiler pour qu'ils pensent que j'ai embarqué. » Te voilà donc hélant un taxi avec une impatience feinte, vite-s'il-vous-plaît-je-dois-me-rendre-à-l'aéroport, tu sors avec un sac qui pourrait bien être un sac de voyage, tu me dis au revoir avec l'air de quelqu'un qui part et qui susurre les dernières recommandations. Je ne devais, sous aucun prétexte, rentrer à l'hôtel avant toi, m'exposer à la question de savoir si tu étais parti ou non ; surtout pas approcher des gens susceptibles de me demander où tu étais. On devait se revoir à l'heure du dîner avec Nicolas, rendez-vous dans un restaurant, et à minuit on irait à la poste centrale pour appeler un ami à Athènes et lui demander ce qui s'était passé. Je hochais la tête pour te faire plaisir en étant parfaitement convaincue qu'il s'agissait d'un enfantillage inutile, que l'histoire des micros n'avait vraiment aucun rapport avec la réalité. Et je me trompais. A minuit, en effet, l'ami raconta que dès les premières heures de l'après-midi l'aéroport avait commencé à être sens dessus dessous. Des soldats sur la piste, des autoradios, des ambulances : il ne manquait que les chars d'assaut. Au vol de sept heures la situation était devenue dramatique car on avait fouillé tous les passagers comme des criminels et on avait arrêté un Espagnol. Un Espagnol, brun, la trentaine, avec des moustaches. Ton type physique, en somme. « Convaincue ? Il y a des micros cachés ou pas ? » Un sourire de triomphe éclairait ton visage. Nicolas était par contre tellement nerveux que même sa docilité semblait avoir disparu, ainsi que la symétrie de sa pochette rouge soigneusement pliée. C'était une farce inutile, répétait-il, tôt ou tard ils te le feraient payer. Il fallait que tu cesses tes défis personnels, tes duels privés. Il fallait que tu changes de système, tu ne ferais jamais rien de bon autrement. Tu voulais te lancer dans la lutte armée ? Eh bien, elle ne s'organise pas en perdant son temps en défis personnels, en duels privés, elle demande la participation de beaucoup de gens. Il fallait les chercher ces gens : sans te décourager, sans perdre patience si, au bout d'une semaine, d'un mois, tu n'avais rien trouvé. « Allez, on part pour Stuttgart. Commençons par l'Allemagne. »

***

Allemagne, France, Suisse, Autriche, Italie du Sud et du Nord : on ne peut rien imaginer de plus décevant que ces voyages à la recherche de partisans parmi les exilés et les émigrés grecs. Un Nicolas, résigné, t'accompagnait, moi pas ; je n'assistais pas à tes défaites mais il suffisait de voir ton visage hâve quand tu rentrais, ta manière de laisser tomber la valise, d'un seul coup, comme si elle contenait le poids de tes amertumes, d'entendre ta voix murmurer : « Des mots, des mots, des mots ! » Puis le récit de ce qui t'était arrivé, toujours identique. Accueil triomphal à ton arrivée, applaudissements aux meetings que tu tenais dans quelque théâtre, repas interminables dans des tavernes au son assourdissant des bouzoukis, gardes du corps qui protégeaient ton sommeil avec colt automatique à la ceinture, baisers, accolades, femmes qu'on te proposait d'amener dans ton lit, mais à la fin de tout ça pas une seule personne qui réponde oui, prenons les armes contre Joannidis. « Dis-moi pourquoi ? » Question superflue car comme d'habitude tu refusais de tenir compte de la réalité, qui en Grèce t'avait empêché de rassembler une poignée d'hommes prêts à occuper l'Acropole et en Italie t'avait opposé une barrière de malaise ou de méfiance. En somme, encore une fois, personne n'était prêt à s'immoler dans des entreprises suicidaires surtout sans l'appui d'un parti, d'une idéologie. Le problème de ta place sur l'échiquier politique se posait à nouveau ainsi que celui de la solitude qui te prive de l'avantage d'être un bien, une monnaie susceptible d'être échangée au nom des équilibres mondiaux : qui-est-ce, que-veut-il, qui-s'en-porte-garant. Quand le poison des doctrines intoxique les consciences et les embrouille il n'y a pas que le cerveau du leader étranger ou l'ordinateur du Léviathan qui se bloque ; l'esprit de tes frères réagit exactement de la même façon en se posant les mêmes questions : comment est-il possible qu'il n'ait pas une fiche, une carte, qu'il n'appartienne à aucune Eglise ? Leur répondre ne sert à rien : voyons c'est Panagoulis, celui qui a tenté de nous libérer de la tyrannie, celui qui a été condamné à mort, qu'on a gardé des années dans un poulailler sans fenêtre ! Son passé est une vraie garantie, son présent, sa pureté ! Ils regardent avec des yeux éteints, leurs oreilles restent sourdes. Oui mais, sa carte, sa fiche, où sont-elles ? Est-il socialiste, communiste, bouddhiste ? Le pire est qu'il ne sait pas expliquer, en termes scientifiques, pourquoi il ne conçoit même pas de s'identifier à une doctrine, à une formule. Ce n'est pas un philosophe, après tout, ni un penseur : il ne s'est jamais interrogé réellement sur ce casse-tête, il n'a jamais essayé de rationaliser certaines impressions. Il peut seulement dire qu'il veut être un homme, qu'être un homme veut dire être libre, avoir du courage, lutter, assumer ses responsabilités, alors bougeons un peu, luttons contre cette dictature.

Avec ton aspect, ton nom pour seul aval, ton passé comme seule carte de visite, tu te présentais aux Grecs immigrés en Allemagne, en France, en Suisse, en Italie, et de nouveau tu te heurtais à un mur. Ou bien ton invitation à la résistance armée était repoussée avec la phrase fatidique je-voudrais-mais-je-ne-peux-pas-j'ai-une-famille, ou bien elle était neutralisée parce que la majorité des gens ne comprenait pas pour *qui* tu voulais les engager, à *qui* tu appartenais, *qui* se trouvait derrière toi. Sans tenir compte du fait que beaucoup d'entre eux étaient déjà réquisitionnés par les communistes ou par les papandréistes. Si tout dialogue était pratiquement impossible avec les premiers, parce que ton anarchisme libertaire se heurtait à leur dogmatisme, tu nourrissais à l'égard des seconds un mépris irréductible — que méritent ceux qui suivent un démiurge qui se trouve à la tête d'un parti qui repose sur son seul nom ou plus exactement sur le nom de son célèbre père défunt Tu méprisais surtout le démiurge : je m'en étais bien rendu compte la nuit de notre rencontre en écoutant les railleries que tu proférais à leur égard. Il suffisait que quelqu'un prononce le nom d'Andrea Papandreou pour que tu te laisses emporter par des paroles injurieuses : « Ce phraseur ! Cet irresponsable ! Ce clown qui trompe le peuple ! » Et avec une telle rage, une telle rancœur, que j'avais pensé au début qu'il devait s'agir d'une hostilité personnelle, ayant pour origine les déceptions qu'il t'avait infligées avant l'attentat. Des voyages pour rien, pour demander un appui, des promesses non tenues, des mensonges. J'avais même pensé à un ressentiment provoqué par l'exil confortable dont il jouissait à Toronto. Selon la bonne habitude de ces leaders qui restent à l'abri tant que le danger est menaçant, et qui, dès qu'il est passé, rentrent chez eux pour exploiter le sacrifice des autres. Mais pendant le massacre de Polytechnique, quand il était venu à Rome pour dire que c'était lui qui avait voulu et dirigé la révolte, que les insurgés lui avaient téléphoné tous les jours pour lui demander des instructions, Andrea-que-devons-nous-faire, que les morts n'étaient pas quarante mais quatre cents, cinq cents, six cents, mille, l'équivoque s'était éclaircie. J'avais compris que Papandreou incarnait à tes yeux une maladie caractéristique de notre époque, aussi contagieuse que l'idéologie dogmatique : le populisme bon marché qui aboie dans le vide, la révolution à la Mussolini de ceux qui croient ou voudraient nous faire croire qu'ils désirent le bien du peuple, le maximalisme abstrait de celui qui endosse l'adjectif socialiste comme un vêtement à la mode, un mensonge rentable. Le mépris que tu lui témoignais, loin d'être une affaire personnelle, concernait aussi la gauche des politicards, des aventuriers, qui avec leurs maladresses offrent des prétextes à la droite, provoquent ses coups d'Etat et sa crapulerie déguisée en Ordre et Loi.

Et c'est justement à ce type de gauche, je le répète, qu'appartenaient une bonne partie de ceux qui te tournaient le dos. Je ne peux vraiment rien imaginer de plus décevant que ces voyages dont tu rentrais avec le visage hâve de celui qui, une fois de plus, a échoué. Ou bien avec le visage gonflé de celui qui, une fois de plus, s'est soûlé. C'est à cette époque en effet que la boisson était devenue pour toi un masochisme quotidien et pervers, le symbole du désespoir qui t'écartelait De plus c'est à cette époque que Sancho Pança t'a servi d'écuyer-infirmier et qu'il a tenté, en vain, de t'enfermer dans la cage de l'amour serein avec la maison dans les bois.

CHAPITRE II

Dans toutes les fables il y a une maison dans les bois, un secret refuge où le héros s'arrête pour se reposer ou se préparer au prochain défi. Eh bien, dans ta fable aussi, il y a une maison dans les bois, celle de Florence, où nous sommes allés au début de l'année, clandestinement. Je dis clandestinement parce que, en effet, seuls quelques amis dignes de confiance en connaissaient l'existence et encore moins nombreux étaient ceux qui savaient l'adresse exacte, d'ailleurs difficile à retrouver. L'endroit était très retiré, la plaque avec le numéro tellement usée par le temps qu'on pouvait à peine la lire, et les rares personnes qui venaient nous rendre visite se perdaient, même si elles étaient déjà venues auparavant. T'en souvient-il ? Au milieu de ce chemin qui, bordé de platanes et de tilleuls, grimpe au travers du quartier le plus chic de la ville, il y avait un mur ; dans ce mur, juste à la hauteur de l'arrêt de l'autobus, il y avait une grille à demi masquée par la verdure et au-delà de la grille, il y avait une petite route privée qui plongeait en ligne droite puis en méandres dans un parc de pins, de cyprès, de marronniers. Et au fond de la ligne droite, au-delà d'une haie de lauriers qui la protégeait avec une fierté exquise, elle surgissait : une villa de quatre étages, de style Liberty, jadis demeure principale d'une famille noble et maintenant habitée par trois ou quatre locataires. En effet, à la mort du propriétaire, on avait divisé la villa en plusieurs appartements et, cela va de soi, nous n'avions pas un véritable appartement : nous n'avions qu'une chambre, au troisième étage, orientée vers le nord, une espèce de studio où l'on arrivait par une entrée privée, après avoir monté six volées d'escaliers, abruptes, sans jamais rencontrer personne sinon un basset hystérique ou un fox-terrier grincheux. Le studio était cependant très vaste, avec une salle de bains et une cuisine, et il était bien éclairé par d'immenses fenêtres dont une donnait sur une terrasse en fer forgé,

251

du côté où la route se séparait en deux et où la haie de lauriers se mêlait à un buisson de lilas, l'autre sur l'arrière du parc. De là on ne voyait que des arbres, magnifiques, très serrés, certains étaient si grands qu'ils devaient être bi ou tricentenaires, d'autres étaient si proches qu'on pouvait les toucher ; les branches d'un marronnier, par exemple, arrivaient au bord de la fenêtre, et sans tendre le bras on pouvait cueillir ses marrons et en caresser la peau brillante. Mais ce qu'il y avait de plus beau était autre, c'était, face à cette fenêtre, une gigantesque armoire à glace où un cyprès et un marronnier se reflétaient, si bien qu'au lieu d'être dans une chambre, on avait l'impression d'être dans une forêt. Quand la fenêtre était ouverte les oiseaux, attirés par le mirage, se jetaient sur le miroir pour se poser sur une branche et lorsqu'ils se rendaient compte qu'elle n'existait pas, ils s'arrêtaient effrayés, battant des ailes contre l'invisible barrière, puis ils s'éloignaient à tire-d'aile entre le plafond et le mur, cherchant une feuille, un arbuste qui aurait dû être là mais qui n'y était pas, finalement ils se perchaient sur le lampadaire pour piailler ou bouger la tête par à-coups en fixant tantôt la réalité, tantôt le mirage : incapables de distinguer la réalité du mirage. Il fallait alors les aider à repartir en agitant une serviette : « Par là, dehors, par là ! » Un matin est entré un rouge-gorge. Il est entré avec un tel enthousiasme qu'il est allé s'écraser contre lui-même, il est tombé et s'est brisé une aile. Il était tout petit, c'était sûrement son premier vol ; tu l'as ramassé avec des précautions infinies, tu as fixé son aile avec des bâtonnets et du sparadrap, tu lui as fait un nid dans un chapeau dans lequel il est resté deux jours et deux nuits à piailler tout doucement, jusqu'à l'aube du troisième jour. Tu as sauté du lit : « Il est guéri ! Il est guéri ! » Mais il n'était pas guéri, il était mort, et caressant le petit tas de plumes inertes tu as murmuré : « C'est le mirage qui t'a tué, tu vois ce qui arrive à ceux qui poursuivent ce qui n'existe pas. » Puis tu l'as enfermé dans une boîte en fer et tu l'as enterré sous les cyprès : « Celui qui meurt pour un mirage mérite un bel enterrement. »

La maison dans les bois avait aussi de graves défauts. Le chemin bordé de platanes et de tilleuls par exemple n'offrait aucun abri, car il était non seulement peu fréquenté mais il ne longeait que des habitations avec des grilles hermétiquement fermées : pas un seul magasin, pas un bâtiment public, pas un lieu de rencontre, rien sinon l'arrêt d'autobus où jamais personne ne montait ni ne descendait. Notre grille au contraire restait toujours ouverte mais il n'y avait aucune lumière le long du chemin qui, la nuit, était plongé dans une totale obscurité et il fallait parcourir une centaine de mètres dans le noir pour arriver à la villa : si on avait voulu t'attaquer, t'enlever ou t'assassiner il aurait suffi de t'attendre dans l'obscurité, caché derrière un arbre ou une haie de lauriers. Le soir on prenait la précaution de partir et de revenir avec un taxi mais rarement le chauffeur acceptait d'aller jusqu'à notre porte d'entrée et quand l'un acceptait, il n'attendait pas que nous ayons mis la clé dans la serrure : des agresseurs éventuels avaient donc tout leur temps pour sortir de l'ombre et t'attaquer. J'avais prévu tout cela et j'avais hésité à louer cette maison mais tu m'avais répondu que la beauté comporte des risques, qu'un lieu aussi enchanteur valait la peine de s'exposer. On avait donc signé le contrat et meublé la maison. Les tableaux sur les murs, les livres dans les étagères, le bureau placé dans l'angle le plus approprié, le fauteuil à bascule près de la terrasse et même la lampe Tiffany sur la table. Et la promesse : « Je vais être plus serein, tu vas voir ! » Tu l'as tenue, au début. Au début, j'ai cru revivre, par moments, notre semaine de bonheur. La nuit nous nous aimions avec une passion joyeuse puis nous dormions collés l'un contre l'autre, enlacés, ce qui rendait le lit matrimonial trop grand. Le jour, on s'offrait de petits luxes comme de travailler à la même table sans se déranger, se promener dans le parc, se donner rendez-vous dans un café du centre ville, jouer les amoureux qui échangent leur alliance en riant. Un après-midi tu es rentré à la maison en m'offrant une petite alliance en brillants, j'ai couru aussitôt t'en acheter une en or blanc mais je me suis trompée de taille et au lieu de l'annulaire, tu as dû la mettre au petit doigt de la main gauche où elle est toujours restée à mon grand amusement car tu te plaignais en disant agneau au lieu d'anneau, « le petit agneau ».

Il y avait aussi bien sûr des parenthèses de mauvaise humeur. Par exemple quand tu allais chercher ton courrier à la poste centrale, moyen pour protéger l'anonymat de la maison dans les bois et parmi les lettres, certaines réanimaient ton sentiment de culpabilité, ton impression d'être un exilé ! Toutefois un équilibre inespéré semblait avoir remplacé l'hystérie des semaines gâchées en Allemagne, en Suisse, en France, et ce que tu étais en train de faire en était la preuve : la colonne titrée Résistance Grecque que tu écrivais pour un quotidien de Rome, le recueil de tes poèmes en un livre qui contenait le texte grec et une traduction italienne que tu pouvais donc diffuser en Grèce, les tampons pour improviser des tracts contre la Junte. C'était une idée géniale car pour les tracts à Athènes le problème consistait à trouver une imprimerie clandestine, et les imprimeries clandestines étaient un luxe que seuls pouvaient s'offrir les communistes et les papandréistes : avec les tampons, il suffisait de se procurer du papier, de l'encre et imprimer les slogans qui étaient gravés. Parmi les slogans celui que tu devais afficher sur le Parthénon : Agonas kata tis tirannias — Agonas dia tin elefteria. Lutte contre la tyrannie — Lutte pour la liberté. Tu en avais commandé cent cinquante, grands comme deux paquets de cigarettes, donc très maniables, tu les gardais dans des sacs à double fond et tu les donnais au fur et à mesure à des personnes qui allaient à Athènes, et trois sacs étaient déjà arrivés à destination ; quatre autres attendaient dans l'armoire à glace. De plus tu buvais très peu, jusqu'à l'heure du repas, tu ne buvais que du jus d'orange : en un mois, deux ou trois soirs seulement s'étaient terminés par une beuverie. Mais ce n'était que l'ébriété du premier stade, celui qui ouvrait la porte de l'éloquence, stimulant ton sens de l'humour. « D'accord ce soir je n'ai pas été sobre. Mais peux-tu imaginer Socrate dissertant avec Criton, Phédon ou Simmias en buvant du jus d'orange ? » Ma seule inquiétude tenait à un mystérieux voyage en Suède. « Je dois aller à Stockholm. — Chercher d'autres émigrés ? ! — Non, non. — Alors pourquoi aller à Stockholm ? — Oh ! c'est un interrogatoire ? » Tu étais rentré de Stockholm avec un petit paquet et une enveloppe que tu avais enfermée dans le tiroir du bureau, puis tu avais mis la clé dans ta poche sans me donner aucune explication. « Alekos, qu'est-ce que tu as caché ? — Rien. — Ce n'est pas de la dynamite ? — Mais non. » Cette histoire ne me plaisait pas et à chaque fois que je regardais le tiroir j'éprouvais un sentiment d'angoisse. Pourtant tu ne parlais plus de lutte armée ni de rentrer à Athènes.

Bien vite je me suis rendu compte que tout cet équilibre, cette bonne humeur n'étaient qu'une mise en scène pour me tromper.

***

« L'art vient du besoin, dans la richesse il meurt. — Ce n'est pas toujours vrai, Alekos : tu ne peux pas nier que les statues de Phidias c'est de l'art, tu ne peux pas nier que la chapelle Sixtine c'est de l'art, pourtant ni les unes ni l'autre ne sont nées du besoin. Elles sont nées dans la richesse. — Ferme-la, toi. C'est pas à toi que je parle, c'est à lui. » Nous étions en train de dîner avec l'éditeur qui se chargeait de la publication de ton recueil de poèmes, et il était venu à Florence pour nous montrer les épreuves. J'ai réagi plus violemment que je ne l'aurais fait si nous avions été seuls. « Comment oses-tu, goujat. — Ferme-la, je t'ai dit. Qu'est-ce que tu sais de Phidias, toi qui es incapable d'avaler la fumée. Regarde-la, elle n'avale pas la fumée. Quel intérêt de fumer, si on n'avale pas la fumée ? — Chacun fume comme il veut, moi non plus je n'aime pas avaler la fumée, de toute façon je ne vois pas le rapport entre Phidias, et avaler la fumée », a dit l'éditeur surpris. Puis dans l'intention évidente de calmer ma colère qui montait, il a allumé une cigarette et a gardé la fumée dans la bouche. Mais le seul résultat a été d'encourager cette attaque injustifiée : « Ah! On noue des alliances? On protège les faibles? Elle n'est pas faible va, ne te fais pas d'illusions, elle est plus forte que moi. C'est un roc. Son cœur aussi, c'est une pierre! L'as-tu jamais vue pleurer, hein? » Bizarre, vraiment bizarre. C'est la première fois qu'une chose pareille arrivait. « Elle n'est pas seulement incapable de fumer, elle ne sait même pas se servir d'un briquet. Elle le laisse ouvert au moins trente secondes avant d'actionner la molette et comme ça elle perd tout le gaz. Tout ce qu'elle fait elle le fait mal d'ailleurs. Sais-tu comment elle colle les timbres? A l'envers, par exemple la tête de l'Italie vers le bas. Et si tu le lui fais remarquer, elle hausse les épaules, elle te répond que c'est pareil. Elle ne respecte personne, elle ne croit en rien ni en personne. » Si tu avais bu j'aurais dit que le vin faisait son effet. Mais tu n'avais pas bu un seul verre, ce soir le vin ne t'intéressait pas. Il n'y avait pas eu non plus de malentendus entre nous. En effet tu avais été affectueux et gentil jusqu'à cette histoire d'art qui naît du besoin et meurt dans la richesse. Etais-tu en train de perdre la tête? C'est ce que l'éditeur semblait se demander mais son incrédulité était en train de se transformer en hostilité : « Bien sûr, il faut être un roc, Alekos, pour supporter tes extravagances. Cœur compris. A sa place j'aurais déjà eu un infarctus. — Les alliances! On continue les alliances. — Ce n'est pas un problème d'alliances, Alekos. C'est... — C'est que tu ne sais même pas qui a peint la chapelle Sixtine. Allez, dis-le, qui l'a peinte? — Winston Churchill, Alekos. — Bien, bravo. Et quel était le vrai métier de Winston Churchill? — Champion de basket-ball. — Parfait. Et quand est-il mort? — En 1965, à quatre-vingt-onze ans. — Erreur, erreur. Winston Churchill est mort en 1967 à quatre-vingts ans. » Bon, tu l'avais inclus dans le jeu, mais en plaisantant : heureusement. Je pouvais interrompre mon silence dédaigneux et participer moi aussi. « C'est lui qui a raison, Alekos. Churchill est mort en 1965 à l'âge de quatre-vingt-onze ans. — J'ai dit en 67 à quatre-vingts ans. — Non, Alekos. Je regrette de te contredire mais c'était bien en 65. Le 24 janvier 1965. Je me le rappelle très bien parce que j'étais à Londres ce jour-là et mon fils est né le lendemain. » La voix de l'éditeur était sèche, belliqueuse. Justement ce dont tu avais besoin pour changer de ton : « Tu mens. — Je ne mens pas et n'importe qui peut te confirmer que c'est la date juste. Appelle les archives d'un journal. — Moi, je vais appeler », dis-je. Je me suis levée, je suis revenue et : « Ils ont même consulté l'encyclopédie. Churchill est né le 30 novembre 1874 et il est mort le 24 janvier 1965. C'est de l'histoire. — Les archives se trompent, les encyclopédies se trompent. L'histoire se trompe. — Et toi, tu nous les casses. — Ah, bon ! Très bien. » Après avoir jeté une poignée de billets sur la table, tu es sorti du restaurant sans finir ton repas. Et sans même nous dire au revoir.

J'étais sûre de te retrouver à la maison quand je suis rentrée à minuit. Mais la maison était vide et dans le tiroir toujours fermé à clé maintenant grand ouvert, il ne restait que le petit paquet. L'enveloppe avait disparu. Mon Dieu, que pouvait-elle contenir...? J'ai ouvert l'armoire à glace : si les quatre sacs avec les tampons étaient toujours là, mes craintes avaient peu de raison d'être. Mais deux sacs avaient disparu, tu étais donc bien parti à Athènes. Avec un faux passeport : l'enveloppe contenait un faux passeport. Et le petit paquet ? Qu'y avait-il dans le petit paquet ? Je l'ai ouvert. Une perruque. Blond-châtain, d'homme. Peut-être n'étais-tu pas allé à Athènes. A Zurich peut-être ? J'ai appelé Nicolas : « Tu l'attends ? Doit-il venir chez toi ? — Non. — Pourrait-il venir sans prévenir ? — Non. Pourquoi me le demandes-tu ? — Parce que... — Je pars immédiatement. » Et le lendemain matin le voilà, avec son mouchoir bleu dans la pochette et les yeux plus calmes que jamais. « Comment était-il quand il est rentré de Suède ? — De très bonne humeur. — Quel genre d'enveloppe était-ce ? — Normale. — De la taille d'un passeport ? — Plus ou moins. — Alors oui, en ce moment, il est en train de voyager avec un passeport suédois au nom d'un monsieur Bersen ou Erikson. — Mais pourquoi ne m'a-t-il rien dit ? — Pour la même raison qu'il ne te disait rien des projets qu'il était en train d'élaborer à la campagne : pour que tu ne puisses pas le retenir. C'est bien dans son style, non ? Même la façon dont il t'a provoquée, offensée, est dans son style. S'il ne t'avait pas offensée tu ne lui aurais pas répondu. Il n'aurait donc pas eu de prétexte pour s'en aller avec la certitude de ne pas être suivi : il n'y a qu'une dispute qui rende possible un départ soudain et évite de chercher à se justifier avec des mensonges ou des explications. — J'aurais dû m'en rendre compte. — Il aurait quand même réussi à t'exaspérer. Il est maître dans l'art de provoquer et Dieu sait depuis combien de temps il préparait cette comédie. Pour certaines choses il a vraiment une patience inhumaine. — Il n'a pas confiance en moi. — Non, il a seulement appliqué un raisonnement : quand on ne sait pas, on ne parle pas. Si on ignore où il se trouve et ce qu'il fait, se taire ne demande aucun effort. Si on sait, par contre, se taire est un choix et on risque de se trahir Et puis il y a encore une autre règle qu'il applique avant de se lancer dans une entreprise qui pourrait mal se terminer : couper les ponts avec les gens qui sont aimés de lui et l'aiment. D'habitude il rompt avec brutalité ou en insultant car il estime qu'une personne brutalisée ou insultée souffrira moins en apprenant qu'il a été emprisonné ou tué. Et c'est dur pour lui, crois-moi, il était certainement très bouleversé hier soir. La preuve en est le tiroir ouvert et la perruque qu'il y a laissée. Je ne crois pas qu'il l'ait laissée volontairement parce qu'alors il devra se décolorer les cheveux et les moustaches. Enfin ! J'espère qu'il n'a pas une nouvelle provocation en tête, une autre bravade qui le venge de ses déceptions. Mais il ne faut pas se faire trop d'illusions : maintenant que même les émigrés l'ont repoussé il veut plus que jamais prouver qu'il peut tout faire tout seul. Je-n'ai-besoin-de-personne-moi, je-fais-tout-moi-même, sans-communistes, sans-papandréistes, sans-personne. Il ne changera jamais. — Et alors, Nicolas ? — Alors rien. Il ne reste plus qu'à attendre. Et espérer qu'il revienne. »

Tu es rentré quatre jours plus tard. Le téléphone a sonné : « C'est moi, je suis là ! — Là, où ? — A la gare de Rome ! Je prends le train et j'arrive ! » Trois heures plus tard te voilà, pas rasé, sale, les vêtements fripés, plus mal fichu qu'un clochard qui aurait passé trois nuits dans les égouts. Mais tu avais le sourire d'un enfant qui a gagné un concours ou qui a réussi un examen. « J'y suis allé, j'y suis allé ! Je prends un bain puis je te raconte tout. » Tu as rempli la baignoire, tu es rentré dans l'eau en poussant des cris excités puis tu t'es lancé dans un récit insensé : sans un mot d'excuse pour l'histoire de Churchill, sans la moindre explication pour justifier tes insultes. Naturellement tu avais été en Grèce. Avec tes moustaches, ta pipe, ton koboloi, reconnaissable entre mille, tu avais débarqué à l'aéroport d'Athènes avec le premier vol du matin et tu avais tranquillement présenté à la police le passeport suédois d'un certain Bjorn Gustavsson. Tu comptais sur le fait que les policiers regardent parfois le passager sans le voir ou sans comparer les photos des individus recherchés avec la photo d'identité ; tant pis si ça n'arrive que rarement : quand on n'a pas le choix il faut compter sur le hasard, croire à la chance. « Rouge ou noir, les jeux sont faits, rien ne va plus. » Le policier avait feuilleté le passeport d'un air distrait, en cherchant sur la liste des indésirables le nom Bjorn Gustavsson, comparant leurs photos à celle du passeport, puis il t'avait remercié en bâillant : « Thank you very much. » Tu tenais de la main gauche le sac le plus grand, dans le double fond duquel tu avais pu loger vingt-sept tampons, et de la main droite un sac plus petit avec douze tampons. En te dirigeant vers la douane tu n'étais absolument pas soulagé car on pouvait très bien contrôler ton passeport encore une fois et se rendre compte que ton sac était un peu trop lourd. Mais si on devait penser à tout on ne ferait jamais rien, non ? Il fallait donc se comporter comme si tes valises étaient très légères. Se diriger vers la sortie, parler avec le douanier sur le ton décontracté de celui qui n'a rien à déclarer, non monsieur pas de cigarettes, pas d'alcools, pas de cadeaux, seulement une dizaine de tampons pour tirer des tracts contre la Junte, mais ça je ne vous le dis pas car vous êtes trop bête, trop fainéant pour les trouver. Et si au contraire il n'avait pas été bête, fainéant ? Encore une fois « rouge ou noir, les jeux sont faits, rien ne va plus ». Cette fois aussi ça avait marché et te voilà en ville avec une folle envie de courir vers la maison avec le jardin d'orangers et de citronniers, d'embrasser ta mère, mais tu ne l'avais pas fait, bien sûr, et pendant vingt-quatre heures tu étais resté caché dans la maison d'un ami. Tu avais laissé les tampons et tu avais rencontré quatre camarades que tu appelais Front Populaire de Résistance Armée. Un nom qui te plaisait parce que les initiales composaient le mot Laos, Peuple. Laios, populaire. Antochi, résistance. Oplophori, armée. Stratos, front. En effet tous les tampons étaient signés Laos. « Mais que vas-tu faire avec une armée de quatre soldats ? — Tu verras. Je l'ai subdivisée en quatre régiments : Laos 1, Laos 2, Laos 3, Laos 4. Un homme par régiment. — Tu n'arrêteras jamais de bluffer, n'est-ce pas ? — Non. »

Le jour suivant tu t'es appliqué à la tâche qui au fond te tenait le plus à cœur : celle d'humilier Joannidis. Le système que tu avais choisi était très simple : il consistait à te montrer dans divers endroits de la ville dans une succession d'apparitions rapides et impromptues. Tu entrais dans un bar, tu t'arrêtais sur un trottoir, tu montais dans un taxi, tu en descendais, tu passais dans le hall d'un hôtel et dès que tu entendais murmurer : « Panagoulis ! C'est Panagoulis ! », tu disparaissais pour apparaître ailleurs, dans un quartier éloigné peut-être, provoquant ainsi l'incertitude et l'étonnement. Panagoulis est revenu, on l'a vu place de la Constitution. Non, en face de Polytechnique. Non, à Kolonaki. Non, à Kipseli. Non, à Pagorti. Non, à Plaka. Non, au Pyrée. Non, à Glyfada. Ce n'est pas possible, mais si, je l'ai bien regardé, c'était bien lui avec ses moustaches, sa pipe et son koboloi, je lui ai même dit bonjour, je l'ai même appelé Ou bien : je voulais l'appeler, lui dire bonjour, mais à peine j'avais traversé la rue, j'ai regardé partout, il avait disparu. Rapidement le bruit était devenu une nouvelle et la nouvelle était arrivée au quartier général de l'ESA, l'ennui c'est que Joannidis n'y a pas cru. « Comment le sais-tu ? — Parce que j'ai appelé l'ESA deux fois et je leur ai dit : " Attention, Panagoulis est ici, prévenez le brigadier général. " Et le standardiste : " On nous l'a déjà dit, ce n'est pas vrai. " Quelques instants plus tard j'ai rappelé et je lui ai dit : " Prenez garde, c'est vrai, je suis Panagoulis. " Tu sais ce qu'il m'a répondu, cet imbécile ? Il m'a répondu : " Et moi je suis Caramanlis. " Alors j'ai eu une idée, lui fournir une preuve indiscutable et avec un ami je suis monté à l'Acropole et je me suis fait photographier devant le Parthénon tenant à la main un quotidien bien ouvert. Pour qu'on puisse lire les titres et la date, tu comprends ? Sinon on aurait pu croire à une vieille photo. Et puis j'ai fait tirer un exemplaire de cette photo à la taille d'une carte postale et je l'ai expédiée à Joannidis avec ces mots : " De la part d'Alexandre Panagoulis qui vient en Grèce quand il veut et tient à ce que tu le saches. " — Je ne te crois pas. — Je le jure ! » Et en sortant de la baignoire tu t'es précipité pour aller chercher les copies que tu avais gardées pour toi. C'était vrai. « Et pour repartir ? — Ah ! ça n'a pas été facile. Un miracle en vérité. Mon ami avait retiré la carte d'embarquement mais je devais maintenant repasser le contrôle des passeports et inutile de te dire combien j'avais peur. A un moment donné j'ai vu un groupe de touristes, une trentaine environ, et je me suis mêlé à eux. Ils semaient une telle pagaille que le pauvre policier a perdu la tête. Il n'a même pas compris lequel d'entre nous était Bjorn Gustavsson, il a mis son tampon et c'est tout. Regarde. »

J'ai regardé et j'ai cru défaillir. Non pas à cause du tampon qui était bien celui de l'aéroport d'Athènes avec la date du jour mais à cause du passeport dont tu t'étais servi aussi bien à l'aller qu'au retour. Bjorn Gustavsson te ressemblait comme un pékinois blanc ressemble à un danois noir. Il avait un visage délicat et imberbe, des traits si fins qu'à première vue on pouvait le prendre pour un éphèbe ou une jeune fille, des cheveux si blonds et des yeux si clairs qu'on aurait dit un albinos. Pour couronner le tout, sa date de naissance correspondait bien à son aspect : dix-huit ans. « Alekos, tu es fou. — Heu... Tu as peut-être raison. Il faut que je change la photo. Ou que je coupe mes moustaches. »

**

Tu ne te couperas jamais les moustaches et tu ne changeras jamais la photographie. Mais tu as trouvé un passeport qui appartenait à un Italien et dont le type physique correspondait un peu plus au tien, et les voyages ont continué, précédés par l'absurde comédie. Exceptionnellement tu m'avouais la vérité. Fidèle au principe que Nicolas m'avait expliqué, celui-qui-ne-sait-pas-ne-s'angoisse-pas-et-ne-parle-pas, et séduit en même temps par le goût de la conspiration. chaque fois que tu préparais un nouveau départ tu arrivais à me berner et à m'attirer dans une dispute où tu pouvais toujours dire bon-alors-je-m'en-vais. Je connaissais parfaitement ton jeu et pourtant à chaque fois je tombais dans le panneau. « Tu ne sais même pas téléphoner. Pourquoi laisses-tu ton index dans le trou du cadran aussi bien à l'aller qu'au retour ? Le cadran revient bien en arrière tout seul non ? — Arrête, Alekos. Je téléphone comme je veux. — Enlève ce doigt, ça m'énerve. — Alekos, veux-tu me ficher la paix, oui ou non ? — Bon, je te laisse en paix, je m'en vais. » Ou bien : « Venise est une poupée morte. — Peut-être, mais moi, Venise me plaît. — Parce que tu n'as pas de goût. — Bon, on peut dire ce qu'on veut, mais pas que celui qui aime Venise n'a pas de goût. — Moi je le dis. Cette odeur : elle est de mauvais goût, elle pue. Ça sent la poupée morte, voilà pourquoi tu aimes Venise. — Idiot, goujat. — Idiot, goujat ? — Oui, et j'ajoute : tu as raison, je n'ai pas de goût en effet, je vis avec toi. — A partir d'aujourd'hui, c'est fini, je m'en vais. » Tu partais. Ce n'est que le lendemain que je comprenais que je m'étais encore fait avoir comme une sotte. Après trois ou quatre jours tu revenais : « Salut, c'est moi ! Devine où je suis allé ! » Ou bien : « Salut, alitaki. Je t'ai ramené un parfum d'Athènes. Il ne pue pas celui-là. » Je ne me vexais même plus. Tant que tu étais parti, l'angoisse de savoir que tu étais en danger était plus forte que le dépit et à ton retour c'est le soulagement de te revoir qui l'emportait. Je me demandais parfois à quoi servaient ces retours impromptus, sinon à te garder en haleine, à poursuivre cette escarmouche avec la mort : à prendre des contacts avec Laos 1, Laos 2, Laos 3, Laos 4 ? à organiser des entreprises qui systématiquement ne se seraient pas réalisées ? à essayer d'arracher quelques soldats aux communistes ou aux papandréistes ? à soulager une solitude qui commençait à te peser ? Pour ne pas t'humilier, j'évitais même de te poser des questions : je faisais semblant de croire qu'il s'agissait d'expéditions très utiles d'où allaient sortir des choses mémorables. Puis un soir, fin février, on était à la maison en train de lire les journaux quand mes yeux sont tombés sur un article qui parlait d'Athènes. Dix lignes, pas plus. La nuit précédente, pouvait-on lire, quatre bombes avaient explosé dans une usine sans causer de victimes. Une cinquième, en revanche, avait explosé au moment où deux artificiers, un civil et un militaire, essayaient de la désamorcer. Tous deux étaient morts. La police avait trouvé sur les lieux des tracts signés Laos 8. Je t'ai cherché du regard : « Comment vont tes quatre régiments ? — Ils ne sont plus quatre, ils sont huit, as-tu répondu avec un sourire heureux. J'ai engagé Laos 5,

Laos 6, Laos 7, Laos 8. Dans quelques jours tu vas voir ce qui va arriver ! — C'est déjà arrivé, Alekos. Cette nuit. — Quoi ? — Cinq bombes. L'une d'elles a explosé alors qu'on cherchait à la désamorcer. Elle a tué un civil et un militaire. — Où ? — Dans une usine. — Je n'y suis pour rien. — Oh, si. Il y avait des tracts de Laos 8. » Le sourire a disparu. Tu t'es levé d'un bond, tu m'as arraché le journal des mains et : « Je dois partir. — Partir ? ! Pourquoi ? — Parce qu'ils m'ont désobéi, désobéi ! — Comment ça ? — Sur toute la ligne ! Elle ne devait pas exploser à cet endroit ! Elle ne devait tuer personne ! Imbéciles ! Idiots ! — Alekos, quand on met des bombes on court toujours le risque que ceux qui essayeront de les désamorcer sautent. — Oui, je sais. Je dois partir. — Alekos, ce n'est pas leur faute si les deux artificiers sont morts. Il y a six ans, la même chose pouvait arriver avec tes mines qui n'avaient pas explosé. — Je sais. Je dois partir. — La résistance armée est une guerre, Alekos, et à la guerre on ne tire pas des confetti : si ton attentat contre Papadopoulos avait marché Dieu sait combien de personnes seraient mortes avec lui. — Je sais. Je dois partir. — Tu ne partiras pas. Cette fois je t'en empêcherai ! »

Tu n'es pas parti. Et je n'y ai pas attaché d'importance : c'était une de tes caractéristiques de faire exactement le contraire de ce que tu annonçais. Evidemment, me suis-je dit, ces deux morts t'avaient traumatisé, c'était une crise passagère mais tu avais bien compris qu'il valait mieux ne pas se rendre en Grèce pour l'instant. Tu n'en as plus parlé, et un mois s'était écoulé depuis cette discussion. Entre-temps des événements dramatiques s'étaient produits que nous allions apprendre à Rome, mais à peine arrivés à Rome tu as dit que tu voulais te rendre à Milan. La chose a d'autant plus éveillé mes soupçons que tu n'avais avancé aucune excuse plausible pour ce voyage. « Regarde-moi bien, Alekos : Milan ou Athènes ? — Pourquoi Athènes, quel rapport ? Si tu n'es pas convaincue tu n'as qu'à m'accompagner à Milan. — D'accord. — Ce soir ? — Ce soir. — Réserve un wagon-lit. — Mais pourquoi, tu ne le prends jamais ! Tu dis que c'est dangereux, un vrai piège, que n'importe qui peut voler la clé au préposé et entrer dans la cabine, que l'avion c'est mieux ? — Non, pas l'avion. Pas aujourd'hui. » J'ai réservé une place dans les wagons-lits et pendant la journée tu n'as parlé que de ça : en téléphonant de l'appartement avec les micros cachés, en appelant plusieurs fois le concierge pour t'assurer que la place était bien réservée, en demandant l'horaire exact à voix haute. Quand nous avons quitté l'hôtel personne ne pouvait ignorer ton programme ; nous voici donc à la gare, sur le train, dans le compartiment, où le porteur range nos bagages et c'est alors que de façon inattendue le rideau se lève dévoilant la comédie. « Tu ne veux pas venir à Milan avec moi. — Je ne veux pas venir, Alekos ?! Mais puisque je suis ici ! — Tu es ici mais tu fais la tête et moi je n'aime pas ça. — Tu te trompes. — Pas du tout. Et je ne vais pas à Milan avec toi. Je ne voyage pas avec quelqu'un qui me regarde de travers. — Ecoute-moi bien, Alekos : c'est toi qui as eu l'idée d'aller à Milan. Moi je n'ai aucun besoin d'aller à Milan. Je ne fais pas la tête, je ne te regarde pas de travers et tu cherches la bagarre. Tu ne vas pas te mettre à affirmer que Churchill est mort aujourd'hui à l'âge de vingt ans ? » Tandis que je disais ces mots j'ai compris que l'histoire du voyage à Milan en wagon-lit était une comédie pour m'attirer dans un piège, moi comme ceux qui contrôlaient tes déplacements. Tu l'avais projeté pour pouvoir t'envoler vers Athènes sans que je te suive et une fois de plus tu m'avais menti, une fois de plus j'étais tombée dans le panneau bêtement. Un rapide coup d'œil à la montre : plus qu'une minute pour le départ. Bientôt le chef de gare sifflerait, le train commencerait à partir, il ne serait plus temps de descendre les valises. De plus, cela aurait attiré l'attention, déjoué tes plans. Il n'y avait donc rien à faire, rien. Je me suis effondrée sur la banquette, je me suis entendue dire : « Tu aurais pu m'éviter cela. » Puis tu m'as répondu : « Je ne pouvais pas. » Le chef de gare a sifflé. Tu t'es lancé dans le couloir, tu es arrivé à la portière, tu l'as ouverte, tu es descendu. Le train s'est mis en marche tandis que tu filais sur le quai, tête baissée sans te retourner.

Un jour, deux jours, trois jours : j'ai bien cru que je ne pourrais jamais te pardonner cette énième farce et en fait je ne suis rentrée à la maison dans les bois que pour récupérer mes affaires et te laisser une lettre te disant que je refusais de poursuivre une relation de ce type. Je n'étais pas Pénélope qui tisse sa toile en attendant Ulysse, disait la lettre, car moi-même j'avais toujours vécu en Ulysse et le fait que pour toi j'avais trahi ma nature pour me transformer en Sancho Pança ne t'autorisait pas à faire n'importe quoi ; d'ailleurs Sancho Pança suit Don Quichotte, il gagne sa confiance, il n'est pas abandonné dans un train comme une valise. Mais quand, quatre jours plus tard je t'ai revu, tu étais dans un tel état que toute ma révolte s'est immédiatement évanouie. Tu semblais un masque de carnaval : un côté de ton visage était rouge vif, l'autre tout blanc ; exsangue. La ligne de partage des deux couleurs partait du front, descendait le long du nez jusqu'au menton et au cou. Du côté blanc l'œil était normal, du côté rouge il était atrocement enflé. « Qu'est-ce que tu as fait ?! » Au lieu de répondre tu as pris une bouteille de vin, tu l'as débouchée et tu as commencé à boire. En silence, avec une froide détermination, verre après verre. Les seules paroles que tu prononçais de temps en temps étaient : « Je n'arrive pas à me soûler, je n'y arrive pas. » C'est vrai, tu n'y parvenais pas, ton regard restait clair, ta voix était nette et tu tenais parfaitement bien debout. A la moitié de la bouteille, tu t'es dirigé vers le meuble où nous gardions les alcools que tu n'aimais pas, tu as sorti toutes les bouteilles, tu les as alignées sur la table et tu t'es remis à boire tantôt d'une bouteille tantôt d'une autre. Tu faisais exprès des mélanges, par exemple vodka, whisky et cognac, puis tu avalais le tout d'un seul coup comme on prend un médicament très mauvais et finalement tu as été complètement soûl comme tu le voulais. Le troisième stade, la mort temporaire. Mais cette fois elle ne t'a pas conduit dans les vastes étendues du rêve, elle ne t'a pas précipité dans les doux limbes de l'oubli ni dans les tendres abîmes du vide. Très vite tu as repris conscience et en te réveillant tu as pleuré, les larmes et les sanglots t'étouffaient, des paroles hachées filtraient par ton mouchoir en un refrain monotone. « Va-t'en, me disaient-ils, va-t'en. Allez va-t'en, va-t'en ! — Qui te disait ça ? — Eux. Va-t'en, me disaient-ils, va-t'en. Allez va-t'en, va-t'en, va-t'en. » Il m'a fallu toute la nuit pour comprendre ce qui t'était arrivé à Athènes où, après l'explosion des cinq bombes et la mort des deux artificiers, personne n'avait plus eu le courage de t'approcher ni de te permettre d'approcher. Il n'y en avait que deux qui avaient accepté de te rencontrer sur la plage, non pour écouter ce que tu avais à dire mais pour t'informer qu'ils te disaient adieu : ton genre de lutte ne les intéressait pas et ils étaient bien décidés à entrer dans un parti. Bonne chance et salut. Je t'ai demandé où tu avais dormi. En m'indiquant le côté rouge de ton visage tu as répondu : « Là où dorment les mendiants et les chiens sans collier. » Puis tu m'as raconté qu'après avoir cherché en vain un endroit pour t'étendre, à l'aube tu étais retourné sur la plage. Tu t'étais couché sur le côté, le visage posé sur un coussin de sable l'autre côté exposé au soleil qui se levait, un malaise t'avait pris. Tu étais resté là, inconscient, jusqu'au milieu de l'après-midi où tu avais ouvert les yeux pour te voir encerclé par une horde d'enfants qui s'amusaient à t'asperger d'eau et à te piquer avec des bâtons. « Il est mort, il est mort ! » Sans réagir, tu n'avais plus de force, tu t'étais levé et tu étais arrivé jusqu'à l'aéroport. « La joue et la paupière étaient en feu, à cette saison le soleil est presque aussi fort qu'en été, j'avais peur qu'on le remarque. En fait, on ne voyait rien. Mon visage n'est devenu rouge que bien plus tard, dans le train. » Je t'ai soigné avec une pommade pour les brûlures et j'ai essayé de te consoler : « Le prochain voyage, Alekos... » Tu m'as interrompue : « Il n'y aura pas de prochain voyage. A partir d'aujourd'hui je suis vraiment en exil. Ça vaut mieux d'ailleurs, parce que je ne crois plus ni aux bombes ni aux explosions ni aux armes. N'importe quel imbécile est capable d'appuyer sur une détente, de mettre le feu à une mèche, de tuer deux artificiers et même un tyran. Et alors ? Qu'est-ce que ça change ? A la mort du tyran, un autre viendra ; souvent les futurs tyrans sont justement ceux qui ont tiré. Non ce n'est pas en semant des cadavres que l'on rend le monde un peu plus supportable. C'est avec les idées ! Les vraies bombes, ce sont les idées ! Oh, Théos ! Théos mou ! Que d'années gâchées ! Il est temps que je me mette à réfléchir. L'ennui c'est que je suis fatigué. Terriblement fatigué. »

C'était la première fois que tu me disais : les véritables bombes ce sont les idées ; n'importe quel imbécile est capable d'appuyer sur une détente, d'allumer une mèche, de tuer deux artificiers et même un tyran. Je t'ai regardé abasourdie. Quand avais-tu enfin compris cela, qu'est-ce qui avait provoqué le déclic d'une telle conclusion si contraire à ton personnage ? La mort des deux artificiers, le traumatisme de te voir repoussé par ta petite armée, ou bien ces événements avaient-ils fait germer une graine qui dormait depuis toujours dans le fond de ta conscience ? Quelle victoire, si tu t'étais vraiment appliqué à réfléchir, à donner corps à des intuitions que tu n'avais exprimées jusqu'à aujourd'hui qu'avec des sentences ou de courts poèmes ! Quel progrès si tu avais enfin réussi à voir les vérités qu'on n'ose jamais regarder en face parce qu'on n'a pas intérêt, ou parce qu'on n'a pas le courage ou parce qu'un bandeau, le bandeau tissé par les dictatures intellectuelles, nous empêche de les voir ! Par exemple la raison pour laquelle, quoi que tu fasses, tu étais toujours seul. Et pourquoi loin d'être mal, c'était un bien. Une douleur, une peine peut-être mais une bonne chose : la seule manière humaine de se battre, de croire en la liberté, de rendre le monde un peu plus propre, un peu plus intelligent, un peu plus supportable. Car le monde n'est pas un concept abstrait : le monde c'est moi, c'est toi, c'est lui. Et si je ne change pas, si tu ne changes pas, s'il ne change pas, séparément, individuellement, spontanément, rien ne change et on reste des esclaves. Le fait est que tu avais reconnu que tu étais fatigué. Je m'étais, bien sûr, déjà rendu compte que cette fatigue existait. En retraçant l'histoire de ces dernières semaines, je pouvais même repérer l'épisode précis qui m'avait fait voir clair. Je vais te le raconter.

* *
*

Au début du printemps, donc bien avant que ton tragique voyage à Athènes ne te fasse perdre tout espoir de donner un sens à ton exil, on avait découvert le secret de la maison dans les bois. Nous nous en étions rendu compte en remarquant un groupe de garçons en blue-jeans qui restaient du matin au soir devant la grille, près de l'arrêt d'autobus. C'étaient des jeunes gens bizarres. D'abord parce qu'on pouvait penser qu'ils étaient là à attendre l'autobus mais, quand il arrivait, ils ne montaient pas ; puis, parce que quand on les regardait de loin, ils discutaient avec vivacité mais qu'ils se taisaient dès qu'on s'approchait. Presque comme s'ils ne voulaient pas qu'on sache quelle langue ils parlaient. Parfois ils étaient trois, parfois cinq. Mais deux d'entre eux étaient toujours là, ils avaient un ceinturon avec une boucle en forme de croix gammée. Des Italiens ou des Grecs ? Naturellement on avait aussi pensé qu'il pouvait s'agir d'un groupe de gens qui aimaient se rencontrer à cet endroit ou que les deux jeunes à la croix gammée pouvaient habiter dans la villa. Mais on ne les a jamais vus de l'autre côté de la grille et à la fin on a dû admettre que tu étais bien la raison de leur présence. Etaient-ils envoyés par quelqu'un qui voulait connaître tes moindres mouvements pour contrôler tes départs à l'étranger ou quelqu'un qui s'apprêtait à t'enlever, à te tuer ? La première semaine tu voulais les affronter, puis tu avais réfléchi et tu avais pensé qu'on ne pouvait pas prendre l'initiative tant qu'ils ne nous provoquaient ni en gestes ni en paroles ; il était même plus sage de faire semblant de ne pas les remarquer. Le seul acte de guerre que tu te permettais, en sortant et en rentrant à la maison, était de brandir ta pipe comme une épée : en la tenant du côté du fourneau. « Tu ne peux savoir quelle arme c'est. Si on t'attaque il te suffit de l'enfoncer dans l'œil de ton agresseur. — Et si tu rates l'œil ? — Ça revient au même, où que tu frappes tu fais un trou, à condition, naturellement que l'embout soit droit et non recourbé. » Il ne fallait surtout pas te répondre qu'un revolver aurait été mieux, que je pouvais en acheter un et le garder dans mon sac. « Pas d'armes ! Je te l'interdis ! » Ta confiance dans l'usage offensif de la pipe à embout droit et non recourbé était si grande qu'elle te rendait sourd à toute perplexité de ma part, et je ne t'ai d'ailleurs jamais vu avec un revolver à la main. Toi qui passais pour un poseur de bombes, un fanatique d'explosifs et d'armes, d'attaques-des-casernes, de résistance-armée, tu éprouvais pour les armes en général une sorte de répugnance physique. Tu ne savais même pas t'en servir, tu n'étais même pas capable de tenir correctement un fusil de chasse : tu tenais la crosse trop basse, tu n'y appuyais pas la joue et tu ratais toujours ta cible. Même s'il s'agissait d'un oiseau endormi sur une branche à deux mètres de distance. Tu te consolais en disant : « Si je le retrouve celui-là, je lui donne un coup de pipe et je l'étale. »

Et revenons aux jeunes gens en blue-jeans. Le printemps glissait, plein de tiédeur, vers l'été quand la persécution silencieuse près de la grille a pris fin et qu'à sa place une autre a fleuri plus raffinée et plus cruelle. Chaque nuit, dès qu'on éteignait la lampe pour dormir, par la fenêtre avec la terrasse en fer forgé, une lueur ronde faisait irruption et nous tombait dessus comme une pierre de lumière. On n'a jamais compris comment ils réussissaient à braquer cette lumière avec tant d'exactitude. En effet en regardant le parc on voyait bien que la torche électrique était loin, derrière les pins qui bordaient le mur d'enceinte : pour arriver jusqu'à notre fenêtre la pierre de lumière devait donc traverser des dizaines d'arbres et trouver un passage sans troncs, sans frondaisons. Elle y arrivait pourtant parfaitement, et malgré la barrière des persiennes, la lueur nous tourmentait sans répit : en bougeant lentement sur les murs, sur les plafonds, sur le lit, en sautant nerveusement de haut en bas et de droite à gauche, en faisant une croix, en faisant méchamment des zigzags nous tapant dans les yeux, forte, implacable. Tu perdais la tête. Tu ne pouvais pas supporter cette chaleur impalpable sur les yeux et, à chaque fois, tu courais ouvrir les persiennes, tu sautais sur la terrasse et tu criais lâches-sortez-un-peu-de-l'obscurité, si-vous-ne-sortez-pas-je-vais-descendre-vous-chercher. Bien sûr tu ne descendais jamais : tu savais très bien que c'est justement ce qu'ils attendaient, t'exaspérer, te faire descendre, t'avoir à leur merci, et dire que tu les avais attaqués. Mais pas cette fois. Au moment où le rayon nous est arrivé sur les yeux, je t'ai vu bondir du lit, mettre ton pantalon, enfiler tes chaussures et avant que je n'aie pu réagir tu étais déjà sur la terrasse « J'arrive ! » puis tu as couru vers la porte. Je t'ai rejoint in extremis, j'ai enlevé la clé de la serrure mais avec la force de la rage tu essayes de m'ouvrir la main, diminuer l'étreinte de mes doigts, saisir mon pouce, mon index, mon médius, mais plus tu t'acharnes et plus je serre, alors tu me saisis le poignet et tu le tords méchamment, tu me tords le bras, on dirait que tu veux l'arracher, tu me jettes par terre, tu me tombes dessus, et je me défends mal parce que je ne peux lutter qu'avec un seul bras, une seule main, mais je me défends et j'accepte le combat. Un combat, sourd, silencieux, méchant, une lutte de serpents qui s'enlacent pour s'étrangler, tous deux décidés à ne pas céder. Ils se donnent des coups, ils se font mal sans qu'une seule parole sorte de leur bouche, dans le silence, le seul bruit qu'on entend est celui de leur respiration, une sorte de râle et soudain un coup de massue me déchire le ventre. Une douleur terrible. La clé est dans tes mains. Ma voix brise le silence pour dire ce que tu ignores : « l'enfant ». Tu t'es raidi comme si une balle t'avait frappé en plein front. Tu es resté quelques secondes à me regarder les yeux écarquillés, les lèvres entrouvertes. Puis tu as laissé échapper l'invocation : « Oh Théos! Théos mou! Oh, Dieu! Mon Dieu! » Tu t'es levé, sans prendre garde au rayon qui sans pitié continuait à tournoyer sur nous, sans même penser à moi qui gisais sur le sol tenaillée par cette douleur au ventre, insupportable, exaspérée par mille couteaux. Tu as éclaté en une allégresse tellement frénétique qu'on aurait dit que tu avais perdu la raison. Tu riais, tu pleurais, tu sautais, tu dansais, tu applaudissais. Tu ne te rendais même pas compte de ma souffrance car ce n'est pas pour la calmer que finalement tu m'as soulevée avec délicatesse, tu m'as posée sur le lit avec tendresse, en appuyant ta tête contre mon corps, en chantonnant bonjour mon enfant, ancre des ancres, chaîne des chaînes, joie des joies, vin de tous les vins, tu ne sais pas qui je suis, je suis toi, tu ne sais pas qui tu es, tu es moi, tu es la vie qui ne meurt pas. La vie, la vie, la vie. I zoi, i zoi, i zoi. Sors de l'obscurité mon enfant, sors vite et nous irons loin, dans un endroit où l'on ne pourra pas nous trouver, où nous pourrons jouer. Assez de souffrances, assez de luttes. Un monologue fou, tendre, merveilleux, terrible, tandis que les coups de couteau augmentaient en nombre et en intensité, et le regret de ne t'avoir rien dit, le remords de ne pas avoir compris qu'un fils serait le seul rival de ton destin me rendaient muette. Car, si je l'avais compris avant, je n'aurais pas eu besoin de me jeter sur la porte, d'enlever la clé, d'engager ce combat bestial, de recevoir ce terrible coup de pied qui l'avait blessé à mort. Sur le fait que le coup l'ait blessé à mort je n'avais aucun doute, les symptômes s'annonçaient déjà sans la moindre équivoque : aucun miracle, j'en étais sûre, n'aurait pu ressusciter la créature inerte que je portais en moi. Tout cela je le taisais, incapable de balayer ton inutile bonheur : il valait mieux te laisser l'illusion quelques heures encore et entre-temps rester immobile, récupérer des forces pour me traîner chez le médecin. C'est ce que j'ai fait et le matin, en faisant bien attention à ne pas te réveiller, je me suis détachée de toi tout doucement et je suis allée entendre la confirmation de ce que je savais. Je n'avais pas pensé que te le dire après serait encore pire car cela te bouleverserait encore plus violemment : en attisant le complexe de culpabilité dans lequel tu macérais chaque fois que tu pensais aux êtres que tu avais aimés et perdus. Ton père, ton frère Georges, Polycarpe Gheorgazis. « Je suis la mort. Je porte la mort et je la sème autour de moi », as-tu murmuré quand tu m'as vue et que tu as vu le petit

267

paquet informe et inerte. Puis tu as disparu pendant quatre jours et j'ai eu du mal à te reconnaître à ton retour. Tu avais des cernes violets, pas rasé, la chemise souillée de rouge à lèvre, l'haleine qui empestait l'alcool, tu marchais en titubant, tu avais l'air de la caricature d'un malheureux qui aurait passé quatre jours et quatre nuits à faire une noce frénétique. Dieu sait où. Dieu sait avec qui. Et sans donner aucune explication, sans même me demander comment j'allais, tu t'es effondré sur le fauteuil à bascule et tu t'es lancé dans une complainte sur la fatigue qui t'avait vidé corps et âme, je-suis-vieux, je-suis-déjà-vieux, regarde-j'ai-déjà-les-cheveux-blancs, j'ai-même-un-lumbago, j'ai-mal-au-foie-et-je-tousse.

Les cheveux blancs étaient une petite mèche argentée que tu avais déjà à Boiati, le lumbago était un léger rhumatisme passager, le mal au foie venait bien évidemment de l'excès de boisson et la toux de l'excès de tabac. Mais à ce moment-là tu pensais vraiment que tu étais vieux. Tu te sentais détruit par l'existence.

*
*   *

Pourtant tu t'étais mis à réfléchir. Parfois péniblement, parfois de manière naïve, en liquidant un peu vite, par paresse, des idées à approfondir, ou bien en présentant des évidences comme s'il s'agissait de grandes découvertes et même en répétant des principes énoncés cent cinquante ans avant par l'anarchisme individualiste que Nenni avait immédiatement repéré derrière ses doubles verres, mais, tu t'étais mis à réfléchir : splendidement libre des dictatures intellectuelles qui, surtout au cours de ces années-là, aveuglaient et bâillonnaient. Tu lisais, tu écrivais. Quand je rentrais à la maison je te trouvais presque toujours en train de lire ou d'écrire. Des billets, des feuilles, des notes que tu me traduisais et me lisais avec la fierté d'un enfant qui a fait une belle dissertation à l'école. Regarde-ce-que-j'ai-fait-aujourd'hui, écoute-ce-que-j'ai-fait-aujourd'hui, je-vais-te-le-lire. « Nous vivons l'époque des *ismes*. Communisme, capitalisme, marxisme, historicisme, progressisme, socialisme, déviationnisme, corporatisme, syndicalisme, fascisme : et personne ne se rend compte que chaque *isme* rime avec fanatisme. Nous vivons l'époque des *anti* : anticommuniste, anticapitaliste, anti-marxiste, antihistoriciste, antiprogressiste, antisocialiste, antidévia-tionniste, anticorporatiste, antisyndicaliste, antifasciste : et per-sonne ne se rend compte que chaque *iste* rime avec fasciste. Personne ne dit que le vrai fascisme consiste à être *anti* par principe, par caprice, c'est-à-dire à nier a priori que dans tout courant d'idées il puisse y avoir quelque chose de juste ou quelque chose qui permette de s'en rapprocher. Mais c'est en s'enfermant dans les dogmes, dans la certitude aveugle d'avoir conquis la vérité absolue que ce dogme soit la virginité de Marie, ou la dictature du prolétariat ou le respect de l'Ordre et de la Loi qu'on perd le sens de la liberté, que se perd aussi le sens même de la liberté : le seul concept indiscutable et sans appel. C'est tellement vrai que ce mot n'a pas de synonymes, il n'existe que des extensions ou des attributs : liberté individuelle, collective, personnelle, morale, physique, naturelle, religieuse, politique, civile, commerciale, juridique, sociale, artistique, d'expression, d'opinion, de culte, de la presse, de grève, de parole, de confession, de conscience. A la limite, elle constitue le seul *isme,* le seul fanatisme admissible : car sans liberté un homme n'est pas un homme et la pensée n'est pas la pensée. — Bravo ! — Ça te plaît ? Tu aimes vraiment ? Alors écoute cet autre texte, il est bien plus important, il parle de la droite et de la gauche, des intellectuels de merde qui m'ont vraiment cassé les couilles avec leur gauche bidon. » Tu agitais une feuille pleine de gribouillis, de ratures, et tu recommençais à déclamer.

« Beaucoup d'intellectuels croient qu'être intellectuel signifie énoncer des idéologies ou les concevoir ou les modifier et puis les épouser pour interpréter la vie selon des formules et des vérités absolues. Sans tenir compte de la réalité, de l'homme, d'eux-mêmes, c'est-à-dire sans vouloir admettre qu'ils ne sont pas de purs esprits : ils ont aussi un cœur ou quelque chose qui ressemble à un cœur, et un intestin et un sphincter, donc des sentiments et des besoins qui n'ont rien à voir avec l'intelligence et que l'intelligence ne peut contrôler. Ces intellectuels ne sont pas intelligents, ils sont stupides et en fin de compte ce ne sont pas des intellectuels mais les " sacerdotes " d'une idéologie. Avec leur esprit obtus de sacerdotes, ils ne comprennent pas qu'après avoir épousé l'idéologie on n'est plus libre de penser, surtout si le mariage exclut l'adultère ou le divorce. Car on juge tout d'après ces mêmes schémas : d'un côté l'enfer, de l'autre le paradis, d'un côté le licite de l'autre l'illicite. Donc par excès de cohérence ils deviennent incohérents, pire malhonnêtes. Prenons par exemple l'intellectuel de gauche, l'intellectuel qui aujourd'hui est à la mode, ou plutôt l'intellectuel qui suit la mode par commodité ou par peur ou par manque d'imagination : il est toujours prêt à condamner les dictatures de droite, tant mieux, mais jamais ou presque jamais les dictatures de gauche. Il dissèque les premières, il les étudie, il les combat avec des livres et des affiches ; mais il ne dit mot des secondes, il les excuse et au grand maximum il les critique, avec embarras et timidement. Parfois il recourt même à Machiavel : la-fin-justifie-les-moyens. Quelle fin ?

Celle d'une société fondée sur des principes abstraits, des calculs mathématiques, deux et deux font quatre, thèse et antithèse égalent synthèse, c'est-à-dire en oubliant qu'en mathématique moderne deux et deux ne font pas forcément quatre, peut-être trente-six, en oubliant que selon la philosophie la plus avancée la thèse et l'antithèse sont la même chose, que la matière et l'antimatière sont deux aspects d'une même réalité ? C'est grâce à leurs calculs, c'est-à-dire au fanatisme lugubre des idéologies, à l'illusion, voire à la prétention même que le Bon et le Beau sont toujours du même côté, que les génocides, les assassinats, les abus sont considérés illégitimes s'ils viennent de droite et qu'ils deviennent légitimes, ou tout au moins admissibles, s'ils viennent de gauche. En conclusion la grande maladie de notre temps s'appelle idéologie et ses vecteurs sont les intellectuels stupides : les sacerdotes laïques qui ne sont pas disposés à admettre que la vie (qu'ils appellent l'Histoire) pourvoit seule à redonner leurs mesures à leurs masturbations intellectuelles, à démontrer, donc, l'aspect artificiel du dogme. Sa fragilité, son irréalité. S'il n'en était pas ainsi, pourquoi les régimes communistes répéteraient-ils les mêmes infamies que les régimes capitalistes ? Pourquoi auraient-ils les mêmes Joannidis, les mêmes Hazizikis, les mêmes Théophiloyannacos, les mêmes Zakarakis que les régimes fascistes ? Et pourquoi se battraient-ils entre eux, poussés par des sentiments et des besoins tels que l'amour de la patrie et le nationalisme égoïste ? Il est temps de dénoncer ce mal, sans timidité, sans embarras, sans peur. Et dans ce but il ne faut pas s'arrêter à Marx et aux marxistes, il faut revenir deux mille ans en arrière, remonter à l'idéologie chrétienne, il y a deux mille ans. C'est elle qui a conçu la division artificielle entre le licite et l'illicite, le Paradis et l'Enfer. Aujourd'hui les maîtres de notre cerveau, les théologiens de la gauche, ne font que répéter les erreurs de ces maîtres-là : enlève le symbole de la croix, remplace-le par celui de la faucille et du marteau, et tu verras la même chose : un chiffon qui flotte sur les mêmes privilèges, les mêmes ambitions, les mêmes mensonges. » Puis : « Tu aimes ? Tu aimes vraiment ? Tu sais, ce sont des notes. Dommage que je n'en aie pas pris avant, à Boiati. Eh ! dommage ! Mais en prison on ne réussit pas à penser. On a tout le temps et pourtant on n'arrive pas à penser, c'est déjà beaucoup si on arrive à crier quelques poésies. »

Tu étudiais. Proudhon, par exemple, dont le socialisme libertaire et opposé à toute violence convenait à ton type de recherche. Puis Platon, même si je ne comprenais pas très bien pourquoi, et puis des écrivains comme Camus que tu appelais Camis parce que en grec le *u* se prononce *i* ; pas moyen de te faire prononcer Camus. « Camus !

— Camis ! » Tu adorais Camus-Camis car vers la fin de ton adolescence tu avais lu le texte de sa polémique avec Sartre. « Un idéaliste qui sait s'opposer au messianisme des principes absolus », disais-tu de Camus-Camis. Souvent tu en citais des extraits qui résumaient tes positions en ajoutant quelque chose de ton cru, une phrase, une comparaison, un raisonnement : « Ecoute cela : " Les religions organisées ne correspondent pas aux besoins de l'homme moderne, les pantomimes religieuses n'ont pas de sens à notre époque, qu'elles viennent des Eglises ou qu'elles se présentent dans les habits neufs ou pseudo-neufs du marxisme. " Ecoute, encore : " Un homme intelligent ne peut accepter une idéologie qui le livre tout entier à l'Histoire dont il ne serait que le sujet passif. Il est dangereux, il est infâme de parler des hommes en termes de devoirs historiques. Car après l'avoir dit avec des livres on le dit avec la police : on décide à quelle heure je dois ou non me coucher, à quelle heure je peux ou non boire une bouteille de vin, et à la fin on m'oblige à m'aligner sur la Place Rouge et à m'agenouiller devant le saint sépulcre de Lénine. Non, on ne peut justifier quoi que ce soit au nom de la logique et de l'Histoire. La logique ne fait pas l'Histoire. " — Camus ne dit pas cela, Alekos. Il dit : l'Histoire n'est pas tout. Et puis il ne parle pas du tout de la bouteille de vin et du saint sépulcre de Lénine. — Et alors ? moi je le complète et je le perfectionne. » D'autres fois au contraire tu transcrivais les extraits avec tout le scrupule du copiste qui transcrit le Nouveau Testament sur des parchemins enluminés, et tu me les récitais fidèlement : « Aujourd'hui il faut formuler deux questions. Acceptez-vous ou non, de manière directe ou indirecte d'être tué ou de subir des actes de violence ? Etes-vous prêts, de manière directe ou indirecte, à tuer ou faire des actes de violence ? Ceux qui répondent à ces deux questions vont automatiquement arriver à des conclusions qui débouchent sur une nouvelle manière de poser le problème de la lutte. » Et aussi : « Puisqu'on a livré entièrement l'homme à l'Histoire, il ne peut plus s'adresser à cette partie de lui-même qui est aussi vraie que la partie liée à l'Histoire, et on vit dans la terreur. Pour en sortir il est nécessaire de réfléchir et d'agir en conséquence. Le sort de millions d'Européens est en jeu : ils sont las des violences et des mensonges, déçus dans leurs plus grands espoirs, ils répugnent à l'idée de tuer leurs semblables, même pour les convaincre ou pour être convaincus par les mêmes moyens. » Pages dans lesquelles tu avais l'air de chercher une confirmation de ton tournant : ne plus croire aux bombes, aux explosions, aux armes, à la lutte sanglante.

Pourtant ce tournant avait été si brusque que je ne me demandais même plus s'il venait d'une graine enterrée dans le sous-sol de ton inconscient ou d'un besoin de paix dont le déclic aurait été l'enfant perdu. On ne voyait jamais transparaître chez toi un ressentiment, une nostalgie pour tes entreprises téméraires, tes défis impossibles. Tout ce que tu faisais maintenant paraissait la quintessence même du raisonnement et de la raison : tu participais à des conférences et à des meetings, tu diffusais parmi les émigrés le livre de poèmes qui entre-temps avait été traduit, tu te rendais à Bruxelles pour rencontrer les représentants du Marché commun. Même ta nouvelle monomanie était tout ce que l'on peut imaginer de plus tranquille : elle consistait tout simplement à obtenir de la radio italienne qu'elle t'accorde le temps nécessaire pour transmettre, deux fois par semaine, un programme que l'on puisse capter en Grèce. Ce genre de programmes existait déjà en France, en Grande-Bretagne et en Allemagne mais ils étaient difficiles à bien entendre à cause de la distance ; la radio italienne, par contre, disposait d'une longueur d'onde permettant de couvrir toute la zone comprise entre la mer Ionienne et la mer Egée. Tu continuais donc à te rendre à Rome pour l'expliquer aux ministres, aux sous-secrétaires, aux chefs de partis : obstiné, patient, têtu, décidé à ne pas te laisser décourager par l'indifférence, l'hypocrisie, le jésuitisme du on-verra-on-essaiera-on-réfléchira. Même quand il fut clair que tu n'obtiendrais rien, que l'indifférence, l'hypocrisie, le jésuitisme continueraient à triompher comme toujours, tu n'as changé en rien ton attitude. « Dommage, as-tu dit. Une nouvelle amertume, un nouveau prix à payer. » C'était maintenant ta phrase préférée. Et à chaque fois je ne parvenais pas à en croire mes oreilles car, et c'est là le détail le plus étrange, les tentations de reprendre les routes d'autrefois résonnaient en toi comme le chant des sirènes qui invoquent Ulysse de Charybde en Scylla. « Ulysse ! Ulysse ! Viens, fier Ulysse. Ecoute-nous, fils de Laerte, aborde. » En Europe, les Palestiniens continuaient à semer la mort ; en Allemagne, la guérilla urbaine était devenue une routine ; en Italie, la philosophie de la violence croissait de minute en minute. Les enlèvements, les chantages, les coups de feu, les meurtres n'étaient plus le patrimoine exclusif de la droite : c'était maintenant une mode sinistre de l'extrême gauche et il était déjà facile de comprendre qu'elle se transformerait en habitude. Et si ces sirènes avaient dénoué les liens attachant Ulysse au mât de son navire ? Et si Ulysse avait cédé à leur appel oubliant sa décision, sa nouvelle bataille contre les moulins à vent ? Un cri sauvage m'a répondu : « Tu n'as rien compris, rien. Comment oses-tu insinuer qu'il y ait quelque chose de commun entre moi et ces apôtres du fanatisme, ces bureaucrates du terrorisme, ces irresponsables qui tirent à la John Wayne dans le contexte facile de la démocratie, une démocratie pleine de défauts, malade certes, mais une démocratie quand même, ces sectaires qui ne risquent ni la torture, ni les pelotons d'exécution d'une dictature ? Je ne suis pas un terroriste, moi ! Je ne l'ai jamais été ! Je crois en la démocratie. Je me bats contre les tyrans, est-ce que tu l'as oublié ? Je t'interdis, tu m'entends, je t'interdis de me confondre avec ces salauds qui répandent le sang pour mettre en application les schémas idéologiques de leurs abstractions. Ces fascistes travestis de rouge, ces révolutionnaires à la con ! » A partir de ce jour l'expression révolutionnaires-à-la-con allait devenir un de tes slogans préférés. Pour condamner la timidité et la faiblesse des démocraties qui baissent les bras par contre tu affectionnais le slogan : « Ce n'est pas la liberté, c'est la fiesta de la liberté. » Et un soir où Rome était en proie au chaos, vitrines brisées, magasins pillés, voitures incendiées, j'ai compris pourquoi à côté de Proudhon et de Camus, tu lisais Platon. En effet, tu l'as ouvert à une page marquée et tu t'es mis à déclamer avec conviction : « Quand un peuple dévoré par la soif de la liberté a pour chef de mauvais échansons qui lui versent autant de vin qu'il désire, jusqu'à le soûler, il arrive que les gouvernants qui résistent aux requêtes de leurs sujets toujours plus exigeants, soient couverts de reproches et accusés de vouloir étouffer la liberté. Il arrive aussi que celui qui fait preuve de discipline à l'égard de ses supérieurs soit considéré comme un homme sans caractère, un esclave, que le père apeuré finit par traiter son fils en égal, que le fils n'éprouve plus ni crainte ni respect pour ses parents, que le maître n'ose plus faire de reproches à ses élèves mais les adule, de telle sorte qu'ils se moquent de lui et prétendent jouir des mêmes droits et de la même estime que les anciens. Et les anciens, pour ne pas avoir l'air trop sévères, disent que les jeunes ont raison. L'esprit des citoyens devient de plus en plus inquiet, la soumission devient indigne, l'obéissance inadmissible, personne ne respecte plus ni les gens ni les lois, écrites ou non. Au milieu d'une telle licence pousse une mauvaise herbe : la tyrannie. En effet tout excès entraîne son contraire aussi bien pour les saisons que pour les plantes, pour les corps et davantage encore pour les régimes politiques. »

Pourtant, qu'il est stupide le pouvoir établi, le Pouvoir au pouvoir qui manipule tout et tout le monde et qui jamais ne meurt. Oui, il est aveugle, sourd, ignorant ! Ce même soir, un certain Kissinger qui avait confirmé le refus de ton visa pour les Etats-Unis est venu en visite officielle à Rome ; il était escorté de cent dix gardes du corps, bardé d'honneurs comme un satrape oriental, plus grotesque que jamais, s'est installé dans notre hôtel. A partir de ce jour-là personne dans la ville n'a été surveillé davantage que toi qui prêchais contre la violence et déclamais Platon. Non seulement les chambres voisines de la nôtre étaient occupées par des agents du FBI mais leurs collègues nous espionnaient sans arrêt depuis les fenêtres mi-closes de l'immeuble d'en face : de vraies caricatures, avec leurs horribles chemises hawaiiennes, leurs grosses mains poilues serrant des canettes de bière. Et pour couronner le tout, le couloir de notre étage fourmillait d'agents en civil avec le revolver à la ceinture : chargés, entre autres, de fouiller nos tiroirs. Deux fois, en rentrant dans notre chambre, nous avons trouvé nos affaires sens dessus dessous. Mais j'ai peut-être tort de définir le Pouvoir au pouvoir comme un pouvoir aveugle-sourd-obtus-ignorant. Le pouvoir voit tout, entend tout, sait tout. Et dans ton cas, il savait que le véritable ennemi de ce misérable personnage c'était toi, et non les terroristes équivoques, qui dans les années à venir tireraient sur des personnes innocentes et désarmées. Jamais sur un fasciste.

CHAPITRE III

Un matin, c'était à la mi-juillet, tu t'es réveillé en annonçant :
« La Junte est sur le point de tomber. » Puis tu m'as raconté le rêve
que tu avais fait et d'où tu tirais ta prophétie sur la chute de la Junte.
Tu étais au fond d'un puits plein de poissons et si sombre que le ciel,
vu d'en bas, n'était qu'une lueur lointaine. Tu étais là depuis une
éternité, des siècles et des siècles peut-être, et tu ne voulais qu'une
seule chose : t'échapper, fuir vers le ciel. Mais la paroi du puits était
lisse, pas un trou, pas une prise pour t'accrocher et tu ne pouvais
rien faire d'autre que souhaiter un miracle. Le miracle a eu lieu tout
à coup, des trous, des prises étaient apparus, le long de la paroi et tu
avais commencé l'escalade. Un effort terrible, car souvent tu
glissais, tu retombais au milieu des poissons et tu devais tout
recommencer. Un effort interminable. D'autres siècles encore.
Enfin, tu étais arrivé au bord du puits, où tu t'étais accroché pour
reprendre ton souffle et regarder ce qu'il y avait dehors. C'était un
désert de gravier. Au centre du désert il y avait une montagne avec
un rocher en équilibre sur le sommet. Et soudain, de la montagne
était monté un grondement, le grondement sourd qui annonce une
avalanche, le rocher avait commencé à bouger, il s'était incliné en
avant, détaché du sommet pour rouler le long de la pente : il a éclaté
en mille petits galets, des cailloux identiques au gravier qui formait
le désert. Une vague de bonheur t'a envahi, brève comme un
battement de cils et suivie d'une colère aveugle, car un deuxième
rocher, identique au précédent, venait de se former au sommet de la
colline. Le rocher, cette fois, était bien stable. C'est cette stabilité
qui t'avait rendu furieux et qui avait provoqué en toi le besoin
irrésistible de le faire basculer, alors tu as essayé d'enjamber le mur
du puits. En vain. Une force mystérieuse avait transformé tes
jambes en boulets de plomb et tes bras en fleuves de faiblesse. Tu
avais essayé encore et encore : le seul résultat avait été de te

décourager Tu restais sur le bord du puits et tu souffrais atrocement car tu savais qu'il fallait basculer ce nouveau rocher, sans toi il ne bougerait jamais, il ne se détacherait jamais du sommet pour rouler le long de la pente, et voler en éclats comme le premier. Impossible de te rappeler combien cette souffrance avait pu durer. Dans le rêve, elle t'avait semblé interminable. Les saisons se succédaient, la chaleur et le froid alternaient ainsi que le soleil et la pluie et toi, tu restais agrippé là, la moitié du corps hors du puits et la moitié dans le puits, les yeux rivés au rocher. Mais tu croyais te souvenir qu'au début c'était l'été et qu'après la neige était tombée deux fois, et les hirondelles étaient passées deux fois aussi. C'est justement après ce deuxième passage que tu avais décidé d'entreprendre quelque chose et de ne pas rester là seulement à regarder. Et tu avais allongé la main pour saisir une pierre, la jeter contre le rocher, pour lui faire perdre l'équilibre. Un geste dangereux, tu le savais bien, car tu t'étais rendu compte que, depuis longtemps déjà, les trous et les prises avaient disparu : si tu tombais, tu ne pourrais plus jamais remonter. Mais il fallait bien essayer et, te penchant au-dehors, tu avais saisi une pierre, tu l'avais levée pour la lancer. Au moment où tu allais la lancer, un vent très fort, venant du rocher, s'était mis à souffler. Et il était si fort qu'il t'avait arraché du bord du puits. Et à nouveau, tu étais précipité au fond, parmi les poissons, pour toujours.

« Quel rêve affreux, Alekos. — Oui, vraiment affreux, je n'arrive pas à l'oublier. — Pourtant, un rêve qui annonce la fin de la Junte ne devrait pas être horrible. — Non, mais il n'annonçait pas seulement la chute de la Junte. Ce qui me faisait précipiter au fond pour toujours ce n'était pas la Junte mais ce qui lui succédera. — Oh, arrête ! Tu ne tomberas au fond d'aucun puits. Tu rêves ces choses-là parce que tu y penses pendant la journée : les rêves que nous faisons dans notre sommeil ne sont que le reflet confus des pensées que nous avons quand nous sommes éveillés. D'ailleurs la science prouve que... — La science n'existe pas, la science est une opinion. Elle ne démontre absolument rien, surtout pas dans le domaine de la vie et de la mort. » Aucun commentaire par contre sur le sens que tu donnais aux autres éléments du rêve : la montagne représentait le Pouvoir, le pouvoir éternel auquel on ne peut échapper, le rocher en équilibre c'était le régime dont le pouvoir se sert comme il l'entend. La dictature, la démocratie, la révolution : des rochers en équilibre sur la montagne. En fin de compte, le même rocher, la même malédiction qui pèse sur les hommes depuis le jour où ils ont décidé de se rassembler en tribu. Si le rocher, qui avait dévalé la pente et qui avait éclaté en mille morceaux représentait la Junte, qui donc était ce rocher apparu à sa place ? Pourquoi avais-tu voulu renverser celui qui avait pris la place de la Junte ? Pourquoi te maintenait-il collé au bord du puits, à mi-corps, t'empêchant de sortir ? C'est ce que je voulais savoir. « Mais qui est donc ce rocher qui prend la place de la Junte ? — Tu veux savoir s'il a un nom, un visage ? Bien sûr. — Dis-le-moi. — Non. On le saura bientôt. — Bientôt ? — Oui, dans quelques jours, dans quelques heures peut-être. » Et vingt-quatre heures plus tard, il y a eu un coup d'Etat à Chypre, la tentative d'assassinat de Makarios, l'invasion de l'île par les Turcs, une semaine après, la Junte a convoqué les leaders politiques que Papadopoulos avait évincés, et leur a confié la tâche de former un gouvernement qui soit en mesure de sauver le pays, d'éviter une guerre contre la Turquie. Mais ça ne t'enthousiasmait pas. Tu t'es contenté de murmurer : « Le rocher s'est détaché de la montagne, le rocher reste sur la montagne. Quand pars-tu pour Athènes ? — Quand est-ce que je pars ou quand est-ce que nous partons ? — Non, quand pars-tu ? Moi, je ne viens pas. — Pourquoi, je ne comprends pas. — Tu comprendras en écoutant une petite voix qui te dira : chère, très chère amie, quel plaisir de vous rencontrer, j'ai lu tous vos livres, vos articles aussi, je suis un de vos admirateurs, et un confrère, vous savez, j'écris moi aussi. »

Je suis partie sans toi. Et dès mon arrivée à l'aéroport d'Athènes, j'ai commencé sinon à comprendre du moins à imaginer ce que tu voulais dire : on m'a immédiatement arrêtée et enfermée dans une pièce minuscule. Tout le monde était sur le chemin du retour, Théodorakis qui arrivait de Paris, par exemple, mais mon nom était sur la liste noire, et pour le rayer, pour me laisser sortir, il fallut pas mal de temps. Un des policiers semblait favorable à ma sortie et un autre s'y opposait, ils se disputaient et ne savaient pas qui devait donner l'autorisation : le nouveau ministre de l'Intérieur ou l'ESA ?

La nuit précédente, Caramanlis était rentré d'exil et avait prêté serment en tant que Premier ministre, le gouvernement était maintenant en majorité composé de civils persécutés par la dictature. Mais Ghizikis était toujours président de la République, Joannidis contrôlait l'armée et l'ESA, pas un seul représentant du régime n'avait été arrêté et les prisonniers politiques restaient en prison : de quelque côté que l'on examine le phénomène, on retombait sur l'énigme d'une comédie ambiguë. D'ailleurs tout le monde disait qu'il n'y avait rien de sûr, que rien n'était clair sinon que la Junte était tombée : elle avait abdiqué. Et cela n'était pas une décision spontanée mais le résultat d'un ordre des Américains qui, de toute évidence, s'opposaient à une guerre entre la Grèce et la Turquie, c'est-à-dire entre deux pays membres de l'Otan. Mais un régime qui abdique n'est pas forcément mort, s'il garde les postes clés, c'est-à-dire la présidence, l'armée, et la police, il peut même reprendre le pouvoir en une nuit. La situation pouvait donc encore changer d'un instant à l'autre. Cela dépendait de Joannidis. Il n'avait cédé, ce n'était un secret pour personne, que lorsque l'ambassadeur des Etats-Unis avait signifié le veto de Washington, tout en criant à la trahison, en accusant la CIA de lui avoir suggéré l'idée du coup d'Etat à Chypre, en protestant, ils-m'ont-eu, j'ai-été-bien-innocent. Mais, il ne s'estimait pas vaincu pour autant, il faisait de continuelles allusions aux troupes grâce auxquelles il défendrait son honneur, aux chars qui répondraient à toute provocation, et les gens avaient peur. L'enthousiasme des premiers moments étant passé, la plupart des gens restaient enfermés chez eux pour éviter de se compromettre et personne ne parlait de liberté : à la rigueur d'un parfum de liberté. Caramanlis lui-même, toujours bourru et de mauvaise humeur, avait l'air de s'attendre au pire. La seule personne qui ne semblait avoir aucune crainte et ne pas éprouver la moindre inquiétude était le nouveau ministre de la Défense, Evangelos Tossitsas Averof. Celui qui était en train de me dire bonjour d'une petite voix de flûte : « Chère, très chère amie, quel plaisir de vous rencontrer, j'ai lu tous vos livres, vos articles aussi, je suis un de vos admirateurs et un collègue, vous savez, j'écris moi aussi. »

* *

Il était sur le seuil de ma chambre, escorté par un officier de la Marine, et ses mains maintenaient les miennes prisonnières comme les deux valves d'un coquillage qu'aucun couteau ne peut ouvrir. Cependant douces et flasques. Je l'ai observé avec curiosité. Sous les sourcils marqués, ses yeux noirs et ronds étaient perçants comme ceux d'un hypnotiseur, inquiets et glissants comme deux olives trempées dans l'huile. Sous les petites moustaches grisonnantes, la bouche, étrange car elle avait la forme d'une bouche édentée alors qu'elle était pleine de dents, souriait avec l'expression d'extase de l'amoureux qui est resté trop longtemps loin de sa bien-aimée et qui va, finalement, l'aimer dans un lit. Un rôle qui ne convenait ni à son physique, ni à son âge : c'était un homme de petite taille, la soixantaine, les épaules étroites et tombantes, le bassin large et le ventre bedonnant ; un grand nez crochu, avec une bosse à la racine, au milieu d'un visage tout aussi dénué de séduction. Pourtant le front était très haut, intelligent, c'était une sensation qu'on éprouvait avant d'en comprendre la raison. Et s'il n'était pas intelligent, il était malin, de cette astuce qu'on ne peut distinguer de l'intelligence. De plus, il était dur. On le sentait aussi. C'était étonnant car à l'écouter, tu te disais que rien dans son allure ni dans son comportement ne pouvait justifier cette impression de dureté, elle était pourtant bien là : cachée dans les plis d'une mollesse onctueuse. Je libérais mes mains des valves du coquillage qui s'était entrouvert un instant : « Entrez, monsieur le ministre, asseyez-vous. » Il est entré, a donné congé à l'officier d'un geste de suffisance, s'est assis dans le fauteuil et le menuet de compliments a repris de plus belle : « Monsieur le ministre, je ne voulais pas vous déranger, vous faire venir ici. C'était à moi de me rendre chez vous. — Chère, très chère amie ! Un gentilhomme ne permet jamais qu'une femme se dérange ainsi. Une femme d'un tel charme, d'une telle grâce, d'une telle notoriété ! En ne venant pas vous voir, j'aurais commis une faute de politesse, frisant la goujaterie. Comprenez-vous mon italien ? » Il parlait un italien excellent, sans faute et sans accent. « Votre italien est impeccable, monsieur le ministre, aussi bien dans le choix des termes que dans la prononciation. Même Panagoulis ne le parle pas aussi bien. » J'avais mentionné ton nom exprès pour voir sa réaction, mais il n'en eut aucune, comme s'il ne l'avait pas entendu. « Chère, très chère amie, j'ai appris l'italien en Italie, vous savez ? Quand j'étais prisonnier de guerre à Rimini. — Rimini ? Zakarakis aussi était prisonnier à Rimini. — Zakarakis ? Qui est-ce ? — Le directeur de Boiati, la prison de Panagoulis. » Toujours pas de réaction. « Rimini, Rome, le bon temps. Nous avons tous appris l'italien à cette époque-là. — Pas Zakarakis. A propos, monsieur le ministre, que deviennent-ils les Zakarakis, Théophiloyannacos, Hazizikis ? Et surtout Joannidis ? Tout le monde se le demande. Si la Junte n'est plus au pouvoir, pourquoi donc, se demande-t-on, pourquoi Joannidis reste-t-il à la tête de l'ESA ? » Il a soupiré. Il s'est agité dans son fauteuil. Il a fermé les yeux, les a ouverts à nouveau et s'est lancé dans une diatribe enflammée. Avant de répondre à cette délicate question, il devait me raconter certaines choses, des choses que personne ne connaissait : trop de gens pensaient que le stupide coup d'Etat de Chypre était à l'origine du changement. « Mais non, chère amie ! Ce n'était que le début. Ce qui a poussé les militaires à renoncer au gouvernement, c'est qu'ils ont compris que la catastrophe viendrait de Bulgarie. — De Bulgarie ? — Bien sûr, chère amie, bien sûr : des communistes. Toujours la patte des communistes. Car les communistes bulgares qu'ont-ils fait dès que nous avons eu des ennuis avec la Turquie à Chypre ? Ils ont massé des dizaines de milliers de soldats à la frontière. Et cinq cents avions de combat russes, je dis bien cinq cents, ont atterri dans les aéroports bulgares. Et deux mille techniciens, je dis bien deux mille, sont arrivés en Bulgarie en passant par la Roumanie. Et les militaires de la Junte ont été pris de panique. Une panique qui n'a duré que trente-six heures. Les trente-six heures les plus angoissantes de leur vie, car... car ce sont des patriotes. Il faut bien le reconnaître, que cela plaise ou non, de vrais patriotes. Des patriotes avec un grand P. Y compris Joannidis. Joannidis, en premier. Alors, Ghizikis a réuni les chefs d'état-major et il leur a dit : " Messieurs, la patrie est en danger, pour la sauver il faut déléguer le commandement aux civils. " Puis, il nous a appelés... »

Il parlait, il parlait, et une sorte de malaise commençait à m'envahir, ainsi que le regret d'avoir voulu le rencontrer. Pourquoi l'avais-je fait ? Qui m'en avait donné l'idée ? Pas toi. Tu n'avais jamais prononcé son nom, jamais fait allusion au fait que la petite voix, Chère-très-chère-amie, était la sienne. Qui donc alors ? Ah, oui, Canellopoulos, l'ex-Premier ministre qui avait été arrêté la nuit du coup d'Etat et qui aurait dû occuper aujourd'hui la place de Caramanlis. Je connaissais Canellopoulos, je l'avais connu, pendant les jours où tu demandais ton passeport et une belle amitié était née. J'aimais bien son visage ascétique, fatigué, sa gentillesse de vieux gentilhomme déçu, j'admirais son courage, sa culture de grand libéral et à peine sortie de la minuscule pièce de l'aéroport, j'avais couru le revoir. Nous avions parlé un bon moment, sans réticence, mais il avait survolé avec embarras la question du rappel inattendu de Caramanlis je-ne-peux-pas-répondre, je-ne-veux-pas, c'est-un-sujet-qu'il-faut-éviter. Et soudain : « Demandez-le à Averof. Posez-lui la question. » J'avais téléphoné à Averof et il m'avait proposé de me rencontrer à mon hôtel. Une drôle d'histoire de toute façon. Pouvait-il être le rocher au sommet de la montagne ? Malgré les habiles bavardages sur les Bulgares et les éloges encore plus subtils aux membres de la Junte, l'effort presque effronté qu'il faisait pour les décharger, il y avait un maillon manquant dans l'enchaînement des faits. Un maillon qui était peut-être là, à portée de main, et que je n'arrivais pas à trouver. Exactement la même situation que lorsqu'on cherche des lunettes qu'on a sur son nez. Il fallait le trouver. Il fallait écouter plus attentivement ce qu'il était en train de dire. « Et maintenant, chère amie, permettez-moi de vous expliquer la conduite que Ghizikis et ses chefs d'état-major ont eue à notre égard : de vrais gentlemen. Avec moi, ils se sont, du reste, toujours comportés en vrais gentlemen. Toujours. Bien sûr, vous savez que j'ai été impliqué dans la révolte avortée de la Marine, l'été dernier, et qu'ils m'ont arrêté. Eh bien, ils ne m'ont pas touché un seul cheveu. Irréprochables. Je tiens à le souligner : irréprochables. Et hier... Pensez donc, ma chère, nous sommes arrivés par petits groupes et Ghizikis nous a reçus debout, poli, jovial, puis il nous a invités à prendre un siège et il nous a offert du jus d'orange et du café. Quand tout le monde fut présent, il s'est assis lui aussi et a déclaré avec une grande simplicité que la patrie était en train de sombrer dans une tragédie, pour la sauver, la Junte tout entière avait décidé de renoncer à tous les postes de commandement à l'exception de celui de l'armée. Il a ensuite appelé ses chefs d'état-major qui ont répété un à un la même idée. La discussion s'est ouverte. On a parlé des responsabilités. Et Ghizikis a vraiment été admirable. Honnête, humain, admirable. Il s'est offert comme bouc émissaire. Je comprends, a-t-il dit, que la fin du régime exige un bouc émissaire, et je m'offre comme tel. Messieurs, je ne voulais pas devenir président de la République mais j'ai tout de même accepté et maintenant il est juste que j'en paye le prix. Inutile d'ajouter qu'il n'y avait pas lieu de prendre en considération une telle proposition et qu'il fallait au contraire s'engager à éviter les représailles populaires, les punitions. Et c'est l'engagement que nous avons pris. Nous avons enfin abordé le sujet principal : le choix de la personne qui formerait le gouvernement. La majorité voulait Canellopoulos. Moi, je voulais Caramanlis. — Pourquoi Caramanlis et non vous-même, monsieur le ministre ? » A nouveau, un grand sourire : « Très simple, chère amie, très simple ! Parce que j'ai tenu compte du ministère de la Défense ! Sur ce point j'ai toujours été catégori-que ! Ca-té-go-ri-que ! — Et vous avez gagné. — Oui, chère amie, oui. Quand je veux quelque chose, je l'obtiens. Et quand j'en veux deux, j'en obtiens deux. »

Le ministère de la Défense, l'armée ! Voilà le maillon qui manquait à la chaîne. Que disais-tu à propos de l'armée ? Ceci : « En Grèce, celui qui commande l'armée commande le pays. » J'ai cherché les deux yeux noirs et ronds, les deux olives trempées dans l'huile : « Monsieur le ministre, qui commande la Grèce aujourd'hui ? » Les deux olives se sont durcies et la petite voix de flûte est devenue glaciale : « Qu'en pensez-vous, chère amie ? — Il y a une heure je pensais que c'était Joannidis, monsieur le ministre. — Chère amie, le brigadier général Joannidis obéit à mes ordres. C'est moi qui commande l'armée. — Et celui qui commande l'armée en Grèce, commande le pays. N'est-ce pas monsieur le ministre ? — Qui a dit ça ? — Panagoulis. » Il s'est levé d'un bond. « Ravi de vous avoir rencontrée, vraiment enchanté. Malheureusement je dois partir. » Il s'est dirigé vers la sortie, il m'a tendu ses mains flasques, m'a enfermé à nouveau la main droite dans les valves du coquillage.

« J'espère rencontrer bientôt notre ami aussi, dites-le-lui. A propos, quand rentre-t-il? » Sans attendre de réponse, il s'est éloigné, effaçant mes derniers doutes. Ils ne sont revenus m'assaillir que deux jours plus tard. Les prisonniers politiques commençaient à être libérés, les gens avaient à nouveau l'air gai, le parfum de liberté prenait petit à petit les contours de la liberté : et si je m'étais trompée?

*
**

Tu as souri narquois : « Les rochers au sommet de la montagne ne sont pas forcément un mauvais signe et si les prisons ne se vidaient pas de leurs prisonniers politiques, pourquoi parlerait-on de liberté? Il n'agira jamais en tyran, lui : il est intelligent. Sais-tu comment il a fait pour liquider Canellopoulos? Au cours de cette réunion avec des cafés et des jus d'oranges, il a proposé une pause de réflexion et il est sorti avec les autres politiciens. Puis, avec l'excuse d'aller aux toilettes, il est resté dans le palais présidentiel. Allez-y-je-vous-rejoins. Il s'est rendu à nouveau dans le bureau de Ghizikis et ils ont appelé ensemble Caramanlis à Paris. Partez-tout-de-suite-venez-former-le-gouvernement. Quand les autres sont revenus avec le fruit de leur méditation, Caramanlis avait déjà accepté sa fonction et il était en train de rentrer à Athènes avec l'avion de Giscard d'Estaing. Un chef-d'œuvre. Je mettrai ma tête à couper qu'Averof a préparé ce coup avant la dissolution de la Junte. — De toute manière il a dit qu'il espérait te rencontrer bientôt. — Ce fils de chien! — Il m'a aussi demandé quand tu rentrerais. Quand rentres-tu? » Au lieu de répondre, cette fois tu t'es approché de la fenêtre et tu m'as montré du doigt un couple attablé au café d'en face : un jeune homme en blue-jean et une femme. Elle avait la trentaine, élégante, agréable. Une belle poitrine et des cheveux blond cendré. « Qui est-ce, Alekos? — Je ne sais pas. Lui, je ne l'ai jamais vu. Elle, si. Hier encore à Genève. » Le lendemain de mon départ pour Athènes, tu étais allé à Genève assister à la conférence sur Chypre. « A Genève? — Oui, à deux reprises au moins. Et la première fois, je ne l'ai pas reconnue. J'ai éprouvé un sentiment d'inquiétude et c'est tout. Mais la deuxième... — Tu l'as reconnue? — Oui, depuis Stockholm. Partout où j'allais, je tombais sur elle. Au début, je n'y ai pas prêté attention, je pensais qu'il s'agissait d'une groupie suédoise. Mais j'ai dû admettre qu'elle n'était ni groupie, ni suédoise. — Pourquoi? — Parce qu'elle ne parle pas suédois. » Je l'ai regardé, perplexe. « Tu en es sûr? — Absolument. En outre elle aime les perruques. A Stockholm, elle était blonde comme maintenant, mais à Genève elle avait les cheveux châtains. Voilà pourquoi je ne l'ai pas reconnue tout de suite. — Alekos, réfléchis. Peut-être la femme de Genève n'est pas la même que celle qui est sur ce trottoir maintenant. Peut-être se ressemblent-elles et c'est tout. C'est difficile de se faire une idée de si loin. — Je l'ai vue de très près : elle a pris le même avion que moi. J'ai eu tout mon temps pour bien l'observer. — S'en est-elle aperçue ? — J'espère que non. Eloigne-toi de cette fenêtre, je ne voudrais pas qu'elle s'en rende compte maintenant.» J'ai fait un pas en arrière. « Et le jeune homme ? — Jamais vu. De toute façon, lui ne compte pas, j'en suis sûr. C'est elle qui me suit. Et elle est très douée. Une professionnelle de haut niveau, un espion de qualité. — Espion, de qui ? — Je ne sais pas. Il faudra lui mettre la main dessus et donc attendre encore un peu. Elle peut travailler pour n'importe qui, le KYP, le SID. Si elle me file pour le SID, c'est pour rendre un service au KYP. Tout le monde sait bien que les services secrets grecs et italiens travaillent main dans la main. — Mais, Alekos, le KYP obéissait à la Junte ! — Et maintenant, il obéit au nouveau gouvernement. Les services secrets sont toujours à la disposition du pouvoir, ils ne changent pas à cause d'un nouveau régime ou d'une nouvelle politique. Parfois pour changer la face, on change leurs hommes ou plutôt leurs dirigeants, mais cela revient à ne changer que l'apparence des choses. Et je ne pense pas qu'Averof ait pris cette peine. — Oui, mais maintenant pour quelle raison le KYP te surveillerait-il directement ou par l'intermédiaire du SID ? Un homme avec ton passé... ? — Pour certains ce n'est pas mon passé qui est intéressant. C'est mon présent et même mon avenir. » L'avenir. Ton avenir. Voilà la question qui m'obsédait depuis la chute de la Junte. Que ferais-tu à présent de ta vie, de ton avenir ? J'ai cherché tes yeux. « Alors, Alekos, quand rentres-tu ? » Une nouvelle fois, tu as esquivé ma question en me montrant la femme et le jeune homme en blue-jean. « Hum ! Je parie que ces deux-là aimeraient savoir, eux aussi. Je dirais même que je suis sûr que leurs patrons aimeraient beaucoup que je rentre en Grèce les pieds en avant. » Et pour la deuxième fois, tu ne m'as pas répondu.

Même chose le lendemain et le surlendemain et ainsi de suite. Un a un tous rentraient : hommes politiques, actrices, étudiants, écrivains, et souvent menteurs qui étaient partis à l'étranger pour sauver leur peau ou jouer la comédie facile du réfugié politique. « Je suis une victime de la Junte, à bas la Junte ! » Reçus comme des héros et des héroïnes par des masses hurlantes, en sueur, peut-être par les mêmes personnes qui t'avaient fermé la porte au nez, ils descendaient à l'aéroport d'Athènes et levant le poing fermé, ils criaient Vive-le-peuple-vive-la-liberté, et couraient jeter les bases d'une carrière parlementaire. Libéraux, socialistes, antifascistes de l'opportunisme. Et toi, pas un mot, pas un geste. Porté aux nues comme un guerrier antique, un Agamemnon qui revient des murs de Troyes, Papandréou déclarait à la presse qu'il rentrerait par bateau, qu'il débarquerait à Patras, et qu'il marcherait sur la capitale suivi par un cortège de voitures et d'autobus, par une forêt de drapeaux rouges. « Andréa-vive-Andréa. » Et toi, pas un mot, pas un geste. J'étais de plus en plus perplexe. Hésitais-tu parce que tu ne voulais pas te mêler au retour des chiens qui aboient une fois le danger passé, aux chacals qui engraissent sur les souffrances des autres? Sans dictature ton pays t'intéressait-il moins? Bref, la perspective d'affronter une existence normale t'ennuierait-elle? Le drame de beaucoup de combattants, la guerre finie, pensais-je, est qu'ils ne savent pas se réhabituer à la paix. Des phrases que j'avais écoutées d'une oreille distraite revenaient à ma mémoire pour confirmer cette hypothèse : « Ah, je comprends Guevara! Plutôt que de me casser les pieds à Cuba, moi aussi je serais parti en Bolivie! » Ou bien : « Aujourd'hui j'ai rencontré un Grec qui se bat vraiment, un trotskiste. Dommage qu'il ait sa carte, on ne peut pas travailler ensemble. Il m'a dit : mon vieux, si la Junte tombe, on devient chômeurs tous les deux, quelle barbe! » En Italie, tu n'en étais pas encore là : il y avait des jeunes avec des croix gammées à la ceinture, des blondes avec des perruques, le soupçon que quelqu'un souhaite te voir rentrer en Grèce dans un cercueil. La mystérieuse persécution, en effet, poursuivait son cours, elle était même aggravée par un événement non négligeable. Après que j'eus remis mon reportage sur ce 23 juillet, nous nous étions rendus à Zurich et tandis que nous mangions dans un restaurant proche de la maison de Nicolas : « Oh, non! Pourtant je ne l'ai pas vue dans l'avion. — Alekos, ne me dis pas qu'elle est là. — Mais si. Juste derrière toi. Ne te retourne pas. — Est-elle seule ou non? — Seule. — Et quelle couleur cette fois? — Noir, elle a les cheveux noirs. — Qu'est-ce qu'on fait? — Un essai. On va sortir et aller dans un autre restaurant. Si elle nous suit... » On a interrompu le repas, on est sorti de manière ostentatoire, et on est allé dans un restaurant avec un jardin de l'autre côté de la ville. Après quelques instants, voilà qu'elle arrive avec l'air de chercher quelqu'un, nous regardant une seconde d'un air distrait et qu'elle repart l'air de dire : « Tant pis, il n'est pas là. » « Courons-lui après, Alekos, faisons face. — Avec quel prétexte? Changer de perruque et se trouver dans la même ville n'est pas un crime. — Dans les mêmes rues, dans les mêmes restaurants? Si tu ne veux pas l'affronter, adressons-nous à la police. — Génial ! Et que leur dirais-tu à la police ? Il y a une femme blonde, non, brune, non, châtain, qu'on retrouve partout où l'on va ? En plus, tu oublies que les services secrets se servent justement de la police. Laissons-la faire. Je veux avoir la joie de la prendre la main dans le sac. » Oui, c'était peut-être ça qui te retenait, de rentrer en Grèce, ai-je fini par conclure. La sombre fascination de savoir que tu étais davantage en danger à l'étranger que chez toi, la peur de l'ennui dans la normalité et avec les applaudissements qu'on t'aurait sans doute réservés.

Mais un soir, d'un seul coup : « J'ai décidé. Je rentre le 13 août, jour anniversaire de mon attentat contre Papadopoulos. — C'était donc ça que tu attendais ! — Pas tout à fait, bien que l'idée de rafraîchir la mémoire de quelqu'un m'amuse assez. Et je ne pense pas seulement aux Joannidis et aux Averof. Mais aussi à l'autre bord, à ceux qui n'ont jamais rien fait. — Alekos, que veux-tu dire par pas-tout-à-fait ? — Je veux dire... Tu te souviens, tu m'as demandé si je préférais Garibaldi ou Cavour ? — Oui, et tu m'as répondu que tu préférais Cavour. — C'est-à-dire la politique. Bon, après avoir réfléchi sur un certain nombre de choses, la droite, la gauche, les hommes en général, je ne suis plus aussi sûr d'aimer cette politique. Et retourner en Grèce signifie retourner à la politique. » Puis en changeant tout à coup de sujet, comme si celui-là t'agaçait, tu as dit que dans l'immédiat le problème était ailleurs. Il fallait attendre le 13 août.

*
* *

Pour survivre jusqu'au 13 août, il fallait prendre certaines précautions. Et la première précaution était d'éviter les endroits où tes mystérieux persécuteurs tant passionnés par tes déplacements pouvaient aisément reprendre leur chasse : la maison dans les bois, la maison en Toscane, la ville même de Rome. Nous avons donc décidé de passer quelques jours à la mer pour prendre un peu de repos, être un peu seuls, et nous avons choisi l'île d'Ischia où un ami hôtelier nous accueillerait même arrivant à l'improviste. « L'important, c'est de ne pas en parler, de ne pas louer de chambre, de voyager pratiquement sans bagage. Personne ne s'en rendra compte, personne ne nous retrouvera. » Mais vingt-quatre heures plus tard, elle nous avait déjà retrouvés. En admettant qu'elle nous ait perdus de vue. Avec son air faussement distrait, sa poitrine florissante, ses cheveux blond cendré, de nouveau blond cendré, elle était à la gare de Rome à une dizaine de mètres de nous, elle attendait le rapide pour Naples. Mais elle n'était pas seule. Un jeune homme en jean, du même genre que celui qui l'accompagnait à la terrasse du café, face à l'hôtel de Milan. « Je ne comprends pas, Alekos... Pourquoi tiennent-ils tellement à savoir ce que tu fais et où tu vas ? ! — C'est peut-être justement ce qu'ils veulent. Peut-être veulent-ils davantage. Je commence à croire qu'ils veulent quelque chose de plus. — On part quand même ? — Bien sûr. De toute façon, ce sera pareil partout, maintenant. Et je veux savoir ce qu'elle va faire. — Bon. » Nous sommes montés dans un wagon, assez éloigné du sien, nous nous sommes installés dans un compartiment occupé par un couple de personnes âgées, mais presque aussitôt, voilà qu'arrive le jeune homme en jean avec un paquet dans un sac en plastique. Il pose le paquet sur le porte-bagages, il s'assied à côté de toi et commence à feuilleter un illustré pornographique. A la boucle de son ceinturon, une croix gammée semblable à celle des types qui attendaient devant la grille de la maison dans les bois. Mais ce qu'il y avait de plus désagréable, ce n'était pas la croix gammée, mais la nervosité qui l'agitait comme s'il avait peur ou s'il était tourmenté par un gros problème. Il a jeté l'illustré, il soupirait, il soufflait, il lançait d'étranges coups d'œil au paquet. Puis, il s'est levé, il l'a pris, l'a posé à nouveau, l'a repris, effrayant le vieux couple, et enfin, il s'est éloigné en jurant : Merde, putain, putain, merde. « Suivons-le, Alekos. — Non, c'est ce qu'il cherche : une rixe. Si je réagis, je ne peux plus la surveiller et je ne saurais même pas si elle prend le bateau pour Ischia. Car elle va le prendre, tu vas voir. Moi, ça m'arrange : c'est une confirmation et un prétexte pour l'arrêter et savoir qui l'envoie et pourquoi. Je commence à en avoir assez de cette histoire. Et cette fois, bon sang, je l'attrape. Je lui fais tout cracher. »

Le bateau était bondé. Nous avions eu du mal à embarquer et, maintenant, enfermés dans un rempart de corps, nous nous retrouvions coincés sur le pont : nous avons essayé en vain de nous déplacer pour trouver un endroit plus confortable. Il était impossible d'avancer même d'un demi-mètre. « On l'a perdue, ai-je murmuré. — Peut-être. — Il aurait mieux valu l'affronter dès la descente du train. — Peut-être. » A la descente du train, en effet, elle était réapparue avec le jeune homme en jean. Elle était au bout du quai, et le garçon n'avait plus le paquet dans le sac en plastique, elle lui parlait avec animosité comme si elle était en train de lui faire des reproches. A propos de quoi ? De ne pas t'avoir suffisamment provoqué ? Sans perdre ton sang-froid, et en faisant toujours semblant de ne pas l'avoir remarquée, tu m'as poussée hors de la gare : « Viens, ne te retourne pas. » Le trajet entre la gare et l'embarcadère était très court, et nous l'avons fait à pied pour voir si elle nous suivait. Mais elle ne nous avait pas suivis. « A moins qu'elle soit allée en taxi et qu'elle soit arrivée avant nous. — Peut-être. — Dans ce cas, elle se trouve en bas, parmi les passagers assis. — Peut-être. — Ou bien, elle ne nous suit plus, elle s'est arrêtée à Naples. — Peut-être.» Les moteurs se sont mis à tourner et le bateau s'est éloigné lentement du quai. « Tant mieux.» Exactement à l'instant où tu disais tant mieux, la voilà de l'autre côté du pont, en train de saluer deux personnes restées à terre : le garçon en jean et un jeune homme au visage rond, plein de taches de rousseur. Elle agitait la main droite, la portait à l'oreille, faisant le geste de celui qui répond au téléphone, et elle répétait : « A huit heures ! Je vous appelle ce soir, à huit heures ! » Une voix claire, effrontée et un italien parfait. Les deux hommes opinaient avec l'air discipliné de ceux qui obéissent à un chef. Je t'ai vu pâlir puis, d'un bond, plonger dans la mêlée de corps humains, sourd aux protestations : Qu'est-ce-qu'il-veut, pourquoi-pousse-t-il, où-croit-il-aller. Tu es revenu dix minutes plus tard : « Elle n'y est plus. — Elle n'y est plus ? — Je ne l'ai pas trouvée. J'ai fait tout le tour du bateau, elle n'est pas là. — Je vais y aller, moi.» Je suis partie à mon tour, soulevant de nouvelles protestations, qu'est-ce-qu'elle-veut, pour-quoi-pousse-t-elle, où-croit-elle-aller, je l'ai cherchée partout. Même dans les toilettes. Mais je ne l'ai pas trouvée. « Elle est pourtant à bord ! — Bien sûr qu'elle est à bord ! — Essayons ensemble. Non, on va l'attendre à l'arrivée. On descendra les premiers et on l'attrapera.» Nous sommes descendus les premiers. Nous nous sommes postés au pied de la passerelle, regardant tous les passagers, bien décidés à ne pas la laisser s'échapper. Nous n'avons jamais relâché notre attention, sauf au moment où un touriste s'est mis à crier qu'on lui avait volé son portefeuille, une petite échauffourée s'en est suivie et nous avons été un peu bousculés. C'est à ce moment qu'elle a réussi à se faufiler car quelques instants plus tard, une voiture s'est éloignée et sa tête blonde était parfaitement reconnaissable par la lunette arrière.

* *
*

Le premier jour il n'est rien arrivé. Le premier jour, nous étions presque sereins. Mon ami aubergiste nous avait donné une chambre très agréable, avec vue sur la mer, l'hôtel était excellent, avec deux restaurants, une plage privée, une belle piscine et une baie protégée par le panneau « Accès interdit ». Nous nous sentions tellement bien que nous sommes arrivés à la conclusion qu'il ne fallait pas se laisser envahir par la colère et par l'angoisse : il valait mieux profiter de nos vacances. On resterait sur nos gardes, voilà tout : ne pas aller sur la route, pas de baignade au large, rester toujours avec du monde, c'est-à-dire avec d'éventuels témoins. Mais le lendemain matin : « Réveille-toi, réveille-toi ! — Qu'y a-t-il ? — Regarde. » A cinq ou six cents mètres du rivage, perpendiculaire à notre chambre, se trouvait un gros bateau à moteur, couvert. « Alekos, nous sommes à la mer, c'est le mois d'août. Ça ne te paraît pas normal de voir un bateau à moteur ? — Le jour, si, pas la nuit. Il est là depuis cette nuit. — Et alors ? — Alors, les bateaux à moteur ne se promènent pas la nuit et surtout ils ne s'arrêtent pas comme ça. — Pourquoi ? Ils sont peut-être en train de pêcher ? — Je suis certain qu'ils pêchent mais certainement pas des poissons. Il n'a pas bougé depuis son arrivée. — Le moteur est peut-être en panne. — Si le moteur était en panne, ils seraient déjà en train de le réparer ou de se faire remorquer. Le moteur marche très bien. On parie ? » J'ai parié et j'ai perdu. Quelques minutes plus tard, le moteur s'est mis à tourner, le bateau s'est éloigné pour réapparaître peu après pour s'arrêter au même endroit. Il est resté là jusqu'à midi où il a démarré, s'en est allé de nouveau pour réapparaître de nouveau et s'arrêter de nouveau : à une centaine de mètres du rivage. Même chose à trois heures de l'après-midi et au coucher du soleil. Toutes les trois heures environ, il partait et revenait. S'approchant à chaque fois d'une centaine de mètres. Il y avait quatre personnes à bord : était-il possible qu'aucune d'elles ne descende à terre ? Nous avons demandé au maître nageur qui a marmonné qu'en été il y avait toujours plein de fous, qu'on ne comptait plus les fous, l'année dernière, par exemple, il y avait un couple qui était resté au large une semaine entière : ils appelaient ça un concours de résistance. Cette réponse nous a tellement convaincus qu'à l'heure de déjeuner, en compagnie de notre ami l'hôtelier, nous sommes allés dans un restaurant du port où tu as mangé de bon appétit et où tu as bien bu. La nuit tu as dormi d'un sommeil profond. Pas moi. Pas une seconde je n'avais cru à l'histoire du maître nageur et, au restaurant, je n'ai pas arrêté de regarder autour de moi, de me lever, d'aller à la fenêtre pour voir si le bateau était encore là. Il y était toujours : éclairé par la lune, il tanguait doucement sur la mer tranquille, on aurait dit l'embarcation la plus inoffensive du monde. A l'aube, il tanguait toujours. Le matin il tanguait, et à midi il tanguait. A trois heures de l'après-midi, au lieu de remonter dans notre chambre, nous sommes descendus à la plage protégée par le panneau : « Accès interdit », nous nous sommes allongés à l'ombre d'un rocher sans nous inquiéter que la plage fût déserte : il n'avait toujours pas bougé. Il était là et maintenant il tanguait encore plus nettement car à force de s'approcher, il se trouvait à moins de deux cents mètres du rivage. Je t'ai indiqué le bateau : « Il ne t'inquiète vraiment plus ? » Tu as souri : « Hier soir, au restaurant, ils auraient pu m'avoir sans difficulté. Mais je m'étais trompé, ils ne sont pas venus pour moi, ils ne sont pas dangereux. — Dangereux peut-être pas, mais bizarres, oui. Ne craignent-ils pas la chaleur à rester toute la journée immobiles au soleil ? — C'est un bateau couvert. — Ils n'ont jamais envie de se baigner ? — Ce sont des paresseux. — Mais pourquoi ne les voit-on jamais ? — Je ne sais pas. — Il y a quelque chose qui me paraît curieux : il tangue, il tangue, c'est-à-dire, j'ai l'impression qu'ils n'ont pas jeté l'ancre. Pourquoi n'ont-ils pas jeté l'ancre ? » Aussitôt ton sourire a disparu comme si je venais de te faire une révélation à laquelle tu n'avais absolument pas songé. Tu t'es levé d'un bond et tu as dit : « Ne bouge pas, je vais jeter un coup d'œil. » Avant que j'aie pu te retenir tu t'étais déjà jeté à l'eau et tu nageais en direction du bateau à moteur.

La suite s'est déroulée très vite. Quand j'y repense je vois toute cette scène comme un film projeté en accéléré, avec un rythme précipité, frénétique, ce qui est étrange, car nos gestes n'étaient nullement précipités ni frénétiques : tu agissais avec calme et j'agissais avec calme. Si nous voulions réussir, le calme était indispensable et il fallait faire preuve d'une indifférence totale : je l'ai compris dès que j'ai entendu le moteur du bateau tourner. Tu t'étais pas mal approché, tu n'étais plus maintenant qu'à une cinquantaine de mètres, mais tout à coup, tu as plongé, tu as fait une cabriole pour revenir en arrière, à larges brasses décidées, lentes mais résolues, à chaque brasse une poussée vigoureuse et un long sillon d'écume, tandis que lui avançait également, aussi lent et aussi décidé, comme s'il s'amusait à t'accorder une avance, s'il retardait le moment où il allait te fondre dessus, conscient de sa propre supériorité et sûr de sa victoire. Les quatre jeunes gens, enfin bien visibles. Celui qui était à la barre était blond et très jeune, les trois autres étaient bruns, la trentaine, et ils te fixaient, hostiles et renfrognés, de plus en plus hostiles et renfrognés au fur et à mesure que diminuait la distance et tu sentais bien qu'elle diminuait, mais tu continuais à nager avec la même cadence régulière et précise, sans te retourner, sans les regarder, sans trahir le moindre signe de nervosité, tu te dirigeais vers l'entrée de la baie, l'endroit le plus resserré, où il y avait le panneau « Accès interdit » car dans ce passage étroit, le bateau aurait du mal à entrer. Tu parcourais au moins deux mètres à chaque brasse, encore un effort et tu atteindrais le rocher de la jetée, gare à toi si tu abandonnais, si tu te décourageais mais tu n'abandonnais pas, tu ne te décourageais pas et, voilà, tu étais presque dans la baie, tu t'agrippais aux rochers, tu montais sur la jetée, tu marchais d'un pas régulier, tranquille, toujours sans te retourner, sans les regarder, comme si tu te fichais pas mal du bateau à moteur qui s'était arrêté, et des jeunes qui discutaient, ne sachant pas s'ils devaient descendre ou pas. Pendant ce temps, je venais vers toi en cherchant à imiter ton flegme, à ignorer ton visage verdâtre, contracté par la tension, tes yeux écarquillés et incrédules. Mon cœur battait à tout rompre. J'avais laissé le peignoir de bains, les chaussures, tes pantalons, tes sandales, toutes nos affaires en somme, à côté du rocher, et je savais que tout devait rester là, comme si nous allions nous éloigner un instant seulement, je savais que bientôt tu allais me prendre par le poignet et me pousser vers l'enclos de la piscine, puis sur la terrasse, dans l'ascenseur en disant : « Souris. » Je t'ai tendu le bras, tu m'as saisi le poignet : « Souris ! Souris ! » Tu m'as poussée vers l'enclos de la piscine, puis sur la terrasse, dans l'ascenseur : « Tu as les clefs de la chambre ? » Dans la chambre, tu as scruté par les interstices des volets : « Deux d'entre eux sont descendus, ils nous attendent en bas. Tu as bien fait de laisser nos affaires. — Et s'ils viennent ici ? — Non, ils ne viendront pas. Ils n'ont pas de couilles. Ils attendent qu'on descende chercher nos affaires je te dis. Maintenant, dépêche-toi, habillons-nous. — Et après ? — Après, on sort, on saute dans un taxi, on va au port et on prend le premier bateau. Pas de bagage, on laisse tout ici. On téléphonera demain pour qu'ils nous les envoient avec la note. Jusqu'à demain matin, personne ne doit savoir que nous sommes partis. Personne. »

Ta voix était froide mais ton visage était encore contracté par la tension, blanc, et tes mains tremblaient tandis que tu t'habillais. Elles tremblaient aussi quand tu es passé devant le portier avec une désinvolture feinte, quand tu es monté dans le taxi, quand nous sommes allés au port pour nous embarquer sur le bateau pour Naples, de là, nous nous sommes rués à la gare centrale pour nous mêler à la foule d'un train omnibus de deuxième classe. Je ne t'avais jamais vu comme ça. Ce n'est que lorsque nous avons été enfin assis dans le train, que tes mains ont cessé de trembler, que la couleur est revenue à tes joues, et que tu as brisé le silence dans lequel tu t'étais enfermé : tu m'as raconté pourquoi tu avais fait cette culbute dans l'eau pour retourner en arrière. « Tu avais vu juste, il n'avait pas jeté l'ancre. On ne le fait pas lorsque l'on doit être prêt à démarrer. J'ai eu un moment d'hésitation et le blond a dit : le voilà ! Les trois autres se sont tournés vers moi. Il m'a semblé que l'un d'eux avait un revolver. Je ne crois pas cependant qu'ils aient eu l'intention de me tuer. Ils auraient eu le temps s'ils avaient voulu. Je suis sûr qu'ils voulaient m enlever. — Ils peuvent encore le faire, Alekos. Ton avion ne décolle qu'après-demain. — Je sais, mais ce soir, ils ne feront rien, ils ne nous ont pas vus partir. Qui nous a vus partir ? Les bagages sont dans la chambre, on doit encore payer la note, personne ne soupçonne que nous sommes rentrés à Rome ! » Tu étais tellement sûr de ton fait que je n'ai pas eu le temps de t'exprimer mes doutes ou de te prodiguer mes conseils, et à Rome tu as voulu aussitôt te rendre à l'hôtel, et de là à Trastevere où tu as choisi un restaurant en plein air. Nous étions en train de dîner quand tu as poussé un profond soupir : « Jusqu'à quel point peut-on réussir à résister ? — Pourquoi dis-tu cela ? — Parce qu'on nous a retrouvés. Regarde la voiture verte là-bas. » J'ai regardé. C'était une Peugeot vert foncé, garée de l'autre côté de la place et au volant on pouvait distinguer un type avec des lunettes noires. « Il attend peut-être quelqu'un, Alekos. — Exactement. C'est moi qu'il attend. — Peut-être va-t-il bientôt s'en aller. — Non, non. Il ne va pas s'en aller. Ça fait une demi-heure qu'il est là. — Ça peut être une coïncidence. — Ça pourrait mais ce n'est pas le cas. » Tu as payé. Tu as appelé un taxi. Le taxi est arrivé et dès qu'il est parti, la Peugeot a démarré et nous a talonnés avec une telle insistance que le chauffeur, deux fois, a sorti sa tête de la portière pour lui crier : « Qu'est-ce que tu veux, crétin ? » Il l'a su rapidement car sur la rue qui longe le fleuve, le type aux lunettes noires s'est placé à notre hauteur, nous montrant, clairement à la lumière des phares, son sourire sardonique, son visage bien rasé, ses mains gantées, très élégant avec sa veste à petits carreaux et sa cravate bleue. Il nous a dépassés, a ralenti, s'est remis à notre hauteur, nous a redépassés une nouvelle fois, a ralenti à nouveau et enfin, répétant la manœuvre de Crète, un coup de l'avant et un coup de l'arrière, il nous est rentré dedans en nous projetant contre le trottoir. Le chauffeur a été excellent. Non seulement, il a réussi à éviter l'arbre contre lequel nous aurions dû nous écraser, mais aussitôt après, poussé par toi, il s'est lancé à la poursuite de la voiture, ce qui nous permit au moins de relever le numéro de la plaque. Fausse, comme d'habitude.

C'est à cause de cette fausse plaque, toujours une fausse plaque, qu'exaspérée et criant que je ne te laisserais pas rentrer dans ton pays dans un cercueil, que je me suis adressée à la police. Et la police a envoyé une escorte de trois agents en civil. Naturellement, tu n'en voulais pas et tu hurlais misérable, inconsciente, tu me ridiculises, tu me colles aux trousses les valets du Pouvoir, tu ne comprends pas que c'est naïf de croire à une protection de la part de la police et en plus ça revient à renoncer à tout espoir de savoir qui ils sont et qui les envoie. Et tu avais raison : après ta mort, j'ai compris que la police italienne s'intéressait davantage au fait de pouvoir te surveiller, toi, que de surveiller ceux qui voulaient t'enlever ou te tuer : elle connaissait même la blonde avec les perruques, une Croate du nom de Jagoda, alias la Salamandre, à cause de sa résistance et de son caractère venimeux, au service du SID et de la CIA, amie d'un général néofasciste du MSI et dame patronnesse de groupes fascistes. Ce n'est pas un hasard si les trois agents qu'on t'avait accordés semblaient envoyés exprès pour prévenir les imprudents : attention-les-enfants-ne-vous-approchez-pas-trop-sinon-on-va-être-obligés-de-vous-arrêter. Ils s'exhibaient de manière grotesque, te serrant dans une espèce d'embrassade protectrice, comme des infirmiers qui soutiennent un malade, reniflant et observant les passants comme des chasseurs qui avancent dans une jungle infestée de fauves, déboutonnant même parfois la veste pour bien montrer qu'ils avaient un revolver à la ceinture. Nous nous sommes d'ailleurs disputés à cause de cela au point que j'ai annulé mon voyage pour Athènes, que je suis allée à New York à la place, et que nous avons passé les dernières vingt-quatre heures comme deux étrangers qui ne restent ensemble que pour sauver la face devant les autres. Ainsi la question qui, depuis plusieurs jours me brûlait les lèvres, que j'avais en vain essayé de formuler, après une allusion brusquement interrompue, est restée comme un point d'interrogation, de quelle manière entendais-tu faire ton entrée dans la politique, *cette* politique, comment voulais-tu, autrement dit, tirer profit de ce que tu avais compris au moment où tu t'étais mis à réfléchir ?

**

Les avions pour Athènes et pour New York allaient décoller presque en même temps et la dispute était maintenant oubliée : une phrase, une plaisanterie de Sancho Pança qui laisse Don Quichotte pour devenir gouverneur de concussion mais qui revient très content d'être son écuyer, avait brisé la glace. Tu m'avais demandé pardon, je t'avais demandé pardon et nous étions maintenant assis tranquillement l'un à côté de l'autre, attendant qu'on annonce nos vols respectifs, et nous nous sommes dit tout ce que nous avions tu au cours des dernières vingt-quatre heures. Que nous garderions la maison dans les bois, que dans deux semaines je viendrais te voir ou que tu viendrais me voir, que de toute manière, nous ne resterions pas longtemps éloignés l'un de l'autre, que le fait de vivre à différentes adresses dans des pays différents rendrait à chacun de nous sa liberté quotidienne sans rien changer. Mais nous savions tous deux que nous venions de fermer un chapitre de notre existence et nous étions assaillis de mille regrets, du regret de ne pas nous être toujours compris ou d'avoir voulu rivaliser en méchanceté superflue, le regret irréparable d'avoir perdu un fils qui ne naîtrait jamais ; et de temps en temps, il y avait des silences douloureux, ta main cherchait ma main, tes yeux cherchaient mes yeux. On intercalait aussi des phrases inutiles comme celles qui servent à remplir les temps morts quand un train est sur le point de partir mais qu'il ne part pas, de telle sorte qu'une minute devient très longue, qu'elle semble éternelle. Tu-vas-à-Washington-ou-tu-t'arrêtes-à-New-York ? Je-te-téléphone-dès-que-j'arrive. Oui-mais-écris-moi. Tout à coup : « Qu'est-il arrivé au père Tito de Alencar Lima ? » Je t'ai regardé stupéfaite. Il y avait un an que je t'avais raconté son histoire, et en un an tu n'avais jamais prononcé son nom, tu ne m'avais jamais demandé ce qu'il était devenu. « Il vit à Paris. Tu étais encore à Boiati quand le gouvernement brésilien l'a libéré avec soixante-dix autres détenus politiques en échange d'un ambassadeur qui avait été enlevé. Il est allé à Santiago du Chili, il y est resté après la mort d'Allende. Puis, grâce à l'intervention de l'ONU, Pinochet lui a accordé l'extradition. Il a choisi de revenir à Paris et de s'enfermer dans un couvent de pères dominicains. Pourquoi tout à coup t'intéresses-tu au père Tito de Alencar Lima ? » Tu as souri évasif : « Ne me comparais-tu pas à lui ? » J'ai souri moi aussi : « Seulement avant de te connaître. Je t'ai comparé à tellement de gens avant de te connaître. Mais pourquoi t'intéresses-tu tout à coup au père Tito de Alencar Lima ? — Parce que j'ai rêvé de lui cette nuit. » Encore ! Tu ne guérirais donc jamais de cette maladie des rêves ! « Raconte un peu ce que faisait le père Tito de Alencar Lima dans ton rêve ? — Il marchait sur des feuilles et il levait les bras. — Qu'est-ce que ça signifie ? — Je ne sais pas mais je sens... qu'il est très malheureux. Peut-être n'a-t-il plus envie de se battre. Et c'est très dangereux de ne plus vouloir se battre. On lève les bras et on meurt. » Le haut-parleur a grésillé, il a annoncé ton vol. Nous nous sommes levés pour nous diriger vers la porte d'embarquement. « Alors, salut. — Salut. — Il y aura beaucoup de gens pour t'accueillir, hein ? — Houla, tu ne peux pas savoir. — Fais attention alors. — Ne t'en fais pas. On a encore beaucoup de temps devant nous. Au moins deux ans. Quand j'étais agrippé au bord du puits, dans le rêve de la montagne, un été passait, puis un automne, un hiver, un printemps, un nouvel été, un nouvel automne, un nouvel hiver... Les hirondelles volaient quand le vent s'est levé : cela fait presque deux ans. — Ne dis pas de bêtises ! — Ce ne sont pas des

293

bêtises. Combien de fois dois-je te répéter que mes rêves ne sont pas des bêtises ! »

Environ une semaine plus tard, je suis tombée sur un journal avec le titre suivant : « Un père dominicain se suicide à Paris. » Le suicidé c'était le père Tito de Alencar Lima. L'article disait que son corps avait été trouvé dans un bois, les veines ouvertes et que l'identification avait été difficile car il gisait là depuis au moins quinze jours. Très probablement sa mort remontait au 13 août.

Quatrième partie

CHAPITRE PREMIER

Dans la fable du héros, le retour au village justifie les peines endurées et les exploits réalisés dans le royaume de l'impossible : sans le retour, sa longue absence perdrait toute signification. Mais le retour est aussi l'expérience la plus amère qu'il ait à affronter, une douleur qui le déchire plus que ne l'ont déchiré les batailles menées à l'époque des grandes épreuves, non seulement parce que jusqu'au seuil de son village les dieux ne sont jamais fatigués de le tester, de le tourmenter, mais aussi parce que reprenant place dans le commun des mortels il doit subir leur ingratitude, leur indifférence, leur aveuglement. Il n'existe qu'une fable dans laquelle le héros évite l'amère expérience et la souffrance : celle du guerrier hindou Muchukunda qui, afin de ne pas être déçu par les hommes, demande aux dieux de l'endormir d'un sommeil millénaire ; il se réveille convaincu que les hommes ne méritent pas son sacrifice et s'enferme alors dans une caverne pour se libérer de lui-même et dormir du sommeil dont il ne se réveillera plus. Eh bien tout cela ne t'était pas étranger au moment d'embarquer sur l'avion qui devait te ramener dans ton pays. Ta décision de renoncer aux voyages clandestins, après que tous t'avaient repoussé et que tu t'étais retrouvé sur cette plage avec la moitié du visage brûlée par le soleil de midi, était née, aussi, de la confirmation définitive de l'ingratitude, de l'indifférence et de l'aveuglement des autres ; ton exil prolongé qui, alors que la Junte était tombée, n'avait plus de raison d'être, s'expliquait par la conscience que tu avais de la nouvelle solitude que tu vivrais à ton retour. Droite et gauche, idéologies, partis, conformismes, fiches pour l'ordinateur. Ce que tu ignorais, ce que tu ne soupçonnais même pas, c'est que la déception t'atteindrait au visage comme une gifle dès ton arrivée à Athènes. « Il y aura beaucoup de monde à l'aéroport ? — Mon Dieu ! Quelle foule » Tu n'avais pas le moindre doute sur le fait qu'une foule triomphale allait t'accueillir à l'aéroport. Moi non plus. Dans les périodes de transition d'un régime à l'autre, tous les prétextes sont bons pour encenser, me répétais-je, tandis que je volais vers New York, et, parbleu, ils étaient venus par milliers recevoir un Caramanlis qui était resté confortablement à Paris pendant onze ans, un Papandréou qui avait tranquillement séjourné au Canada pendant sept ans ; ils étaient des milliers à s'égosiller pour les petites victimes de la dictature ou pour les pusillanimes qui n'avaient fait qu'attendre des jours meilleurs à l'étranger : qu'allait-il donc se produire le 13 août, jour de ton arrivée ! Avec quelle emphase les journaux allaient-ils souligner le caractère symbolique de cette date, le choix du retour le jour anniversaire de ta tentative de rendre au pays sa dignité et sa liberté ! Aussi, quand je te téléphonai de New York, tes paroles s'abattirent sur moi comme des coups de bâton : il n'y avait qu'une paire de journaux qui avaient publié la nouvelle, un entrefilet bien caché que peu de gens avaient remarqué et encore moins avaient relevé. En effet le petit groupe qui t'attendait après la douane était formé d'amis, de connaissances, de filles qui souhaitaient coucher avec toi, d'oncles, de tantes, de neveux, de cousins de premier, deuxième et troisième degré, de gens rassemblés avec des coups de fil frénétiques, allez-viens-on-lui-fait-un-peu-de-monde. Il y avait un type qui tenait une pancarte pathétique vive-la-liberté, un autre qui brandissait un drapeau rouge encore plus pathétique, un autre tout excité qui criait place-place comme s'il y avait de quoi. Un applaudissement semblable à celui qu'on entend quand on éteint les bougies d'un gâteau d'anniversaire avait crépité et tu t'es laissé ballotter, embrasser par des bouches avides, palper par des mains transpirantes, puis tu as disparu dans une voiture et personne ne t'a plus vu jusqu'au lendemain. « Pourquoi, Alekos, qu'as-tu fait ? — Je me suis soûlé comme un porc. J'ai été voir une putain. Une grosse. — Pourquoi, Alekos, pourquoi ? — Parce qu'elle m'a gagné comme on gagne un pantin dans un tir forain. »

Ce qui m'a le plus touché ce n'est pas tellement l'histoire de la grosse putain mais le ton lugubre de ta voix : bien longtemps après, en étudiant le cynisme et l'incohérence qui ont si souvent sali ton noble personnage, les femmes prises et jetées, les amis insultés, les soûleries démentes, je me suis demandé si tout cela n'avait pas commencé cet après-midi et ce soir du 13 août 1974, après ce sinistre retour. Quelque chose s'est brisé en toi à la découverte que la date du 13 août ne signifiait rien dans le pays pour lequel tu t'étais battu, où ils étaient accourus par milliers pour recevoir Caramanlis, le fils de Papandréou et les petites victimes de la dictature, mais pas toi le seul qui avait tenté l'intentable et avait été condamné à mort.

Quelque chose t'avait aigri, presque ravalé au rang d'une bête, dans une dégradation masochiste malgré une réalité que tu connaissais fort bien : si tu avais été du côté de Caramanlis ou de Papandréou, c'est-à-dire intégré dans un schéma de droite ou de gauche, dans un des dogmes qui divisent le monde et rassemblent les hommes comme des joueurs ou des supporters d'une équipe de football peu importe qu'elle soit mauvaise ou minable, alors les journaux auraient annoncé la nouvelle de ton retour avec éclat et tout le monde se serait rappelé que le 13 août était l'anniversaire de l'attentat contre Papadopoulos : pour toi aussi, ils seraient venus par milliers. Parce qu'on les aurait envoyés, bien alignés et envoyés comme ils avaient été bien alignés et envoyés pour Caramanlis, Papandréou et les autres. « Mais, dis-moi, des gens du peuple, il y en avait ou il n'y en avait pas ? » Tu as explosé comme une bombe : « Le peuple ! Le bon peuple dont ce n'est jamais la faute ! Ce n'est jamais sa faute car il est pauvre, ignorant, innocent ! Le bon peuple auquel il faut toujours pardonner car il est exploité, manipulé, opprimé ! Comme si les armées n'étaient composées que de généraux et de colonels ! Comme s'il n'y avait que les chefs d'état-major qui fassent la guerre, qui tirent sur des gens sans armes, qui détruisent les villes ! Comme si les soldats du peloton d'exécution qui devait me fusiller n'étaient pas des fils du peuple ! Comme si ceux qui me torturaient n'étaient pas des fils du peuple ! — Calme-toi, Alekos. — Comme si ce n'était pas le peuple qui accepte les rois sur les trônes, qui s'incline devant les tyrans, qui élit les Nixon, qui vote pour les patrons ! — Calme-toi, Alekos. — Comme si on pouvait assassiner la liberté sans l'accord du peuple, sans la lâcheté du peuple, sans le silence du peuple ! Qu'est-ce que cela veut dire " le peuple " ? Qui est-ce " le peuple " ? Le peuple c'est moi ! Le peuple ce sont les quelques personnes qui luttent et qui désobéissent ! Les autres ce n'est pas le peuple ! Ce sont des moutons, des moutons, des moutons ! » Et tu as raccroché.

Alors je t'ai écrit une lettre, une des rares lettres que nous allions échanger après cela. J'étais désolée, ai-je écrit, pas tellement à cause de ta soûlerie bestiale ni de ta sinistre petite fête sexuelle, avec lesquelles tu avais gâché un retour chargé de sens, malheureusement il y aurait encore d'autres soûleries dans ta vie, d'autres putains grosses et maigres et ni grosses ni maigres, mais j'étais davantage désolée de ce que tu avais dit avant de raccrocher. C'était en effet la démonstration que ton temps de réflexion n'avait servi à rien. Ne savais-tu donc pas tout cela ? N'avais-tu pas déjà écrit à Boiati ta poésie sur le troupeau ? « Sans jamais penser/sans opinion propre/Criant un jour hosannah/et à-mort, à-mort le lendemain. »

N'avions-nous pas discuté longuement sur ce peuple qui va toujours où on lui dit d'aller, qui fait toujours ce qu'on lui dit de faire, qui pense toujours ce qu'on lui dit de penser, soumis à toutes les autorités constituées, à tous les dogmes, à toutes les Eglises, à tous les *ismes,* à toutes les modes, absous de toute faute et de toute lâcheté par des démagogues qui se fichent pas mal de lui et qui ne cherchent qu'à l'asservir davantage pour mieux l'exploiter ? N'étions-nous pas arrivés à la conclusion que le peuple n'est qu'une abstraction numérique pour ces démagogues, qu'un concept qui permet de retirer à l'individu son identité, sa responsabilité, qu'au contraire la seule réalité c'est l'individu et que chaque individu est responsable vis-à-vis de lui-même et des autres ? Dans un de mes livres sur la guerre, sur le Vietnam, tu avais même lu l'exemple des balles du fusil M 16. C'est une balle qui se déplace pratiquement à la vitesse du son, en tournant sur elle-même, quand elle pénètre dans la chair elle continue à vriller, elle brise, elle lacère, elle saigne à blanc, de telle sorte qu'en un quart d'heure on meurt même si on est touché à un muscle. Une balle atroce, et c'est tout aussi atroce que quelqu'un l'ait inventée, qu'un gouvernement l'ait adoptée, qu'un industriel se soit enrichi. Mais il est tout aussi atroce que les ouvriers d'une usine la fabriquent, scrupuleusement, consciencieusement, avec l'aval de leurs syndicats, de leurs partis socialistes et pacifistes, écartant le minuscule défaut qui en ralentirait la course et l'empê-cherait de briser, de lacérer, de saigner à blanc ; tout aussi atroce que les soldats d'une armée l'utilisent, en visant bien pour qu'il n'y ait surtout pas de gâchis, s'il vous plaît, se sentant lavés de toute faute par l'immonde slogan mais-j'exécute-les-ordres. J'en ai assez de la phrase moi-j'exécute-les-ordres, j'exécutais-les-ordres, j'ai-exécuté-les-ordres, t'ai-je écrit, j'en ai assez de la responsabilité que l'on n'attribue qu'aux généraux, qu'aux riches, qu'aux puissants : et nous alors, que sommes-nous ? Des statistiques, des nombres qu'ils peuvent manipuler comme ils l'entendent pour la guerre et les élections, pour propager leurs saloperies d'idéologies, d'Eglises et de *ismes.* C'est aussi notre faute, la mienne, la tienne, la sienne, la faute de tous ceux qui obéissent et qui subissent si on invente, fabrique et tire des balles comme celles-là. C'est une hypocrisie et un mensonge de dire que le peuple est toujours la victime innocente, c'est une insulte à la dignité de chaque homme, de chaque femme, de chaque personne. Un peuple est constitué d'hommes, de femmes, de personnes et chaque personne a le devoir de choisir et de décider pour elle-même ; et on n'arrête pas de choisir et de décider parce qu'on n'est ni général, ni riche, ni puissant. Mais la raison pour laquelle je t'écrivais, conclus-je, n'était pas de te rappeler ce que tu savais déjà : mais de te raconter une histoire qui te concernait. Une histoire qui s'est passée en Nouvelle-Angleterre, au début du xixᵉ siècle, parmi les pionniers des colonies hollandaises en Amérique, le protagoniste est un paysan nommé Rip Van Winkle : « Quand Rip rentra, comme toi, dans son village, les choses avaient pas mal changé : on s'apprêtait à célébrer les élections. Et comme cent ans s'étaient écoulés, personne ne le reconnaissait et lui ne reconnaissait personne. Avec son fusil de chasse, suivi d'un essaim de gamins et de femmes, Rip se mit à déambuler dans les rues et arriva à une taverne où se tenait une réunion. Il entra pour écouter et, comme il était différent de tous les autres, il attira l'attention des politiciens qui l'entourèrent en l'examinant avec le plus grand intérêt. A la fin de la réunion l'orateur s'approcha aussi. Il le prit à part et lui demanda pour quel parti il voterait. Rip ouvrit toute grande la bouche, éberlué. Alors un autre homme s'approcha et lui tirant la barbe lui répéta la question : était-il fédéraliste ou démocrate ? A nouveau Rip ouvrit toute grande la bouche, éberlué et un grand silence s'abattit. Dans ce silence voilà qu'un monsieur, l'air autoritaire, portant un chapeau bicorne, se fraya un chemin. La main gauche sur la hanche et la droite s'appuyant sur une canne il se planta devant Rip et l'enjoignit d'expliquer ce qu'il faisait en pleine élection, un fusil sur l'épaule et une bande de minables à ses trousses : avait-il l'intention de semer le désordre dans le village ? D'éberlué Rip devint consterné et répondit qu'il était homme de bien, né au village : il était rentré pour se rendre utile, pour assumer sa responsabilité individuelle, le fusil, il l'avait parce que les gens comme lui le portent parfois, mais il ne l'avait jamais utilisé à mauvais escient et de toute manière il n'allait voter ni pour les fédéralistes ni pour les démocrates. Un grand tumulte éclata. " Un type qui ne vote ni pour les fédéralistes ni pour les démocrates ! Un réfugié ! Un hérétique ! criaient-ils. Chassez-le ! Arrêtez-le ! " Puis Rip fut pris et battu par les uns comme par les autres. Voilà, Alekos : pour le troupeau et pour ceux qui portent un bicorne, autrement dit pour la politique des politiciens, tu es vraiment Rip Van Winkle. »

En réalité l'histoire n'était pas tout à fait ainsi, je l'avais changée un peu à ma convenance. Par exemple pour se justifier Rip avait répondu : « Oh, messieurs ! Je suis un brave homme, tranquille, je suis né ici, un fidèle sujet de Sa Majesté que Dieu la bénisse ! » En outre Rip n'était pas un vrai héros, ni une personne qui avait souffert, il s'était simplement endormi et ses aventures avec le fusil il les avait accomplies dans son sommeil. Mais tu ne le savais pas et dès réception de ma lettre tu m'as téléphoné : « Très bonne l'histoire de Rip Van Winkle, mais il y a une différence entre nous Lui, on le bâtonne tout de suite, pas moi. Il y aura bientôt des élections et le croirais-tu ? Tout le monde me veut : de Caramanlis à Papandréou, des communistes à l'Union du Centre. — Ce n'est pas possible ! — Mais si c'est possible. Dans la politique politicienne tout est possible. Dans la politique politicienne, on se sert de n'importe qui même si on doit lui offrir un fauteuil au Parlement. » Ta voix était presque gaie : de toute évidence tu avais oublié le traumatisme du premier jour. « Et toi que veux-tu faire, Alekos ? — J'ai surtout aimé le détail du type autoritaire avec le bicorne. — Alekos... — Oui ? — Je t'ai posé une question. — Quelle question ? — Tu as parfaitement entendu. — Oui et je t'en pose une autre : connais-tu un moyen de faire de la politique sans entrer dans la politique politicienne ? Je veux faire de la politique. La politique est pour moi un devoir, un instrument de lutte. A quoi sert-il de se battre pour la liberté si lorsqu'il y a un peu de liberté on ne l'emploie pas pour faire de la politique ? J'ai essayé de tuer un homme pour qu'on puisse faire de la politique, j'ai semé la douleur pour qu'on puisse faire de la politique, j'ai été en prison et en exil pour qu'on puisse faire de la politique : je devrais peut-être me retirer dans ma vie privée maintenant que nous sommes sur le point d'avoir un Parlement ? Je dois y entrer dans ce Parlement, je dois y entrer comme Ulysse est entré dans la ville de Troie avec son cheval de bois. J'ai donc besoin d'un cheval de bois. — C'est-à-dire d'un parti. — Oui d'un parti. Et alors ? — Alors c'est comme si tu cédais à un chantage, Alekos. — Pas si, une fois entré dans la ville de Troie, je m'en vais de mon côté. D'ailleurs, je n'ai pas le choix, te dis-je. Désormais le seul problème c'est... Salut, ça coûte trop cher de parler de ces choses-là entre Athènes et New York. »

∗∗

Pendant quelques jours je ne t'ai pas rappelé, je savais très bien quel était ton problème. Notre problème classique, nous les sans-fiche, les sans-église, les sans-patrie, le problème classique de tous ceux qui désirent changer un peu le monde sans s'embrigader dans les codes des ordinateurs : se présenter avec qui, céder au chantage de qui. Pas avec le parti de Caramanlis, naturellement, ni avec celui de Papandréou. Mais une fois écartés ces deux pôles de ton mépris, il ne restait que les communistes et l'Union du Centre. Ce dernier est une sorte de club libéral-socialiste qui dans les années 60 avait rassemblé les socialistes, les sociaux-démocrates, et les groupes mouvants de gauche. Que tu te présentes avec les communistes me semblait peu probable : imagine la joie à t'entendre dire une de tes boutades préférées à savoir que les dictatures de droite finissent tôt ou tard par tomber mais que celles de gauche ne tombent jamais. Que tu fasses cadeau de ta personne à l'incertain club de l'Union du Centre me semblait une sorte de farce masochiste. A part son leader, Mavros, que tu jugeais brave homme, il s'agissait de politicards dénués d'idées et sans lendemain. Tu n'avais pas le choix malgré tout : si tu voulais devenir député et te battre au Parlement, il fallait bien t'inscrire sur la liste des uns ou des autres, ne serait-ce que comme indépendant. Finalement je t'ai téléphoné rongée par la curiosité et alarmée par un silence qui ne laissait rien présager de bon. Cette fois ta voix n'était pas gaie du tout. Elle était plutôt un fleuve de mécontentement. « Tu as décidé ? — Oui. — Avec qui ? — Avec qui, qu'est-ce que ça veut dire avec qui ? — Avec quel parti de gauche ? — Gauche, gauche, qu'est-ce que ça veut dire gauche, la gauche est un mensonge, un alibi avec le mot peuple, un caleçon avec le mot peuple, voilà le drapeau de la gauche, cataraméné Cristé, Christ maudit ! Un caleçon pour jouer aux échecs avec la droite, moi-je-prends-la-tour-et-toi-tu-prends-le-fou, moi-je-prends-le-roi-et-toi-tu-prends-la-dame ! Les pions sont tous pareils, il n'y a que la couleur qui change, cataraméné Cristé ! Et si tu ne veux pas rester le bec dans l'eau tu dois mettre ces caleçons, tu dois agiter ce drapeau, te présenter avec cette étiquette, tu as raison, c'est un sale chantage. Oui je me suis plié au chantage. — Avec qui, Alekos ? Avec qui ? — Avec qui veux-tu que ce soit, j'ai choisi le chantage qui ressemble le moins à un chantage, le parti qui ressemble le moins à un parti : l'Union du Centre. — Ah ! — Ce n'est pas un choix génial, je sais, mais on n'y trouve pas de démiurges, de trompe-peuple, ni de prêtres qui allument des cierges sur l'autel de la déesse Histoire, peut-être finirai-je même par m'y trouver bien. — Que veux-tu dire ? Tu ne te présentes pas comme indépendant ? — Non je me suis inscrit. — Inscrit ! » Je suis restée interloquée. Donc tu avais capitulé sans condition. Donc notre impuissance à nous les sans-fiche, les sans-église, les sans-patrie l'avait emporté. D'ailleurs quelle était l'alternative ? Aller prêcher dans les maisons et sur les places comme Socrate ? Recommencer à jeter des bombes comme ceux que tu appelais les révolutionnaires à la con ? « Allô, allô. Où es-tu ? — Je suis ici, Alekos. — Je pensais que tu avais raccroché. — Oh, non. Je pensais. — A quoi ? — A rien d'important, chéri. A rien. — Alors tu me souhaites bonne chance ? — Oui, chéri. Je te souhaite bonne chance. — Quand viens-tu ? Hein ? Quand viens-tu ? »

« Quand viens-tu ? » Toute conversation téléphonique se terminait par la question : « Quand viens-tu ? » Tu téléphonais pratiquement tous les jours, appel direct, avec préavis, le jour, la nuit, payé à Athènes, payé à New York. Ce n'était pas toujours parce que tu ressentais mon absence ou parce que tu avais quelque chose de précis à me dire mais parce que le téléphone était ton jouet préféré, une de tes grandes passions. Elle remontait aux années de ton adolescence et j'en ignore la cause ; je sais en revanche qu'elle était toujours aussi vive et que même le contrôle des services secrets et de la police n'étaient point parvenus à l'éteindre. Tu conspirais au téléphone, tu flirtais, tu prêchais, tu séduisais, tu organisais. Tu te faisais des amis, tu surmontais des crises de mauvaise humeur ou de cafard. « Ah, si j'avais eu un téléphone dans ma cellule de Boiati ! » La première chose que tu m'avais demandée en venant en Italie était : « Combien de téléphones as-tu ? » Tu avais été déçu en découvrant qu'il y avait trois appareils mais une seule ligne : dans la maison avec le jardin d'orangers et de citronniers tu avais deux appareils et deux lignes, dans ton bureau de député tu allais avoir six appareils et trois lignes. Même s'ils sonnaient tous ensemble dans des pièces séparées tu ne t'affolais pas, au contraire tu étais ravi : ce fracas devenait de la musique à tes oreilles, un concert de harpes et de violons, de clarinettes, de flûtes et c'était un spectacle inoubliable que de te voir sauter de joie, heureux comme un pinson ; t'entendre répondre était incroyable. Tu ne repoussais jamais personne au téléphone, tu ne te plaignais jamais du dérangement, tu te jetais sur l'écouteur comme un affamé se jette sur un morceau de pain : « C'est moi ! Je suis moi ! » Mais c'est appeler qui te plaisait pardessus tout. Pendant ta période d'exil en Italie il y avait des jours où tu ne détachais pas tes doigts des trous du cadran, à la fin du mois arrivaient des notes tellement astronomiques qu'un simple coup d'œil nous plongeait dans un malaise aussi profond que ta culpabilité. Puis repenti tu exhortais au pluriel nous-devons-arrêter, nous-devons-arrêter, et pendant quelques heures tu tenais ton engagement. Mais tu l'oubliais aussitôt, et après avoir composé un numéro dans une ville, dans un pays lointain : « C'est moi ! Je suis moi ! » L'interurbain te fascinait, l'international te comblait, l'intercontinental te portait au septième ciel : tu disais que parler à quelqu'un à l'autre bout du monde était une chose fabuleuse, frisant le surnaturel : surtout en direct. Tu cherchais toujours des gens vivant dans des endroits éloignés où tu pouvais appeler en direct et tu avais été fort désappointé en découvrant qu'on pouvait appeler en direct le

Japon mais que tu ne connaissais personne à appeler au Japon. Tu m'as demandé des mois durant : « Tu ne vas pas au Japon par hasard ? » Le soir où je t'ai répliqué soupçonneuse pourquoi-diable-veux-tu-m'envoyer-au-Japon, de-quoi-as-tu-besoin-au-Japon, tu as avoué : « Rien. Mais si tu y vas je t'appelle ! » Les appels à New York remplaçaient ceux que tu n'avais pu passer au Japon, ils te fournissaient le prétexte pour jouir de cette-chose-fabuleuse-frisant-le-surnaturel et c'est pour cela que je ne saisissais pas le caractère dramatique du refrain quand-viens-tu. Et c'est pour cela que, lorsque je suis arrivée à Athènes, tout m'a prise au dépourvu.

On aurait dit que tu te relevais d'un an de grave maladie. Ton visage avait rapetissé pour ainsi dire, il était émacié, la plénitude de tes joues rondes avait disparu, on ne voyait plus qu'un front très large, deux cernes violacés, un nez maigre et des moustaches. Tes larges épaules et ton thorax solide avaient laissé la place à un corps vidé, un dos courbé, tu avais l'air maintenant d'une plante privée d'eau et de soutien. Mais le détail le plus impressionnant ce n'était pas cette décadence physique, mais le laisser-aller qui te rendait misérable, une espèce de dégradation volontaire, comme si tu voulais exprimer ainsi Dieu sait quels mécontentement et rébellion. Tes cheveux étaient gras, avec des boucles vulgaires et une tignasse en bataille, tes ongles étaient noirs, tu avais une veste informe couverte de taches, le pantalon sans pli, avec des poches aux genoux, une chemise sale déboutonnée, une cravate de travers et tu sentais mauvais. L'odeur âcre de quelqu'un qui ne s'est pas lavé depuis longtemps ou qui dort tout habillé. J'en ai été tellement scandalisée qu'au lieu de me laisser conduire chez toi, c'est moi qui t'ai conduit à l'hôtel, pour te plonger dans la baignoire, donner tes vêtements à laver et t'envoyer chez le coiffeur ; mais même propre et bien rasé tu avais un air si misérable que j'en avais le cœur fendu. Je ne parvenais pas à en comprendre la raison. A la fin tandis que nous nous dirigions vers le bureau que tu avais ouvert rue Solonos je t'ai interrogé. « Allez, Alekos. Qu'y a-t-il ? » Il y avait, as-tu commencé, tournant autour du pot, que tu avais des ennuis parce que la famille est un véritable fardeau, voilà, un réconfort mais un fardeau aussi, un véritable chantage qui nous suit tout au long du cycle de la vie, d'abord le nouveau-né, puis l'enfant puis l'adolescent, puis l'adulte, une espèce de parti dans lequel tu te trouves inscrit en venant au monde, une dictature dont tu ne peux secouer le joug même si tu résistes, car malgré tout tu l'aimes bien ; tiens . prends la mère par exemple. Elle est la terre, le soleil, les planètes et les galaxies, le cosmos de chaque cosmos, la loi de chaque loi l'amour de chaque amour, elle est universelle. En Inde on la représente avec quatre bras et une guirlande lui ceint le front, formée des têtes des fils qu'elle a mangés et de fait on la surnomme Kali la Sanguinaire ; en Occident, on la représente avec une auréole de lumière et un sourire très doux, un visage douloureux et suave, on l'appelle Vierge Marie, pauvre Christ qui a mis trente ans pour mener à bien son destin parce qu'elle lui faisait du chantage avec son amour, prétendant qu'il devienne charpentier ; dans la mythologie grecque c'est Thétis aux épaules rondes, c'est Gaia au sein généreux, c'est Junon aux larges flancs, c'est Pallas Athéna aux yeux de chouette, rutilante et guerrière, c'est Jocaste la plus terrible de toutes car elle épouse son Œdipe elle, elle l'engendre et elle l'épouse et lui, il y perd la vue. Quel que soit le nom que tu lui donnes c'est toujours elle, la grande génitrice qui nous donne le jour et nous détruit, nous protège et nous punit, nous castrant avec son affection et ses jalousies, cataraméné Cristé !

« Non, Alekos, ce n'est pas cela. » Un soupir résigné : « Tu as raison. C'est ça aussi mais pas seulement ça. — Qu'est-ce que c'est alors ? » Tu t'es lancé dans une autre tirade, contre les femmes qui te faisaient la cour cette fois, elles ne t'accordaient aucun répit, plus cruelles, plus carnivores que n'importe quelle Jocaste, quelle Vierge Marie, quelle déesse Kali, et la faute venait de l'une d'elles, moi, qui au lieu d'aller à Athènes étais allée à New York t'abandonnant comme une poupée de foire, et un homme est fait de chair et la chair est faible, ce n'est pas la peine de me regarder comme ça, elles me volent les couilles et je tombe dans le panneau, il y en a qui vendraient leur âme pour être sautées deux minutes dans un ascenseur, et si tu leur fais cette faveur après tu ne t'en débarrasses plus, mais la pire c'est la grosse qui cocufie son mari, j'arrive pas à m'en débarrasser, elle ne me lâche pas cette pute, ne me regarde pas comme ça, je t'ai dit, je le répète c'est ta faute, cataraméné Cristé ! « Non, Alekos. Ce n'est pas ça non plus. » Deuxième soupir : « Non, ce n'est pas ça non plus. C'est ça aussi mais pas seulement ça. — Alors, c'est quoi ? » Et voici la troisième philippique contre ta ville cette fois, jette un œil, pour le comprendre il suffit de jeter un œil, cette place par exemple, j'y habitais quand j'étais enfant et je me rappelle qu'en ce temps-là les maisons avaient leur charme, de beaux balcons en fer forgé, des toits rouges, des façades patinées par le temps, maintenant on dirait des casernes, symbole d'une ignorance qui ne sait évoluer ou préserver, qui ne sait que détruire et oublier, nous avons tout oublié, même Socrate, même Platon, il ne nous reste que la mer et le ciel, le soleil pour faire pousser les tomates, la fierté antique est perdue, d'ailleurs ils l'ont gardée pendant sept ans leur dictature, il a fallu le sang de Chypre pour qu'ils retrouvent un lambeau de liberté avec Evangelos Tossitsas Averof, ces gens qui ne savent vivre que dans le commérage, l'intrigue, la petite escroquerie et c'est tout, des Levantins nous appelle-t-on et on a raison, des traîtres, des fainéants, je me méfie de tout le monde, je ne peux avoir confiance en personne, cataraméne Cristé. « Non, Alekos, ce n'est pas cela. — Non, ce n'est pas cela. C'est ça aussi, mais pas seulement ça. — Et alors Alekos, qu'est-ce que c'est ? » Tu as levé vers moi un visage effrayé : « Il y a... il y a que je me suis trompé sur toute la ligne. — Tu t'es trompé sur toute la ligne ? — Ces élections sont une farce, un alibi pour ceux qui mettent d'autres caleçons, avec le mot Liberté. Des élections alors que Joannidis est encore chef de l'ESA, cataraméne Cristé. Alors que les Théophiloyannacos, les Hazizikis les Malios, les Babalis se promènent impunis ! Alors que Papadopoulos reste tranquillement dans sa villa de Lagonissi ! Alors que le seul procès qui se déroule en ce moment est celui contre sa femme Despina à cause de dix mille misérables drachmes que le KYP lui versait chaque mois ! Elle ne faisait rien pour gagner cet argent, disent-ils, c'est une fraude contre l'Etat. Celui qui l'a gagné, par contre, est un citoyen respectable. Et si tu cries que c'est dégoûtant, ils te répondent : comment ? Il y a la démocratie, maintenant, il y a la liberté. Il y a les élections, même Panagoulis présente sa candidature. Eh bien, je ne veux pas être candidat ! Je ne veux pas être complice d'une pareille farce ! J'ai eu tort de dire oui. J'ai eu tort de rentrer ! J'ai eu tort sur toute la ligne. Je m'en vais ! Je m'en vais, je m'en vais ! — Tu t'en vas... où ? ! — Où j'aurais dû aller quand la junte a abdiqué ! Au Chili, chez les Basques, au diable ! En n'importe quel endroit où se battre signifie se battre et non lutter avec des ombres, des alibis ! »

Voilà ce qui te creusait les joues, te donnait des cernes violacés et te plongeait dans une déchéance physique volontaire. Mais alors, tu n'avais pas changé, je m'étais trompée en croyant qu'au cours des quelques mois passés à réfléchir un nouveau personnage avait mûri : les vraies bombes ce sont les idées. Les idées, les provocations intellectuelles ne te suffisaient pas, tu n'avais peut-être d'ailleurs pas oublié la fascination de la mort, le mystérieux regret que j'avais senti à Egina. Je t'ai regardé comme on regarde une porte que nous nous efforcions d'ouvrir sans nous rendre compte qu'elle était déjà ouverte. Que répondre ? Avec quels mots t'aider ? Avec la vieille rengaine mourir est facile c'est vivre qui est difficile ? Le vieux raisonnement, en temps de guerre tout le monde peut se comporter comme un héros, en temps de paix presque personne ? Ça n'aurait rien changé d'autant plus que tu disais vrai : ces élections ne serviraient qu'aux Caramanlis, aux Papandréou, aux Averof et on peut tricher aussi bien avec le mot Liberté qu'avec le mot Peuple. « Je ne sais quoi dire, Alekos. — Eh oui, allez viens. » Nous étions arrivés rue Solonos et tu me poussais vers la porte de l'immeuble où se trouvait ton bureau. Nous sommes entrés, nous avons pris l'ascenseur et nous sommes arrivés à un couloir très long puis devant une porte avec ton nom et j'ai aussitôt poussé un cri, Sous ton nom il y avait une grande croix avec les dates 17 novembre 1968-17 novembre 1974. « Alekos ! Qu'est-ce que ça veut dire, Alekos ? — Tu as parfaitement compris, as-tu murmuré. Ça signifie que quelqu'un qui n'apprécie pas que je sois resté en vie il y a six ans voudrait me voir mort le 17 novembre prochain. » Puis avec une vivacité nouvelle : « Tu sais ce que je pense ? Finalement je ne pars pas. Je ne renonce pas à cette candidature : je vais me présenter à ces élections et comment ! Ah, ce que j'aurais aimé qu'elles se déroulent le 17 novembre ! » D'ailleurs, et les auteurs de la menace laconique ne l'ignoraient pas, elles allaient bien avoir lieu le 17 novembre. On a annoncé la nouvelle peu de temps après.

*
**

C'était comme si on avait arrosé une plante malade de sécheresse, en une semaine tu étais de nouveau pimpant. Disparus l'air fatigué, et les cernes, le dos courbé, le laisser-aller, la tristesse, Don Quichotte s'était retrouvé et sa fantaisie, une fois de plus, galopait dans le royaume des étranges folies, des enthousiasmes incroyables. « Une idée ! Ces deux dates sous la croix m'ont donné une idée ! J'imprimerai dix mille affiches avec le slogan : " Le 17 novembre 1968 la Junte condamne à mort Alexandre Panagoulis, le 17 novembre 1974 le Peuple l'élira député au Parlement. " Comme ça je flanque le mot Peuple et les porteurs de caleçon vont voter pour moi. — Oui, Alekos, mais... — D'ailleurs 50 p. 100 d'affiches et 50 p. 100 de vignettes. J'économise sur la colle : on lèche et ça y est. Et on les colle où on veut : sur les vitres des taxis, des autobus, des bars, sur les chaises, les tables, sur les gens. Un type passe et paf tu lui colles sur le dos, sur le bras. Ou sur le derrière. Tu vois un peu Averof avec ma vignette sur le derrière ? — Oui, Alekos, mais... — Ecoute bien, au lieu de tracts habituels je veux distribuer mon livre de poèmes. Disons mille exemplaires. C'est pas sympathique, élégant ? En plus c'est culturel. — Oui, Alekos, mais qui va s'occuper de ta campagne électorale : le parti ? — Le parti ? Quel rapport avec le parti ? — Un rapport évident. Une campagne électorale ça coûte de l'argent. — Argent ? Quel argent ? — Par exemple l'argent pour imprimer les affiches, les vignettes et acheter les mille exemplaires de ton livre. — Les livres on va les acheter nous-mêmes, avec une réduction, les affiches. les vignettes nous les imprimerons nous-mêmes, je n'accepte rien du parti ! — Alekos, tu ne penses tout de même pas mener une campagne électorale avec un livre de poèmes et quelques vignettes à coller sur le derrière des gens ? ! — Non, il y a aussi les meetings. — Mais pour les meetings aussi il faut de l'argent ! Il faut beaucoup de monde pour les organiser et... — J'ai mes amis. — Il te faudra des voitures, des... J'ai les voitures de mes amis. — Il te faudra des téléphones et... — Oui, des téléphones c'est vrai ! — Et un bureau. — J'en ai un. — Celui de la rue Solonos ? Mais c'est un trou à peine plus grand que ta cellule de Boiati. Ecoute-moi, Alekos... — Non, je ne t'écoute pas. Parce que si je t'écoute tu vas encore me parler de logique et avec la logique je me décourage. Et si je me décourage je vais perdre. Nous trouverons bien l'argent. Et sinon tant pis. Je me débrouillerai sans bureaux, sans voitures, sans téléphones, j'achèterais des pots de peinture, des pinceaux et j'écrirai mon nom sur les murs. Et si je ne trouve pas l'argent pour acheter la peinture, les pinceaux, j'écrirais avec un bout de charbon : Votez-pour-moi. » Les obstacles ne te faisaient pas peur, au contraire, ils enflammaient ton orgueil et ton imagination : si la démocratie ne marchait pas bien, pourquoi ne pas commencer, disais-tu, par le refus de l'immoralité de la machine électorale ? « On dépense des milliards pour transformer les meetings en kermesses, en fêtes. On abat des forêts pour faire du papier qu'on gâchera avec des affiches. On brûle des fleuves d'essence pour déplacer les candidats en voiture. Un candidat honnête devrait pouvoir s'en tirer avec une bicyclette et un haut-parleur. D'ailleurs les prétendus soutiens ne font rien pour rien : un financement est toujours une corruption avant la lettre, c'est-à-dire une dette qu'on te présentera tôt ou tard pour te demander une faveur ou une combine. » Tu étais né à nouveau, cela est devenu vraiment évident le jour où tu as passé en contrebande les cinq millions qui te serviraient pour financer toute ta campagne électorale.

Finalement persuadé que tu n'aurais pas été bien loin ni avec une bicyclette et un haut-parleur, ni avec le slogan votez-pour-moi écrit avec un bout de charbon sur les murs et que donc il te fallait bien quelques affiches et un bureau plus confortable que ce trou de la rue Solonos, tu n'en étais pas moins décidé à ne pas accepter une seule drachme de tes concitoyens. Tu m'avais donc nommée trésorier personnel à l'étranger, et tu m'avais envoyée en Italie avec pour mission de demander la charité aux porteurs de caleçon marqué du mot Peuple. Erreur grossière, car Papandréou était le grand protégé des socialistes et leur prodigalité internationale ne se concentrait que sur lui. Mais un beau matin : « Victoire, victoire ! » Un groupe local, poussé par Nenni, avait désobéi au Comité central et avait fait une collecte qui t'attendait à Venise. Tu pouvais d'ailleurs aller immédiatement retirer l'argent sans y remettre un sou de ta poche, car la Biennale de Venise t'avait justement invité à assister à la cérémonie d'ouverture, billet d'avion compris. « Combien d'argent, Alekos ? — Une somme énorme. — Combien ? — Tu verras bien. » Vingt-quatre heures plus tard, te voilà place Saint-Marc où de braves gens venus de Modène te donnent un paquet attaché avec une ficelle. Tu les remercies, tu les embrasses, tu cours à l'hôtel, tu défais la ficelle avec des doigts tremblants, et une pluie de billets de dix mille lires recouvre le lit. « Alekos... c'est ça la somme énorme ? — Oui ! Cinq millions, tu te rends compte ! Cinq millions ! Tu sais tout ce que je peux faire avec cinq millions ? » Tu les comptais extasié, tu les palpais, tu les caressais, tu les alignais dans une valise qui à partir de ce moment allait nous suivre partout : en vedette, en gondole, au restaurant, au musée et même à l'inauguration du palais des Doges où tu as exigé que je la garde sur les genoux pour pouvoir la surveiller pendant que tu prononçais ton discours et au banquet où tu l'as cachée sous la table : bien serrée entre les jambes. « Ah non, je ne la laisse pas à l'hôtel. On va me la voler et adieu campagne électorale. » La crainte d'un vol était la seule obsession dont tu faisais preuve, je pensais que tu avais oublié le problème du transfert de l'argent en Grèce : détail non négligeable étant donné la sévérité de la loi italienne sur le trafic de devises. Au contraire, tu y avais pensé, et comment : je m'en suis rendu compte en t'accompagnant à l'aéroport quand tu t'es enfermé dans les toilettes avec la valise pour ne sortir qu'une demi-heure plus tard d'un pas qui n'avait rien de convaincant. Ta démarche était vraiment bizarre. On aurait dit que tu avais des jambes de bois, tu ne pliais même pas les genoux. Pire, tu ne décollais même pas tes pieds du sol : tu les traînais, raide comme un automate : « Alekos ! Qu'as-tu fait ? — Eh ! Un demi-million dans la chaussure gauche, un demi-million dans la chaussure droite, un million autour de la jambe gauche, un million autour de la jambe droite et le reste dans le slip. Salut. » Et tu t'es présenté, avec un grand sourire, au contrôle de police où un agent t'a fouillé des aisselles à la taille, cherchant des armes, il a ouvert ta valise, il a regardé tes papiers, ton portefeuille : « Pas d'argent italien ? — Pas une lire. — Bon voyage, merci. » De rien, je vous en prie, et hop, raide comme un automate, sans lever les pieds ni plier les genoux, avec ton trésor qu'aucune banque d'Athènes n'acceptera tellement les billets étaient pliés, chiffonnés, usés, puants. « C'est de l'argent ça, ou des chaussettes sales ? » Tu parviendras quand même à les transformer en drachmes dont une partie te servira à louer le local que tu appelais mon-quartier-général.

.

Le quartier général était fait de deux grandes pièces sales, aux murs décrépits, les vitres à moitié couvertes d'un portrait qu'on t'avait fait au temps du procès et l'affiche que tu avais choisie comme symbole : un poing levé, serrant un rameau d'olivier et une colombe blanche. « Quel rapport la colombe ? — Aucun rapport. J'aime bien. — Et le rameau d'olivier ? — J'aime bien aussi. — Mais qu'est-ce que ça signifie ? — Bof ! » Le mobilier était composé de tables, d'un bureau emprunté, de huit chaises bancales offertes par huit donateurs différents, d'un fauteuil boiteux, d'un vase à fleurs, d'un réchaud électrique pour le café et de beaucoup de téléphones dont un appareil rouge à jetons. Les gens que tu y rencontrais étaient dénués de toute expérience politique, des jeunes ayant pour seul mérite une dévotion aveugle à ton égard, des jeunes filles avec le seul avantage d'être amoureuses de toi, des parents qui tenaient à toi et une vieille femme avec un petit chapeau et des lunettes de myope. Toute personne qui se proposait de travailler gratuitement était accueillie et utilisée sans bornes et sans scrupules, y compris la pauvre femme que tu appelais cyniquement la-grosse-pute. On employait des docteurs en médecine pour coller les affiches, des architectes pour écrire ton nom sur les murs, de vieilles tantes et des paralytiques pour répondre au téléphone ou pour faire du café ; mais malgré les efforts et toute la bonne volonté la campagne s'annonçait comme un désastre. En premier lieu le matériel de propagande était rare. A part les vignettes avec les dates 17 novembre 1968-17 novembre 1974 et quelques douzaines d'affiches avec le rameau d'olivier et la colombe, il n'y avait guère qu'une centaine d'affichettes avec ta photo d'identité. Les mille exemplaires du livre de poèmes, eux, moisissaient dans un magasin de la douane, bloqués à cause d'une taxe très lourde que tu refusais de payer. En second lieu, la presse ne s'occupait absolument pas de toi. Les journaux, absorbés par la tâche de faire connaître leurs clientèles de droite et de gauche, ne disaient même pas que tu te portais candidat. Enfin tu ne faisais rien pour séduire les électeurs, leur demander de voter pour toi. Tu te limitais à parler dans des meetings qui étaient ton talon d'Achille. Tu n'avais réussi à t'exprimer de manière efficace que lors de ton procès, quand tu avais la mort en face : dans des circonstances normales tu n'avais pas la moindre trace d'art oratoire. Tu ne savais pas construire un discours logique, tu étais dépourvu de brio, la timidité te bloquait et pour te donner une contenance tu faisais des gestes ridicules comme mettre les mains dans tes poches ou brandir ta pipe d'un air menaçant. Dans ce désastre, même le charme de ta belle voix se dissipait, elle devenait faible, terne, appauvrie par des lapsus ou déformée par des braillements grossiers. Et comme si cela ne suffisait pas par principe, tu détestais les meetings. Il ne s'agissait, selon toi, que d'exercices rhétoriques, de mensonges, de spectacles pour tromper les gens, les manipuler, les soûler de promesses qu'on ne tient jamais, et pour ne pas commettre ces délits tu tombais dans l'excès opposé en soulignant des vérités brutales, en exposant des concepts impopulaires : le poison des idéologies, l'aveuglement des dogmes, la malhonnêteté des alibis, l'illusion du progrès, la lâcheté des masses qui obéissent. Parfois tu résumais le tout en quelques slogans et quelques phrases sommaires. T'écouter était tellement angoissant que chaque fois que j'assistais à une réunion je ne pouvais m'empêcher de penser, le cœur gros, mon Dieu que va-t-il encore inventer ?

Je ne venais d'ailleurs pas souvent, je préférais en général éviter ce tourment d'autant plus que je ne comprenais pas tout ce que tu disais dans ta langue. Mais si je venais il me suffisait d'entendre les mots sossialismos, socialisme, fassismos, fascisme, épanastassis, révolution, laos, peuple, sorraca, caleçon, o ghios tou Papandreou, le fils de Papandreou, pour reconstruire un discours que je connaissais désormais par cœur et qui était à peu près le suivant : « Le socialisme, quel socialisme, aujourd'hui tout le monde parle de socialisme, le mot socialisme est devenu la sauce de tout mets, la fleur à la boutonnière de tout mensonge, une mode. Avons-nous donc oublié que Mussolini causait de socialisme, qu'il venait du socialisme, comme Hitler d'ailleurs ? Le mot nazisme n'est-il pas l'abréviation de national-socialisme ? Quelqu'un dit socialisme et vous le suivez sans vous demander de quel socialisme il s'agit, sans regarder en face qui prononce ce mot, le fils de Papandréou par exemple, lui qui a le mot socialisme écrit sur son caleçon, comme les mots révolution et résistance. Quelle résistance, quelle révolution ? Même Papadopoulos appela révolution son coup d'Etat, même Pinochet : à droite aussi il n'y a pas un dictateur qui n'emploie le mot révolution. Ils veulent tous la faire cette révolution, puis personne ne la fait et surtout pas ceux qui se disent révolution-naires car avec leur révolution on ne change pas de patron, de régime La révolution ne se commande pas. Il n'y a qu'une seule révolution possible, c'est celle que l'on fait seul, celle qui se réalise dans l'individu, qui se développe en lui lentement, patiemment, en désobéissant ! La révolution c'est la patience, c'est la désobéissance : ce n'est pas être pressé, ce n'est pas le chaos, ce n'est pas ce que vous racontent les démagogues avec leur baguette magique. N'écoutez pas ceux qui vous promettent des miracles, n'écoutez pas ceux qui s'engagent à changer le monde en un tour de main comme des magiciens. Les magiciens n'existent pas, les miracles n'existent pas. Les démiurges se moquent de vous, imbéciles qui êtes habitués à vous faire mener par le bout du nez par tout le monde, à subir ; en écoutant les bavardages des faux révolutionnaires on peut abattre d'un souffle cette façade de démocratie ! Gardons précieusement ce lambeau de liberté dont on nous a fait cadeau grâce au sang versé à Chypre. Oui, dont on nous a fait cadeau, et la liberté donnée en cadeau produit des fruits qui ont un goût amer : si vous ne faites pas attention ces élections ne vont profiter qu'aux héritiers de la Junte. Car la Junte n'est pas tombée, elle a simplement changé de tactique, elle a délégué son pouvoir à des salauds déguisés en libéraux, à des porcs blafards comme Evangelos Tossitsas Averof, à la droite répugnante qui domine, impunie, depuis des siècles et qui jusqu'à hier dansait le menuet avec Papadopoulos, avec Joannidis, qui aujourd'hui le danse avec ceux qui font les barricades, avec ceux qui aspirent à d'autres totalitarismes. Et vous ne vous en rendez pas compte. Parce que vous ne pensez pas. De toute façon il y a toujours quelqu'un qui pense et qui décide à votre place : patron-dis-moi-ce-que-je-dois-faire, camarade-dis-moi-ce-que-je-dois-penser. »

Les gens t'écoutaient tantôt déçus, tantôt vexés, tantôt perdus : mais qu'est-ce qu'il racontait celui-là, pourquoi les maltraitait-il et les frustrait-il dans leurs espoirs ? Que voulait-il dire avec son histoire de caleçon, de la patience, de la liberté offerte en cadeau, du socialisme qui est un mot, une sauce, une mode, à quoi faisait-il allusion à la fin, à propos de penser et ne pas penser, camarade-dis-moi-ce-que-je-dois-penser ? Ils avaient toujours cru que le bien était le bien et le mal le mal, que les méchants étaient d'un côté et les bons de l'autre, ils n'avaient jamais entendu dire que c'était la même chose et que pour avancer il fallait faire des révolutions tout seul : comment fait-on la révolution tout seul ? Il s'agissait en majorité de braves gens aux mains calleuses, le visage même de ceux qui obéissent depuis que le monde existe, le tapis rouge de tous les pouvoirs, l'instrument de toutes les ambitions, de véritables biens d'échange entre les Brejnev et les Pinochet, les Averof et les fils de Papandréou : il suffisait de les regarder pour comprendre qu'ils venaient aux meetings pour recevoir un peu d'espoir, pas pour qu'on leur fasse des reproches. Décidément ils ne comprenaient pas ce jeune homme qui parlait d'une manière confuse, monotone, en bafouillant et qui s'enflammait tout à coup pour crier des absurdités. Ainsi le meeting se terminait plutôt froidement, parfois avec quelques applaudissements de courtoisie, plus légers et passagers qu'une pluie d'été, et, renfrogné, tu partais avec une camionnette qui ne contribuait certes pas à rehausser ton prestige. C'était une camionnette prêtée par je ne sais qui, couverte de vignettes et d'affiches avec ton horrible photographie d'identité, tellement vieille qu'il fallait la pousser pour qu'elle démarre : le spectacle que tu donnais tout essoufflé n'était guère apprécié et la plupart des gens le jugeaient franchement désolant. Il faut ajouter à cela que le plus souvent tes adversaires se vengeaient sans pitié et qu'ils dénonçaient, les intellectuels surtout avec le discours de celui qui a lu ou qui feint d'avoir lu les quarante volumes de Marx et Engels, ainsi que les quarante-cinq volumes de Lénine, sans oublier la *Science de la logique* de Hegel, ta superficialité, ton ignorance, la faiblesse de ta pensée. Ou bien ils se limitaient à ricaner : « Laisse-le parler, il ne sait pas ce qu'il veut, c'est un primaire, un romantique, un terroriste raté, au fond qu'a-t-il fait ? Il a placé deux bombes. Une a fait un trou dans la route, l'autre n'a même pas explosé. » Ces mots te blessaient à mort même si tu ne laissais rien paraître et continuais imperturbable avec tes vérités crues, tes camionnettes déglinguées, tes bureaux prêtés, tes chaises offertes, tes misérables cinq millions qui n'étaient plus que quelques drachmes, avec, surtout, ta certitude inébranlable de gagner le grand pari : « Au fond les gens me comprennent. Ils voteront pour moi. » Finalement le jour des élections est arrivé.

* * *

Comme on attend le verdict d'un jury qui décide de notre avenir ou le résultat d'un examen médical dont dépend notre santé, et plus il tarde à venir plus on est assailli par la peur d'une maladie sans remède, une sentence sans appel, ainsi j'attendais ton coup de téléphone, arpentant la chambre d'un hôtel lugubre en Jordanie. Je n'avais pas voulu assister à ton dernier meeting, je n'en avais pas eu le courage. Mais j'avais vu, d'un balcon de l'hôtel Grande-Bretagne, le meeting de Caramanlis qui se déroulait le même soir à la même heure, les gens dont tu pensais qu'ils te comprenaient et qu'ils allaient voter pour toi. Je les avais vus arriver : ordonnés, disciplinés, enrégimentés, un vrai troupeau qui va là où ceux qui commandent, qui promettent, qui font peur, désirent qu'il aille, les yeux fermés, on n'a pas besoin de voir la route, la route est un fleuve de laine compacte qui débouchera sur la place choisie par ceux qui ont le pouvoir en place, dans ce cas précis la place Sintagma à Athènes et vive Caramanlis, sinon place de Venise à Rome et vive Mussolini, place Saint-Pierre au Vatican et vive le Pape, Alexander-platz à Berlin et vive Hitler, Trafalgar Square à Londres et vive Sa Majesté la Reine, place de la Concorde à Paris et vive de Gaulle, place de la Paix Céleste à Pékin et vive Mao Tsé-toung, place Rouge à Moscou et vive Staline, non Khrouchtchev, non Brejnev, vive lui, c'est-à-dire celui qui se trouve au sommet de la montagne, jamais vive les pauvres diables qui meurent pour que les moutons deviennent des hommes et des femmes. On n'applaudit les pauvres diables qu'à leur enterrement, quand ils ne dérangent plus. J'avais vu la place se remplir, devenir une masse compacte, une armée de huit cent mille hommes et j'ai eu peur. Ce n'était pas tellement le nombre mais plutôt la rigueur géométrique de leur alignement en régiments, en bataillons, méthode avec laquelle ils faisaient flotter leurs drapeaux et agitaient leurs pancartes, levaient les flambeaux, la régularité avec laquelle ils scandaient les hourras obéissant aux coordinateurs munis de talkies-walkies. Un, deux, trois : « Ca-ra-man-lis ». A chaque Ca-ra-man-lis c'était quatre coups de canon à égale distance l'un de l'autre, un bombardement de plus en plus fort, effroyable, couvrant totalement le discours du vieux politicien qui, éclairé par des projecteurs et escorté par Evangelos Tossitsas Averof, s'égosil-lait en criant Dieu sait quoi : le seul mot qu'on entendait distincte-ment était celui de son parti, Nea Democrazia. Peut-être était-il en train de leur expliquer en quoi consistait cette nouvelle démocratie, comment il se préparait à les baiser, mais eux ne voulaient rien savoir, ils voulaient l'encenser et c'est tout, si bien que s'il avait crié le résultat d'un match de football Real Madrid-Manchester-deux-à-un ou une recette de cuisine prenez-la-viande-farinez-la-salez-puis-mettez-la-dans-la-poêle, le résultat aurait été exactement le même, ils auraient continué à tirer les quatre coups de canon, à agiter les drapeaux et les pancartes, à obéir aux chefs d'équipes qui eux-mêmes obéissaient aux coordinateurs avec leurs talkies-walkies qui eux-mêmes obéissaient au grand metteur en scène de l'apothéose. Qui était le metteur en scène ? Il avait aussi pensé aux feux d'artifices et aux pigeons, mais il n'avait pas prévu l'incident avec les pigeons. A un moment donné des lumières rouges, vertes, violettes, d'or, des fontaines d'étoiles avaient éclairé la nuit et des centaines de pigeons avaient été lâchés de cages cachées derrière le toit du palais présidentiel, en direction de la place. Mais au lieu de voler harmonieusement ils s'étaient mis à battre des ailes comme des papillons ivres et terrorisés par le fracas, par les feux, par les drapeaux, par l'imbécillité humaine, ils avaient perdu tout contrôle de leurs intestins laissant tomber sur la foule une pluie d'excréments chauds et liquides. Puis Caramanlis et Averof étaient partis, tous deux nettoyant leurs vestes souillées par la fiente de pigeons selon les critères égalitaires sans discernement que seuls les animaux respectent et les huit cent mille participants avaient évacué la place au rythme de l'hymne national transmis par les haut-parleurs : toujours en bon ordre, disciplinés, enrégimentés. Demi-tour, en avant marche ! Il ne restait sur la place que des saletés, des tracts, du papier, des chaussures perdues, des bouteilles, des coquilles de pistaches que les balayeuses mécaniques avaient rapidement ramassés. Il s'est alors produit un fait curieux. Un des techniciens qui s'occupait des haut-parleurs, peut-être par hasard peut-être intentionnellement, a mis un disque de Théodorakis : la chanson qu'il avait écrite après ta condamnation à mort. Et à la place de l'hymne national on entendait maintenant cette musique triste, avec ces paroles : « Otan Ktipissis dio Forés, K'istena Tris Ke pali dio, Alexandre mou... Quand tu frapperas deux fois, puis trois, puis deux, mon Alexandre... » Troublée, incrédule, j'étais descendue pour voir la réaction des gens mais sur la place, maintenant déserte, il n'y avait que deux jeunes, deux fils du peuple, deux agneaux du troupeau, et l'un disait : « Ti amà ! Pios ine afros Alexandros ? Quelle barbe ! Qui c'est cet Alexandre ? » L'autre répondait en haussant les épaules : « Den Xero, je ne sais pas. »

Je n'avais même pas voulu attendre le résultat des élections, là non plus je n'en avais pas eu le courage. Mais j'étais passée à ton quartier général la nuit du vote et cela m'avait suffi pour comprendre comment les choses allaient se passer. Personne n'avait l'air de se faire d'illusions, les téléphones ne sonnaient que pour donner de mauvaises nouvelles, d'heure en heure le parti de Caramanlis marquait des points et ton parti en perdait, quant aux préférences de vote que tu avais eues, elles étaient si faibles que les agences de presse donnaient déjà ta défaite pour certaine. Cinq voix dans telle section, dix dans telle autre, quinze au maximum et très souvent aucune. Entouré des jeunes gens et des jeunes filles qui avaient travaillé pour toi pendant un mois et demi tu faisais et refaisais, sans résultat, tes additions dans l'espoir d'atteindre le minimum nécessaire pour être élu. La vieille dame au petit chapeau, inutilement, appelait et rappelait au téléphone pour connaître les chiffres définitifs, elle répétait les totaux, elle découvrait que tu t'étais trompé de trois voix, non cinq, non six : l'amère réalité n'en était point changée et ton visage devenait de plus en plus pâle et hâve.

J'étais partie à l'aube, incapable d'assister jusqu'au bout à cette agonie et je ne t'ai revu que le lendemain. Tu dormais, complètement défait. Mais à peine t'avais-je touché les cheveux que tu t'es réveillé explosant en sanglots de dépit : « Le peuple vote pour ceux qui disent des mensonges ! Le peuple vote pour ceux qui se moquent de lui ! Le peuple vote pour ceux qui dépensent des milliards en feux d'artifices et vols de pigeons ! Le peuple veut être esclave, il aime être esclave, il aime ça ! » Puis tu t'es rendormi et je t'ai quitté pour éviter de me trouver à Athènes au moment où ta défaite deviendrait officielle. Je devais, dans les trois jours, me rendre en Jordanie interviewer le roi Hussein et je me suis servie de ce prétexte : j'avais laissé sur ton oreiller un message dans lequel je disais que la rencontre avec Hussein avait été anticipée et que je devais donc me rendre sur-le-champ à Amman. Puis j'étais vraiment allée à Amman. Je t'avais appelé quelquefois, tu me donnais des réponses vagues qui me confirmaient dans l'idée que tu aurais pu, à la rigueur, entrer au Parlement avec le reste des voix transférées de la liste nationale. Puis j'avais même cessé de t'appeler : « Téléphone-moi dès que tu sais quelque chose de précis. » Voilà pourquoi maintenant j'attendais comme on attend le verdict d'un jury qui décide de notre avenir ou le résultat d'un examen médical dont dépend notre santé. Et si le parti ne parvenait même pas à te repêcher ? A quoi t'aurait servi ce sacrifice, cette entrée dans la politique politicienne comme un hôte indésiré ? Quels autres moyens allais-tu employer pour faire passer ton message au fleuve de laine au milieu des cailloux, du gravier immobile qui dort au pied de la montagne ? Sans oublier qu'un siège au Parlement aurait pu être une sorte de protection. Ou le contraire ? Je regardai ma montre. Onze heures, la rencontre avec Hussein était pour midi. Je me suis dirigée vers la porte. Le téléphone a sonné. Je suis revenue sur mes pas. Ta voix joyeuse a envahi mes oreilles : « C'est moi ! C'est moi ! Je suis député ! »

Pourquoi le soulagement s'est-il éteint si vite ? L'amertume de savoir que tu étais député grâce aux voix excédentaires des autres, aux miettes restées sur la nappe ? La conscience des nouvelles désillusions auxquelles tu ne saurais faire face ? Ou bien la légende que Hussein m'a racontée ? Sa Majesté semblait plus triste que de coutume ce matin-là, parlant de son fatalisme elle m'a demandé : « Connaissez-vous la légende de Samarkand ? » Puis elle me l'a racontée. Il était une fois un homme qui ne voulait pas mourir. Il vivait à Ispahan. Un soir cet homme vit la Mort qui l'attendait assise sur le seuil de sa maison. « Que me veux-tu ? » cria l'homme. Et la Mort : « Je suis venue pour... » L'homme ne lui laissa pas terminer sa phrase, sauta sur un cheval rapide et s'enfuit à bride abattue en direction de Samarkand. Il galopa deux jours et trois nuits, sans jamais s'arrêter, et à l'aube du troisième jour il arriva à Samarkand. Là, certain que la Mort avait perdu sa trace, il descendit de cheval et se mit à chercher une auberge. Mais quand il entra dans sa chambre il trouva la Mort qui l'attendait, assise sur son lit. La Mort se leva, se dirigea vers lui et lui dit : « Je suis contente que tu sois arrivé avec exactitude, je craignais que nous nous perdions, que tu ailles ailleurs et que tu arrives en retard. A Ispahan tu ne m'as point laissé parler. J'étais venu à Ispahan pour t'annoncer que je te donnais rendez-vous à l'aube du troisième jour dans la chambre de cette auberge, ici à Samarkand. »

**

« Tu vas voir comme je vais m'amuser dans la politique politi-cienne ! Tu vas voir ! Et maintenant je peux me mettre en chasse de ces preuves... — Quelles preuves ? — Les documents de l'ESA, des preuves qui dénoncent des hommes indignes ! Il me faudra du temps mais j'y parviendrai. L'important est que je suive mon propre chemin, que je ne me mêle à personne. Comme aujourd'hui. — Comme aujourd'hui ? — Oui, comme aujourd'hui. — Et ça te paraît juste, aujourd'hui, de ne te mêler à personne ? — Très juste. » Il y avait à Athènes une grande manifestation pour commémorer le massacre de Polytechnique, sans le savoir j'étais rentrée à temps de Amman pour y participer et pendant que nous nous dirigeons vers ton bureau, qui se trouve justement à proximité de la rue où le cortège doit se former, voilà que tu m'annonces que tu ne veux te mêler à personne. « Alekos, explique-moi bien pourquoi. — Je te l'ai dit : pour être clair dès le départ, pour montrer dès le départ que je ne suis pas du côté des menteurs, des opportunistes, que je ne marche pas derrière leurs bannières et leurs drapeaux. Tous les partis seront présents, chacun a convoqué ses comparses qu'il va jeter dans ce cortège dans un seul but : donner une preuve de sa force, rivaliser de vanité. Regarde-combien-j'en-ai-moi, j'en-ai-plus-que-toi, j'ai-aussi-plus-de-drapeaux-et-de-pancartes. Les partis se foutent des morts de Polytechnique. Les partis se foutent toujours des morts. Et quand je pense qu'au milieu de cette mascarade les esclaves qui se taisaient vont défiler eux aussi, ceux qui faisaient dans leur culotte, qui ne voulaient même pas entendre le mot Résistance, tu sais ce que j'en pense ? J'aimerais mieux défiler avec Théophiloyannacos. — Alekos, il y aura aussi ceux qui ont lutté dans la Résistance ? — Bien sûr. Réquisitionnés par les partis, utilisés par les partis comme des œillets qu'on met à la boutonnière, écrasés par les esclaves qui se taisaient et qui faisaient dans leur culotte. C'est toujours pareil. Non merci : je te répète que je ne marche pas. — Il faudra bien que tu marches avec quelqu'un, Alekos. Tu ne vas tout de même pas défiler tout seul ou seulement avec moi. — Je ne défilerai ni seul ni avec toi et c'est tout. Je défilerai avec ceux qui sont seuls comme moi. Ils existent. Ils sont peu nombreux, mais ils existent. Je les trouverai. — Où ? — Sur les trottoirs. Certains y sont déjà. Mes amis, regarde. » Nous étions arrivés à ton bureau. Tu es entré et d'un large geste de la main tu m'as montré le petit groupe qui avait travaillé pour toi pendant ta campagne électorale. Il y avait la petite vieille avec son chapeau et ses lunettes, il y avait une naine d'un mètre quarante avec un sac plus grand qu'elle, il y avait une dizaine de jeunes gens, autant de filles et un boiteux. « Mes amis ! Nous constituerons un îlot à part. — Tu n'as même pas un drapeau ni une pancarte. — Tu veux un drapeau ? De couleur ? » D'une pirouette tu as enlevé un beau foulard rouge vif à la vieille au petit chapeau, excuse-moi-je-t'en-rachèterai-un, et tu as écrit dessus au stylo-bille : Elefteria Ke Alitia. Liberté et Vérité. « Et voilà. Maintenant on a un drapeau, en couleur. Il ne manque que le piquet ! Cherchez un piquet ! Des clous, un marteau ! » Il y avait un marteau mais pas de clous ni de piquet. « Démontez les chaises, dévissez les poignées, cassez la table ! — Alekos, que fais-tu ? — Le drapeau, les pancartes. Tu n'as pas dit qu'il fallait aussi des pancartes ? » Mais ils étaient déjà en train d'arracher les clous, de dévisser, de récupérer les pieds de chaises, les boulons, de fabriquer des panneaux, appliqués, rapides, et une demi-heure plus tard nous étions dans la rue en train de constituer l'îlot. En tête, la vieille avec le chapeau et la naine avec le grand sac : la vieille levait son foulard griffonné, vissé au pied d'une chaise, la naine une pancarte illisible faite avec Dieu sait quoi. Au premier rang moi, toi, le boiteux, deux jeunes gens et derrière tous les autres. « Et maintenant qu'est-ce qu'on fait ? — Maintenant on va défiler. De notre côté. En chantant. De notre côté. — Qu'est-ce qu'on chante ? — *En avant les morts*, non ? » On avançait en chantant. « En avant les morts ! Eternels porte-drapeau de la lutte ! Et après nous ! Levons les étendards ! » On avait l'air d'un groupe de mendiants. Il n'y avait aucun espoir de passer inaperçus : pour rester bien à l'écart du cortège qui nous précédait et qui nous suivait tu t'arrêtais de chanter et : « Pente metra ! Cinq mètres ! Gardez cinq mètres de distance ! » En vain un homme avec un brassard, chargé du service d'ordre, s'est approché pour te prier de serrer les rangs, répétant que le reste du cortège était uni et qu'il fallait bien que tu fasses comme les autres : tu lui as répondu avec de tels rugissements que le pauvre type a aussitôt battu en retraite. « Pente metra ! Cinq mètres ! » Sur le trottoir, les gens nous regardaient perplexes : mais qui étaient donc ces malheureux conduits par une naine et une vieille avec un chapeau ? Pourquoi ne marchaient-ils pas avec les autres ? Pourquoi ne chantaient-ils pas ce que chantaient les autres ? Pourquoi ne brandissaient-ils pas les mêmes drapeaux, les mêmes pancartes et portaient-ils ces torchons fripés, ces pancartes illisibles ? Et celui qui criait pente metra et qui chassait tous ceux qui cherchaient à se joindre au cortège qui était-il ? Parfois on entendait ton nom : « C'est Panagoulis, je te dis, tu ne reconnais pas les moustaches, la pipe ? » Alors satisfait, tu répondais avec de grands gestes de bénédiction tel un prédicateur : « Venez, venez ! »

Nous marchions ainsi, chaque rangée formant un cordon quand j'ai senti qu'un frisson te parcourait. D'un mouvement de la tête tu m'as montré deux types, un presque blond et un brun, qui étaient à un carrefour. Tous deux bien habillés, avec un air hostile. « Tu les vois ? — Je les vois, qui sont-ils ? — Deux ex-gardes de l'ESA. Deux de ceux qui me frappaient. » Puis tu t'es détaché du cordon, tu as levé les bras : « Stop ! » Une bousculade s'en est suivie, le deuxième rang heurtant le premier, le troisième heurtant le second, le quatrième heurtant le troisième, notre groupe arrêté bloquait le cortège tout entier. Seules la vieille avec le petit chapeau et la naine avec le grand sac avaient continué quelques mètres mais elles sont revenues sur leurs pas, surprises et confuses quand elles se sont rendu compte que personne ne les suivait. Tout le monde avait, d'ailleurs, l'air surpris et confus car personne n'avait compris pourquoi tout à coup tu avais crié stop et des protestations venaient des derniers rangs : « Qui a dit de s'arrêter ? Allez, avancez ! Allez, empròs ! » Je t'ai touché le coude : « Alekos, allons-y. » Tu n'as pas répondu. « Alekos, on bloque tout. » Cette fois non plus tu n'as pas répondu. « Mais que veux-tu faire ? « Silence encore. Tu étais enfermé dans un dilemme, tu me l'as avoué plus tard, comment-vais-je réagir, je-leur-tape-dessus-ou-je-les-utilise, je-les-traite-en-ennemis-ou-en-amis, une incertitude qui une fois de plus allait se résoudre de manière imprévue, avec ce côté irrationnel du joueur qui calcule, réfléchit, puis tout à coup modifie son calcul, agit sur une impulsion, rouge-ou-noir-le-jeu-est-fait-rien-ne-va-plus. Tu fixais les deux types comme on fixe la table de la roulette avant de miser au hasard sur le rouge ou le noir, pair ou impair, un numéro ou un autre, c'est la même chose de toute façon, ce qui compte c'est agir, risquer, défier le sort : ne pas rester neutre. Et voilà, la décision était prise, tu t'es détaché de notre îlot avec ton pas grave,

320

lent, ton flegme dédaigneux comme si la rue était à toi et si personne n'avait rien à dire, tu es arrivé à la hauteur des deux individus qui étaient blancs, tremblants de peur, tu leur as fait un grand sourire en portant la pipe à ta bouche, puis la retirant tu leur as indiqué ton groupe dans le cortège. « Venez. Je vous attends. » Puis tu leur as tourné le dos et avec le même pas, le même flegme tu es revenu en arrière pour attendre que la boule blanche s'arrête de tourner, s'arrête définitivement sur le rouge ou le noir, pair ou impair. Rouge ou noir, le jeu est fait, rien ne va plus.

Combien de temps a duré cette attente, je suis incapable de le dire. Des mois plus tard, tu m'as assuré que cela avait été très bref, que toute la scène n'avait duré que deux ou trois minutes, maximum. Mais pour moi, et pour ceux qui avaient compris, le temps écoulé paraissait interminable, des heures, avant que la boule ne s'arrête, que les deux hommes ne descendent du trottoir, n'arrivent jusqu'à toi qui les accueillais les bras ouverts, ne prêtant aucune attention au type avec un brassard tendu maintenant et très impatient, alors-allez-y-quoi-on-y-va-oui-ou-non. Tu as donné le bras à chacun d'eux, après nous avoir écartés, un à ta gauche et un à ta droite. Tu as recomposé le rang et tu t'es remis en marche en me lançant un coup d'œil furieux quand tu m'as vue hésiter. Ce coup d'œil suffisait pour comprendre que ton geste ne signifiait ni le pardon ni la miséricorde, c'était un geste d'orgueil et même de mépris. Un mépris qui ne s'adressait pas aux gardes de l'ESA, mais aux lois hypocrites de la communauté, aux politiciens qui versaient maintenant des larmes très rentables sur le massacre de Polytechnique, aux gens qui participaient maintenant au cortège mais qui s'étaient tus ou avaient même collaboré pendant la tyrannie, bref aux drapeaux de l'opportunisme ou aux banderoles de la convenance auxquels tu avais refusé de te mêler. Et tant pis si personne ne comprenait ni même ne soupçonnait le sens de ton geste. Effectivement ils n'ont pas compris ni même soupçonné et bientôt le bruit se répandit que Panagoulis avait pardonné à deux-de-ses-plus-féroces-tortionnaires, qu'il se promenait bras dessus, bras dessous avec eux dans les rues de la ville, un à sa gauche et un à sa droite comme les deux voleurs crucifiés à gauche et à droite de Jésus-Christ, oui, monsieur Jésus-Christ, et ce n'était pas une fable, tout le monde pouvait les voir, ils défilaient rue Stadiou à la tête de son propre groupe qui faisait bande à part. Et la rumeur a réveillé ceux qui assistaient avec détachement à ce cortège bien organisé, trop bien organisé pour être sincère, et ceux qui ne participaient pas parce que ça ne les intéressait pas ou parce qu'ils se sentaient exclus, les uns et les autres voulaient voir Jésus-Christ qui avançait encadré par les voleurs et quand Jésus-Christ apparaissait, calme, avec sa moustache, sa pipe, son insolence, ils applaudissaient convaincus, émus, certains criaient ton nom, d'autres répondaient à ton invitation venez-venez. Mais peu à peu s'est produite une chose que tu n'avais pas prévue : le jeu a cessé d'être un jeu et sur une illusion l'orgueil s'est transformé en humilité, le mépris en gratitude ou même en amour pour les gens qui, du trottoir, t'applaudissaient sans avoir rien compris. Tu en as conclu que les indépendants restaient en dehors des cortèges par protestation, par refus de se joindre au fleuve de laine et non par indifférence ou par opportunisme. Tu t'es convaincu que les rebelles qui s'opposent à la liturgie des cérémonies commémoratives ne sont pas poussés par l'aridité ou l'indifférence mais parce qu'ils cherchent quelque chose d'autre. Dieu sait quoi mais quelque chose. Peut-être eux-mêmes, leur individualité piétinée, leur caractère unique nié par les masses, par le concept d'homme standard. Et tu as foncé tête baissée dans le nouveau rôle que, pensais-tu, ils t'attribuaient. Tu as changé d'expression, de regard, de démarche, tu as commencé à remercier ceux qui te rejoignaient, avec des yeux brillants, et alors, vraiment ils te rejoignaient. Des hommes et des femmes, beaucoup de femmes avec des enfants à la main ou à califourchon sur leurs épaules ; des jeunes et des vieux, beaucoup de vieux encouragés, je suppose, par la petite vieille au chapeau ; et des jeunes, appelés, je suppose, par la naine au grand sac ; et des boiteux, attirés, je suppose, par le boiteux du premier rang. Après une centaine de mètres je pus compter cinq boiteux, trois avec un bâton et deux sans, mais le summum c'était un jeune homme, gros, déhanché, atteint de poliomyélite qui n'osait pas rentrer dans notre îlot, grand comme une île, maintenant, et suivait sur le côté, agrippé à deux énormes béquilles d'aluminium. Comment il arrivait à nous suivre, sans pouvoir être distancé, reste un mystère. Mais il y arrivait, luttant, haletant, traînant ses pauvres jambes molles, son pauvre corps tordu, à tel point qu'à un moment donné tu as de nouveau arrêté le cortège, tu es allé vers lui, l'as embrassé et tu l'as ramené parmi nous, au centre de notre premier rang qui s'est remis en marche au rythme de son pas vacillant, incertain. Après cela il n'a plus été nécessaire de dire venez-venez : il venait tellement de gens que l'on était presque un millier place Sintagma. De trente on était devenus presque un millier.

Tels ont été tes débuts dans la politique politicienne. C'est également ainsi qu'a commencé la série de tes erreurs poétiques et tragiques en politique politicienne. Parce que du fait de cette armée brinquebalante et improvisée, incapable de lutter, venue à toi à cause d'un malentendu, celui du pardon, de la miséricorde, de l'amour chrétien, bref de Jésus-Christ, à la recherche de quelque chose mais sans savoir quoi, est née ton illusion de n'être plus seul. Malheureusement c'est en te fondant sur cette illusion que tu t'es lancé contre les moulins à vent du dragon que tu t'étais choisi.

CHAPITRE II

Le dragon, dans les fables, a toujours un aspect terrible. Celui
d'un serpent ailé avec beaucoup de têtes et de langues fourchues ou
celui d'un gigantesque lézard avec des pupilles de feu et des serres
d'acier. Il se nourrit de vierges et de petits enfants, exhale de la
fumée par les narines, dévore tous ceux qui s'approchent du pont-
levis qui protège son royaume ; le paysage autour de lui est couvert
de crânes, d'os rongés, de membres arrachés. Les restes de ceux qui
ont tenté de l'abattre sans y parvenir. Dans la vie, son essence ne
change pas mais son aspect est différent. Parfois, on n'arrive même
pas à le définir car il est le symbole d'une réalité abstraite, d'une
situation qui existe mais ne le voit pas. Parfois, on ne parvient même
pas à le reconnaître car il se présente comme une personne,
autrement dit, avec un corps normal, un tronc avec deux bras et
deux jambes, une tête avec un nez, une bouche et deux yeux. Peut-
être deux yeux ronds, comme un hypnotiseur, mais tellement
visqueux qu'ils ressemblent à des olives baignant dans l'huile, et des
mains molles et flasques, décharnées, une voix caressante, persua-
sive : « Chère, très chère amie ! Quel plaisir de vous voir, quel
honneur ! » Bref, Evangelos Tossitsas Averof n'avait rien qui puisse
le faire ressembler extérieurement à un dragon et en dépit du
malaise que j'avais ressenti dès notre première rencontre, de la
découverte que le nouveau rocher au sommet de la montagne c'était
lui, jamais je ne l'aurais dépeint au milieu d'un paysage de crânes,
d'os rongés et de membres arrachés. D'ailleurs sa manière de vivre,
elle aussi, était empreinte d'un caractère inoffensif. Dévoué à sainte
Reparade, patronne de son village, tous les dimanches il se frappait
la poitrine devant les icônes pour se faire pardonner ses péchés ; ami
d'évêques et d'archevêques, il croyait au paradis et à l'enfer ; bon
père et mari respectueux, il célébrait le culte de la famille et
endossait l'habit de la moralité la plus parfaite ; assez cultivé et

écrivain forcené, il publiait des livres que personne ne remarquait mais qui ne faisaient de mal à personne ; richissime propriétaire d'une terre près de Giannina dans l'Epire du Nord, il s'efforçait de démentir par tous les moyens le proverbe de l'Evangile selon lequel il est plus facile à un chameau de passer par le chas d'une aiguille qu'à un riche d'accéder au royaume des Cieux. Je veux dire que ne se laissant pas du tout bercer par une vie de paresse et d'oisiveté, il était très actif et plein d'initiatives. Dans la ferme de sa propriété, dans la ferme de Mezzonovo par exemple, il avait importé les meilleures vaches du Canada, et avec leur lait, il produisait un excellent parmesan qu'il appelait mezzovano, un excellent gorgonzola qu'il appelait mezzovola, une excellente ricotta qu'il appelait mezzotta. Il produisait un vin assez bon, ma foi, l'Averof blanc et l'Averof rouge, et il était tellement fier de tout cela qu'il était difficile de ne pas le croire quand il affirmait que la politique était pour lui un noble passe-temps, une manière de servir son idéal libéral. Il prononçait très souvent les mots liberté, libéralisme, et tout aussi souvent il exprimait son profond mépris pour la dictature. Et de fait, depuis l'époque de l'occupation allemande et italienne, il professait un vrai antifascisme.

Pourtant c'était un dragon. Peut-être le meilleur dragon qu'en ce temps-là et dans cette situation-là, ton pays pouvait offrir à un héros en quête d'un dernier défi, car avec son apparence inoffensive, son mezzovano, son mezzovola et sa mezzotta, sa façade libérale, son antifascisme déclaré en ce temps-là et dans cette situation-là, plus qu'aucun autre, il représentait le Pouvoir. L'irrémédiable, inextinguible, indestructible Pouvoir, qui même sous ses formes les plus mimétiques, son aspect le plus naturel, nous donne des ordres, nous gouverne, nous trompe, nous fait chanter, nous abrutit, nous baise tantôt au nom de la patrie ou de la collectivité, tantôt au nom de la loi ou de la civilisation, tantôt au nom de l'ordre ou de la justice, tantôt au nom de la démocratie ou de la révolution. Patron-dis-moi-ce-que-je-dois-faire, camarade-dis-moi-ce-que-je-dois-penser. Ou même il nous dévore comme le serpent ailé de la fable, le lézard gigantesque qui garde le pont-levis. Rien ne sert de le tuer avec la lance de Don Quichotte car il renaît toujours de ses cendres, peut-être avec un visage différent, une couleur différente, un langage différent, par-la-volonté-du-Peuple au lieu de par-la-volonté-de-Dieu. De tout temps, il en avait été ainsi, et il en sera toujours ainsi. Mais gare à toi si tu ne le combats pas, si tu ne le dénonces pas, si tu ne dévoiles pas ses mensonges : son royaume s'étend, le paysage autour de lui se remplit de plus en plus de crânes, d'os rongés, de membres arrachés. Car il est avide aussi, il ne se satisfait jamais de ce qu'il a, il profite de chaque répit, de chaque résignation. Et ceux qui au fur et à mesure le servent et le représentent, bref ceux qui l'incarnent, les rochers au sommet de la montagne, ont les mêmes traits d'avidité, la même capacité de ressusciter. C'était justement le cas du dragon que tu t'étais choisi : arrivé au commandement par droit atavique, patrimoine et patronyme, devenu ministre pour la première fois après la Seconde Guerre mondiale, grâce à sa foi monarchique, il est mort et ressuscité, au sens politique, cent fois au cours des trente années qui ont suivi ; en réalité il n'est jamais mort, il a toujours été bien vivant même quand on le croyait enterré. La preuve : même le coup d'Etat de Papadopoulos ne l'avait pas évincé, même son arrestation, à la suite de l'échec de la tentative d'insurrection de la Marine, ne l'avait pas neutralisé. Inutile de préciser que la fonction qu'il occupait dans leur gouvernement, légitimé par les élections, était toujours celle de ministre de la Défense. Oui, dorénavant il te fallait concentrer toute ton énergie sur lui. C'est ce que tu ferais, m'as-tu affirmé, décidé. « Et les autres, Alekos ? — Quels autres ? — Les princes de la démagogie, les idéologues du despotisme, les révolutionnaires à la con. — Je m'occuperai des autres plus tard, si je suis encore vivant. Et si je ne suis plus vivant, tant pis : quelqu'un s'en chargera à ma place. Un homme ne peut pas livrer deux batailles en même temps sur deux fronts différents. Surtout s'il est seul. A chaque fois il doit se battre contre l'ennemi le plus dangereux, le plus immédiat, selon l'époque et le pays où il lutte. Si j'étais en Union soviétique ou en Pologne ou en Tchécoslovaquie, ou en Hongrie ou en Albanie ou en Chine, mon ennemi serait le pouvoir qui tue la liberté au nom d'une doctrine et qui enferme les gens dans des goulags ou dans des hôpitaux psychiatriques. Je combattrais leurs abus et leurs mensonges. Mais je suis en Grèce. Hier, en Grèce, mon ennemi s'appelait Papadopoulos, Joannidis, demain il s'appellera Papandréou ou Dieu sait qui, mais aujourd'hui, c'est Averof. C'est la droite. La droite visqueuse et arrogante qui porte les caleçons avec le mot Liberté et qui se sert de la démocratie pour mieux nous tenir en main. Si je ne concentrais pas ma lutte sur elle, sur lui, pourquoi aurais-je cédé au chantage de l'élection, accepté l'étiquette d'un parti auquel je ne crois pas ? A quoi aurait servi mon entrée au Parlement ? D'ailleurs, il n'y a pas de temps à perdre. Car le prochain coup d'Etat sera justement fomenté par Averof qui rêve de devenir le patron de la Grèce et de faire revenir le roi. »

**

Que, le 8 décembre, un référendum ait donné de manière claire et définitive la victoire à la république sur la monarchie était un détail qui ne paraissait pas te concerner. Tu semblais encore moins prêter attention au fait que Joannidis ait finalement été arrêté et enfermé dans la prison de Koridallos avec Papadopoulos, Pattakos, Makarezos, Ladas et les autres membres de la Junte : c'étaient deux événements négligeables, disais-tu, on peut annuler un référendum et ouvrir les portes d'une prison. Le seul point qui retenait ton attention était de lutter contre le dragon en restant fidèle à toi-même, sans tomber dans les protestations des papandréistes ou les abstractions scolastiques des communistes, c'est-à-dire sans te laisser influencer par le conformisme de l'anticonformisme officiel. Ainsi, tandis que les autres députés de la gauche se gargarisaient de saintes paroles ou de banalités rhétoriques as-tu commencé à tourmenter Averof avec des accusations précises : « Pourquoi monsieur le ministre ne réintègre-t-il pas dans l'armée les officiers démocratiques chassés par la Junte ? Est-ce que cela dérangerait monsieur le ministre que l'armée comprenne aussi d'honnêtes gens ? » « Pourquoi monsieur le ministre tolère-t-il que les hommes de Joannidis continuent à commander des régiments et des divisions qui pourraient marcher sur Athènes d'une minute à l'autre et éliminer une fois de plus ce Parlement ? L'idée d'un coup d'Etat, susceptible d'être utilisé par ceux qui brandissent le drapeau du libéralisme, plairait-elle à monsieur le ministre ? » « Monsieur le ministre sait-il que depuis sa prison de Koridallos, le brigadier général Joannidis continue à disposer comme il l'entend de ses kédafistes, c'est-à-dire d'officiers prêts à faire ce coup d'Etat ? » Tu appelais ça tes-questions-ou-plutôt-super-questions. Tu t'étais même inventé un surnom : l'interrogateur-ou-plutôt-le-super-inter-rogateur, et tes coups de téléphone commençaient ainsi : « Salut ! C'est moi ! L'interrogateur, super-interrogateur. Devine ce que j'ai fait aujourd'hui ? — Une question à Averof. — Non, une super-question. — Et lui ? — Il m'a donné une sous-réponse. » Tu ne lui accordais aucun répit. Tu le persécutais comme une guêpe qui te tourne autour, que tu l'ignores ou que tu la chasses, impertinente envahissante, décidée à te percer de son aiguillon. Comme s'il s'agissait non d'un dragon mais de ton nouveau Zakarakis. Ta nouvelle monomanie. En effet, me souvenant de ta phrase tu-vas-voir-comme-je-vais-m'amuser-avec-la-politique-politicienne, je pensais au début qu'il y avait une part de jeu. Mais quand je suis venue au Parlement et que je t'ai vu à l'œuvre, j'ai dû reconnaître que tu ne jouais pas du tout et que c'était peut-être lui qui s'amusait avec toi. Il suffisait que tu lui adresses la parole pour que ton visage se contracte et que ta voix devienne rauque ; son visage, au contraire, restait serein et sa voix suave. Que le jeune et valeureux collègue soit patient, indulgent, la situation était délicate, difficile, on ne pouvait révéler la raison pour laquelle les officiers de réserve n'avaient pas été réintégrés, ni celle pour laquelle les hommes de Joannidis n'avaient pas été chassés ; on pouvait seulement dire que petit à petit les choses s'arrangeraient à la satisfaction générale. Et merci, jeune et valeureux collègue, merci du fond du cœur pour avoir évoqué devant le Parlement un problème de conscience si important. Pas un mot sur le coup d'Etat que tu continuais à annoncer.

Enfin la question sur Georges. La mort de Georges n'avait jamais cessé de t'obséder, tu aurais donné une année de ta vie pour savoir qui avait incité les Israéliens à l'arrêter et à le livrer à la Junte, bref, pour récupérer le dossier que Théophiloyannacos avait agité devant toi pendant l'interrogatoire. « Le voilà le dossier de ton frère Georges, le voilà ! Tu aimerais bien savoir ce qu'il contient, hein ? » Tu aurais donné n'importe quoi pour qu'on lui rende à titre posthume le grade de lieutenant qu'on lui avait retiré suite à sa désertion et établir le principe selon lequel la désertion dans un pays soumis à une dictature militaire ne constitue pas un crime mais un devoir. Tu t'es donc adressé à Averof avec une voix plus rauque, un visage plus contracté que d'habitude, mais cette fois ce n'était plus une question mais un ordre : que monsieur le ministre retrouve et livre le dossier concernant le lieutenant Georges Panagoulis dont la vie servit de monnaie d'échange entre Papadopoulos et le gouvernement israélien ; que monsieur le ministre restitue au lieutenant Georges Panagoulis les grades et les honneurs qui lui furent arrachés par la Junte ; que monsieur le ministre lave sa mémoire insultée. Averof a demandé un délai pour chercher le dossier puis a répondu qu'on ne le trouvait pas, puis qu'il n'existait pas, enfin, que même s'il l'avait retrouvé, il ne l'aurait pas montré car on doit protéger les documents secrets. Tu as perdu ton sang-froid. Levant l'index, tu as crié que ton frère était devenu déserteur pour ne pas servir la Junte, qu'on ne pouvait pas en dire autant de ceux qui aujourd'hui étaient au gouvernement avec pour tâche de protéger les criminels et masquer les fautes des ennemis d'hier, que dans une vraie démocratie, les documents ne doivent pas être secrets, qu'un jour tu les trouverais et tu le confondrais lui et son gouvernement. Tu trouverais même mieux, quelque chose qui le concerne d'assez près, et ce serait un véritable Watergate. Ta réponse avait été si ferme, si décidée, si menaçante, qu'il s'en est vraiment inquiété et le lendemain, te rencontrant dans un couloir, il est venu vers toi les bras tendus : « Cher, très cher ami, il y a entre nous un malentendu qu'il faut effacer, pourquoi ne venez-vous pas dîner et qu'on en discute calmement ? Ma femme serait ravie de faire votre connaissance, cher ami, et ma fille qui est une de vos admiratrices, aussi ! » Mais toi, feignant de ne pas voir ses bras tendus, et gardant une main dans ta poche, de l'autre tu as pointé l'embout de ta pipe vers lui : « Ecoute-moi bien, Averof. Quand il y a un Parlement, c'est au Parlement qu'on discute des problèmes du pays : pas pendant un dîner entre la poire et le fromage. » Quelques jours plus tard, le 24 février, les officiers qu'Averof n'avait pas renvoyés tentèrent le coup d'Etat dont tu parlais.

Beaucoup de gens disaient qu'il s'agissait d'un projet de coup d'Etat, pas d'une tentative. L'armée de terre n'avait adhéré que partiellement, la Marine et l'Aviation, pas du tout et, en fait, il n'a pas été difficile de briser ce mouvement en arrêtant trente-sept officiers. Mais quand je suis venue à Athènes une semaine plus tard, tu étais encore tout bouleversé et sans même m'accorder un sourire, tu m'as tendu dix feuillets manuscrits : « Lis. — Qu'est-ce que c'est ? — Des notes pour un article que je veux publier en Italie. — Pourquoi en Italie et pas en Grèce ? — Parce que, en Grèce personne ne le publierait. » Je lis. Voici ce que tu disais : « *Un.* Cela semble trop diabolique pour être vrai et pourtant c'est vrai dans la mesure où c'est justement diabolique. La tentative du coup d'Etat du 24 février dernier ne fut en fait pas du tout une tentative avortée mais un coup d'Etat qui n'était pas loin de réussir : elle correspond aux objectifs que le ministre de la Défense Averof désirait atteindre pour pouvoir mettre en œuvre son plan. Le plan d'Averof était et est encore aujourd'hui de faire revenir le roi dans son pays, et de devenir le maître de la Grèce, ce qui conviendrait parfaitement à la CIA. (Expliquer qu'Averof dispose de l'appui de la CIA depuis toujours, qu'il travaillait pour le KYP à l'époque de la Junte et donc pour la CIA.) *Deux.* Averof était parfaitement au courant de ce qui se préparait pour la nuit du 24 février. On l'avait bien informé que les officiers de Joannidis, ceux qu'on appelle les kédafistes, étaient sur le point de prendre en main le pays et qu'à Athènes 60 p. 100 de l'armée de terre étaient de leur côté. (Expliquer que les services secrets sont désormais sous les ordres d'Averof qui, en tant que ministre de la Défense, contrôle aussi bien l'ESA que le KYP.) *Trois.* Peu de jours avant le coup d'Etat, Averof avait même permis qu'un des insurgés, un général d'infanterie du pentagone grec, se rende à la prison de Koridallos pour faire « une visite de courtoisie » à Joannidis. (Expliquer que les seules visites autorisées sont celles de la famille et des avocats.) *Quatre.* En fait

Averof voulait ce coup d'Etat. Première étape vers son objectif. Il pouvait ainsi chasser de l'armée une quarantaine d'officiers qui avaient compris quels étaient ses projets et qui n'étaient pas disposés à lui prêter main-forte. (Expliquer qu'avec ce putsch il a réussi à en écarter trente-sept.) *Cinq.* On doit se demander si Caramanlis a effectivement compris qu'Averof cherche à mettre en place un régime dictatorial, prétendument parlementaire, c'est-à-dire avec un Parlement qui ne servirait qu'à bavarder et non à guider la politique du pays. (Expliquer qu'Averof, en traitant avec les putschistes et les manipulant à sa guise, a promis de donner à leur kédafisme une forme civile, européenne, et cætera.) *Six.* Même s'il a compris, la marge de manœuvre de Caramanlis est étroite. Il n'est pas aussi puissant qu'il voudrait le faire croire quand il déclare qu'il n'y a pas de service dans son gouvernement auquel il n'ait pas accès comme il l'entend. Ce service existe : il s'appelle ministère de la Défense. (Expliquer que Caramanlis ne peut chasser Averof car Averof est le chef de l'armée et celui qui commande l'armée en Grèce donne des ordres même au Premier ministre ; expliquer qu'une lutte sourde, secrète, très dure existe entre les deux hommes.) *Sept.* A quoi faisait allusion Caramanlis quand, répondant aux questions concernant le coup d'Etat, il a dit qu'en plus de la menace du fascisme il y avait d'autres dangers et que sa vie était la plus menacée de toutes ? (Expliquer que le coup d'Etat s'est résolu par un compromis entre Caramanlis et Averof.) *Huit.* D'un seul coup, donc, Averof a réussi à tromper tout le monde : de Caramanlis à Joannidis. Maintenant, les kédafistes ont bien compris qu'on ne peut faire un coup d'Etat ni rétablir une Junte sans l'appui d'un homme politique. Un homme avec les capacités politiques et intellectuelles d'un Averof, pas un petit soldat primaire comme Joannidis. Mais pour que les kédafistes puissent comprendre cela, il fallait les soustraire à l'influence de Joannidis. (Expliquer que c'est pour cette raison qu'Averof ne tenait pas à arrêter Joannidis et qu'il l'avait prié de partir à l'étranger en l'assurant qu'il se chargerait de l'expatriation clandestine et des frais de séjour à l'étranger. Expliquer que Joannidis n'a pas accepté cette proposition d'Averof en partie par orgueil et en partie parce qu'il connaissait sa propre force au sein de l'armée.) *Neuf.* Averof n'est pas un cheval qui court des courses faciles pour arriver premier. La façade du pouvoir ne l'intéresse pas et il sait être patient. Le futur dictateur de la Grèce s'appelle Averof. (Exiger le titre Averof égale futur dictateur de la Grèce.) »

Je t'ai rendu tes notes, perplexe. « Tu es sûr de vouloir en faire un article ? — Absolument sûr, et tu m'aideras. — Tu sais qu'ils te demanderont des preuves de ce que tu affirmes. — Je les ai. — Toutes ? — Il ne m'en manque qu'une : qu'il travaillait pour le KYP sous la Junte. Mais tôt ou tard, je la trouverai. Je sais où elle est. — Où ? — Dans les archives de l'ESA. — Bon. Au travail. » Pendant une semaine, nous avons travaillé, et la semaine suivante l'article a paru avec le titre que tu désirais. Ça n'a pas plu à tout le monde. Et les mystérieux visiteurs qui avaient fait une croix sur les dates 17/11/1968-17/11/1974 te l'ont annoncé par un message encore plus sinistre sur la porte de ton nouveau bureau, rue Kolokotroni.

* * *

A Noël, tu avais loué un nouveau bureau pour disposer d'un local confortable adapté à tes nouvelles fonctions, c'est-à-dire qui te permette d'habiter en ville. C'est surtout à cause de la rue, toute proche du Parlement, qu'il t'avait plu, mais aussi à cause de l'immeuble, un peu désuet et modeste, mais charmant. Ce charme mélancolique des maisons fin de siècle, avec les murs décrépits, les balcons en fer forgé, et les géraniums aux fenêtres. L'entrée n'était pas belle car elle n'était séparée d'un magasin de machines textiles que par une paroi vitrée (détail important, on le verra dans l'histoire de ta mort) et parce qu'un concierge hostile et baveux sommeillait, toujours assis sur une chaise en paille, mais cependant l'enchantement reprenait dès qu'on arrivait à l'ascenseur. Un vieil ascenseur qui gémissait et faisait de terribles craquements, s'arrêtait souvent entre deux étages, et quand il arrivait directement au troisième on chantait victoire. Au troisième étage, il n'y avait que ton appartement (détail important aussi dans l'histoire de ta mort) composé de cinq pièces, d'une salle de bains et d'une cuisine de part et d'autre d'un unique couloir. Tu avais arrangé les trois premières pièces en bureau et salle d'attente pour les gens qui venaient te voir, et dans la quatrième, se trouvait ton sanctuaire, ton bureau ; la dernière pièce qui se trouvait face à la cuisine et à la salle de bains, tu l'avais transformée en chambre-séjour identique à celle de la maison dans les bois. Nous l'avions, en effet, meublée, de la même manière que la maison dans les bois, achetant les meubles en Italie et j'étais justement venue t'aider à disposer de manière identique les bibelots, les tapis, les tableaux, les rideaux, les lampes. Dans la chambre de séjour, le grand lit-divan, la bibliothèque style XIXe, le trumeau du XVIIIe, la table ronde, le fauteuil art nouveau, la tapisserie française ; dans ton bureau, la longue table en bois massif, de style florentin, le siège de cardinal, les chaises confortables pour les visiteurs bienvenus et non confortables pour les intrus, l'écritoire à tiroirs secrets pour cacher les documents que tu-aurais-trouvés-un-jour-pour-détruire-Averof. Sur les murs, un échantillon de ton indépendance politique : une reproduction du tableau de Pelizza da Volpedo, les paysans du « Quart-Etat », une copie de la première page de la Constitution américaine, une plaque en cuivre avec une reproduction de l'épitaphe écrite par Piero Calamandrei sur le massacre de Marzabotto « Maintenant et toujours Résistance », un parchemin avec les premiers vers de la *Divine Comédie,* et un portrait de Sun Yat-sen. Nous avions travaillé pour tout mettre en ordre puis, à la tombée de la nuit, nous étions sortis dîner chez Tsaropoulos et nous rentrions maintenant enlacés, en riant parce que l'ascenseur ne s'était pas arrêté entre deux étages : « Il l'a fait, il l'a fait ! » Toujours en riant, nous sommes sortis sur le palier, nous avons allumé la minuterie et nous nous sommes approchés de la porte. C'est alors que nous l'avons vue : une tête de mort, cette fois, une grande tête de mort noire, dessinée sur du papier d'emballage, collée avec du scotch, sous ton nom.

Je me rappelle parfaitement bien ta réaction. D'abord ton bras s'est raidi autour de mon épaule et pendant quelques secondes tu es resté immobile à fixer la tête de mort. Puis, avec une lenteur exaspérante, tu t'es écarté de moi et tu as arraché le scotch, détaché le papier que tu as glissé dans la poche de ta veste. Puis tu as introduit la clef dans la serrure et sur la pointe des pieds, dressant l'oreille, attentif au moindre bruit, tu es entré pour inspecter chaque pièce et vérifier que personne ne s'y cachait. Enfin, tu es revenu sur tes pas, fermer la porte à double tour, et sourd à mes protestations, maintenant-ça-suffit, repose-toi-maintenant, tu t'es lancé dans un monologue interminable, fait de calculs, de craintes, de supposi-tions : « Hum ! Bizarre ! Voyons un peu. Nous sommes sortis à dix heures et à dix heures, la porte d'entrée est fermée. C'est donc quelqu'un qui s'est introduit avant et qui a attendu notre sortie. Ou quelqu'un qui a les clés de la porte d'en bas. Dans les deux cas, c'est quelqu'un qui ne plaisante pas. Hum, je dois changer la serrure. Je dois aussi éviter de me faire surprendre seul, surtout la nuit. Demain soir, il faudra qu'on trouve trois ou quatre personnes qui nous accompagnent pour dîner. Il faut que j'aie toujours un témoin avec moi. Pas un seul, plusieurs : au moins trois ou quatre. — Témoins de quoi ? — D'un accident, d'une provocation. Supposons qu'un ivrogne ou un faux ivrogne m'attaque quand je marche dans une rue déserte, ou que quelqu'un essaye de m'écraser avec une voiture, me jeter du haut d'un pont ou d'un ravin. Si je n'ai pas de témoin, comment démontrer que j'ai été provoqué ou attaqué ? On pourra toujours dire qu'il s'agit d'un accident. Et si je n'ai qu'un seul témoin, toi par exemple, et que ce seul témoin meure avec moi ? Il faut que je rentre à la maison très tard le soir. Jamais entre minuit et deux heures du matin, ce sont les heures les plus dangereuses. Après deux heures du matin, ils se fatiguent, ils pensent que tu ne rentreras plus et ils s'en vont. Hum ! En sortant, toujours laisser une lumière allumée pour qu'ils pensent qu'il y a quelqu'un à la maison. Et attention à l'escalier. L'escalier c'est l'endroit le plus dangereux. Aucune surveillance et cette maudite minuterie… » Je t'écoutais, incrédule : même du temps de la maison dans les bois, tu n'avais pas réagi ainsi, en planifiant de manière aussi minutieuse les précautions à prendre et passant en revue toutes les attaques possibles. Le danger tout à coup ne te séduisait-il plus, n'était-il plus la pluie bienfaisante, la lymphe sans laquelle tu dépérirais ? Etait-ce une crise passagère ? Oui, il devait s'agir d'une crise passagère, ce fut ma conclusion. Mais le lendemain, tu as pris les précautions que tu avais énumérées la veille et tu l'as fait, sans aucune dérogation, jusqu'à quelques jours avant ta mort.

Les précautions que tu prenais en rentrant le soir après dîner étaient pour le moins surprenantes. En effet, si aucun « témoin » ne t'accompagnait tu ne rentrais pas directement à la maison : tu t'arrêtais sur le trottoir d'en face, tu observais les environs pendant quelques minutes et après avoir vérifié que personne n'était aux aguets, tu traversais la rue en courant, tu ouvrais rapidement la porte, tu la refermais aussitôt derrière toi. Dans l'entrée tu avançais sur la pointe des pieds, me foudroyant du regard au moindre bruit de talon, comme si dans le noir se cachaient des hordes d'agresseurs, jusqu'au coin où se trouvait le bouton de la minuterie que tu pressais en poussant un léger soupir de soulagement. Mais si derrière ce coin, tu ne trouvais pas le vieil ascenseur, c'était la catastrophe. Oubliant ton soulagement, tu fronçais les sourcils, tu commençais à bougonner ça-y-est-ils sont-montés-et-ils-m'attendent-là-haut, et pour vérifier tes dires, tu l'appelais en chronométrant le temps qu'il mettait à descendre, tu savais qu'il lui fallait exactement cinquante huit secondes pour aller du troisième étage au rez-de-chaussée et, si par hasard, tu comptais exactement cinquante-huit secondes, tu pâlissais, tu portais ton index à la bouche et tu m'imposais le silence le plus absolu. « Chut ! Chut ! » Retenant notre souffle, nous nous glissions dans la cabine, nous montions, nous sortions prudemment en faisant bien attention à éviter le moindre bruit. Avec quelle circonspection introduisais-tu la clef dans le trou de la serrure, entrouvrais-tu la porte, et sifflais-tu ton imperceptible « chut ! chut ! ». Puis soudain, changement de jeu. Tu t'élançais comme un chat sauvage dans la première pièce, puis dans la seconde, dans la troisième, la quatrième, tu ouvrais toutes grandes les portes, tu regardais derrière les bureaux, tu inspectais la salle de bains, la cuisine, les moindres recoins : tu arrivais ainsi jusqu'à la chambre toujours fermée à double tour. Mais dans la chambre ton élan ne s'arrêtait pas car alors tu te penchais à la recherche d'intrus sous le lit, tu te mettais à ouvrir les tiroirs, à déplacer les livres, à fouiller parmi les papiers que tu avais laissés à un endroit précis pour pouvoir contrôler si on avait touché quelque chose. Et chaque fois, je te suivais, sceptique, et résignée, te disant inutilement tu-vois-il-n'y-a-personne, personne-n'est-venu, ou me demandant si tu ne souffrais pas d'une psychose, d'une manie de persécution. Tu avais même recommencé à employer le truc du cheveu : on laisse un cheveu ici, un autre là et si on ne le retrouve pas cela signifie que quelqu'un est entré pour fouiller. Une nuit, tu n'as pas retrouvé le cheveu collé à la poignée de la porte, et tu as continué à chercher pendant des heures : « Un cheveu c'est une preuve. S'il n'y est plus, cela veut dire que quelqu'un est entré. — Mais qui donc, Alekos ? — Je le sais très bien, moi. » La question relative aux éventuels intrus restait toujours sans réponse. Bientôt je n'y attachai plus d'importance : d'autre questions prenaient la place de celle-là.

Après la tête de mort, en effet, tu avais changé du tout au tout : la réalité te blessait dans ses manifestations les plus insignifiantes, les plus banales. Tu avais des réactions quasi hystériques, tu te fâchais plus que nécessaire, tu souffrais plus qu'il ne fallait, tu avais des crises qui me laissaient désarmée. La soudaineté avec laquelle tu as interrompu ton voyage à Moscou, par exemple.

.*.

« Allô ? Salut, c'est moi, je pars pour Moscou. — Moscou ? — Oui, ils m'ont invité à un congrès international de la jeunesse et je veux aller y faire un tour. — Alekos, ce n'est pas l'endroit qui te convient. — Je sais mais je suis quand même curieux. — Quand pars-tu ? — Maintenant, tout de suite. — Et quand reviens-tu ? — Dans deux semaines, ils m'ont invité pour deux semaines. » Trois jours plus tard, pourtant : « Allô... Salut... C'est moi. » Une voix abattue, ennuyée. « Tu m'appelles de Moscou ? — Non, je suis à Athènes. — Ah, tu n'y es pas allé, finalement ? — Si, j'y suis allé. » — Comment est-ce possible ? On s'est parlé il y a à peine trois jours ! Ce n'est pas possible. — Mais si c'est tout à fait possible. Demain, je serai à Rome, je te raconterai. » Le lendemain, te voici à Rome, le passeport à la main, et les tampons prouvent que tu as effectivement été à Moscou, trois jours. « Alekos ! Trois jours ! — Non, deux et demi. — On t'a chassé? — Non, pas du tout, je me suis enfui. — Echappé? Sans rien voir? — J'ai tout vu. — Alors, qu'est-ce que tu as vu? — J'ai vu la place Rouge, avec ses clochers qui ont des étoiles à la place des croix : ce qui revient au même. J'ai vu le Saint-Sépulcre, le Mausolée de Lénine. J'ai vu les fidèles qui font la queue pour prier sur la sainte relique, la momie de Lénine. Bien en rang, comme des moutons, idiots. J'ai vu le palais des Congrès. Et puis, j'ai vu... j'ai vu... — Quoi donc? — J'ai vu trois policiers frapper un homme exactement comme Théophiloyannacos et Babalis me frappaient moi. Pas à la Loubianka au cours d'un interrogatoire, non : dans le bar d'un hôtel. L'hôtel des riches et des étrangers, munis de devises, le Rossia. Ils le frappaient parce qu'il voulait entrer sans être ni riche ni étranger, un citoyen quelconque qui voulait boire comme un riche ou un étranger muni de devises. Des coups de savates dans la figure, sur la tête, dans les parties génitales. Ils le massacraient. Et il criait : " Svobòdou! Svobòdou! " Je ne savais pas ce que cela signifiait mais un Grec, l'interprète, me l'a expliqué tout de suite. Cela veut dire " Donnez-nous la liberté! Donnez-nous la liberté! " J'ai avalé de travers le vin que je buvais. Je l'ai recraché par les yeux. J'avais envie de pleurer. Et je suis sorti, je suis rentré à l'hôtel, j'ai fait mes valises et le lendemain matin, je suis rentré à Athènes. — Pour ça? — Pour ça, cataraméné Cristé! Dans mon pays, la dictature a duré huit ans, mais eux, ça fait cinquante-huit ans qu'ils la subissent, cataraméné Cristé! — Eh bien, tu ne savais pas? — Bien sûr que je le savais mais j'ai pleuré quand même. — Et si au lieu de pleurer, tu étais resté quelques jours de plus? — Je n'en pouvais plus, je n'en pouvais vraiment plus. Svobòdou, svobòdou! Et les coups pleuvaient. Il ne m'est resté qu'un cri : svobòdou, svobòdou! Et une petite chanson que quelqu'un chante à voix basse parce que presque tout le monde se réfugie dans le silence et dans la peur. Tiens, je me la suis fait traduire. » C'était une chansonnette ironique sur les passagers du métro qui, à Moscou, doivent rester sur leur gauche pour arriver au portillon et descendre : « Dans mon métro, je ne suis jamais mal à l'aise / car dès mon enfance / c'est comme une chanson / où à la place du refrain / il y a une cantilène / Arrêtez-vous à droite, avancez à gauche / Ordre éternel, ordre sacré / Celui qui s'arrête à droite s'arrête / Mais celui qui doit s'approcher de la portière pour descendre doit toujours rester à gauche. » Pas moyen de t'en faire raconter davantage ce jour-là. Par contre, tu ne faisais que répéter en hochant la tête : « Tout ce voyage a été inutile, une erreur, je ne veux plus y penser. »

Il m'a fallu très longtemps pour reconstituer tout ce qui t'était arrivé au long de ce voyage inutile, une erreur, au cours duquel une vérité banale et insignifiante t'avait blessé au point de te faire pleurer et fuir. Voilà ce qui s'était produit. Un général de soixante-quatorze ans, couvert de médailles du cou à la taille, t'avait reçu à l'aéroport en te disant qu'il était le chef de la Jeunesse soviétique. Puis, à bord d'une limousine noire, il t'avait conduit au palais des Congrès où il n'y avait pas un seul jeune à la tribune : il n'y avait que des vieux généraux semblables à celui qui t'avait accueilli à l'aéroport, recouverts comme lui de médailles du cou à la taille. Sans que les jeunes n'osent rien dire, les vieux s'affairaient autour du micro et parlaient exclusivement de Lénine, de Marx, de la bataille de Stalingrad : jamais d'autre chose. Cette histoire avait éveillé en toi une rage impuissante, comme un sentiment de culpabilité pour avoir accepté ce voyage, et quand la séance avait été levée, tu avais refusé un billet pour le Bolchoï. Tu t'en fichais pas mal du Bolchoï, du ballet, du *Lac des cygnes*, tu voulais rester seul. Tu t'es libéré du Grec, l'interprète, en lui disant : je-vais-me-reposer-un-peu et tu es allé te promener au hasard des rues. Tu voulais voir la place Maïakovski où Vladimir Boukovski et son groupe du *Phare* lisaient des poésies de Jurka dans les années 60. « C'est moi / je vous invite à la vérité et à la révolte / je ne veux plus servir / et je vais briser vos chaînes noires / tissée de mensonges. » En marchant, c'est surtout à lui que tu pensais car c'est de lui que tu te sentais le plus proche, mais tu pensais aussi à Pliouchtch, à Grigorenko, à Amalrik, aux ouvriers, aux étudiants, aux citoyens inconnus, à tous ces êtres anonymes, milliers d'individus semblables à toi qui, pour avoir demandé un peu de liberté de pensée et d'action, pour s'être révoltés contre le dogme, languissaient mainte-nant dans leurs cellules de l'ESA et de Boiati, crucifiés par leur Malios, leur Babalis, leur Théophiloyannacos, leur Hazizikis, leur Zakarakis, ignorés ou trahis par la peur et par l'indifférence du peuple qui se tait, subit ou collabore. Tu marchais depuis environ un quart d'heure, lorsque tout d'un coup tu as compris que tu t'étais trompé de chemin ; tu étais maintenant sur une place ronde avec une statue au milieu et un grand bâtiment sur un bord. Tu t'étais arrêté, regardant tantôt l'une, tantôt l'autre, en proie à un malaise inexplicable, une espèce de froid qui te transperçait les os. La statue, haute sur son socle, inaccessible à cause de la circulation qui tournait autour, était celle d'un homme debout, au garde-à-vous même, avec un manteau qui lui arrivait aux chevilles. Grand, maigre, sévère comme un moine. Le bâtiment était monumental, gris, peut-être du XIXᵉ ou début du XXᵉ et il n'avait de fenêtre ni au premier ni au dernier étage · au premier coup d'œil, on aurait pu penser à un musée, une académie ou un ministère. Mais d'instinct, tu sentais qu'il n'avait rien à voir avec tout cela, il était à la fois terrible et familier, et qu'il devait avoir un rapport avec la statue du moine au long manteau arrivant jusqu'aux chevilles. Tu étais rentré. Aussitôt arrivé à l'hôtel, tu avais demandé de quelle place, de quel bâtiment, de quelle statue il s'agissait, et comme cela tu avais appris que la statue était celle de Félix Dzerzinski, le fondateur de la Ceka devenu GPU puis KGB, que la place était la place Dzerzinski et le bâtiment, la Loubianka : cathédrale de tous les ESA, de toutes les punitions, de toutes les tortures pour ceux qui désobéissent et cherchent un peu de liberté. L'envie de fuir t'avait pris à ce moment-là.

Tu voulais partir le matin même. Mais le matin, la limousine noire t'avait à nouveau capturé pour te ramener au palais des Congrès, parmi les vieux généraux qui ne parlaient que de Lénine, de Marx, de la bataille de Stalingrad, et tu étais resté jusqu'au début de l'après-midi, quand, avec l'excuse d'aller prendre l'air, tu avais sauté dans un taxi, et tu avais demandé qu'on te conduise au 48 B rue Chklova : là où habitait Andréï Sakharof. Espérons qu'il n'y ait pas de concierge, t'étais-tu dit, en descendant du taxi, les concierges sont presque toujours des mouchards de la police. Le concierge n'était pas là mais au 48 B rue Chklova s'élevait une ruche de douze étages, et où se trouvait Sakharof ? Tu n'avais pas pensé à ça, et toute une chaîne d'erreurs s'ensuivit. A la recherche de la liste des noms des locataires, tu étais entré, sorti, entré à nouveau. Tu t'étais retrouvé à un étage et tu avais sonné à une porte au hasard : « Sakharof ? — Niet ! » Deuxième sonnette : « Sakharof ? — Niet ! » Troisième : « Sakharof ? — Niet ! » Déconcerté par cette langue dont tu ne comprenais que ce non, ce niet brutal comme une gifle, tu étais sorti une énième fois sur le trottoir et tu te demandais s'il fallait insister ou non. Tu avais conclu qu'il valait mieux s'arrêter et que c'était peut-être déjà une bêtise d'être venu sans réfléchir et de t'être fait remarquer par trois locataires qui t'avaient répondu : « niet ». Heureusement personne ne t'avait suivi. Au moment même où tu disais Personne-ne-m'a-suivi, un homme, surgi de nulle part, apparut. Un homme avec une cigarette à la main. S'avançant vers toi en faisant le geste de quelqu'un qui voulait du feu, il te fixait droit dans les yeux : « Spika. Du feu, s'il-vous-plaît. » Tu lui as donné du feu en le fixant exactement de la même manière, en l'étudiant, et te disant qu'il ne s'agissait même pas d'un policier Les mains calleuses, les ongles sales, les vêtements usés, tout en lui racontait la misère d'un pauvre mercenaire vendu au KGB pour quelques kopecks ou par un chantage quelconque.

Alors, au lieu de la rage qui t'avait pris au palais des Congrès, tu avais éprouvé une grande tristesse. Tu avais marché jusqu'à une station de métro, la station Kursk, et avec quelques phrases en mauvais français, tu avais réussi à prendre le bon train, et descendre au bon arrêt. Arrivé dans ton hôtel, tu t'étais affalé épuisé sur le lit, et endormi d'un sommeil hanté de cauchemars. Joannidis et Hazizikis et Théophiliyannacos, au palais des Congrès, le buste couvert de médailles, évoquaient Lénine, Marx et la bataille de Stalingrad ; Averof rencontrait dans une chambre du Kremlin Jackson, l'assassin de Trotski et lui murmurait mon cher, tu-dois-me-rendre-un-autre-service ; Malios et Babalis sortaient de la Loubianka pour te traquer dans les rues de Chypre, d'Athènes, finissaient par t'attraper, justement au 48 B de la rue Chklova, après avoir arrêté Sakharof, qui n'avait pas le visage de Sakharof mais celui de Kanellopoulos le matin où il avait été arrêté en pyjama ; et au lieu de t'emmener à l'ESA ils te conduisaient à l'institut Sierbski où ils te mettaient une camisole de force et t'injectaient de l'amenzoïne : « Il-est-fou, il-ose-contester-le-régime, il-est-fou ! » Puis, à bord d'une camionnette, ils t'emmenaient à Boiati pour t'enfermer dans une cellule, à côté de celle de Boukovski et de Pliouchtch, que tu appelais : « Vladimir ! Léonid ! Ime edo ! Je suis ici ! Imesta masi ! Nous sommes ensemble ! » Mais ils ne comprenaient pas parce qu'ils ne parlaient pas le grec et Zakarakis riait : « Je te l'avais bien dit que ça ne te servirait à rien d'apprendre l'italien. Pourquoi n'as-tu pas appris le russe qui est la langue des grandes puissances ? Ou l'anglais et le russe ? » Tu t'étais réveillé trempé de sueur, c'était la nuit déjà, et tu as aussitôt appelé l'interprète grec : « Je veux me soûler, apportez-moi à boire. » Il te semblait n'avoir jamais eu, à ce point, envie de boire, de te soûler, d'oublier que, où que tu ailles, c'était toujours la même merde, le même désespoir. Le Grec était revenu. Mais il était presque onze heures, le bar de l'hôtel allait fermer, et à Moscou, il n'y avait pour boire d'autres lieux que les bars des hôtels. Tu étais parti, alors, à la recherche d'un bar qui ne ferme pas à onze heures, absurde pèlerinage à travers la ville qui s'est terminé au bar du Rossia où tu n'avais pas pu te soûler car à peine avais-tu commandé une bouteille de vin, que trois policiers étaient arrivés et s'étaient mis à frapper ce citoyen qui prétendait boire comme les riches et les étrangers qui ont des devises. « Svobòdou ! Svobòdou ! Svobòdou ! »

Voilà, c'étaient des réactions comme celles-là, si intenses, si exagérées, qui m'amenaient à penser que tu avais complètement changé. Et ce n'était pas tout, parce qu'après l'histoire de la tête de mort, quelque chose avait explosé en toi. Une exubérance excessive, rageuse, une sorte de gaieté sans bonheur. Tu sais l'exubérance et la gaieté de Dionysos qui court dans les bois en ricanant, joue du pipeau et s'ébat avec les faunes et les ménades : la tête ceinte de lierre, le pénis anxieux en érection, et les yeux pleins de larmes.

*

Dionysos n'est pas un dieu heureux, il est même le dieu le plus tragique car c'est lui qui exprime le spasme de la vie, et l'inéluctable de la mort : Dionysos est un dieu qui meurt, qui naît et renaît pour être tué. Pour que son corps puisse modeler l'Homme, les Titans doivent le mettre en pièces et le cuire ; pour que pousse la plante qui donnera le vin à l'Homme, Déméter doit enterrer ses restes suppliciés. Dionysos est la vie inséparable de la mort, la malédiction de la naissance, le refus inconscient de mourir. Ce n'est pas par hasard que son culte est une orgie violente et désespérée, que sa gaieté est pétrie de souffrance, et son brio de douleur. Eh bien, parmi tes mille visages, il y a toujours eu celui de Dionysos qui court dans la forêt, ricanant, jouant du pipeau, s'ébattant avec les faunes et les ménades : « On joue ? » Il y avait toujours eu cette impulsion vitale. Brutalement, cependant elle revêtait un aspect frénétique, exaspéré, comme s'il s'agissait d'une comédie destinée à te tromper et à t'aider à supporter l'idée de la mort. Tu ne restais plus tranquille, tu n'arrivais plus à t'arrêter pour réfléchir. Tu ne réussissais plus à te tenir loin de la foule, de la cohue. Même les jours où tu n'allais pas au Parlement, tu te mélangeais aux gens qui, du matin au soir, emplissaient ton bureau comme la salle d'attente d'un dentiste à la mode. Des adulateurs à la recherche d'un appui, des bons à rien qui voulaient une protection, tous les symboles de la politique de clientèle que tu méprisais. En somme, des gens que tu n'aurais même pas dû recevoir mais avec lesquels tu bavardais en buvant des bières, des jus d'oranges, des cafés. Je vous en prie, une autre bière. Vingt, trente personnes par jour. Et si je te demandais, un peu amère, mais à-quoi-cela-sert-il, tu répondais avec vanité : « A rien ! A vivre. Ça m'amuse. » Puis, quand le dernier visiteur s'en allait, vers dix heures du soir, te laissant épuisé, la première étape de ton rite commençait. Avec le prétexte des « témoins », tu rassemblais tous ceux qui te tombaient sous la main, souvent des parasites, dont la seule intention était de tirer profit de ta prodigalité, et tu entraînais tout ce beau monde dîner au restaurant, et plus ils étaient nombreux, et plus tu semblais content, plus tu mangeais et buvais de bon cœur. Des litres et des litres de vin, des plats l'un après l'autre tandis que toi, tu prêchais, tu catéchisais, tu fanfaronnais, brillant, bruyant, volubile, infatigable · si un invité, vaincu par le sommeil, se hasardait à te demander, mais-tu-ne-dors-donc-jamais, tu te fâchais. Ou tu répondais sèchement : « Quand je serai mort j'aurai l'éternité devant moi pour dormir. » Et cela durait jusqu'à deux, trois heures du matin, c'est-à-dire jusqu'au moment où les garçons commençaient à retourner les chaises sur les tables pour te rappeler que les autres étaient déjà partis. Alors seulement, tu te levais, tu payais pour tout le monde, laissant un pourboire royal et tu sortais en disant : « Bon, allez, on déménage ! » Mais dès que tu étais dans la rue, le bon sens disparaissait, et enflammé d'une nouvelle vigueur, tu avais recours à mille astuces pour prolonger la nuit, et traîner ta suite abrutie de sommeil : « Musique ! Bouzouki ! »

La boîte que tu préférais était un club de banlieue, gigantesque et détestable. Je ne pouvais pas la supporter, d'abord parce qu'on y jouait du bouzouki si fort qu'on était assourdi dès l'entrée, le tympan crevé, et puis parce qu'il y avait quelque chose de macabre, de funèbre, dans cette salle : le jeu des projecteurs, par exemple, qui déchirait la scène d'éclairs rouges, jaunes, verts, violets jusqu'à ce que tes yeux brûlent de scintillements qui changeaient sans arrêt, comme un manège qui tourne, qui tourne, jusqu'à en avoir la nausée. Mais tu voulais absolument une place près de l'orchestre, où l'orgie infernale de bruit et de fracas était la plus assourdissante et où la méchante tempête de lumière et d'éclairs était la plus aveuglante. Ce chaos était exactement ce que tu cherchais, ce dont tu avais besoin pour te sentir vivant, tu commandais à nouveau du vin, et tu t'abandonnais à la jouissance de plaisirs morbides. Il était impossible, sans te connaître, de soupçonner l'effet que cet ignoble lieu te faisait, car rien n'en transparaissait dans ton comportement. Silencieux, correct, le seul excès que tu te permettais était d'appeler la fleuriste, de lui acheter tous les gardénias de son panier et de les lancer sur les chanteurs avec un grand geste théâtral. L'effet n'en n'était pas moins sauvage et lugubre. On aurait dit qu'une fièvre sexuelle, un orgasme, avaient investi ton corps et ton esprit, déchaînant des désirs inavoués et refoulés, les mêmes qu'à Egine, la veille de ton exécution, quand tu avais rêvé que tu étais une graine, dont le volume doublait, triplait, décuplait, qui devenait si turgescente que son enveloppe finissait par éclater et l'explosion recouvrait la terre de mille graines qui se transformaient en fleurs, en fruits, puis à nouveau en graines qui doublaient, triplaient, décuplaient indéfiniment ; tu voulais posséder chaque femme qui bourgeonnait de ces fleurs et sachant que tu n'en aurais pas le temps, tu saisissais la plus proche, au hasard, tu la pénétrais aussitôt, en vitesse, tu la jetais pour saisir la seconde, la troisième, la quatrième, la cinquième. Je savais tout cela et le sachant, j'en souffrais, et en en souffrant j'évitais de te regarder mais il y avait toujours un moment où, poussée par la curiosité, je cherchais ton regard. Et ce que je voyais avait quelque chose de bestial : malgré le self-control que tu t'imposais, même ta physionomie était transformée. Tes yeux rapetissaient, tes lèvres s'empourpraient, tes narines se dilataient palpitantes, ta respiration se faisait plus lourde. Un soir, une éléphantesse et un éphèbe se sont élancés sur la piste. Elle était grosse, gélatineuse, suant dans une robe rouge. Lui était maigre, sec, sautillant dans un jean trop serré. Et ils se sont mis à danser sur un rythme à la fois lascif et hystérique : l'éléphantesse faisait ondoyer la masse de ses fesses molles et immenses, ballotter ses seins de manière exagérée ; l'éphèbe agitait avec turpitude son corps efféminé, impatient d'être possédé. Un spectacle, selon moi, vraiment répugnant, et j'allais te le dire quand j'ai entendu un bruit sec : clac ! Je me suis retournée, tu serrais entre les dents l'embout de ta pipe cassée en deux, tu tenais le fourneau dans la main ! « Alekos ! » Tu m'as répondu d'une voix torve : « Ne me dérange pas, je suis en train de baiser ces deux-là. »

Les nuits où le démon te possédait ainsi, il était presque impossible de t'arracher à cette maudite boîte de nuit. Il fallait attendre cinq, six heures du matin, et pas mal de bouteilles vides sur la table. Tu supportais le vin d'une manière hallucinante, Dieu sait à cause de quel phénomène physiologique ou psychologique, tu ne dépassais jamais l'ébriété invisible du premier stade, tu ne tombais jamais dans les excès du second, ni dans la catalepsie du troisième, au contraire, tu étais plein d'énergie. Et c'était la pire chose, car une fois arrivés à la maison, après avoir surmonté le tourment du couloir à traverser sur la pointe des pieds, supporté l'agonie de l'ascenseur qui pouvait se trouver à un étage, et alors, attention aux cinquante-huit secondes, après le supplice des contrôles dans chaque pièce, la recherche du cheveu qui pouvait avoir disparu, il fallait célébrer la dernière partie du rite : Dionysos qui exorcise la mort avec son phallus, et qui rend hommage à la vie en déchargeant tristement son sperme. Ce n'est qu'après ces étreintes furibondes, sinistres, sans amour, au rythme de l'invocation, i zoi-i zoi-i zoi, la-vie, la-vie, la-vie, que tu t'endormais. Moi, par contre, je restais les yeux grands ouverts, l'oreille tendue, à réfléchir, à entendre les balayeurs qui, à l'aube ramassaient avec bruit et en jurant les ordures de la rue Kolokotroni, je m'enfermais dans les éternels schémas avec lesquels on explique la vie, dans les concepts arbitraires du bien et du mal, je voyais dans chacun un symbole : se perdre soi-même comme cela, pourquoi faire ? Quel sens donner à ce vagabondage de tavernes en boîtes de nuit, cet avilissement à coups d'émotions dégradantes, de fantasmes malsains, cette excitation pour une éléphantesse géante et un éphèbe fluet? Où était passé le héros, la fable? Tu avais peut-être jeté l'ancre, mené ton bateau dans le port confortable du renoncement. Ou bien m'étais-je trompée, avais-je pris Don Quichotte pour le futile Peer Gynt? Avec de telles questions, je m'éloignais de toi, déçue, je retournais toutes ces questions dans ma tête, et j'étais de plus en plus persuadée de t'avoir attribué des vertus inexistantes ou qui avaient disparu. C'est à cette époque que je t'ai le moins aimé, et abjurant mon rôle de Sancho Pança, désormais inutile et sans signification, je me suis remise à travailler, à voyager, je suis retournée à ma vie que tu avais bouleversée, un après-midi fatal du mois d'août. On oublie toujours qu'un héros est un homme, rien qu'un homme, et qu'il est parfois plus facile de résister à la tyrannie, de subir des sévices, de languir pendant des années dans une cellule privée d'air et de lumière, que de se battre dans l'équivoque et les pièges de la normalité. J'ai mis très longtemps à comprendre que ta folie dionysiaque n'était que du désespoir, un sentiment d'inadéquation né en découvrant que tu t'étais lancé dans une entreprise au-dessus de tes forces, et donc impossible. Et ce n'est qu'après ta mort que j'ai compris qu'à dater de l'épisode de la tête de mort, tu savais que tu vivais ton dernier été.

*
* *

« Comment s'appelle la baleine de ce livre, la baleine blanche qui ne meurt jamais? — Moby Dick. — Et le capitaine du bateau, celui qui meurt en la pourchassant? — Achab. — Et le marin, le rescapé du naufrage qui raconte l'histoire de Moby Dick et Achab? — Ismaël. — Je t'appellerai Ismaël. Je signerai Achab. Donne-moi l'adresse. — Alekos, pourquoi éprouves-tu toujours le besoin de jouer au conspirateur? — Donne-moi l'adresse, te dis-je. » Je t'ai donné l'adresse. J'allais partir pour l'Arabie Saoudite, je me proposais de rentrer un jeudi, quinze jours plus tard, et tu voulais que je te laisse une adresse pour pouvoir me dire si nous nous rencontrerions à Rome ou à Athènes. Mais le télex qui est arrivé à Gedda ne mentionnait aucune des deux villes, il mentionnait Larnaka. C'est-à-dire Chypre. « Ismaël, midi, Larnaka. Stop. Pas de confirmation. Je répète pas de confirmation. Stop. Débrouille-toi. Stop. Achab. » Etrange. Pas tellement à cause du rendez-vous à Chypre où tu n'avais pas mis les pieds depuis sept ans, et où il me paraissait normal que tu aies envie de revoir des lieux ou des personnes qui avaient profondément marqué ta vie : mais du fait de la mise en scène, du fait que tu aies vraiment employé les noms d'Ismaël et d'Achab, que tu aies eu recours à un tel subterfuge pour éviter de répéter la date ou écrire le mot Chypre. Le seul renseignement concret était l'heure. Et surtout pas de confirmation : « Débrouille-toi ! » S'agissait-il d'une de tes plaisanteries, d'une de tes extravagances, ou bien existait-il un motif sérieux ? J'examinai l'horaire des avions. Tu l'avais vraiment bien étudié avant d'envoyer le télex : de Gedda, on ne pouvait arriver à Chypre que via Beyrouth et le vol de Beyrouth arrivait bien à midi. Puis j'ai eu un haussement d'épaules et me suis préparée à suivre tes consignes, et à Larnaka, te voici sur la piste : escorté par trois hommes, tu me cries triomphant : « Bravo ! Tu as réussi ! — Oui, mais ne valait-il pas mieux m'envoyer un télex moins sibyllin ? — Non, ils auraient compris que j'étais à Chypre. — Qui aurait compris, qui ne devait pas comprendre ? — Quelqu'un que je voulais mettre sur une fausse piste. J'ai quitté Athènes en disant que je voulais aller en Italie, à Florence. — Quand ? — Il y a une semaine. — Et tu t'es caché pendant une semaine, ici, à Chypre ? — Non, trois jours seulement. C'était suffisant pour que quelqu'un perde mes traces, en Italie. Maintenant, tout le monde sait que je suis ici. Demain, il y aura une réunion avec Makarios, à laquelle je participerai avec d'autres députés. — Explique-toi. — Il n'y a rien à expliquer. J'ai eu vent de quelque chose et j'ai pris des précautions. Allez, viens. » Nous sommes montés à bord d'une voiture qui devait nous conduire à Nicosie et en m'asseyant sur le siège avant, mes pieds ont buté sur une mitraillette. « Et ça ! Ça fait aussi partie de tes précautions ! » Tu as haussé les épaules : « Mais non. Les armes sont monnaie courante, ici. A Chypre, ce n'est pas ce qui manque. Ils croient que pour défendre un homme, il suffit d'avoir une mitraillette. Laisse tomber, regarde comme il fait beau ! »

Ta bonne humeur semblait sincère. On aurait dit une fois de plus que la conscience du danger te plaisait, te vivifiait. C'est peut-être pour cela que je n'ai pas accordé trop d'importance à toute cette histoire, que je n'ai pas voulu en savoir davantage, en te demandant qui était ce mystérieux « quelqu'un ». Petit à petit, je commençais même à soupçonner que tu aies pu inventer toute cette comédie pour ne pas t'ennuyer. Moby Dick, Achab, Ismaël : si le bruit d'une menace était arrivé jusqu'à toi, et si tu l'avais pris au sérieux au point de chercher à brouiller les pistes en Italie, pourquoi donc avais-tu justement choisi Chypre où il était plus facile qu'ailleurs de tuer quelqu'un ? Et puis, personne ne t'avait vu quand tu as embarqué pour Chypre en disant que tu allais en Italie ? Les employés de la compagnie aérienne, les fonctionnaires de la police des frontières, tous les gens qui suivent les départs ne s'en étaient-ils pas rendu compte ? Tu avais bien voyagé sous ton nom, avec ton passeport, oui ou non ? Sornettes ! Probablement, tu n'étais pas venu il y a une semaine, mais en même temps que les autres parlementaires invités à la réunion avec Makarios. « Fais-moi voir ton passeport ! — Tu ne me crois pas, hein ? Comme tu ne m'as pas cru pour les trois jours à Moscou ? — Non. — Le voici. » En fait, le tampon datait bien d'une semaine, mais le doute subsistait, renforcé par le fait que tu habitais dans une espèce d'auberge, proche de la ligne de démarcation, alors que les autres députés logeaient dans un hôtel confortable. « Alekos, pourquoi n'allons-nous pas dans un hôtel décent, nous aussi ? — Parce que celui-ci appartient à un ami en qui j'ai une confiance absolue. Je m'y sens en sécurité. » Il y avait, en effet, une seule entrée et trois jeunes gens armés de mitraillettes étaient de garde, à tour de rôle, même la nuit. Quant à la particularité qu'un garde du corps te suive partout, se tenant certes à distance pour ne pas se faire trop remarquer, n'avais-tu pas dit qu'à Chypre les armes étaient monnaie courante ? Un soir, pourtant, j'ai eu peur. Nous nous étions rendus chez Makarios pour le saluer et la conversation était tombée sur les documents de l'ESA : ceux que tu avais évoqués dans ta violente altercation avec Averof, ceux que tu allais chercher pour-le-démasquer-lui-et-son-gouvernement. « Eminence, il y a beaucoup de choses à découvrir en ce qui concerne le coup d'Etat à Chypre. Je crois savoir que Joannidis est tombé dans un piège tendu par la CIA et par certains politiciens grecs. Les preuves sont contenues dans ces documents. » Makarios t'avait répondu que s'il en était ainsi, en cherchant ces documents, tu risquais ta peau, et il m'avait même répété : « Very risky ! Very ! Très, très risqué ! » De retour à l'auberge, nous en avons discuté. « Alekos, tu as entendu ce qu'en pense Makarios ? » Et toi : « Ne l'oublie pas dans le livre. — Quel livre ? — Le livre que tu écriras après ma mort. — Quelle mort ? Tu ne mourras pas et je n'écrirai aucun livre. — Je mourrai et tu écriras un livre. — Et si je mourais avant toi ou avec toi ? — Tu ne mourras ni avant moi, ni avec moi. Ismaël ne meurt ni avant Achab ni avec Achab. Parce qu'il doit raconter son histoire. »

Mais en disant cela, tu riais et j'en ai fait de même. Un an plus tard, seulement, en parcourant les chemins empruntés par tes assassins, j'allais découvrir une coïncidence terrifiante. Deux Grecs étaient arrivés en Italie la semaine où tu étais parti pour Chypre en faisant croire à tout le monde que tu te trouvais à Florence. Ils se sont justement rendus à Florence, hébergés par deux concitoyens,

Cristos Grispos et Notis Panaiotis, étudiants en architecture. Les deux hommes affirmaient qu'ils étaient venus passer leurs vacances, et qu'ils s'étaient connus par hasard, sur le bateau qui va de Patras à Ancone. Drôle d'amitié étant donné que l'un d'eux se disait être un papandréiste ex-sympathisant communiste et que l'autre se déclarait nazi. Drôles de vacances, d'ailleurs, étant donné qu'ils avaient choisi Florence, mais qu'ils n'ont jamais visité la ville : le jour, ils restaient presque toute la journée, enfermés, dans la maison à attendre un coup de téléphone qui n'arrivait pas, le soir ils sortaient toujours avec l'air de chercher quelque chose ou quelqu'un qu'ils ne trouvaient pas. Et en rentrant, ils semblaient furieux. Au bout d'une semaine, ils étaient repartis déçus. Déçus par quoi ? Le nazi était un blond, aux yeux bleus et froids, au visage fermé, haineux. Il parlait très peu et saluait en faisant claquer les talons comme un militaire en s'écriant : « Heil Hitler ». Il se faisait appeler Takis et possédait, à Athènes, plusieurs magasins de photocopieuses. D'après le portrait que m'en ont fait Grispos et Panaiotis, j'ai l'impression que je le connaissais. J'ai, en effet, interviewé un type correspondant à cette description quelques mois auparavant dans le cadre d'une enquête sur les liens entre fascistes grecs et italiens. Quoi qu'il en soit, c'était bien le même homme qui, au printemps dernier, avait participé au passage à tabac du député communiste Florakis. Quant au papandréiste, c'était un jeune homme gros et vulgaire, au visage rond, comme celui que j'avais aperçu, du bateau, le jour où nous étions partis à Ischia, avec la Salamandre à nos trousses. Il portait un jean et une ceinture cloutée, il était très bavard, et aimait par-dessus tout parler de sa voiture, une Peugeot gris métallisé, dont il vantait la vitesse et la maniabilité. Il se disait grand pilote, imbattable dans les manœuvres de poursuites et de tête-à-queue, il était intarissable sur ses voyages ; au temps de la Junte, il était même allé au Canada où il avait travaillé dans un garage à Toronto et avait participé à des compétitions automobiles. Grispos et Panaiotis ne se souvenaient pas ou prétendaient ne plus se souvenir de quel type de compétition il s'agissait, bien qu'ils sachent beaucoup de choses à son propos : ils étaient tous trois originaires de Corinthe. Mais il me fut facile de vérifier qu'il s'agissait de courses sur un circuit ouvert, où les concurrents se jettent les uns sur les autres, se heurtant de front ou avec des tête-à-queue. Il me fut également aisé de faire le lien entre cette information et ce dont les journaux avaient déjà parlé, à savoir qu'il s'était déjà rendu en Italie en automne 1973, et au printemps 1974. Milan, Rome, Florence. Quant à ses positions politiques de caméléon, il était à la fois ami du nazi Takis et se définissait sympathisant de Papandréou après avoir été proche du parti communiste, elles étaient pour le moins surprenantes : au cours des premières années de la dictature, il avait été modéliste dans l'atelier de Despina Papadopoulos. En somme, maillon entre l'extrême droite et l'extrême gauche ; encore un fils de l'horrible mariage qui produit d'excellents mercenaires.

Je parle de Michel Steffas. Le même Michel Steffas qui, la nuit du premier mai 1976, allait conduire une de ces voitures qui provoquerait ta mort : la Peugeot gris métallisé. C'était lui qui se promenait dans les rues de Florence, où tu avais dit que tu irais, alors que tu te trouvais à Chypre.

CHAPITRE III

Incroyable été que tu savais être ton dernier été. Tout est arrivé cet été-là. Pour que tu n'oublies pas ton rendez-vous à Samarkand, la mort est apparue, à nouveau, sous l'aspect d'une voiture. Le procès contre Papadopoulos, Joannidis, les membres de la Junte, avait à peine commencé, parallèlement au procès contre Théophiloyannacos, Hazizikis et la bande des tortionnaires, et nous étions à peine rentrés de Chypre pour plonger dans une Athènes bouleversée par des agitations d'ordre syndical aussi étranges qu'inopportunes. Inopportunes car elles se déroulaient au moment même où la ville aurait dû faire éclater sa joie de savoir les tyrans d'hier aux bancs des accusés ; étranges, parce qu'elles étaient marquées par une violence inhabituelle, grenades, cocktails Molotov, chaussées défoncées, pluies de pavés, à laquelle la police ripostait par des gaz lacrymogènes, des matraquages, des arrestations brutales, sans jamais s'en prendre aux manifestants les plus déchaînés. On aurait même dit que la police les évitait avec soin, tout particulièrement une Cadillac noire qui circulait depuis quarante-huit heures en jetant des cocktails Molotov et des grenades. Ainsi, bien qu'au début on ait pu penser qu'il s'agissait d'une erreur de la gauche qui ne se rendait pas compte qu'il était inopportun de descendre dans la rue au moment où se déroulaient les procès, on a bien vite commencé à soupçonner que l'origine de ces troubles pouvait être un projet de la droite à la recherche d'une justification de l'habituel coup d'Etat qui rétablirait l'Ordre et la Loi. Des rumeurs de catastrophe circulaient et dans ton bureau beaucoup de gens semblaient inquiets : ils disaient qu'un climat de guerre régnait dans les casernes, qu'un régiment de chars était en état d'alerte, qu'on avait remarqué des mouvements de troupe. La seule personne qui avait l'air parfaitement tranquille, c'était toi : « N'exagérons rien. Si un petit groupe existe, il suffit de l'isoler Si la Cadillac noire existe, il suffit de l''identifier Et de découvrir qui se trouve à son bord, pour qui ils agissent, et dans quel but. Inutile de rester ici à bavarder. » Puis à la tombée de la nuit, tu étais sorti et quand tu es rentré, tout content, tu m'as dit : « Prépare-toi, on va se promener — Se promener ? Tu crois que c'est vraiment la soirée indiquée ? — Oui, et je veux que tu sois très élégante. — Pourquoi ? — Parce que si on nous arrête, on pourra toujours protester en disant, mais-pourquoi-regardez-comment-nous-sommes-habillés, on-se-prome-nait. » Tu m'avais même imposé une robe longue, des talons hauts, des bijoux. Toi, tu avais choisi le complet bleu, la chemise en soie, la cravate de chez Hermès. « Et dans cet accoutrement, en grande pompe, on va aller se mêler aux manifestants ? — Mais non on ne va se mêler à personne. En plus, on a une voiture. — Quelle voiture ? — Celle que j'ai louée. — Mais pourquoi as-tu loué une voiture ? — Pour aller voir ce qui se passe du côté des casernes et chercher une Cadillac noire. »

Ce n'était pas exactement la voiture qui convenait à ce genre d'entreprise : pour faire des économies, tu avais loué une vieille Renault déglinguée qui hoquetait et qui risquait de caler chaque fois que tu passais une vitesse. Par contre, elle semblait aller très bien pour ton tour de reconnaissance car loin d'être une aventure, il consistait tout simplement à se garer à une certaine distance de la caserne, éteindre les feux, s'embrasser ou feindre de se faire des tendresses si quelqu'un s'approchait, à ouvrir l'œil et à tendre l'oreille. Mais à minuit, nous avions déjà épié trois casernes et il ne s'y produisait rien qui puisse faire penser à la préparation d'un coup d'Etat. Il ne se passait rien non plus en ville, les manifestations s'étaient arrêtées au bout de deux jours avec une explosion devant Polytechnique. Quant à la Cadillac noire, responsable de cet acte, aucune trace. « Alekos, est-ce que tu te rends compte que c'est comme chercher une épingle dans une meule de foin ? — Oui, mais je la trouverai, je le sens. — Mais où, comment ? — Je ne sais pas. Allons à Polytechnique. — Mais nous y sommes allés il y a moins d'une demi-heure ! — On y retourne. » Avec des soubresauts et des grincements, la Renault nous a ramenés à Polytechnique, chez les étudiants qui montaient la garde, barricadés derrière les grilles. L'avait-on revue entre-temps ? Non on ne l'avait pas revue. En étaient-ils sûrs ? Absolument. Il n'y avait pas d'erreur possible ? Non. « Bon, j'attendrai. — Mais pourquoi, Alekos, pourquoi ? — Parce que je sens qu'elle va passer, je le sens, te dis-je. » Tu as sorti ta pipe, tu l'as allumée, et après quelques bouffées, la voilà, venant d'une petite rue perpendiculaire à la rue Stadiou. Elle se dirigeait vers nous lentement, comme si elle hésitait ou comme si elle étudiait la situation et arrivée à notre hauteur, elle accéléra d'un seul coup et s'est éloignée. On a eu à peine le temps de lire CD sur la plaque, corps diplomatique, et d'entrevoir les quatre hommes à bord : trois d'entre eux avaient la trentaine, les cheveux noirs, et l'air à la fois humble et arrogant ; le quatrième avait la cinquantaine, les cheveux gris, et un air autoritaire malgré une curieuse chemise à fleurs, à manches courtes. « Vite ! Allons-y ! » Tu m'as poussée dans la Renault, tu as sauté au volant, tu m'as dit regardons-la encore une fois en face, cette Mort qui a deux phares à la place des orbites vides, un coffre et un pare-brise à la place du crâne, des roues à la place des membres, sa voix est le vrombissement d'un moteur ; tu frémissais de plaisir à l'idée de la retrouver, de flirter avec elle, comme en Crète, comme à Rome, comme toujours, de pouvoir jouer avec témérité, prouvant ton goût du défi, ta folie, qui est tantôt celle de Don Quichotte, tantôt celle de Dionysos, tantôt celle d'Achab, mais quelle que fût cette folie rien ne comptait plus pour toi, ni ta vie, ni celle de ceux qui t'entouraient, rien sinon rattraper la Cadillac noire, chercher à savoir qui étaient les quatre hommes, qui les envoyait, et peut-être les faire mettre à genoux, les humilier, même au prix de ta vie.

Cette poursuite folle, forcenée, insensée, rue Stadiou, rue Patissiou, rue Alexandras, rue Kifissias, derrière une voiture qui allait deux fois plus vite que nous, et qui faisait semblant de s'échapper, pour nous entraîner loin, nous attirer dans un piège qui rapidement allait faire des poursuivants les poursuivis, des poursuivis les poursuivants et qui y réussissait, tantôt accélérant, tantôt ralentissant, cent vingt, cent trente, cent quarante, puis cent, quatre-vingt-dix, quatre-vingts, la technique du pêcheur qui s'amuse à lâcher du mou et raccourcir du fil pour fatiguer le poisson. Tu le savais mais tu t'accrochais. Le visage pâle, tendu, les mains serrées sur le volant, tu appuyais sur l'accélérateur toujours un peu plus, dérapant, braquant, glissant, tandis que je t'implorais de les laisser, on allait se tuer, tu ne vois pas qu'ils se moquent de nous, ils peuvent s'échapper comme ils veulent, s'ils ne le font pas c'est pour nous appâter et nous conduire Dieu sait où, tu ne peux les rattraper, et si tu y parviens c'est encore pire, ils sont quatre, nous ne sommes que deux, ils sont certainement armés et pas nous, si nous ne nous tuons pas en sortant de la route c'est eux qui vont nous tuer, mourir comme ça c'est vraiment trop bête, pourquoi veux-tu que je meure moi aussi, tu n'as pas le droit de sacrifier les autres avec toi, ce n'est pas juste, cela ne se fait pas. Terrorisée, indignée, je t'insultais, je t'injuriais, je te maudissais, je te suppliais. Mais toi, le visage pâle, tendu, les mains serrées, tu continuais à appuyer sur l'accélérateur, à déraper, braquer, glisser, tu ne m'accordais ni une réponse, pas même un monosyllabe, ni un geste. Tu n'entendais même pas ce que je disais, ce que j'éprouvais ne te touchait pas le moins du monde. comme si je n'étais qu'un paquet et non un être humain. Il n'y avait qu'elle, qu'eux, qui t'intéressaient. Ils devaient être experts en manœuvres de ce genre, le chauffeur était vraiment un as. Parfois, il nous dépassait, parfois il se laissait dépasser, il était tantôt à quelques mètres, tantôt très loin. Il nous a conduits à Rafina, en suivant la côte d'Agios, puis il a viré à gauche et nous a entraînés sur l'Hymette, puis il a viré à nouveau à droite, nous a fait redescendre vers la mer, du côté de Voula, tout ceci sans que tu desserres les dents, sans que tu me regardes une seule fois. Au bout d'un moment, je m'étais résignée, je ne protestais plus, je ne cherchais plus à te convaincre. Ce n'est qu'à trois heures du matin, quand la Cadillac noire est revenue en ville, s'est arrêtée d'un seul coup pour faire descendre l'homme aux cheveux gris, une grande ombre qui se fondit aussitôt dans l'obscurité, que j'ai éprouvé une lueur d'espoir. Je pensais que tu allais descendre et courir à sa poursuite. Mais après une seconde d'hésitation, tu as repris la poursuite et le piège qu'ils avaient tendu s'est refermé. Une impasse qui descendait dans un garage souterrain, dans lequel la Cadillac s'est engagée tout droit, sans s'arrêter. J'ai entendu ma voix : « Fais demi-tour ! » Et enfin la tienne : « Trop tard. — Nous sommes pris au piège, Alekos ! — Je sais. » Tu continuais à avancer. Tu t'es garé à côté de la Cadillac noire qui s'était arrêtée à l'entrée du garage. Tu as saisi la pipe en la tenant par le fourneau. Tu es descendu : « Viens ». J'ai obéi. A part les trois hommes, le garage était désert. L'impasse aussi. Seul signe de vie, l'ombre d'un chat qui a sauté sans faire le moindre bruit, éclairé par la lumière verdâtre de l'enseigne au néon.

« Regarde-les. » Les trois hommes nous attendaient l'un à côté de l'autre. Le torse bombé, les mains sur les hanches, les jambes écartées : la position des cogneurs. Le troisième était un peu gêné par un paquet cylindrique qu'il tenait sous le bras gauche. Ils se ressemblaient étrangement : même rictus, même corpulence, même teint olivâtre, mêmes moustaches tombantes. Et mêmes vêtements de pauvres, pantalons sans forme, vestes usées, cravates de travers Il était facile de comprendre qu'ils n'étaient pas les propriétaires de la Cadillac et que le cerveau de toute l'affaire était l'homme aux cheveux gris. Mais le danger était grand justement parce qu'il s'agissait de simples exécutants, de trois malheureux, vendus pour quelques drachmes. D'instinct, j'ai plongé ma main droite dans le sac feignant de saisir une arme qui, naturellement, n'existait pas. Geste pas tout à fait inutile, sans doute, mais dont ton incroyable courage n'avait guère besoin Le regard fixe, les mâchoires serrées, tu avançais lentement vers eux, tellement lentement que chaque pas semblait durer une éternité, chaque muscle de ton visage exprimait une fureur tellement froide, aveugle, que tu paraissais davantage un fauve qu'un être humain. Tu avançais haletant, tu les fixais et haletais, et quand tu es arrivé à leur hauteur, tu t'es arrêté pour les dévisager un à un, avec une lenteur exaspérante. Après les avoir détaillés, tu as tapoté le paquet cylindrique avec l'embout de ta pipe, et sans qu'aucun d'eux fasse le moindre geste ou prononce le moindre mot, tu as articulé clairement dans ma langue et dans la tienne : « Tu vois, c'est une bombe. Pas une bombe à lancer contre un tyran : une bombe contre les gens. Et ça, c'est un fasciste grec, un valet sans couilles. Un valet de la CIA, du KYP et d'Averof. » Après avoir prononcé ces mots, tu leur as tourné autour, deux fois, toujours avec la même exaspérante lenteur, tu t'es arrêté devant celui qui était au milieu, tu as saisi sa cravate, tu l'as tirée plusieurs fois, des petits coups secs et méprisants : « C'est un fasciste grec, lui aussi. Tu vois, lui non plus n'a pas de couilles. C'est, lui aussi, un valet de la CIA, du KYP et d'Averof. » Finalement, et toujours sans qu'aucun des trois se rebelle, fasse le moindre geste, prononce le moindre mot, à tel point que je n'en croyais pas mes yeux, et gardant la main dans mon sac, je pensais c'est impossible qu'ils restent là immobiles à se laisser insulter, humilier, ce n'est pas normal, dans un instant ils vont lui sauter dessus et le massacrer, tu t'es approché du troisième. Tu as soulevé ta pipe, en as pressé l'embout sur son cœur, tu l'y as appuyé deux fois comme tu l'aurais fait avec un couteau : « Lui aussi. On ne dirait pas, n'est-ce pas ? Regarde ses mains ? » Un coup sur les mains. « Regarde cette veste. » Un coup sur la veste. « Regarde ce visage. » Un coup sur le visage. « On dirait un fils du peuple. Tous les trois ont l'air de fils du peuple. Dans une manifestaion, on les prendrait pour des fils du peuple. Mais ce sont des valets sans couilles, des fascistes. Et tu sais ce que je leur fais, moi, aux valets sans couilles, aux fascistes, tu le sais ? »

Tu ne pouvais rien leur faire. Absolument rien. Tu étais seul, avec une pipe et une femme qui, embarrassée par une robe longue, faisait semblant de tenir un revolver inexistant. Si un des trois hommes s'était réveillé, ils nous auraient massacrés en un éclair. Tu le savais bien. Mais du coin de l'œil, tu avais finalement vu mon bluff, et tu t'en servais maintenant pour jouer avec le hasard : rouge-ou-noir-les-jeux-sont-faits-rien-ne-va-plus. Ça prend ou ça prend pas. La vie ou la mort. Dans un cas comme dans l'autre, quelle importance. Ce qui compte, c'est jouer, parier, miser. Cinq secondes, dix. Vingt, trente, quarante. La boule roule dans la cuvette, tourne et retourne, le pivot ralentit, puis s'arrête et il se produit ce que je n'avais jamais osé espérer. Tout à coup, l'homme au paquet se jette à genoux, celui auquel tu avais tiré la cravate fait le signe de croix, celui que tu avais frappé à coups de pipe se couvre le visage et : « Non, Alekos, non ! J'ai une famille, pardonne-moi, laisse-moi partir. — Non, Alekos, non, tu te trompes, nous t'admirons, nous te respectons, je le jure sur la tête de mes enfants, sur le drapeau, ne nous tue pas. » Tu vacilles, je le vois bien, ta fureur se dissipe, tu dois même faire un effort terrible pour étouffer une furieuse envie de rire, te donner une contenance et ordonner toujours sur le même ton : « Allez, debout, lâches. Vite, en voiture. Suivez-moi de près. — Que dis-tu Alekos ? Qu'est-ce que tu fabriques ? — Je les emmène à Polytechnique. — Et tu crois qu'ils vont venir ? — Oui. » Ils suivent, en effet. Dociles, hypnotisés. Ils t'obéissent sans souffler mot et te suivent comme dans un western où le shérif, tout seul, parvient à capturer toute la bande, et la ramène au village, la livre au juge, qui fera un procès régulier. Avec ta Renault déglinguée qui toussotait et qui risquait de caler chaque fois que tu passais une vitesse, tu les as livrés aux étudiants incrédules. Qu'ils se chargent du paquet, une bombe certainement, qu'ils les interrogent, qu'ils découvrent leur identité ainsi que celle de l'homme aux cheveux gris, le propriétaire de la Cadillac avec la plaque CD, sans doute une fausse plaque, bon travail et bonne nuit. « Alekos ! On part comme ça ? — Que veux-tu dire on-part-comme-ça ? — Eh bien, tu ne veux pas savoir qui ils sont et qui les envoie ? — Je le sais déjà. D'ailleurs, je n'aime pas voir interroger les gens, les voir accuser, condamner. Même s'il s'agit de scélérats. Un ennemi au banc des accusés est toujours un ex-ennemi. »

Bientôt j'allais comprendre ce que tu voulais dire. En effet, au cours de cet été, de cet été invraisemblable, j'ai découvert l'extraordinaire cohérence qui caractérisait tes apparentes contradictions : Papadopoulos, Joannidis, les vaincus contre lesquels la montagne, le Pouvoir, célébrait les procès, ne t'intéressaient plus en tant qu'ennemis.

**

« Je l'ai vu ! Je les ai tous vus ! — Et eux, t'ont-ils vu ? — Oui, le premier à m'apercevoir a été Ladas. Tu sais, celui qui, le matin de l'attentat m'avait pris pour Georges, et me disait écoute-moi, lieutenant, je connais ton frère Alexandre, un garçon intelligent, s'il était ici il te donnerait un conseil, ne plaisante pas avec Ladas, et cætera. Il a sursauté en me voyant, comme si une guêpe l'avait piqué. Il a pâli. Puis, il a posé sa main sur l'épaule de Joannidis et lui a murmuré quelque chose à l'oreille. Joannidis s'est tourné, il m'a cherché des yeux. Il m'a semblé légèrement embarrassé et il a tout de suite passé la nouvelle à Pattakos, qui a entrouvert les lèvres demandant où est-il, et a attendu un peu pour se tourner vers moi mais quand il s'est rendu compte que je le regardais, il a détourné la tête d'un seul coup, comme un enfant pris la main dans le sac. Il a informé Makarezos qui s'est penché sur Papadopoulos pour le lui dire. Papadopoulos est resté très calme. Il était raide sur sa chaise, ses yeux fixaient un point sur le sol, devant ses chaussures, et il est resté ainsi un instant : comme s'il avait avalé un parapluie. Puis ses yeux ont bougé : imperceptiblement, sans qu'il déplace sa tête d'un millimètre, sans qu'un seul muscle de son visage bouge. Et il m'a vu. Et ça m'a fait mal. — Ça t'a fait mal ? — Oui. Ses yeux embués, éteints, couleur cendre. On aurait dit les yeux d'un mort. Ce visage pétrifié, terreux. Non, pas terreux : verdâtre. Tu sais cette couleur de l'eau d'un étang. Et cette... Oui, cette dignité. C'était peut-être étudié afin de montrer qu'il était le chef et qu'il ne se mêlait pas aux autres, même pas à ses collègues, que son accusation par un tribunal n'était qu'une mésaventure : quoi qu'il en soit, il se comportait avec dignité. Et j'ai pensé : il était moins ridicule que je ne croyais, c'est un homme. C'était une surprise car je n'avais jamais pensé à lui en tant qu'homme, il avait toujours été pour moi une voiture qui devait sauter, une voiture avec un tyran à bord, et j'ai dû faire un effort pour éprouver le sentiment de nausée qui m'avait saisi en entrant, pour penser qu'il y avait une belle différence entre mon procès et le sien. Moi, avec des menottes, coincé entre deux agents, mal à l'aise dans un uniforme trop grand ; et lui très élégant, avec des vêtements bien repassés, rasé de près, la petite moustache soignée, la chaise avec un coussin. Mais, quand la nausée est revenue, elle n'a eu aucun effet, car cet homme humilié, vaincu, deux fois humilié, deux fois vaincu, dans la mesure où c'est moi qui le regardais, moi qui avais essayé de le tuer, cet homme n'était plus un ennemi. Ou plutôt, le traiter en ennemi ne m'intéressait plus. — Et Joannidis ? — Eh ! Joannidis reste toujours Joannidis. Froid, désinvolte, sûr de lui. Avec ce visage fermé, fier, de moine de l'Inquisition. Il ne cédera jamais, Joannidis. Il ne se résignera ou n'agira jamais en homme humilié et vaincu. Eh ! Au fond, je le comprends, Joannidis ! Certaines dictatures n'arrivent pas par hasard ou par caprice, elles sont toujours la conséquence de l'attitude de la classe politique précédente, de son aveuglement, de son incapacité, de son irresponsabilité, de ses mensonges, de ses hypocrisies. Et parmi les imbéciles qui croient pouvoir corriger ces désastres en assassinant la liberté, il n'y a pas que des types comme Papadopoulos, il y a aussi des types de bonne foi comme Joannidis. Des êtres violents, sans cervelle, certes, incapables même de comprendre qu'ils sont l'instrument du pouvoir qu'ils veulent renverser, certes, mais qui sont de bonne foi. D'ailleurs, après, ils payent. Les Averof, par contre, ne payent jamais. De véritables bouchons de liège qui remontent toujours à la surface même si tu les lestes de plomb, et ils meurent toujours de vieillesse dans leur lit : un crucifix entre les mains, et un certificat de bonne conduite dans la poche. Non, merci, Joannidis non plus n'est pas mon ennemi. Ça ne m'intéresse plus de traiter Joannidis comme un ennemi. »

Tu as écrit un article sur ce sujet. Tu es même allé jusqu'à te battre afin que Joannidis et Papadopoulos et les autres membres de la Junte ne soient pas condamnés à mort : verdict qui, au début, semblait aller de soi. « Messieurs les juges, au printemps 68, nous aussi, hommes de la Résistance, nous avons condamné la Junte. Et je l'ai personnellement condamnée par une sentence dont je me suis fait le bras exécuteur en ce qui concerne Papadopoulos. Mais nous avions jugé les hommes qui étaient au pouvoir et vous jugez des hommes qui n'en ont déjà plus aucun ou qui y ont renoncé spontanément ; nous n'appartenions pas à la classe politique qui, par ses erreurs, avait provoqué le coup d'Etat, vous appartenez encore à cette classe politique, à cette caste. Ainsi, vous aussi vous devriez vous trouver avec les vingt-sept autres accusés qui sont aujourd'hui dans le box de la salle de Koridallos, messieurs les juges. Et avec vous il devrait y avoir aussi les ministres, les sous-secrétaires, les sous-fifres qui ont suivi les colonels ainsi que les industriels qui ont donné leur soutien financier au régime, les éditeurs et les journalistes qui l'ont appuyé par leur couardise. Sans compter les faux résistants, les faux révolutionnaires, qui viennent aujourd'hui dans cette salle déposer comme partie civile, qui accusent, qui jouent les victimes, eux qui n'ont jamais rien fait pour combattre la dictature et qui ne se sont abstenus de crier vive-Papadopoulos que par astuce et par calcul. Il y a vraiment trop de choses qui dérangent dans ce procès, aussi bien dans la forme que du point de vue moral, et tout d'abord, je n'aime pas qu'au moment de son instruction, vous ayez ignoré une réalité historique bien amère : la tyrannie n'est pas tombée grâce à l'action de la Résistance. Elle est tombée toute seule, étouffée par sa propre infamie, elle a abdiqué la nuit où Joannidis permit à Ghizikis de rappeler les hommes politiques jetés à la porte par le coup d'Etat. Ce que je dis est tout à l'honneur de Joannidis. N'oublions pas qu'il tenait sous son contrôle une grande partie de l'armée et des officiers aux postes clefs de l'Etat, qu'il aurait pu refuser de renoncer au commandement ou exiger du nouveau gouvernement une amnistie pour lui-même et les membres de la Junte. N'oublions pas que le ministre de la Défense, Averof, garda Joannidis au poste de chef de l'ESA, puis qu'il le mit à la retraite avec tous les honneurs, le laissant pendant des mois cultiver les roses de son jardin. Si Joannidis lui-même ne s'était pas rendu coupable de trahison en s'alliant à Papadopoulos, on devrait dire que c'est à bon droit qu'il pourrait s'estimer trahi. A sa place, je m'adresserais à Averof et je lui demanderais : " A quel jeu jouons-nous, Averof ? D'abord, tu me maintiens à la tête de la police militaire, puis tu me mets à la retraite avec les honneurs, tu me laisses cultiver mes roses, et enfin, tu me fais arrêter pour me traduire devant un tribunal avec des chefs d'inculpation qui entraînent la peine de mort. " Je lui demanderais aussi pourquoi Ghizikis n'est pas poursuivi devant le tribunal. N'était-il pas président de la République au moment où la Junte a abdiqué ? Ce procès est vraiment une farce, un stratagème pour donner une nouvelle virginité aux anciens maîtres. Quant aux peines capitales que vous êtes en train de rédiger, que vous avez déjà rédigées, rappelons-nous bien ceci : sur les places Loreto, les Mussolini, on les pend sur-le-champ ou pas du tout. Si le tyrannicide est un devoir en temps de dictature, le pardon est une nécessité en temps de démocratie. En temps de démocratie, la justice ne se rend pas en creusant les tombes. »

Tu voulais même parler avec Joannidis et Papadopoulos. Tu disais que si tu parvenais à vaincre l'orgueil du premier et briser le mutisme du second, tu pourrais savoir où se trouvait la cachette des archives de l'ESA et rassembler rapidement des preuves contre Averof. D'ailleurs, il n'était pas difficile de les approcher : ils n'étaient pas dans un box comme les autres accusés, mais au centre de la salle, à peine protégés par un cordon de gardes débonnaires. Mais ce projet ne tenait compte ni de ta timidité ni de ton étrange crainte de les offenser : dès que tu entrais, tu te sentais harcelé par les flashes des photographes, les commentaires des journalistes, les murmures du public, le-voilà-il-est-là, tu te tapissais derrière une colonne et tu restais là même pendant les suspensions de séance. « Tu as réussi ? — Non, demain. — Tu es décidé ? — Non, demain. » Puis un matin, tu t'es lancé en serrant les dents : tu t'es dirigé vers Papadopoulos. Tu étais tellement décidé à lui parler, m'as-tu raconté, que dès les premiers pas, tu te sentais très calme, et tu pouvais tout enregistrer : le silence qui régnait tout à coup, le battement de ton cœur, les regards incrédules qui te suivaient à mesure que tu avançais vers lui. Il te fixait lui aussi, d'ailleurs, l'eau verdâtre de l'étang était enfin parcourue par un souffle de vent, par une sorte de sourire dont tu ne comprenais pas très bien s'il exprimait l'ironie ou la sympathie mais qui, quoi qu'il en soit, semblait un encouragement, une invitation. Mais au moment où tu arrivais à sa hauteur, où tes yeux ont rencontré ses yeux, des souvenirs à la fois lointains et précis remontèrent à ta mémoire, une Lincoln noire qui roule sur la route de Sounion, à l'intérieur un homme que tu n'as jamais vu, mais que tu dois tuer cependant, des souvenirs anciens encore brûlants, qui sait quel genre d'homme il est, si tu regardes en face un homme et te rends compte qu'il est ton semblable, alors il devient difficile de le tuer, il vaut donc mieux penser qu'on tue une voiture, cette horrible voiture qui roule à cent kilomètres/heure, cent kilomètres cela fait cent mille mètres, une heure égale trois mille six cents secondes, chaque seconde équivaut à vingt-sept mètres, un dixième de seconde représente donc environ trois mètres et, mon Dieu, combien dure un dixième de seconde, même pas un battement de cil, un dixième de seconde c'est le destin, kilia ena, kilia dio, kilia tria, mille un, mille deux, mille trois, juste au moment où tu revivais tout cela, et où tu entrouvrais les lèvres pour dire ce que tu n'aurais jamais cru pouvoir dire, bonjour-monsieur-Papadopoulos, j'aimerais-vous-parler, venant du public un cri de femme déchira le silence : « Papadopoulos, bourreau ! Joannidis, assassin ! Au poteau, ignobles crapules ! » Aussitôt toute ton assurance s'est évanouie. Tu lui as tourné le dos et tu t'es éloigné en rougissant.

« Pourquoi, Alekos, pourquoi ? — Parce que j'ai éprouvé un tel embarras, une telle honte. Dieu sait si je les ai insultés, maudits, menacés, mais en ce temps-là, eux étaient les maîtres, moi j'étais enchaîné. On n'offense pas un homme enchaîné, jamais. Même si avant, c'était un tyran. Ça suffit, je ne remettrai plus les pieds dans cette salle. » Tu as tenu parole. Tu as même refusé d'assister à la lecture du verdict. « J'ai déjà entendu une fois le juge qui prononce la condamnation à mort. Je sais ce que cela veut dire, être condamné à mort. » J'y suis allée pour toi. Et je suis arrivée à la conclusion que, comme d'habitude, en liant les fils de la réalité aux nœuds de ton imagination, tu avais vu des choses qui n'existaient pas ou qui n'existaient que dans ta tête. Tout d'abord, personne ne risquait d'être fusillé : même les enfants savaient que la condamnation à mort n'était en fait qu'une formalité, que Caramanlis accorderait la grâce une heure plus tard. Puis, loin d'évoquer une tragédie, la salle de Koridallos rappelait plutôt le foyer d'un théâtre au moment de l'entracte qui précède le dernier acte d'une opérette.

Les accusés riaient, échangeaient des grimaces condescendantes, ils s'amusaient même à me lancer des regards d'une curiosité morbide lui-n'est-pas-venu, mais-elle-oui. Quant à Papadopoulos et Joannidis, occupés à s'éviter comme deux stars jalouses et enflammées dans leur haine réciproque, ils ne suscitaient en moi pas la moindre indulgence : je n'arrivais vraiment pas à voir dans le premier le personnage digne de respect que tu m'avais dépeint, ni à imaginer dans le second le soldat honnête qu'en somme tu avais défendu de manière si inattendue. Ce visage sans relief, sans âme, cette dureté qui était une fin en soi. Il avait en lui quelque chose de misérable, de maladroit, pitoyable. Cette maladresse des militaires qui ont l'air d'être nés avec l'uniforme, qui le portent comme une deuxième peau et qui ont l'air vulgaire ou mal fichu quand ils s'habillent en civil. Il était vulgaire : avec sa tête de si-je-te-veux-je-t'aurai, sa petite veste à carreaux trop étroite et trop courte, son pantalon attaché aux chevilles avec deux incroyables pinces à linge. Papadopoulos n'était pas vulgaire, il avait plutôt l'air d'un petit employé surpris la main dans le sac ; Joannidis, le terrible Joannidis était vulgaire. Je n'arrivais pas à détacher mes yeux de ses pinces. A un moment donné, il s'en est rendu compte. Il s'est levé, il a mis les mains derrière le dos, et d'un pas lourd, d'automate, il est venu vers moi qui étais assise, seule, sous l'estrade où se tenait le procureur général. Il s'est arrêté, le torse bombé, le menton en avant, dans une pose inutilement hostile et guerrière et m'a fixée avec ses yeux d'un bleu glacial. Je l'ai fixé en retour, soutenant ce défi stupide si-tu-ne-baisses-pas-les-yeux-moi-non-plus, et cela a duré un bon moment. Il a murmuré dans sa langue quelque chose que je n'ai pas saisi, puis il a baissé les paupières et a fait demi-tour : le torse bombé, le menton en avant, les mains derrière le dos.

« Dieu sait ce qu'il a dit. » Tu as eu un étrange sourire : « Je le sais moi. — C'est impossible, personne n'a rien entendu. — Je le sais quand même. — Ah, bon ? Alors, vas-y, qu'a-t-il dit ? — Il a dit : saluez-le de ma part. » Et, convaincu de cela, tu m'as emmenée dîner avec la cohorte habituelle de faunes et de ménades. Pour leur faire un prêche sur l'injustice de cette condamnation.

**

Des mots jetés au vent. Naturellement, personne ne te comprenait. Personne n'approuvait ta prise de position à l'égard d'hommes qu'auparavant tu voulais tuer et que tu traitais maintenant avec tant de miséricorde. Il s'amuse à se contredire, disaient-ils, lui-même ne sait pas ce qu'il veut. Et j'ai eu souvent, moi aussi, cette réaction, au cours de cet été : jamais comme cet été-là, je n'avais ressenti le drame d'accompagner dans le désert un homme dont l'essence vous échappe, car il est trop d'hommes à la fois, et tous différents, tous empêtrés dans des contradictions qu'on ne peut réduire à la dualité du héros avec un œil bon et un œil mauvais, un visage d'enfant et un visage de vieillard, un esprit accroché au passé et l'autre projeté dans l'avenir. Comme d'habitude, ce n'est qu'après ta mort, en reconstruisant la mosaïque de ton personnage, que j'allais comprendre que chacun de tes gestes jugés incongrus par moi ou par d'autres avait sa raison d'être. Ils appartenaient à une ligne de conduite très précise. Ton attitude par rapport au procès contre Théophiloyannacos, Hazizikis, le groupe des tortionnaires, par exemple. Tu ne désapprouvais pas ce procès, tu le distinguais nettement de celui contre Papadopoulos, Joannidis, et les membres de la Junte et ce non seulement parce qu'il reposait sur des fautes incontestables, mais encore parce qu'il pouvait servir d'avertissement à d'autres pays pratiquant la torture. Pourtant, trois fois on t'avait convoqué pour que tu fasses ta déposition et trois fois tu avais trouvé un prétexte pour ne pas te présenter. « J'ai-la-fièvre, j'ai-pris-un-engagement, je-suis-en-Italie. — Mais tu es le témoin principal, Alekos, celui qu'on attend le plus ! — Je sais. — Quand vas-tu y aller ? — Je ne sais pas. » Puis un jour, coup de téléphone : « Tu viens ? Demain, je vais y aller. » Une rumeur t'avait finalement décidé : on disait qu'afin de réduire au maximum la publicité faite autour de ta personne et de ton témoignage, le jour de ta déposition le président interdirait l'accès de la salle aux photographes et à la TV. « Incroyable ! Qui peut lui avoir demandé une chose pareille, Alekos ? — Lui. — Qui, lui ? — Averof, qui d'autre ? Il s'agit d'un tribunal militaire et un tribunal militaire dépend du ministre de la Défense. — Et qu'entends-tu faire pour l'en empêcher ? — Rien. Ça m'arrange. »

En étudiant la scène, dans laquelle tu allais faire ton entrée, je me demandais en quoi cela pouvait t'arranger. Au fond, c'était un décor assez triste. Contrairement à la salle de Koridallos, très vaste et très théâtrale, celle-ci était totalement dépourvue de caractère : c'était une petite pièce, tout en longueur, divisée par une allée centrale qui menait au micro des témoins, et à l'estrade des juges. En entrant, à gauche de l'allée, le public et les journalistes. A droite, les avocats et les accusés. Théophiloyannacos était au premier rang, reconnaissable à sa taille imposante, son visage simiesque et vérolé. Au second rang, Hazizikis, avec son complet bleu et sa cravate bleue, sa chemise blanche et son visage à demi caché par des lunettes noires. Au troisième rang, le médecin qui assistait aux tortures afin que la victime ne meure pas : un type ambigu, sec, avec une petite bouche vicieuse et des yeux tremblotants comme des ailes de papillon. A côté de chacun d'eux, tous les autres : une trentaine environ. Des visages anonymes, inoffensifs, des expressions quelconques. Rarement les méchants ont un air méchant. D'ailleurs, je ne trouvais pas non plus un air tellement méchant à Hazizikis ni à Théophiloyannacos. A la rigueur, on pouvait soupçonner une trace de perfidie chez l'avocate, sa femme : une belle blonde, à l'air capricieux, et au sourire sarcastique. Et tout cela tendait à dédramatiser ce procès où le président, un petit homme chauve et grincheux, noyé dans une grande toge noire, menait l'audience d'un air fatigué. Et puis, on a appelé ton nom, et, alors, le long de l'allée ton pas a résonné et Théophiloyannacos est redevenu Théophiloyannacos, Hazizikis est redevenu Hazizikis, la salle s'est agrandie et l'ennui transformé en électricité. Tu n'avançais pas, en effet, tu piétinais. Et un flegme aussi étudié, inquiétant, une superbe aussi majestueuse, provocante que ton flegme et ta superbe de la nuit où tu avais affronté les trois fascistes de la Cadillac noire, semblaient, en comparaison, de la rapidité et de la bonhomie. Un, deux. Un, deux. Un, deux. Le plus impressionnant n'était pas ta démarche elle-même. C'était la manière dont tu accompagnais ce rythme avec tout le reste du corps et surtout avec ton bras droit qui se levait et s'abaissait dans une parfaite synchronie avec ta jambe gauche : comme si ton allure était réglée par le rythme cadencé d'un métronome. Tic, tac. Tic, tac. Tic, tac. L'autre bras, en revanche, était plié à angle droit, plaqué contre ton cœur et ta main serrait la pipe. Quant aux yeux, décidés, ils étaient rivés sur le président comme s'il s'agissait d'une proie : ignorant volontairement Théophiloyannacos et Hazizikis comme si tu ne les avais jamais vus. Tu es arrivé au micro. Tu as enfilé la main droite dans la poche de ta veste, tu as porté ta pipe éteinte à hauteur de ta bouche, et : « Je dois demander à ce tribunal… » J'ai vu les masques immobiles des juges en uniforme s'animer de surprise et le petit visage du président pâlir : « Vous n'avez rien à demander ! C'est le tribunal qui pose les questions ! Dites seulement quand et où vous avez été détenu. Des faits et non des opinions, compris ? » Un éclair. Voilà pourquoi le veto imposé aux photographes et à la TV était utile ; voilà pourquoi tu avais accepté de venir faire ta déposition dès que tu avais eu vent de ce veto ; voilà pourquoi tu étais entré sans daigner accorder un regard à Théophiloyannacos ou à Hazizikis : pour livrer le combat et dire à haute voix ce que tu aurais voulu dire dans la salle de Koridallos, à savoir que les vrais coupables, maintenant, n'étaient pas les scélérats que l'on était en train de juger mais ceux qui voulaient les soumettre à ce procès parce que c'était leur intérêt. Bon, il ne restait alors qu'à retenir son souffle et attendre l'explosion.

Tu as retiré la pipe de ta bouche. Tu l'as brandie, menaçant : « J'ai été détenu du 13 août 1968 au 21 août 1973, monsieur le président, et je vais parler de faits précis. Rien que de faits, monsieur le président, dont la cour, ici présente, d'ailleurs a déjà eu connaissance car je n'ai pas eu besoin d'attendre que le régime change pour accuser les prévenus qui sont dans cette salle : pour gagner du temps, il vous suffirait de lire la déposition que j'ai faite il y a sept ans, et dont, bien évidemment, la magistrature au service de Papadopoulos n'a tenu aucun compte. Cette déposition se trouve dans le dossier qui est sous votre nez. Mais je pose une condition à la répétition de ces faits : que vous m'adressiez la parole de manière correcte, en employant mon nom et mon prénom, en m'appelant monsieur ou plutôt monsieur le député, et que vous expliquiez pourquoi vous avez interdit aux journalistes et à la TV d'assister à mon témoignage. Est-ce votre ministre de la Défense Evangelos Averof qui vous l'a imposé ? — Témoin ! ! ! » Indifférent à son cri, tu as par deux fois fendu l'air avec ta pipe : « Je répète ma question, monsieur le président. Est-ce votre ministre de la Défense, Evangelos Averof qui vous l'a imposé ? — Témoin ! ! ! C'est moi qui pose les questions ! — Et moi je ne vous répondrai qu'à condition que vous me donniez une explication. — Témoin ! Vous oubliez dans quel lieu vous vous trouvez ! — Je ne l'oublie pas. Je suis dans un tribunal militaire pour déposer sur les fautes d'hommes que j'ai combattus pendant sept ans alors que des magistrats comme vous étaient à leur solde. Je suis dans une salle où l'on fait le procès de tortionnaires dont vous avez condamné les victimes en appliquant les lois de la dictature. Une salle où je suis traité avec moins de respect que celui dont faisaient preuve les magistrats de Papadopoulos. — Tais-toi ! — Vous êtes à nouveau en train de me tutoyer. — Tais-toi ! — Vous continuez à me tutoyer comme les magistrats de Papadopoulos. Et si tu me tutoies, petit averofaki, moi aussi je vais le faire, comme je l'ai fait pour les magistrats de Papadopoulos. » Les juges en uniforme t'écoutaient de plus en plus étonnés, sursautant à chaque phrase. Les accusés étaient pétrifiés ainsi que leurs avocats, les journalistes écrivaient, écrivaient, pris d'excitation et moi je me demandais quand la trêve allait se produire. Mais la trêve ne venait pas. Les voix se superposaient, la tienne était sonore, celle du président stridente, les cris s'entrecroisaient, des aboiements de chiens, la dispute se poursuivait. La bataille que tu avais planifiée et attendue. « Témoin ! Je veux savoir ce qui s'est passé après ton arrestation et rien d'autre ! — Pas avant que tu n'aies expliqué, averofaki, pourquoi tu as interdit l'accès aux photographes et à la TV. Pas avant que tu n'aies cessé de me tutoyer ! — Je ne m'appelle pas Averofaki ! Qu'est-ce que cela veut dire ! — Tu le sais très bien, ça veut dire valet d'Averof ! — On insulte la Cour ! Silence ! — C'est à moi que tu dis silence, averofaki ? Ils ne m'ont pas réduit au silence avec leurs tortures, leur peloton d'exécution, et toi, tu prétends me mettre une muselière ? Toi ? — Je ne te mets pas de muselière, je t'interroge selon la procédure ! — La procédure prévoit l'usage du vouvoiement et non du tutoiement, averofaki. — Les faits ! Je veux des faits ! — Relis le dossier, averofaki ! »

Il a cédé. Peut-être parce qu'il ne pouvait pas t'arrêter sans l'accord du Parlement ou qu'il craignait que le scandale lui porte préjudice, peut-être parce qu'il commençait à être fatigué et à se rendre compte qu'il n'arriverait à rien, à la fin, il a cédé. Il s'est blotti dans son fauteuil et te vouvoyant à nouveau, il t'a supplié : « Allez, calmez-vous, Panagoulis, je vous en prie. Ne vous fâchez pas comme ça et ayez l'obligeance de répondre à ma question. Je vous en prie. » Tu as accepté sa reddition, tu as renoncé à lui faire avouer la raison pour laquelle il avait interdit l'accès aux photographes et à la TV. De toute manière, tu avais dit ce que tu voulais dire et, baissant ton bras, ôtant ta main de ta poche, tu as commencé à énumérer tes souffrances endurées entre le 13 août 1968 et le 21 août 1973. Mais le ton était terne, morne, comme si tu récitais un rôle dont tu ne voyais pas l'intérêt, et ton intervention a duré moins d'une demi-heure. D'autres avaient parlé pendant cinq, six heures, donnant force détails, toi, au contraire, tu as condensé en une demi-heure un calvaire de mille huit cent trente-deux jours et mille huit cent trente-deux nuits, pendant lesquels l'espoir de parler comme tu pouvais maintenant parler, accuser devant un tribunal ceux qui, aujourd'hui, étaient assis sur le banc des accusés était l'unique chose capable de te maintenir en vie. En moins de trente minutes, tu as épuisé cette occasion tant attendue et tu n'as pratiquement rien dit de ce que tu m'avais raconté quand les souvenirs te donnaient la fièvre, que la fièvre se muait en délire et quand tu pleurais dans mes bras, la tête en feu, les jambes glacées, mon visage devenant tour à tour celui de Théophiloyannacos, de Hazizikis ou du médecin qui assistait aux tortures, et que je te priais calme-toi-c'est-moi, regarde-c'est-moi, que tu me repoussais en hurlant assez-non-assez, assassins, assassins, au secours. Tu n'as fait que de brèves allusions aux sévices les plus répugnants, les minimisant comme s'ils remontaient à un passé tellement lointain que tu n'en conservais plus de trace aujourd'hui et comme si Théophiloyannacos et les autres derrière toi, assis à quelques mètres de toi, se trouvaient à des millions et des millions de kilomètres de là : disparus dans le temps et l'espace. Noms, prénoms, dates, des informations brutes et rien d'autre. Coups de fouets, de bâtons, de couteaux, brûlures de cigarettes sur les parties génitales, sur tout le corps, phalanges, étouffements avec et sans couverture, tortures sexuelles. Sur les mots tortures sexuelles, tu t'es arrêté de parler. « Je vous en prie, continuez », t'a encouragé le président, sur un ton nouveau, presque affectueux. « Non, ça suffit. — Ça suffit ? — Oui, monsieur, je n'ai plus rien à ajouter. »

Un silence incrédule s'est abattu. Des juges aux accusés, des avocats aux journalistes, tout le monde était muet, surpris. Peut-on attendre un verre d'eau des siècles durant et puis le refuser ? « Vous avez peut-être oublié quelque chose », a suggéré le président. « Je n'oublie jamais rien. Mais je répète, cela suffit. » Et de nouveau, le silence est tombé. « Quelqu'un souhaite-il poser une question au témoin ? » a balbutié le président. Après une attente interminable, cette invitation a été saisie par un accusé en uniforme de capitaine : « Je voudrais que monsieur Panagoulis dise comment je me suis conduit lors des interrogatoires. » Il espérait peut-être que tu le décharges de certaines fautes, peut-être s'était-il vraiment comporté mieux que les autres, et méritait-il un peu d'indulgence. Mais tu ne lui as point donné satisfaction et tournant à peine la tête, évitant du regard Théophiloyannacos et Hazizikis, tu répondis de manière sibylline : « Comme maintenant. » Pour la troisième fois, le silence est retombé. « Personne d'autre ne souhaite poser une question au témoin ? » a répété le président. C'est alors que Théophiloyannacos a bougé. Péniblement, comme si cela lui coûtait un effort insupportable, il s'est levé en prenant appui sur le dossier du banc où sa femme, en toge, était assise. Debout, il avait l'air très grand, très fort : de larges épaules de boxeur et un cou de taureau, d'haltérophile. Il y avait pourtant quelque chose de fragile en lui, quelque chose de douloureux ou de résigné qui inspirait une sorte de pitié. Le même genre de sentiment que l'on éprouve face à un éléphant mort, à un rhinocéros abattu. « Alekos... » Toujours accroché au dossier, effleurant la toge de sa femme qui lui murmurait Dieu sait quoi, il a posé son regard, ses yeux brillants sur ton dos, il s'est raclé la gorge et d'une voix rauque, pleine de tristesse il a répété ton nom : « Alekos... » Plus qu'un nom, c'était une prière, une invitation navrante à te retourner, à le regarder ne fût-ce qu'un instant. « Alekos... » Tu es resté immobile, sourd. « Je dois faire une déclaration, Alekos. — Les déclarations se font à la Cour et non aux témoins », avertit le président. Théophiloyannacos a baissé la tête sans te quitter des yeux, je savais que tu sentais ce regard, posé sur toi, comme une chape de plomb. Mais tu ne te tournais pas et tu ne te tournerais pas. « Alors, quelle déclaration ? » a poursuivi le président. Théophiloyannacos a respiré profondément. « Voici, messieurs. Alekos... L'honorable député Panagoulis n'a pas raconté tout ce qu'il aurait pu dire. Ce qu'il a raconté est vrai. Je le prie de croire que je suis désolé, que nous sommes désolés de l'avoir traité comme nous l'avons traité. Je le prie de croire que j'ai beaucoup de respect pour lui, que j'ai toujours eu, que même alors nous avons toujours eu du respect pour lui. Car... » Sa voix s'est brisée pour reprendre aussitôt forte et claire : « Car, messieurs, il est le seul qui nous ait tenu tête ! Le seul qui n'ait jamais plié ! »

Pas un seul muscle de ton corps ni de ton visage n'avait bougé. Tu n'as pas cligné des yeux, aucun indice n'a montré que tu avais entendu. Dans cette immobilité tu as attendu que la Cour te donne congé et quand le moment de partir est arrivé, tu as repris l'allée en te tournant du côté opposé, de manière à lui montrer le dos. Puis, avec le même flegme, la même cadence, le bras gauche à angle droit sur le cœur, la main serrant la pipe, et le bras droit qui oscillait comme un métronome pour accompagner ton pas, la tête droite, le regard fixe, tu as quitté la salle. Un, deux. Un, deux. Un, deux.

*
* *

Et Zakarakis ? Les procès se succédaient en chaîne maintenant que la Montagne avait pu vérifier l'utilité de la farce. A peine un procès se terminait-il qu'on entamait aussitôt le suivant, qui était le prolongement ou la répétition du premier, du second, du troisième, et donc, les personnes qu'on avait ignorées, au début, parce qu'elles n'étaient pas assez importantes, défilaient maintenant au banc des accusés. Le tour de Zakarakis est arrivé et je pensais qu'avec lui, au moins, tu allais agir différemment. Etait-il possible que tu aies oublié le ricanement de cette nuit où il t'avait surpris la moitié du corps à l'extérieur, la moitié du corps encore à l'intérieur du trou dans le mur. Etait-il possible que tu aies oublié le sourire qu'il avait en te montrant la tombe avec le petit cyprès, la confiscation des chaussures, du stylo, du papier, les passages à tabac, la camisole de force ? Possible. Mais il t'a suffi de revoir sa grosse figure obtuse, ses petits yeux porcins, pour te rappeler la promesse que tu avais faite quand il avait découvert que X ne signifiait pas Xania, Y, ne voulait pas dire Yemen, ni Z, Zurich, et qu'il t'avait apporté des stylos bille rouges et bleus pour résoudre le problème de Fermat · « Ecoute,

Zakarakis. Tu es un vrai con, mais ce n'est pas ta faute. Quand tu seras au banc des accusés, quand je témoignerai contre toi, je dirai exactement cela. Que tu étais un vrai con mais que ce n'est pas ta faute. » En effet, ton discours a été davantage un plaidoyer qu'un témoignage.

« Oui, Zakarakis est bien le responsable des souffrances que j'ai endurées à Boiati. C'est lui qui m'imposait le port des menottes pendant des semaines, qui me frappait et qui ordonnait qu'on me frappe, qui me privait de livres, de journaux, de stylos, de papier, qui m'insultait, qui me persécutait avec toutes sortes de trouvailles cruelles. Mais moi non plus, je n'étais pas tendre. Je répondais à ses insultes par des injures, à ses cruautés par des provocations. Un jour, il a ordonné qu'on me mette la boule à zéro et je lui ai dit : " Tout ou rien, Zakarakis. Tu ne peux pas me raser la tête sans me raser sous les aisselles et autour des couilles. Si tu ne me rases pas aussi sous les aisselles et autour des couilles, je recommence une grève de la faim. " Il était obsédé par mes grèves de la faim, et il a cédé à mon chantage. Il a envoyé un soldat pour me raser sous les aisselles et autour des couilles. J'ai refusé : " Non, je veux que ce soit Zakarakis qui me savonne, il est pédé, ça lui plaît. " Je le traitais toujours de pédé et d'idiot. " Tu es tellement idiot Zakarakis, qu'après ta mort ton crâne servira de crachoir aux cadets des écoles militaires. " Il n'y a donc pas lieu de sévir, messieurs les juges, d'autant plus que les Zakarakis existent sous tous les régimes, ce sont des charognes sans envergure. Ce sont des gens à qui l'on dit de crier : vive Papadopoulos et ils crient vive Papadopoulos, vive Joannidis, et ils crient vive Joannidis, vive le roi, et ils crient vive le roi. Si Théophiloyannacos avait fait un coup d'Etat, il aurait aussi crié vive Théophiloyannacos. Les gens comme lui constituent la laine du troupeau bêlant qui va où le maître de service leur dit d'aller. Des gens qui obéissent et c'est tout, qui ne sont à l'aise que sous la botte de l'autorité. Les rues sont pleines de gens comme lui, ainsi que les places où l'on organise des meetings. Pauvre Zakarakis. Si j'étais à votre place, je ne le condamnerais qu'à une semaine de réclusion dans ma cellule pour qu'il sache ce que l'on y ressent.

« Ne l'écoutez pas ! criait désespérément Zakarakis. Je ne suis pas un idiot, je ne suis pas un imbécile qui compte pour rien ! Je suis le directeur, j'étais le directeur, le chef ! Le chef ! J'assume mes responsabilités, je veux qu'on me juge pour mes responsabilités ! » Mais, grâce à ton plaidoyer, il fut acquitté. Naturellement, tu te comportais désormais ainsi avec tout le monde. Tout à coup, on aurait dit que tu ne croyais plus à ce que tu avais toujours été, aux principes qui avaient toujours servi de base à ta morale politique : le culte de l'individu, le refus d'acquitter ceux qui fabriquent les balles du fusil M 16 parce que c'est ce que veulent les industriels, et puis ceux qui tirent parce que c'est ce que veut le général, le mépris pour tous ceux qui s'abritent derrière le refrain moi-j'exécute-les-ordres Ce refrain tu le réservais à toutes les séances : « C'est vrai, le caporal Untel a participé à mes tortures, mais il exécutait les ordres. Et à Egine, alors que j'attendais qu'on me fusille, il s'est jeté à genoux et m'a demandé pardon. — C'est vrai, le sergent Untel m'a frappé à mort mais il exécutait les ordres. A Boiati, il passait des messages à ma mère et mettait mes poèmes à l'abri. » Finalement, tu as fait cadeau de ce refrain même à Théophiloyannacos. Avec les conséquences que nous verrons.

Son procès était venu en appel et cette fois-ci le président était un brave homme, pas du tout soumis au dragon. Il n'avait imposé aucun veto aux photographes ou à la TV, il traitait tout le monde avec des égards, il était même obséquieux : sans te lancer d'avertissement, des faits-pas-des-opinions, sans te faire de reproche et, en outre, s'adressant à toi avec un monsieur-le-député. « Dites, dites, monsieur le député. — Je dis, monsieur le président, qu'il faut distinguer les fautes des soldats de celles des officiers. Je dis que les soldats doivent être acquittés car ils ne peuvent refuser d'exécuter les ordres. D'ailleurs même les officiers ne peuvent refuser d'exécuter les ordres. Vous-même, refusiez-vous de condamner des résistants quand vous serviez la Junte et faisiez parti d'une cour martiale ? » Phrase injuste, insulte gratuite. Il te l'a reprochée avec beaucoup de dignité : « Vous vous trompez, monsieur le député. Je n'ai jamais servi la Junte, je n'ai jamais fait partie d'une cour martiale, je n'ai jamais condamné un résistant. — Tiens donc ? Mais alors comment as-tu obtenu le grade de général, averofaki ? » Un instant de confusion, puis un cri : « Bravo Alekos ! Félicitations, Alekos ! » C'était Théophiloyannacos qui avait crié. Il n'avait plus du tout l'air d'un rhinocéros abattu, ce jour-là. Arrogant, plein d'initiatives, il buvait tes paroles comme un nectar divin et quand on t'a congédié, il a couru vers toi. « Puis-je te présenter ma femme, Alekos ? » Avec un sourire plus sarcastique que d'habitude sur ses lèvres maquillées, la blonde te barrait le chemin et te tendait la main droite. Après un instant d'hésitation, tu l'as serrée. « Mes hommages. » Mais avant que tu puisses comprendre ce qui était en train de se passer, à la place de sa douce main, tu as trouvé celle de Théophiloyannacos : « Cher Alekos, permets-moi aussi de te serrer la main. »

*

« Tu lui as serré la main ? — Oui, et je lui ai répondu bon, ce n'est pas la première fois que je touche de la merde. Puis, je lui ai serré la main. — Oh, non ! — Oh, si, on s'est même embrassés, ou plutôt c'est lui qui m'a embrassé. Il m'a dit " tu me l'as répété tant de fois ce mot que je m'y suis habitué ", puis il m'a embrassé. — Oh, non ! — Oh, si ! — Mais... pourquoi... je ne comprends pas. Alekos, je ne te comprends plus. — Parce que tu ne comprends pas les hommes en lutte. Relis Sartre. — Quel rapport avec Sartre ? — *Les Mains sales.* Dernier acte, cinquième tableau, scène trois. Je l'ai apprise par cœur : " Comme tu tiens à ta pureté, mon petit gars ! Comme tu as peur de te salir les mains. Eh bien, reste pur ! A qui cela servira-t-il et pourquoi viens-tu parmi nous ? La pureté, c'est une idée de fakir et de moine. Vous autres, les intellectuels, les anarchistes bourgeois, vous en tirez prétexte pour ne rien faire. Ne rien faire, rester immobile, serrer les coudes contre le corps, porter des gants. Moi, j'ai les mains sales. Jusqu'aux coudes. Je les ai plongées dans la merde et dans le sang. " — Mais tes mains ont toujours été propres, Alekos, toujours ! — En effet, et j'ai toujours perdu. — Alekos, qu'est-ce que tu racontes ? — Je n'ai rien changé à mes décisions. Bien que, maintenant, je me contente de regarder, et c'est tout, d'écouter, et c'est tout. Eh ! Il se passe pas mal de choses dans ces procès, on y entend des propos passionnants. » Un éclair a traversé ton œil méchant. Inutile de se demander pourquoi. C'était évident. Comme un ouragan qui s'annonce par un ciel sombre, le mugissement sourd du vent, et qui, après une longue attente, s'abat sur un monde immobile inondant tout, cassant les branches, déracinant les arbres, arrachant les toits ; tu t'apprêtais à te déchaîner, tes mille visages confondus en un seul. Le visage de Satan, qui, déçu par Dieu, se révolte contre sa dictature et choisit en croyant vaincre de devenir un démon. L'infernale corrida avec la Cadillac noire, ta défense de Papadopoulos, ta compréhension pour Joannidis, ton absolution à Zakarakis, la poignée de main à Théophiloyannacos, n'avaient été que le prélude. Le ciel qui s'assombrit, un mugissement sourd du vent.

Cinquième partie

CHAPITRE PREMIER

Tous les drapeaux, même les plus nobles, les plus purs, sont souillés de sang et de merde. Lorsque tu regardes les glorieuses bannières exposées dans les musées, dans les églises, vénérées comme des reliques devant lesquelles il faudrait s'agenouiller au nom des idéaux, des rêves, ne te fais aucune illusion : ces taches brunâtres ne sont pas des traces de rouille, ce sont des résidus de sang, des résidus de merde, et plus souvent de merde que de sang. La merde des vaincus, la merde des vainqueurs, la merde des bons, la merde des méchants, la merde des héros, la merde de l'homme qui est fait de sang et de merde. Là où il y a l'un il y a aussi, malheureusement, l'autre, l'un ne pouvant se passer de l'autre. Naturellement, tout dépend de la quantité de sang versé, de merde répandue : s'il y a plus de sang que de merde, on chante des hymnes et on érige des monuments ; s'il y a plus de merde que de sang, on crie au scandale et on célèbre des rites propitiatoires. Mais établir une moyenne est impossible, on constate qu'avec le temps, sang et merde se confondent en une identique couleur. Du reste, la plupart des drapeaux sont en apparence très propres : pour connaître la vérité, il faudrait interroger les morts tués au nom des idéaux, des rêves, de la paix, les créatures insultées, dupées par ceux qui leur ont fait croire que le monde allait devenir meilleur, à partir de ces témoignages, fournir une statistique des infamies, des barbaries et des saletés vendues sous les étiquettes de vertu, clémence, pureté. Il n'existe aucune entreprise, dans l'histoire de l'homme, dont le prix n'a pas été un prix de sang et de merde. A la guerre, que tu combattes du côté prétendu bon (bon pour qui ?) ou que tu combattes du côté prétendu mauvais (mauvais pour qui ?), tu ne tires pas des roses. Tu tires des balles, tu lances des bombes, tu massacres des innocents. En temps de paix, c'est la même chose tout grand geste est une impitoyable moisson de victimes, et gare aux héros qui luttent contre les dragons, gare aux poètes qui luttent contre les moulins à vent : ce sont les pires bourreaux puisque, voués au sacrifice, destinés au supplice, ils n'hésitent pas à imposer le sacrifice et le supplice aux autres ; comme si un arbre déraciné était moins déraciné, un toit arraché moins arraché, un cœur brisé moins brisé, du fait que le but est bon et le résultat positif. Voilà ce que j'avais oublié lorsque, matérialisant des craintes assoupies par l'attente, ou par l'espoir, l'ouragan a éclaté. Et, incapable de saisir la véritable raison de ma détresse, une raison que je ne comprendrai qu'après ta mort, je me suis écartée de toi avec horreur.

L'automne approchait et j'étais revenue à Athènes sans enthousiasme : attirée par une lettre, non par un désir. Les traumatismes du dernier voyage m'oppressaient comme un repas indigeste, le nœud d'excès et d'équivoques auxquels j'avais assisté me tourmentait et quelque chose s'était brisé en moi. Trop souvent, durant ces quatorze mois de vie commune, je m'étais fatiguée d'arpenter ton désert, de soulager ta solitude sans atténuer la mienne ; trop souvent le personnage que j'aimais s'était morcelé en d'autres personnages pour, en définitive, se recomposer en un individu inexplicable et méconnaissable. Tu n'écrivais plus de poèmes, tu feuilletais les livres au lieu de les lire, tu t'en sortais par des slogans faciles au lieu d'affronter les discussions, tu ne t'inquiétais plus du Parlement auquel tu ne réservais que quelques remarques distraites ou ironiques : plus rien désormais ne t'intéressait en dehors de ta promesse et de ton dragon. Tu ne parlais que de lui, des preuves à recueillir contre lui, ignorant tout autre problème, toute autre réalité et lorsque je changeais de conversation, lorsque je te disais qu'après tout Averof n'était pas le centre de l'univers, que les documents de l'ESA ne pouvaient quand même pas devenir l'unique motivation de ta vie, tu te mettais en colère : « Tu ne comprends pas, tu ne veux pas comprendre ! » Et pour couronner tout cela, comme si cela ne suffisait pas, il y avait encore et toujours ces nuits d'oisiveté : la température de ton insatisfaction, de ton désespoir. Au-delà des bruyantes frontières des bouzoukis, le cercle des ménades autour de Dionysos s'était élargi et comprenait à présent des créatures misérables avec lesquelles tu t'avilissais en paraissant éprouver une sorte de plaisir pervers. En général, il s'agissait de ce que tu appelais un-je-plonge-et-je-m'en-vais-aussitôt, que tu accomplissais montre en main pour en mesurer la rapidité, mais, parfois, le plongeon se compliquait et t'engageait dans des situations odieuses, des toiles d'araignée inextricables. Et tout cela ne faisait que te diminuer à mes yeux, m'ôtait même tout désir de rester avec toi. « Quand est-ce que tu viens ? — Je ne sais pas. — Alors je vais venir. — Non, attends. Je dois aller à Londres, à Paris, à New York. » C'était comme si le fait de rester loin de toi m'aidait à surmonter la crise, à protéger un amour vacillant. De loin, je pouvais en effet te regarder à travers le filtre de la mémoire, écarter défauts et petitesses, retrouver le personnage que j'admirais et qui, c'est ce que je me répétais sans cesse dans ma déception, se désagrégeait. Au début, tu ne t'étais rendu compte de rien et, brandissant d'archaïques formules viriles, tu m'avais accusée d'infidélités pour moi inconcevables ; cependant, après la poignée de main à Théophiloyannacos, et la polémique à propos des mains sales, tu avais compris que ce n'était pas un rival qui m'incitait à te fuir mais bien une sorte de fatigue, et, tel un animal qui sent instinctivement le danger, tu m'avais envoyé une lettre irrésistible : signée Unamuno et composée exclusivement de phrases écrites par Unamuno. « Si je le fuis autant, crois-moi, c'est parce que je l'aime. Je le fuis et pourtant je le cherche. Lorsqu'il est près de moi, que je vois ses yeux, que j'écoute sa voix, je voudrais le rendre aveugle, le rendre muet mais à peine sommes-nous séparés l'un de l'autre, que je vois deux petites flammes tremblantes briller telles des étoiles perdues dans la profondeur de la nuit. Ce sont ses yeux, et ses paroles purifiés par l'absence. Son âme est d'autant plus près de moi que son corps est loin. Post-scriptum : quand est-ce que tu viens ? » J'avais cédé. En te retrouvant à l'aéroport d'Athènes, le mauvais pressentiment qui m'avait accompagnée durant tout le voyage, au lieu de se dissiper, avait augmenté comme une fièvre dont je ne réussissais à deviner la cause. Et à présent, nous étions enlacés sur le lit, tu me regardais depuis quelques minutes, avec l'air de vouloir me dire quelque chose, je sentais que la cause de ma fièvre allait se révéler à travers ces paroles que j'aurais préféré ne pas avoir à écouter.

Ça a commencé comme ça : « Ce scorpion. Ce n'était pas un homme, lui, c'était un scorpion. Je ne lui serrerais pas la main à lui, non, même si cela pouvait servir à amener le paradis sur terre. Il y a des limites à tout, même en matière de mains sales, et puis comment peut-on serrer la main à un scorpion ? Un scorpion n'a pas de mains mais des pinces ! — Mais de qui es-tu en train de parler ? — Je parle d'Hazizikis. De monsieur le major Nicolas Hazizikis. Théophiloyannacos était un enfant de chœur en comparaison. Parce qu'avec Théophiloyannacos je pouvais me défendre, ou me plaindre, hurler, m'évanouir, Théophiloyannacos me frappait et puis c'est tout, il se contentait de torturer mon corps, c'est tout. Mais ce scorpion, par contre ! Il s'approchait avec son aiguillon, me le plantait dans l'âme, et tac ! Il injectait tout son venin. — Alekos ! Pourquoi repenser à ces choses, Alekos ? — Et sa façon de me narguer au moment où ils m'ont condamné à mort. Bonjour, Socrate. Ou faut-il que je t'appelle Démosthène ? Non, la comparaison avec Socrate me semble plus juste ! J'avais envie de pleurer. Et plus je me disais que je ne devais pas pleurer, pas devant lui, non, et plus les larmes me montaient aux yeux. — Alekos ! Mais pourquoi en parler maintenant, Alekos ? — Et soudain je n'eus plus la force de les retenir, ces larmes. Et ce fut une chose horrible : pleurer comme un enfant devant un scorpion. Ce fut d'autant plus horrible qu'il est devenu encore plus ironique : qui-aurait-pu-imaginer-que-tu-puisses-pleurer, et des choses de ce genre. J'ai perdu la tête. Je lui ai crié : je ne mourrai pas, Hazizikis, et un jour c'est toi que je ferai pleurer, parce qu'un jour tu finiras en prison, et pendant que tu seras en prison, Hazizikis, je baiserai ta femme, je la baiserai et la rebaiserai jusqu'à lui faire pisser du sang, qu'elle perde ses boyaux, et toi, Hazizikis, tu ne pourras rien faire, rien du tout, à part pleurer comme je pleure en ce moment. — Alekos, je t'en prie ! — Et il s'est mis à rire. Il m'a répondu qu'il n'était pas marié. — Alekos, vas-tu me dire pourquoi, de but en blanc, tu repenses à toutes ces choses ? Durant tous ces mois, tu n'avais jamais parlé d'Hazizikis. Jamais. — Parce que… Tu te souviens lorsque je t'ai dit que durant les procès il se passait des choses intéressantes ? — Oui. — Voilà. Moi je l'avais très bien compris, que la clef était là. Ses avocats se comportaient avec trop d'insolence. Toujours en train de menacer de faire des révélations, toujours en train de brandir des papiers qu'ils ne lisaient pas et n'inséraient pas dans le dossier. C'est ce qui m'a donné l'idée de faire une petite enquête et j'ai appris que son séjour en prison avait été particulièrement confortable. Radio, télévision, visites de parents et amis, y compris un certain Kountas qui travaille pour un milliardaire qui finance les fascistes. Et chacun d'entre eux entrait avec des paquets de photocopies que monsieur le major étudiait, étudiait… C'étaient les photocopies des archives de l'ESA. Ce sont les documents que je veux. — Ah ! — Et je les lui prendrai. — Tu sais où il les cache ? — Non. Mais je sais qui les lui garde. — Qui ? — Sa femme. — Tu disais qu'il n'était pas marié. — Il ne l'était pas, aujourd'hui il l'est. Marié et amoureux. Une jolie fille, figure-toi. Beaucoup plus jeune que lui. La fille d'un résistant, tu te rends compte ! Ils se sont connus quand son père à elle était en prison, et ils se sont mariés il y a trois ou quatre ans. — Tu la connais ? — Non, jamais vue. — Et alors ? — Alors, c'est très simple : je vais faire sa connaissance. — Et si elle n'a pas envie de te connaître ? — Elle en aura envie, elle en aura envie. — Et si elle refuse de te dire où elle garde les documents ? — Elle me le dira, elle me le dira Il manque

372

une réplique à la troisième scène du cinquième tableau du dernier acte de la pièce de Sartre : la bite s'enfonce mieux dans la merde et dans le sang que les mains. — Alekos ! — Ce qui signifie en termes moins crus : rien n'est indigne lorsque le but est digne. — Alekos ! — C'est justement toute la portée du personnage de Sartre. — Alekos. — Oui. Je vais avoir du pain sur la planche. Et je vais te dire, il y a une seule chose qui m'inquiète dans ce travail : je ne dispose d'aucun moyen pour me déplacer en cas de besoin, si ce n'est les taxis et les voitures de location. Même ton Don Quichotte ne circulait pas à pied. J'ai donc besoin d'un cheval, je veux dire d'une voiture. Tu m'offres une voiture ? »

**

L'aéroport était pratiquement vide. Tous les vols avaient été annulés en raison d'une grève qui avait commencé la veille. Dans la salle d'embarquement, il n'y avait que trois Arabes drapés dans leurs tuniques blanches, cinq ou six Occidentaux exaspérés et deux bonnes sœurs égrenant leur rosaire. A l'enregistrement, les employés avaient tenté de me décourager, en me disant que les chances de partir étaient quasiment nulles, qu'il était préférable d'attendre le lendemain, mais j'avais insisté sur l'importance pour moi d'être à Rome le soir même, et ils m'avaient conseillé un vol en provenance de l'Asie, qui faisait escale à Athènes, mais dont ils ignoraient l'heure d'arrivée, parce qu'il avait pris beaucoup de retard. Je leur avais répondu que ça n'avait aucune importance, et, après avoir passé le contrôle de police, j'avais rejoint la salle d'embarquement. Je m'étais réfugiée au bar où un Américain avait tenté en vain d'engager la conversation. Est-ce que moi aussi j'attendais le jumbo venant de Bangkok ? « Yes. » C'était agaçant, n'est-ce pas ? « Yes. » Ça m'ennuyait de parler ? « Yes. » J'avais besoin d'être seule, de méditer sans qu'on me dérange sur ce qui s'était produit à partir de l'instant où tu m'avais dit : « Tu m'offres une voiture ? » Il ne s'était rien passé qui aurait pu te faire comprendre quel tremblement de terre tu venais de déchaîner en moi. Sans répondre, j'étais restée immobile, les yeux fixés sur une tache au plafond, une auréole d'humidité qui était très vite devenue pour moi une traînée de sperme visqueux, et, pendant quelques minutes, je n'avais plus pensé qu'à une seule chose : on dirait une traînée de sperme visqueux. Parce que, j'avais oublié de le dire, il y a du sperme également sur les drapeaux maculés de sang et de merde, sur les glorieuses bannières qu'exposent les musées, les églises : le sperme des héros qui luttent pour la liberté, la vérité, l'humanité, la justice. Au nom de ces beaux rêves, de ces belles paroles, tu baisses ton pantalon et le sperme jaillit. Tu sais combien de créatures ont été offensées, blessées, tuées de cette manière ? Certains ont écrit l'histoire de cette manière. Puis je m'étais levée brusquement, en évitant ton regard qui m'interrogeait avec perplexité, et je m'étais mise à parler de choses qui n'avaient rien à voir avec les voitures et les archives de l'ESA, enfin, j'avais inventé un prétexte pour sortir. Pendant près de deux heures j'avais marché au hasard des rues en cherchant à me calmer, à me persuader qu'une telle réaction était excessive, anormale de la part d'une femme évoluée : nous en avions parlé des mains sales, j'avais bien vu ton supplice lorsque tu m'avais à nouveau raconté la scène de Mélétos et de Socrate, lorsque tu m'avais à nouveau expliqué ta haine pour le scorpion. Mais raisonner, divaguer n'avaient servi à rien, si ce n'est à m'indiquer le seul choix possible : partir. Il fallait partir et éviter, entre-temps, de rester seule avec toi. Pour ne pas discuter. En rentrant, j'avais trouvé deux journalistes dans ton bureau, cela m'avait aidée et je les avais invités à déjeuner. Comme ça, j'avais réussi à ne pas rester seule en face de toi jusqu'au moment où tu devais te rendre au Parlement pour participer à un débat sur je ne sais plus quelle loi. « Tu m'accompagnes ? — Désolée, je ne peux pas. » Et les journalistes : « Nous allons t'accompagner ! » Tu étais sorti avec eux en disant que nous nous retrouverions après six heures, que le débat finirait vers six heures. « D'accord. — Et ce soir nous dînerons en tête à tête, comme tu aimes. — D'accord. — Et sans rentrer trop tard. — D'accord. — Qu'est-ce que tu as ? Quelque chose ne va pas ? — Non, pourquoi ? » Tu m'avais souri derrière la vitre de l'ascenseur qui descendait en grinçant, et ce n'était qu'à ce moment-là que j'avais eu un sursaut, l'impulsion de te rattraper, de t'embrasser, de sentir ta moustache contre ma joue, de te confesser je m'en vais, je n'en peux plus. Mais j'étais restée immobile, je n'avais prononcé qu'un au revoir très froid.

J'ai regardé ma montre : cinq heures. Je t'ai imaginé en train de suivre le débat sans le suivre, nerveux, interloqué par mon attitude ambiguë, et l'envie de pleurer m'est montée à la gorge. Je l'ai chassée en toussant fort dans le silence de cette salle presque déserte. Une des deux bonnes sœurs s'est retournée, l'Américain m'a lancé un regard étrange. C'était un très bel homme, grand et mince, les cheveux gris et les yeux bleus, la finesse vigoureuse de certains chevaux de race, et je lui ai rendu son regard pensant combien cela aurait été plus difficile si tu avais été grand et mince, si tu avais eu les cheveux gris et les yeux bleus, la finesse d'un cheval de race. Paradoxalement, je n'étais pas amoureuse de toi. Je ne l'avais jamais été, même durant les sept jours de bonheur ou à l'époque de la maison dans les bois, du moins dans le sens qui est généralement donné à cette expression. Je parle du désir physique qui brouille la vue et bloque la respiration lorsque l'être aimé apparaît, de ce frisson qui te fait fondre rien qu'à toucher sa main, sa joue, de ce qui fait que tout en lui devient unique et irremplaçable, même son haleine, la sueur de sa peau, ses défauts mêmes qui se transforment en qualités délicieuses : tu as besoin de lui comme de l'air, de l'eau, de la nourriture et cet esclavage te fait mourir de mille morts, mais pour toujours ressusciter, être esclave à nouveau. Je connaissais ces symptômes, mais je ne pouvais pas dire, en toute conscience, que je les avais à aucun moment ressentis vis-à-vis de toi. Par exemple, ton corps ne m'attirait pas, et je ne comprenais pas les femmes qui le trouvaient beau et en tombaient éperdument amoureuses, prêtes à trahir leur mari, à s'humilier pour être malmenées cinq minutes contre un mur ou sur un lit, afin de pouvoir raconter aux autres ou à elles-mêmes qu'elles t'avaient touché ; dès le premier instant je t'avais trouvé plutôt laid et mon jugement n'avait pas changé. Ces petits yeux différents l'un de l'autre, l'un plus haut et l'autre plus bas, l'un plus fermé et l'autre plus ouvert, ce nez désossé, ce menton court et revêche, ces joues qui se remplissaient dès que tu grossissais un peu. Ces cheveux épais et gras que tu ne peignais jamais, ce corps ramassé, ces épaules trop rondes, ces bras trop courts, ces mains trop frustes aux ongles arrachés plus que coupés. C'est en prison que tu avais appris à les arracher de la sorte, parce que tu n'avais pas de ciseaux, et tu avais continué à les arracher malgré mes réflexions horrifiées. Et puis, combien de choses m'irritaient en toi ! Ta façon de manger, pour n'en citer qu'une : brutalement, avec avidité. Tu engouffrais dans ta bouche des morceaux que même un cheval n'aurait réussi à déglutir. Ta façon de prendre ton bain pour en citer une autre. Prendre un bain voulait dire pour toi te dorloter dans l'eau comme un canard, sommeiller pendant des heures sans toucher au savon, sortir d'un seul coup pour te glisser mouillé dans le lit, me tremper des pieds à la tête en me criant tout content j'ai-froid, j'ai-froid ! Et ta vitalité exagérée, ta sexualité goulue, hargneuse qui, lorsqu'elle m'agressait de ses élans félins, réveillait en moi un instinct de fuite ; il fallait se contrôler, mentir, pour ne pas te faire comprendre que ma participation ne devenait qu'un acte purement cérébral, soutenu par une tendresse mystérieuse, déchirante et poignante, un transport dont j'ignore la cause mais qui ne naît certainement pas des sens. Je n'étais pas venue à toi happée par un appel des sens. Je me souvenais bien de l'angoisse que j'avais éprouvée en t'écoutant marcher de long en large devant la porte vitrée, lorsque tu te demandais si tu allais entrer ou pas, je me souvenais bien du frisson glacé qui m'avait parcourue lorsque tes doigts hésitaient sur la poignée, et de mon soulagement lorsque tes doigts s'étaient éloignés. Etait-ce simplement dû au pressentiment d'une tragédie prochaine ? Je me souvenais tout aussi bien de l'inquiétude qui m'avait rongée le soir où j'étais revenue pour te trouver à l'hôpital, l'effroi soudain à l'idée que c'était à moi de remplir un vide de cinq ans, à moi de subir une voracité si longtemps inassouvie. Non, même au cours de notre merveilleuse première nuit, les sens n'avaient eu aucune influence, il aurait été malhonnête de dire que ta passion avait attisé la mienne, et ce jour-là comme tous les autres à venir : ni dans les étreintes les plus forcenées ni dans les plus douces, ce n'était pas ton corps que je cherchais mais bien ton âme, tes pensées, tes sentiments, tes rêves, tes poèmes. Et peut-être est-il vrai qu'un amour n'a presque jamais pour objet un corps. Souvent, nous choisissons ou acceptons une personne à cause de l'envoûtement inexplicable par lequel elle nous envahit, ou à cause de ce que cette personne représente à nos yeux, par rapport à nos convictions, notre morale ; pourtant, le corps reste le véhicule du rapport amoureux ; et, si ce corps ne te séduit pas, il faut bien que quelque chose d'autre soit là pour te séduire. Le caractère, par exemple, la façon de vivre, ou d'être. Et avec le temps, j'avais découvert que ton caractère, lui aussi, ne me plaisait pas beaucoup : avec ses intempérances, ses fureurs, ses inexplicables crises de méchanceté, ses ébriétés du premier stade, du deuxième stade, du troisième stade, ses duretés de rocher, ses fermetures d'huître. Plus je tentais d'ouvrir l'huître pour en extraire la perle, plus elle me résistait en faisant couler un liquide noir. Plus je creusais le rocher à la recherche de rubis et d'émeraudes, plus je ne rencontrais que cailloux et charbon. Ta forêt était pleine de broussailles et de ronces, dès que j'y cueillais une fleur, je m'égratignais, m'ensanglantais. Et l'arrogance à travers laquelle il semblait que tout te fût permis, la légèreté avec laquelle tu liquidais les situations et les problèmes, les contradictions dans lesquelles tu tombais à bras ouverts. Il n'y avait là pour moi que des tares déplorables. Mais alors pourquoi avais-je eu cette impulsion de te rattraper, de t'embrasser, de sentir ta moustache contre ma joue, pourquoi maintenant ce besoin de me racler la gorge pour chasser mon envie de pleurer ?

Je regardai à nouveau ma montre : cinq heures et demie. Si le débat se terminait vraiment à six heures, l'appartement de la rue Kolokotroni vibrerait bientôt sous tes coups de sonnette et tu appuierais ton nez sur le métal du petit judas, attendant de me voir ouvrir afin que tu puisses m'annoncer joyeusement : « C'est moi ! Je suis moi ! » Le petit judas ne s'ouvrirait pas, le silence te répondrait et, sur le moment, tu n'y prêterais pas attention. Convaincu d'une farce de ma part, tu ouvrirais avec ta clef et, sur la pointe des pieds, tu fouillerais chaque pièce, « où t'es-tu cachée ? » Et tu ne me trouverais pas. Alors, déçu, tu chercherais un mot t'avertissant je-suis-sortie-je-reviens-tout-de-suite, comme j'avais souvent l'habitude de le faire, mais tu ne trouverais rien. Je n'avais laissé aucun mot, j'avais préféré m'expliquer en effaçant toute trace de moi. L'ascenseur descendu, t'emmenant avec les deux journalistes, j'avais vidé les tiroirs de tout ce qui m'appartenait, l'armoire de tous mes vêtements, j'avais rempli deux grandes valises et un carton, que j'avais cachés dans le débarras à côté des objets les plus insignifiants, bouteilles de parfum presque vides, brosses, épingles à cheveux, avec tellement de soin qu'il ne restait même plus un cheveu, enfin, j'avais fourré l'essentiel dans un sac de voyage, j'avais posé les clefs sur le lit pour bien te montrer que désormais elles ne me servaient plus à rien et... Un spasme violent me bloqua l'estomac. Et pourtant je n'étais pas physiquement jalouse de toi. Je ne l'avais jamais été, pas même au début, lorsque je m'étais aperçue que tu aimais susciter le désir par vanité, ni par la suite quand tes rites dionysiaques avaient explosé et que je t'avais vu mordre ta pipe en fixant l'éléphante et l'éphèbe fluet danser au son des bouzoukis. Je veux parler de la jalousie qui vide les veines à l'idée que l'être aimé pénètre un autre corps, la jalousie qui coupe les jambes, ôte le sommeil, détruit le foie, bouscule les pensées, la jalousie qui empoisonne l'intelligence avec des interrogations, des soupçons, des craintes, la jalousie qui triomphe de la dignité lorsqu'elle te propulse dans des enquêtes, des plaintes, des pièges, où, avili et grotesque, tu deviens le policier, l'inquisiteur et le geôlier de l'être aimé. Peut-être par intellectualisme, cohérence vis-à-vis du principe que les rapports amoureux doivent être réinventés et, avant tout, épurés de toutes les scories et fardeaux qui les rendent à la longue étouffants, j'avais dès le départ décidé de m'interdire toute souffrance de cet ordre vis-à-vis de toi. Au contraire, te savoir désiré me flattait, te voir vulnérable aux tentations m'amusait, pendant un certain temps ces deux choses, en fait, avivaient mon plaisir de te disputer à des rivales, plus que l'ivresse que je nourrissais à l'idée d'être ta compagne. Ce n'est que durant les derniers temps que tes excès ont commencé à m'attrister, et non de me savoir remplacée pour une heure ou une nuit, mais plutôt à cause du tort que tu te faisais en t'exposant à des ragots, en acceptant les habitudes d'une société que tu voulais changer, en t'adaptant aux saletés d'une sous-culture où le culte du phallus humilie l'intelligence. Toutefois, même à cette époque, je n'avais pas cédé à cette indignation qui rend muet et pousse un être à fermer la porte derrière lui après avoir laissé les clefs sur le lit. Pourquoi donc l'avoir fait aujourd'hui?

Pour la troisième fois j'ai regardé ma montre : six heures. Une intuition me disait que le débat avait dû vraiment se terminer à six heures et que tu étais en ce moment sur le chemin du retour, peut-être même dans l'ascenseur, peut-être même devant la porte, peut-être même en train de marcher sur la pointe des pieds pour me surprendre, et je te voyais fouiller d'une pièce à l'autre, chercher le mot que je n'avais pas laissé, froncer les sourcils, ouvrir les tiroirs, les trouver vides, constater que tout avait disparu, finalement ouvrir le débarras, voir les deux valises et le carton, et pâlir, désormais certain quant à la réalité de mon départ. La bouche fermée, les mâchoires serrées, les narines dilatées. Et ton regard? Celui d'un loup prêt à mordre ou celui d'un chien battu parce qu'il a fait pipi sur le tapis? Ma tête tournait et enveloppait dans une nappe de brouillard l'Américain aux cheveux gris, les bonnes sœurs au rosaire, les Arabes aux tuniques blanches. Je me suis cramponnée à la table et j'ai allumé une cigarette avec des mains tremblantes. Je n'étais peut-être pas amoureuse de toi, ou bien je ne voulais pas l'être, je n'étais peut-être pas jalouse de toi, ou bien je ne voulais pas l'être, je m'étais peut-être raconté un tas de vérités et de mensonges, mais une chose était certaine : je t'aimais comme jamais je n'avais aimé un être au monde, comme je n'aimerai jamais personne d'autre. Un jour, j'ai écrit que l'amour n'existe pas, et que s'il existe c'est une duperie : que signifie aimer? Cela signifiait, comme j'étais à ce moment-là en train de le faire, t'imaginer pétrifié, bon Dieu, avec le regard d'un chien battu parce qu'il a fait pipi sur le tapis, bon Dieu! Je t'aimais, bon Dieu! Je t'aimais au point de ne pas pouvoir supporter l'idée de te blesser, bien qu'étant moi-même blessée, de ne pas pouvoir supporter l'idée de te trahir, bien qu'étant moi-même trahie, et en t'aimant, j'aimais tes défauts, tes fautes, tes erreurs, tes mensonges, tes laideurs, tes mesquineries, tes vulgarités, tes contradictions, ton corps, avec ses épaules trop rondes, ses bras trop courts, ses mains trop frustes, ses ongles arrachés. Bien sûr, l'amour n'a pas pour objet un corps ; cependant, même lorsque nous étions séparés par un océan, ce corps, je l'emmenais au lit avec moi, je l'embrassais dans le souvenir comme à l'époque où nous habitions la maison dans les bois, c'était l'hiver et il faisait froid la nuit, et nous nous réchauffions, ma tête contre ta tête, mon ventre contre ton ventre, nos jambes entrelacées, ou bien comme lorsque nous étions étendus dans la chambre, ce corps, je l'embrassais dans le souvenir de la chambre de la rue Kolokotroni, l'été, les après-midi étaient étouffants, et nous nous poussions en riant sur le lit, écarte-toi-chose-chaude, mais il y avait toujours un moment où tes petits yeux étranges, l'un plus haut et l'autre plus bas, l'un plus fermé et l'autre plus ouvert, me soûlaient de douceur, et je me penchais sur toi pour embrasser tes paupières gonflées, amandes de chair, caresser du bout de mon index ton nez si drôle, tes moustaches hirsutes, tes lèvres creusées par de petites gerçures, des lèvres de vieillard disais-tu, et frottant mon doigt sur ton menton, puis ta mâchoire, puis ta joue, je remontais très lentement vers tes oreilles, parfaites, elles, bien dessinées, et toi tu subissais, heureux de constater que j'admirais au moins tes oreilles : « Quelles oreilles ! Quelles oreilles ! » Et peut-être que ton caractère ne me plaisait pas, ni ta façon d'être, pourtant je t'aimais d'un amour plus fort que le désir, plus aveugle que la jalousie : à tel point implacable, à tel point inguérissable, que désormais je ne pouvais plus concevoir la vie sans toi. Tu en faisais partie, comme ma respiration, mes mains, mon cerveau, et renoncer à toi c'était renoncer à moi-même, à mes rêves qui étaient tes rêves, à tes illusions qui étaient mes illusions, à tes espoirs qui étaient mes espoirs, à la vie ! Et l'amour existait, ce n'était pas une duperie, c'était plutôt une maladie, et je pouvais faire une liste de tous les symptômes de cette maladie. Si je parlais de toi à des gens qui ne te connaissaient pas ou qui ne s'intéressaient pas à toi, je débordais d'enthousiasme en leur expliquant combien tu étais grand, extraordinaire et génial ; si je passais devant une boutique de cravates et de chemises, je m'arrêtais instinctivement pour trouver la cravate qui te plairait, la chemise qui pourrait aller avec telle veste ; si je mangeais dans un restaurant, je choisissais sans m'en rendre compte les plats que tu préférais et non ceux que je préférais, moi ; si je lisais le journal, je m'arrêtais toujours sur la nouvelle qui pouvait t'intéresser le plus, je la découpais et je te l'expédiais ; si tu me réveillais au cœur de la nuit avec un désir ou un coup de téléphone je faisais semblant d'être aussi réveillée qu'un pinson qui chante de bon matin. J'ai jeté avec rage la cigarette. Mais un amour comme celui-là n'était même pas une maladie, c'était un cancer !

Un cancer. Comme un cancer qui envahit peu à peu tous les organes par la multiplication des cellules, le plasma visqueux du mal, et plus il s'étend et plus tu deviens conscient qu'aucun médicament ne pourra l'arrêter, aucune intervention chirurgicale l'éliminer, peut-être cela aurait-il été possible lorsqu'il n'était qu'un petit grain de sable, un grain de riz, une voix qui criait egò s'agapò, une étreinte dans le frémissement du vent parmi les branches des oliviers, mais, à présent, ce n'est plus possible, parce qu'il te vole tous tes organes, tous tes tissus, parce qu'il te dévore au point de former avec toi un unique magma que seule la mort pourrait défaire, sa mort qui serait aussi la tienne, c'est ainsi que tu m'avais envahie, que tu étais en train de me dévorer, de me tuer. Les malades du cancer ont une caractéristique lugubre : à peine ont-ils compris que le cancer a gagné ou est sur le point de gagner qu'ils cessent de lui opposer les médicaments, le bistouri, la volonté, et se laissent tuer en se soumettant, sans le maudire, sans lui reprocher le martyre qu'il leur impose. Ils l'appellent mon-mal, avec une indulgence affectueuse, comme s'il s'agissait d'un ami, un maître ou une possession dont ils ne peuvent plus se passer, et ce « mon » est dit parfois sur un ton suave : le ton que ma voix empruntait, à peine prononçais-je ton nom. Voilà, j'en étais arrivée là, parce que je ne t'avais pas extirpé lorsque tu n'étais qu'un petit grain de sable, un grain de riz, et pourtant, l'instinct m'avait avertie que toute personne qui entrait dans ta sphère perdait la paix à tout jamais. Et pourtant, les occasions de te fuir n'avaient pas manqué, j'aurais pu en cueillir à la pelle durant la période qui avait précédé l'excursion au temple de Sounion et l'engagement pris à travers les deux pains de plastic. Mais je les avais toujours repoussées, et le cancer avait pu se développer pour me prouver qu'aimer veut dire souffrir, que l'unique façon de ne pas souffrir c'est de ne pas aimer et que dans les cas où tu ne peux pas faire autrement qu'aimer tu es destiné à succomber. En d'autres termes, mon problème était insoluble, ma survie impossible, et la fuite ne servait à rien. A rien ? J'ai levé la tête. Elle pouvait servir à quelque chose : à sauver ma dignité. Tu ne peux pas dire à une personne qui t'aime et que tu aimes : je baiserai la femme d'un tel, je la baiserai et la rebaiserai jusqu'à ce qu'elle pisse le sang, qu'elle perde ses boyaux, et pour ce travail j'ai besoin d'un cheval, tu m'offres une voiture ? Et tous tes héroïsmes, tes désespoirs, tes traits de génie et tes poèmes ne pouvaient suffire à effacer le dégoût que j'avais éprouvé en t'entendant répéter le si poussiéreux slogan rien-n'est-indigne-lorsque-le-but-est-digne, le discours si éculé de la nécessité. La nécessité invoquée par les généraux lorsqu'ils envoient leurs soldats à la boucherie pour conquérir un nœud ferroviaire, une colline, car, de toute façon, il suffit d'envoyer ensuite un beau petit télégramme : cher monsieur, chère madame, nous sommes désolés de vous communiquer que votre fils est mort au champ d'honneur. La nécessité avancée par les révolutionnaires qui tirent des coups de revolver sur n'importe qui, et détruisent et massacrent comme les pilotes des bombardiers, puisque, de toute façon, il suffit d'écrire ensuite une belle petite marche sur les sacrifices qu'il faut endurer pour conquérir l'égalité et abattre les tsars. La nécessité acceptée depuis toujours de la part des hommes en lutte qui, au nom de cette foutue lutte, ont le droit d'accomplir n'importe quelle perfidie, s'échanger Briséis, réduire Cassandre à l'esclavage, immoler Iphigénie, abandonner Ariane sur une île déserte après qu'elle t'a aidé à vaincre le Minotaure. De toute façon, briser le cœur d'une femme, déchirer le ventre d'une autre femme, ne sont que des inepties en regard de l'Histoire et de la Révolution, non ? Assez. On a beau dire que la sérénité endort, que le bonheur abêtit, que la souffrance, en revanche, réveille et donne des idées. La souffrance paralyse, éteint l'intelligence, tue. Et avec toi, j'avais vraiment trop souffert. A part quelques petites oasis de bonheur, quelques brefs éclats de gaieté, notre union n'avait été qu'un fleuve d'angoisses, de dangers, de folies, de névroses : vivre avec toi, c'était se trouver toujours en première ligne. C'était une pluie continuelle de roquettes, de grenades, de napalm, c'était creuser des tranchées en permanence, marcher sans trêve sur des terrains minés, monter à l'assaut à chaque instant, infliger et recevoir des blessures, crier, sangloter, appelle le brancardier, passe-moi un chargeur, je n'en peux plus, commandant. On ne peut pas vivre sans arrêt au front, vivre éternellement un drame. On finit par perdre le sens de la mesure.

Six heures et demie. Le haut-parleur a grésillé, une voix douce a annoncé l'atterrissage de l'avion en provenance de Bangkok. Bien, dans peu de temps nous serions à bord et, même s'il te venait l'idée de me chercher ici, tu n'aurais pas le temps de me trouver. Ou peut-être que oui ? Soudain cette crainte s'est concrétisée en images qui défilaient à une vitesse vertigineuse. Tu voyais les clefs sur le lit, tu comprenais. Tu les attrapais, tu sortais chercher un taxi, tu montais dans le taxi, tu disais au chauffeur de te conduire à l'aéroport, tu arrivais, tu entrais, tu te présentais à la police en montrant ton laissez-passer de député, tu gravissais l'escalier qui conduit à la salle d'embarquement, tu prenais la direction du bar, vers le pilier derrière lequel je m'étais cachée, et plus je refusais d'y croire plus je sentais que c'était bien ça qui était en train de se produire, j'avais carrément l'impression d'entendre ton pas lourd, cadencé, impitoyable, une-deux, une-deux, une-deux. En effet je baissais la tête et me demandais s'il ne valait pas mieux me lever et suivre les Arabes, les bonnes sœurs et l'Américain qui se trouvaient déjà devant la porte donnant sur la piste, mais je ne réussissais pas à bouger et, à présent, les pas étaient réels, toujours plus nets, toujours plus proches, une-deux, une-deux, une-deux, maintenant ils s'arrêtaient et sous mes yeux, je distinguai soudain deux chaussures poussiéreuses que je connaissais bien car tu ne les nettoyais jamais, au-dessus des chaussures, des pantalons que je connaissais tout aussi bien, froissés, sans pli, au-dessus des pantalons, la veste à petits carreaux, celle dont tu avais perdu le dernier bouton. Blême, décidée à t'ignorer, je ne suis pas allée plus haut que ce bouton et j'ai fait semblant de ne pas t'avoir vu. Mais, comme une fanfare militaire, les clefs que j'avais laissées sur le lit ont tinté à mes oreilles, et ta voix rauque s'est élevée : « Qu'est-ce que j'ai fait ? » J'ai levé aussitôt la tête pour chercher ton regard. Non, ce n'était pas celui d'un chien battu, c'était celui d'un loup prêt à mordre. Et les lèvres du loup frémissaient, elles étaient d'un rouge étrange, à chaque frémissement, elles laissaient entrevoir tes dents serrées par une colère si glaciale que, pendant un bref instant, j'eus très peur. « Ordure. Je peux très bien m'en passer, moi, de ta voiture. Je n'en veux pas de ta voiture, moi. Je n'ai besoin de rien ni de personne, moi. Et lève-toi quand je te parle ! » Je suis restée assise, les yeux fixés sur toi. La voix douce du haut-parleur annonçait le départ de l'avion, l'embarquement immédiat, et je devais bouger. Mais pour rien au monde je n'aurais voulu t'obéir en me levant. Tu es devenu très pâle. Tu m'as mis les clefs sous le nez. « Si tu bouges, si tu prends cet avion, je te tue. » Alors, je me suis levée. J'ai saisi mon sac de voyage, et j'ai brisé le silence : « Que je sois maudite et que tu sois maudit avec moi si je remets les pieds dans cette sale ville. » Puis, je t'ai tourné le dos et me suis dirigée vers la porte, et j'étais à quelques pas des passagers de mon vol lorsqu'un coup de poing, très violent, m'a atteinte au poumon : « Arrête-toi ! » J'ai continué à avancer et aussitôt ton second coup de poing m'a touchée, au même endroit, si sec, si terrible cette fois-ci, que j'en ai eu le souffle coupé, que j'ai failli tomber à la renverse, et que l'une des deux bonnes sœurs a murmuré : « Jésus ! » L'Américain, lui, est devenu rouge et a fait le geste de se diriger vers nous pour intervenir. Je l'ai bloqué en lui lançant un regard rapide et je t'ai fixé droit dans les yeux. La sueur perlait sur ton front, ton nez, tes moustaches, tes yeux étaient deux étangs de consternation. Brillants, brillants. On aurait dit que tu allais te mettre à pleurer. Quelques secondes ont passé avant que je ne réussisse à dire ce mot. Mais, à la fin, je l'ai prononcé : « Crève. » Et sur ce vœu, je t'ai laissé là, sans me retourner.

.

Lorsque, huit mois plus tard, je suis entrée à la morgue à la recherche de ton corps, mon supplice était le hurlement sans fin,

382

réprimé d'une bête blessée, le souvenir de t'avoir souhaité la mort, même à travers une réplique banale, a déchiré ma conscience jusqu'à l'étourdir et, désormais, je n'ai pu m'empêcher d'entendre, telle une goutte qui tombe d'un robinet mal fermé : « Crève, crève, crève, crève. » Bien sûr, il y avait d'autres accusations, d'autres condamnations, à travers lesquelles je me fustigeais ; et bientôt tu comprendras lesquelles. Mais ce « crève » les résumait toutes, et c'est en lui que je me torturais, que je me damnais, que je me posais la question : pourquoi avoir exagéré comme ça, ce jour-là, en te quittant et en te refusant toute explication ? Etait-il possible que l'explication candide de ton plan et ta demande ingénue de t'acheter une voiture m'aient poussée à une réaction aussi excessive, définitive ? Et, incapable de m'absoudre, mais en même temps habitée par le besoin de le faire, je m'offrais des explications qu'aussitôt je niais. Oui, je m'étais sentie offensée, j'avais cédé au besoin humain de me révolter, de me libérer d'un joug devenu trop pesant, mais ne m'étais-je pas toujours montrée ouverte à tes idées les plus singulières ? Et à qui d'autre pouvais-tu t'adresser sinon à moi qui étais ta compagne ? Non, le véritable motif de cette réaction devait sûrement se trouver ailleurs, enfoui, enterré au plus profond de mon inconscient. Une peur, voilà, une superstition que je ne voulais pas admettre, ou dont je ne me rendais pas compte. Quelque chose avait dû se déclencher en moi lorsque j'avais entendu ton discours sur la nécessité : un déclic qui avait produit une étincelle. Et cette étincelle avait produit d'autres étincelles, provoquant une réaction en chaîne identique à celle de plusieurs mines qui, reliées à un seul détonateur, sautent simultanément lorsque l'une d'entre elles explose. La mine de l'orgueil blessé, celle de la jalousie inavouée, celle de l'ennui bâillonné : inertes pendant des mois, des années, sans qu'un artificier ne les ait désamorcées. Puis, une nuit, tout est devenu clair pour moi : la voiture. Le mot voiture. Je haïssais la voiture, je l'avais toujours haïe au point de ne pas en posséder. Mais cette haine était devenue démesurée depuis que je te connaissais, parce que, dès le début, il y avait un cauchemar dans notre vie : la voiture. La voiture qui nous avait attaqués en Crète, en nous accostant et en nous poussant vers le bord de la route pour nous faire tomber dans le ravin. La voiture qui, au retour de Ischia, nous avait attendus à la sortie du restaurant pour foncer sur notre taxi. La voiture qui lançait les cocktails Molotov à Polytechnique, cette Cadillac noire qui résumait pour moi toutes les horreurs que nous avions vécues avec une voiture, à cause d'une voiture. Sans compter celle que tu avais tenté de faire sauter, la Lincoln de Papadopoulos, et sous laquelle tu avais voulu te jeter à la fin de notre semaine de bonheur. En un mot, la Mort sous les traits d'une automobile, les phares à la place des orbites vides, le capot avant à la place de la tête de mort, les roues à la place de membres déchiquetés. Et tu m'avais demandé de t'offrir la Mort. Voilà le déclic, la première étincelle. Mais pourquoi me demander ça à moi, spécialement à moi ? Tu n'avais pas besoin de moi pour acheter une voiture. Et, surtout, pourquoi avais-tu besoin d'une voiture pour réussir à t'emparer de ces documents ? Quels rapports y avait-il entre cette voiture, les archives de l'ESA, la femme de Hazizikis et les preuves contre Averof ? Il y en avait des rapports, et comment. Je m'en apercevrai plus tard. D'ailleurs, le héros de la fable n'affronte jamais le duel final sans son cheval : le cheval a une fonction presque religieuse au cours de l'ultime défi. « Et il enfourcha son cheval pour aller affronter l'ogre. » « Et il éperonna son cheval et il alla prendre les parchemins du roi. » Même dans les mythes de la Grèce antique, tissu évident de ta culture, il y a toujours le cheval. Parce que, sans cheval, le héros ne peut pas entrer dans le royaume des Enfers : il s'agit de l'objet magique, du don indispensable pour mourir. Et ce don, cet objet magique, ce véhicule de mort, le héros le reçoit toujours de celui ou de celle qui l'aime.

On comprend toujours après, bien que comprendre au moment voulu ne serve pas à barrer la route à un destin déjà écrit. Et sûrement je ne pensais pas cela tandis que je montais à bord de l'avion qui allait m'emmener loin de toi, puis tandis que je m'asseyais à côté de l'Américain qui avait voulu me venir en aide et qui, maintenant, cherchait en vain à engager la conversation. Lui, il connaissait bien New York, est-ce que je connaissais New York aussi ? Oui, je connaissais New York. Lui, il habitait à New York, avais-je jamais habité à New York ? Oui, j'avais une maison à New York ? Really, vraiment ? How nice, quelle heureuse coïncidence ! Alors, moi aussi, j'allais à New York ? Non, je n'allais pas à New York. En réalité, j'y allais, sans le dire à personne, convaincue que c'était l'unique endroit où tu serais incapable de me mettre la main dessus. La seule idée de te revoir, en effet, m'apparaissait, cet après-midi-là, comme un malheur indicible, comme une menace terrifiante.

**

Ce que tu as pu élaborer pour remettre la main sur moi, m'utiliser comme instrument de ta mort, c'est extraordinaire. Plus tard, je me demanderai souvent, incrédule, par quel accès de bêtise j'avais pu me laisser emberlificoter si bien par ta manœuvre. En plus, je connaissais mieux que quiconque tes ruses, tes talents de cabotin capable des prouesses les plus incroyables. Enfin, le fait d'avoir mis un océan entre nous n'éveillait en moi aucun regret : New York renforçait jour après jour ma décision de t'exclure sans appel de mon existence. J'y travaillais, j'y rencontrais des personnes liées à un monde qui m'appartenait et t'excluait, j'y parlais une langue qui m'était familière et que tu ne connaissais pas, je retrouvais des habitudes et des paysages dans lesquels j'avais toujours été à l'aise. Le soir, lorsque je rentrais chez moi, et que des fenêtres du dixième étage je regardais la ville étincelante, les beaux gratte-ciel, les ponts de l'East River, je faisais le bilan d'une journée passée sans le tourment de ces noms, Hazizikis, Théophiloyannacos, Averof, et tu ne me manquais pas. Et même la nuit, lorsque je me couchais dans mon lit confortable, je pensais au soulagement de pouvoir dormir enfin seule, chauffée par une bonne couverture électrique et c'est tout. Bien sûr, il arrivait que ton image vienne de temps en temps m'agresser, éveillée par un nom, un son, un plat ou même un néon dans la rue, Alexander, Acropolis, Olympic, Greek restaurant, mais il me suffisait de me souvenir de tes deux coups de poing dans mon poumon pour écarter ton image. Je les sentais encore, telles des brûlures de cigarette. Il m'arrivait même de sentir comme un vide dans l'estomac, à la vue de la bague que tu m'avais offerte à Noël et que j'avais ôtée de l'annulaire de ma main gauche pour la ranger dans un tiroir. Mais il me suffisait de raisonner : dans un désert où toute plante est un mirage, tout souffle de vent une illusion, le désert des utopies, nous nous étions rencontrés en oubliant de nous demander qui nous étions et où nous voulions aller ; chiens sans collier, main dans la main, nous enfonçant dans les dunes de sable, tombant, nous relevant, tombant à nouveau, nous nous étions tenu compagnie, liés par la laisse équivoque de l'amour. Mais à présent, la laisse s'était brisée et pas question de renouer à cause d'un vide dans l'estomac, pas question de mettre en péril mon équilibre, mon détachement. Une seule chose pouvait s'avérer dangereuse pour moi, entendre à nouveau ta voix. Cette voix qui m'hypnotisait, m'ensorcelait. Et je redoutais cette éventualité. En effet, et bien que l'avion dans lequel tu avais tenté de m'empêcher d'embarquer ait eu Rome pour destination et non New York, tu ne mettrais pas longtemps à découvrir que j'étais venue ici. Un coup de téléphone suffirait. Mais cette peur n'a duré qu'une semaine, et la seconde semaine je n'y croyais déjà plus. Grave erreur. A l'aube du dix-septième jour de ma fuite, la sonnerie du téléphone a retenti « Allô ! C'est moi ! Je suis moi ! »

Une surprise est toujours quelque chose qui intimide, quelque chose de brutal. Bonne ou mauvaise, elle est toujours une intrusion, un ordre, une violence. Parce qu'elle brise un équilibre et oblige qui elle atteint à la subir, qu'elle lui plaise ou non, qu'il y soit préparé ou non. Et tu aimais les surprises. L'assaut inattendu, le geste hors programme, le choc qui vous laisse tout pantois, voilà quelles étaient tes spécialités. Je l'avais oublié. Pour le bien ou pour le mal, tu fonçais sur les autres avec la rapidité d'une flèche, comme un enfant qui entre en courant dans une pièce dérange ceux qui parlent, ou celui qui travaille, ou celui qui se repose. Je l'avais oublié. En revanche, toi, tu n'avais pas oublié combien les surprises pouvaient me paralyser, tu avais calculé qu'en m'appelant durant la première semaine tu me trouverais sur mes gardes mais qu'en m'appelant plus tard tu me surprendrais à l'improviste. « Allô! C'est moi! Je suis moi! » Cette voix. Les murs de la chambre ont commencé à tourner avec la force d'une centrifugeuse, le lit a sombré dans un lac d'égarement, et les beaux gratte-ciel, les beaux ponts de l'East River, la ville chatoyante, ce monde qui m'appartenait et t'excluait, tout s'est dissipé d'un seul coup. Inutile, presque grotesque cette barrière de défiance que je dressais entre toi et moi : « Qu'est-ce que tu veux? Où es-tu? — Je suis ici, à Madrid! Ecoute! J'ai des ennuis! J'ai besoin d'aide! » A Madrid? Des ennuis? « Je ne te crois pas. — Tu dois me croire, cataraméne Cristé! C'est vrai, vrai, vrai! Des ennuis sérieux! Je ne t'appellerais pas, sinon! Tu crois que ça me fait plaisir de te téléphoner? Ecoute-moi! — Qui t'a dit que j'étais à New York? — Personne, je l'ai deviné, j'ai essayé! Mais assez de bavardages, cataraméne Cristé! Je n'ai pas une seconde à perdre, écoute-moi! — Bon, je t'écoute. — Le problème, c'est que je suis venu ici avec un faux passeport, tu comprends? Et que j'ai oublié mon portefeuille avec le vrai passeport au contrôle de police, tu comprends? — Mais qu'est-ce que tu racontes? — Ne m'interromps pas, cataraméne Cristé! Je ne m'étais pas aperçu de l'avoir oublié là, tu comprends! Je ne m'en suis aperçu que lorsqu'on m'a appelé par le haut-parleur et qu'un policier est venu ici, dans la salle où on attend les avions! — Oh, non! — Oh, si! Et il avait mon portefeuille à la main! Et moi, qu'est-ce que je devais faire? Je devais peut-être le lui laisser? Je l'ai pris, évidemment, mais maintenant, s'ils ne sont pas complètement stupides, ils savent qui je suis et où je me trouve, tu comprends? Et mon vol a été annulé à cause d'une panne, il faut en attendre un autre, ils nous ont proposé de faire un tour en ville, mais moi je ne sais pas avec quel passeport je vais passer le contrôle, et il vaut mieux que je reste ici. — Oh, non! — Oh, si! Maintenant, je vais te dire ce que tu dois faire. — Moi, Alekos ? Mais qu'est-ce que je peux faire de New York ? Tu te rends compte qu'il y a l'Atlantique entre Madrid et New York ? — Je m'en rends compte, cataraméne Cristé, je le sais, mais ça ne fait rien, laisse-moi parler. Ecoute ! — C'est bon, je t'écoute. — Tu dois absolument, je dis bien absolument, prendre le premier avion pour l'Europe qui fasse escale à Madrid. A New York, il y a beaucoup d'avions qui font escale à Madrid. Moi, je ne bouge pas de cette salle d'attente, à moins qu'ils ne m'arrêtent. Je compte sur la confusion. Il y a un désordre incroyable, ici. Ça risque de durer jusqu'à demain matin, car ils sont en train d'annuler d'autres vols, je ne sais pas pourquoi. La salle d'attente c'est aussi la salle de transit. Tu descends et tu viens dans cette salle. Sans te faire remarquer, tu me rejoins et tu me donnes ta carte de transit. Quand l'avion repart, j'embarque à ta place. En attendant, tu vas aux toilettes et tu ne sors que lorsque l'avion est parti. Et tu fais semblant d'avoir perdu ta carte d'embarquement et tu t'énerves un peu. Compris ? — Tout ça me paraît absurde. — Absurde ? — Oui. Me faire venir de New York. Pourquoi ne cherches-tu pas quelqu'un à Madrid ? — Qui à Madrid, qui ? — En Europe, alors. — Qui en Europe, qui ? — Pourquoi ne prends-tu pas le premier avion qui part ? — Pourquoi, pourquoi ! Tu crois que c'est le moment de poser des questions, cataraméne Cristé ? Combien de fois veux-tu que je te répète les mêmes choses ? Tu veux me faire aller en prison ? — Non, Alekos, j'arrive. — Tout de suite ! — Tout de suite. — Si tu ne me trouves pas, sois discrète, ne te compromets pas ; ça veut dire qu'on m'a arrêté. Continue jusqu'à Rome, cours à mon ambassade et demande-leur d'avertir Athènes. Compris ? — Oui, mais ça servira à quoi de s'adresser à l'ambassade de Rome s'ils t'ont arrêté à Madrid ? Il ne vaudrait pas mieux... — Ne discute pas, cataraméne Cristé, ne discute pas, si je te dis de faire comme ça, ça veut dire qu'il faut faire comme ça ! Je ne peux pas parler ! J'ai déjà trop parlé ! Si tu ne me trouves pas, ne te compromets pas, continue jusqu'à Rome ! S'il te plaît ! — D'accord, salut, j'arrive. »

J'ai raccroché, en proie à des pensées contradictoires. Tout ceci me semblait d'une part incroyable, de l'autre plus que possible. Supposons qu'après le choc de mon départ tu aies décidé de renoncer à t'emparer des documents. De but en blanc, de la même façon que tu avais renoncé au plan de l'Acropole. Ressentant un vide terrible, tu avais très bien pu décider d'entreprendre immédiatement autre chose. Mais pas en Grèce, pas dans la politique des politiciens : dans une réalité où le blanc est blanc, le noir est noir et le rouge est rouge, c'est-à-dire dans un pays écrasé par la dictature. L'Espagne. L'Espagne était un terrain idéal, et tu avais un compte à régler en Espagne : une promesse qui remontait à l'époque où les Basques avaient imité ton attentat contre Papadopoulos, en le perfectionnant et en faisant sauter l'automobile de Carrero Branco. Tu n'avais pas apprécié de voir les Basques réussir là où tu avais échoué. Sourd à mes tentatives de te consoler, eux-étaient-nombreux-et-toi-tu-étais-tout-seul, eux-avaient-une-organisation-et-toi-pas, tu t'étais enfermé dans la jalousie, et : « C'était mon plan, c'était mon plan. » Puis tu avais déclaré que tu leur prouverais que tu étais aussi fort qu'eux. Tu étais donc allé à Madrid prendre ta revanche ? Mais non : Francisco Franco était en train de mourir, on prévoyait un retour à la démocratie, et le refus de la violence était désormais bien trop ancré en toi. Tu étais convaincu que n'importe quel imbécile est capable d'appuyer sur une détente et que les véritables bombes ce sont les idées. Tout compte fait, j'étais quasiment sûre que tu n'avais pas du tout renoncé à t'emparer des documents : tu avais dû te rendre en Espagne pour quelque chose qui était en rapport avec les archives de l'ESA. Des papiers cachés à Madrid, peut-être, quelqu'un qui s'était réfugié à Madrid avec la complicité d'Averof et du KYP. Ceci expliquait le détail du faux passeport, ta crainte d'être découvert par la police espagnole : il était évident que, maintenant que tu étais un député, un interprète de la légalité, tu ne pouvais pas te faire prendre la main dans le sac, en train d'utiliser les vieilles méthodes. Oui, il fallait t'aider à sortir de cet aéroport. Océan au milieu ou pas, il fallait te sortir de ce pétrin. Et tandis que mon imagination galopait et enterrait les doutes, les incertitudes, les invraisemblances, j'ai cherché un avion pour Rome avec escale à Madrid. J'en ai trouvé un. J'ai préparé ma valise à toute vitesse. J'ai remis mon alliance à mon doigt. Et quelques heures plus tard, j'étais dans l'avion : j'arrive, Don Quichotte, j'arrive, ton Sancho Pança est toujours ton Sancho Pança, il le sera toujours, tu pourras toujours compter sur moi, me voici, agàpi, me voici ! Ce n'a été qu'au-dessus de l'Atlantique qu'une faible lueur de lucidité s'est insinuée dans mon esprit : bien sûr, c'était une idée étrange que de m'obliger à traverser la planète pour une carte d'embarquement, c'est-à-dire un problème que n'importe qui pouvait résoudre en deux heures, de Madrid ! Etait-ce un prétexte pour me faire revenir ? Tu étais capable de tout, toi, même de me faire une farce monumentale. Et ce soupçon a embrasé mes joues. Mais ne pouvant rien y faire à présent, je l'ai chassé pour m'abandonner à un sommeil libérateur qui dura jusqu'à l'atterrissage de l'avion à Madrid.

Tu n'étais pas dans la salle de transit et il n'y avait aucun signe du grand remue-ménage dont tu m'avais parlé. Toutefois, il y avait un étrange va-et-vient de policiers, et la chose m'a énervée . j'ai demandé à une hôtesse si au cours de la nuit il y avait eu un incident. L'hôtesse m'a examinée avec une étrange lueur dans les yeux. Un incident ? Quel genre d'incident ? Sa tâche était de donner des informations sur les vols et c'est tout. Oui, bien sûr, elle devait excuser ma curiosité : muchas gracias, adios. Et j'ai poursuivi mon voyage pour arriver à Rome deux heures plus tard. Si tu avais été vraiment arrêté, comme cette étrange lueur dans les yeux de l'hôtesse pouvait le laisser supposer, je devais suivre tes instructions point par point. Une étape rapide à l'hôtel et puis en route pour ton ambassade. J'ai couru jusqu'à notre hôtel et j'étais si fatiguée, si bouleversée, que je n'ai pas prêté attention aux paroles de l'employé puis du portier. Quelque chose comme un double de clefs ou un paquet était arrivé. Quel paquet ? Je n'attendais aucun paquet. Machinalement, j'ai rejoint la chambre qu'ils avaient l'habitude de nous donner depuis que les fastes de l'appartement avaient pris fin. Je suis entrée. Les rideaux étaient tirés mais, dans la pénombre, on distinguait une grande corbeille de roses roses, à peine écloses, comme je les aime, et un beau panier de fruits : pommes, poires, oranges, grappes de raisin, fruits confits. Qui m'avait envoyé de tels cadeaux vu que personne ne savait que je devais venir ? J'ai froncé les sourcils. Soudain une forme a bougé dans le lit et une voix a claironné : « Qu'est-ce que tu penses de ma surprise ? »

*
* *

Maintenant que la corbeille de roses avait volé contre le mur pour retomber au sol en une pluie de pétales mortifiés, que les pommes, les poires et les oranges gisaient sur le lit avec une chaussure qui avait manqué son but, que ton front était couronné comme celui de Bacchus par une grappe de raisin, maintenant que la grimace goguenarde qui avait tordu tes lèvres au moment où j'avais lancé les fleurs et les fruits s'était transformée en un sourire angélique, et que ma gorge sèche n'émettait plus aucun son, car ma colère s'était noyée en un sentiment d'impuissance et de résignation, je pouvais écouter tes justifications. « Je t'écoute ! » Tu as ôté la grappe de raisin de tes cheveux et tu as commencé à la picorer tranquillement. « Premièrement, je suis vraiment allé à Madrid : avec un faux passeport. Le voilà. Je voulais rencontrer certains résistants espagnols, m'informer sur un groupe fasciste qui opère simultanément en Grèce, en Espagne, en Allemagne et en Italie. Un groupe fondé par Otto Skorzeny, l'homme qui a libéré Mussolini. J'espérais

389

trouver le nœud d'une affaire qui me laisse très perplexe. Deuxièmement, j'ai vraiment oublié mon portefeuille avec mon vrai passeport et de l'argent. J'étais fatigué et en colère, parce que je n'avais rien trouvé, et c'est comme ça que j'ai oublié ce portefeuille au guichet de la police. On m'a vraiment appelé par haut-parleur et un policier est vraiment venu me rendre le portefeuille. Troisièmement, mon vol a été vraiment annulé, et c'est bien de l'aéroport que je t'ai téléphoné, pendant que j'attendais un autre vol. J'étais là et je me demandais ce que j'allais bien pouvoir inventer s'ils découvraient toute l'affaire, et c'est alors que j'ai eu cette idée. Je l'ai trouvée vraiment cocasse, et je l'ai utilisée pour te faire revenir. Quatrièmement, sans cette idée, tu ne serais pas ici. Et moi j'ai besoin de toi. — Pour acheter une voiture ? — Non. Pour des choses beaucoup, mais beaucoup plus importantes. » Tu es devenu grave. « Bientôt, je vais les avoir tous sur le dos, droite, gauche, centre : ces documents n'arrangent personne. Il semblerait qu'il n'a pas été le seul à collaborer, que parmi les traîtres, il y a également un porc de mon parti. Je serai plus seul que jamais, et... — Tu as fait sa connaissance ? — J'ai connu son amant. Oui ! Elle a un amant ! — Et elle, quand vas-tu la rencontrer ? — Bientôt, dès que je rentrerai à Athènes. Mais je dois faire attention, il se passe des choses étranges depuis une dizaine de jours. Voilà, j'ai l'impression qu'on me surveille étroitement, d'avoir sur les talons quelqu'un qui sait ce que je suis en train de faire. Une sale histoire. — Et tu as l'intention de continuer quand même ? — Bien sûr. Le problème n'est pas là. Le problème, je le répète, c'est que je ne peux plus compter sur personne, même pas mon parti. Je vais être plus seul que jamais. »

Et c'est alors que ma rancune a disparu. J'ai ramassé les roses qui avaient survécu à ma fureur et les ai mises dans un pot. J'ai disposé les fruits dans le panier, enfin, je t'ai dit : « Occupons-nous de la voiture, maintenant. » Et avec cette phrase, j'ai repris le rôle que les dieux m'avaient assigné avant même que nous nous rencontrions : être un des rouages de ton destin, et par conséquent la complice de ta mort.

CHAPITRE II

Comme un morceau de bois qui va à la dérive, incapable de résister au courant du fleuve, ne sachant pas encore si l'eau le jettera sur la rive ou l'entraînera jusqu'à la mer, ainsi glissais-je dans ton existence durant cet automne. Ma bataille contre l'amour, le cancer, était désormais perdue. Ma fuite, un coup de canon tiré à blanc. Et en vain. Oppressée par la sensation d'avoir commis une erreur irrémédiable, je me demandais où je m'étais trompée. Le comprendre, du reste, ne m'aurait pas servi à grand-chose : la voiture était devenue pour toi une réalité irréversible. Tu t'étais résolument convaincu que la prise des documents dépendait du fait d'avoir ou de ne pas avoir une voiture à toi : « Je ne peux quand même pas me servir du taxi pour faire le guet devant la maison de Hazizikis ou pour filer son avocat Alfantakis ! Les chauffeurs de taxi sont souvent informateurs de police. » Ou bien : « Je ne peux pas continuer à emprunter les voitures d'autrui ou à les louer ! Et je dois me déplacer sans arrêt, aller d'un bout à l'autre de la ville ! » Si je n'avais pas dit occupons-nous-de-la-voiture, tu n'y aurais peut-être plus pensé. Mais maintenant que j'avais relancé l'idée, elle t'obsédait : toutes nos discussions s'achevaient sur les mots cylindrée, essai, rodage, permis international, carte grise, vignette, immatriculation, plaque, certificat de dédouanement, couleur. Couleur, surtout. Tu voulais une Fiat 132, et la gamme des couleurs était assez large mais tu ne trouvais jamais celle qui te convenait : presque chaque jour éclataient des disputes sur les avantages et les inconvénients du bleu, du gris métallisé, du blanc laiteux, du rouge sang, du vert tilleul et du vert pomme. Le seul point sur lequel nous étions d'accord était le refus du vert pomme. Moi par superstition, car le vert suscitait en moi des souvenirs liés à des sensations angoissantes ou déplaisantes, toi par antipathie irréductible pour Andreas Papandreou qui avait choisi le vert comme couleur de son parti durant la campagne électorale. Et puis, pouvait-on ne pas tenir compte du fait que c'était une couleur nouvelle pour les voitures, qu'il n'existait pas encore à Athènes de Fiat vert pomme, que ce vert pomme faciliterait les filatures de ceux que tu sentais derrière toi ? Plutôt un gris, ou un havane, ou un bleu qui, la nuit, se confond avec l'obscurité. En somme, le problème de la voiture nous absorbait tellement que nous ne parlions de rien d'autre, et moins que jamais du drame où tu t'enfonçais et que du reste j'ignorais car, fidèle à mon invective que-je-sois-maudite-et-que-tu-sois-maudit-avec-moi-si-je-remets-les-pieds-dans-cette-sale-ville, je ne venais plus à Athènes. C'était toi qui venais en Italie et, quand je te demandais comment-vont-les-choses-là-bas, tu éludais : « Je t'en parlerai le moment venu, mais à présent je ne veux pas y penser. » La seule fois où tu y as fait allusion, ce fut l'après-midi où a refait surface la discussion sur les nécessités. Nous nous promenions via Veneto et c'était l'heure où les oiseaux vont dormir sur les arbres qui bordent l'avenue. Ils arrivaient par milliers, formant dans le ciel violet une sorte de nuée noirâtre, et nous nous sommes arrêtés pour les regarder. L'un après l'autre, se détachant du nuage comme des gouttes d'eau filtrant d'un robinet, ils dessinaient une large courbe dans le ciel, puis plongeaient sur un tilleul : toujours le même. En plongeant, ils lançaient des cris de triomphe, stridents, et mêlés aux battements d'ailes incessants, ces cris causaient un vacarme assourdissant : méchant. Cependant, ce n'était pas le bruit qui était le plus impressionnant : c'était l'impuissance du tilleul qui, fort et vigoureux mais condamné à l'immobilité, semblait subir un lynchage, un martyre. Il ne finissait jamais ce martyre, il ne se vidait jamais ce nuage. Inépuisable, il continuait à déverser des oiseaux qui se jetaient sur le tilleul avec la voracité de piranhas dépouillant un bœuf, et ses branches en étaient si grouillantes que certaines ployaient, sous le poids excessif, et même se brisaient. Sous l'arbre, le trottoir n'était plus qu'un tapis de feuilles arrachées. « Alekos ! » Tu as eu un mystérieux sourire : « Voilà un exemple de perfidie nécessaire. Ils savent qu'ils le blessent, qu'ils le tuent peut-être, mais ils ne peuvent pas faire autrement. — Bien sûr que si ! Il y a d'autres tilleuls sur la via Veneto. — Mais les autres ne les intéressent pas, seul celui-ci les intéresse. Je le sais bien, moi. — Que veux-tu dire ? — Je veux dire que même Joannidis a ce que je veux : crois-tu que l'ancien chef de l'ESA ne se soit pas mis de côté une copie des archives de l'ESA ? Même Théophiloyannacos les a, même sa femme. Et aussi son collègue Alfantakis. Mais ils ne me les donneront jamais. Je dois donc me jeter sur celui qui me les donne, dépouiller celui qui me les donne. — J'ai compris, le " travail " a donc commencé. — Disons qu'il est bien engagé. — Alekos, cela ne te rend pas mal à l'aise de fréquenter des gens à qui tu aurais jadis craché au visage ? — Eh ! Je suppose que Bakounine a posé la même question le jour où Netchaïev lui a répondu : " En politique, tout ce qui est nécessaire est permis. S'allier avec les bandits, les dépravés, les voleurs, séduire, trahir. En politique, tout homme, et à plus forte raison un ennemi qui se rend utile, est un capital à dépenser ". » Puis tu as changé de conversation et je ne l'ai pas remise sur le tapis. Peut-être parce que, à force d'entendre les mots cylindrée, essai, permis international, carte grise, je m'étais convaincue que tu flottais alors dans des limbes où tes songes avaient les dimensions d'une automobile.

**

Et l'automobile est arrivée. Elle a fait irruption dans notre vie avec les glaces de l'hiver. Quelqu'un t'avait suggéré de l'acheter d'occasion, déjà rodée, déjà immatriculée, et on t'a appelé de l'usine pour te signaler qu'on en avait deux à te proposer. Presque neuves, d'excellentes occasions. Seul problème, la couleur : l'une était jaune polenta et l'autre vert pomme. Ecartant résolument le vert pomme, tu t'es mis à chanter les vertus du jaune polenta, qui était à Athènes le même jaune que celui des taxis, et rien-de-tel-qu'un-jaune-qui-se-confondra-avec-le-jaune-des-taxis, tu-ne-trou-ves-pas, allons-y ! Nous y sommes allés. Et j'étais en train de te dire qu'elle avait vraiment la couleur idéale, un jaune qui n'était guère polenta mais qui tirait plutôt sur le noisette élégant et discret, lorsque je t'ai vu bondir en hurlant de joie vers une grosse tache verte qui brillait dans la pénombre. Phosphorescente, agressive, plus visible qu'une lanterne allumée dans la nuit. « Ma Primavera ! Mon Printemps ! Ma prairie ! En mai, les marguerites, les violettes et la verveine fleuriront sur cette prairie ! Je la veux ! » Quelques minutes après, elle était à toi. « Et trêve de radotages, de superstitions, tant pis si elle se voit de loin, emmenons-la tout de suite, on part dans une heure, regarde comme le ciel est bleu, je l'ai commandé pour ma Primavera, mon Printemps, j'ai envoyé un télégramme aux nuages, je leur ai demandé de disparaître quand je conduis ma Primavera. » Le reste est une succession d'images, de sons, de couleurs qui brûlent la mémoire comme une blessure fraîche. Toi qui signes le contrat de vente, toi qui t'assieds au volant, qui jettes les valises dans le coffre, qui t'engages sur l'autoroute, et c'est un matin bouffi de soleil, des deux côtés de l'autoroute les pâturages foncent vers nous pour se perdre ensuite en longues traînées vertes semblables au vert de ta Primavera, et c'est pour cela que tu chantes : « Vert sur vert ! Et vive la vie ! » Nous nous sommes rendus en Toscane, passer Noël dans cette maison sur la colline où nous avions passé tous les Noëls précédents. Pourtant, le souvenir de ton dernier Noël et des jours qui ont suivi n'est pas dans ces murs, ces bois : il est dans cette voiture verte. Tu ne parvenais pas à t'en éloigner. « Allons faire un petit tour ! Il faut réchauffer le moteur ! » Tu conduisais sans but, sans jamais te lasser, et tout sentier était bon pourvu qu'il fût assez large pour accueillir quatre roues et ta frénésie. Tu ne t'arrêtais que lorsque tu découvrais une station-service ou un magasin où on vendait des poupées. Tu en achetais par poignées : des petites, des grandes, en chiffon ou en plastique. Et je ne comprenais pas pourquoi. « Mais qu'est-ce qui te prend, Alekos ? A qui veux-tu les offrir ? — Aux enfants, aux grandes personnes, aux gens. — Aux gens ? Pour jouer ? — Les poupées ne sont pas faites pour jouer. Elles sont faites pour ne pas oublier qui nous les a données. » Puis, le septième jour, tu m'as demandé de t'accompagner à Athènes : « Tu ne voudrais tout de même pas supprimer Athènes de ta carte géographique ! » Je me suis laissé convaincre et, avec cette absurde cargaison de poupées, heure après heure dans cette voiture verte, nous avons gagné Brindisi pour nous embarquer avec elle sur le bateau de Patras, débarquer avec elle le lendemain soir à Patras, faire avec elle la route qui mène de Patras à Corinthe et de Corinthe à Athènes. Cette même route que Michel Steffas allait faire quatre mois plus tard avec sa Peugeot. Pour venir te tuer, aidé par deux complices à bord d'une BMW rouge.

* * *

Tu avais été joyeux durant le voyage, bavard. Sur le bateau, tu avais plaisanté, conversé d'un ton enjoué avec les officiers et le commandant, tu étais même descendu dans la cale pour dire-bonjour-à-ta-Primavera-afin-qu'elle-ne-se-sente-pas-seule, mais à peine avons-nous été sur cette route qu'une soudaine mélancolie t'a rendu muet. Tu conduisais d'un air étrangement absorbé, la tête inclinée sur l'épaule gauche, et de temps en temps tu tendais la main pour caresser la mienne, en soupirant. « Qu'y a-t-il, Alekos, tu es fatigué ? — Non, non. — Tu ne te sens pas bien ? — Si, si. — Alors qu'y a-t-il ? — Je ne sais pas. Je suis triste. — Pourquoi ? — Je ne sais pas. Peut-être la nuit, la route. — Qu'est-ce qu'elle a, la route ? — Rien. C'est comme si... rien. » Tu étais toujours de mauvaise humeur quand nous sommes arrivés rue Kolokotroni et après avoir garé de travers la voiture sur le trottoir, tu t'es mis à décharger les poupées : comme si être revenu t'ennuyait ou que posséder cette voiture verte maintenant commençait à te préoccuper. Une sorte de négligence résignée se mêlait à ta mauvaise humeur. En effet, et malgré ce que tu avais dit à Rome, j'ai-l'impression-qu'on-me-surveille-étroitement, tu n'as accordé aucune importance au fait que l'ascenseur ne se trouve pas au rez-de-chaussée, et en entrant dans l'appartement, tu n'avais pas ton habituel air méfiant. « Tu as changé de système ! — Bah ! Pour ce que ça sert ! Ce qui doit arriver arrivera. » Mais dans le bureau tu t'es ravisé, et, les rideaux tirés, tu as sorti d'un tiroir secret de la bibliothèque une petite boîte plate, en métal, de la grandeur d'un portefeuille. Puis tu y as glissé un fil qui se terminait par une sorte de bouton, tu as fait passer le fil dans la manche gauche de ta veste, tu as fixé le bouton au poignet de ta chemise, tu as fourré l'étrange instrument dans la poche intérieure de la veste, et : « Maintenant, dis-moi si on voit que je porte sur moi un magnétophone ! — Non, mais avec qui... — Je devrai apprendre à m'en servir, c'est assez délicat. Quoi qu'il en soit, il a déjà donné des résultats. — Avec qui ? » Pour toute réponse, tu t'es retourné vers le tiroir, y a pris une lettre rédigée d'une écriture à la fois claire et distinguée, datée du 24 février 1975. « De qui est-elle ? — De Hazizikis. A sa femme. Demain j'en ferai une photocopie que tu ramèneras en Italie. — Elle est si importante ? — Oui. » Et tu me l'as traduite. Elle disait : « Mon amour, je t'écris de la prison pour t'informer des faits dont je suis accusé et pour que tu saches que je suis victime de certains intérêts politiques. Des intérêts de courte durée, cependant, puisque mon arrestation causera de graves préjudices à celui qui l'a ordonnée. Le soin que l'on prend de moi, les égards dont je suis comblé, les pressions que l'on exerce sur moi, tout démontre que celui qui a décidé de me faire passer en procès connaît les conséquences catastrophiques qui en résulteront pour lui. Du reste, cela se voyait à la tête du procureur tandis qu'il me lisait les charges retenues contre moi, et je lui ai dit : " Que tu sois en train de faire une erreur, cela se voit à ta figure blafarde. Regarde-toi dans la glace, il y a une glace à côté de toi. " Il y a quelque temps, la télévision a déclaré que certaines unités de l'Attique étaient en état d'alerte et que quelques officiers s'apprê-taient à se soulever contre le gouvernement. Selon son style, Averof a signalé que le pourcentage des mauvaises têtes, il les appelle ainsi, n'atteignait pas cinq pour cent. Averof sait bien qu'il ment à cent pour cent. Averof est un filou, ce n'est pas un hasard s'il a abandonné le droit chemin. Il fait toujours la même chose. Après nous avoir roulés, il roule le peuple Je peux affirmer avec une bonne marge de sécurité qu'il y a plus de soixante pour cent de lieutenants-colonels et de colonels en faveur de l'insurrection, et que ce pourcentage atteint quatre-vingts pour cent parmi les capitaines, et quatre-vingt-dix pour cent parmi les lieutenants et les sous-officiers. Les choses étant ainsi, il est évident que si j'étais libre, quelqu'un ne dormirait pas tranquille. Voilà la raison pour laquelle ils m'ont arrêté avec tant de hâte et d'irrégularité, sans parler du goût pour la vengeance qu'ont les hommes politiques sales comme lui. Mais j'espère sortir rapidement de ce cloaque où ils essayent de m'isoler... »

La tentative de coup d'Etat dont tu avais accusé ton dragon dans l'article d'il y a onze mois. Les liens qu'il aurait établis grâce à la prétendue politique du pont. Ses craintes d'arrêter Hazizikis et les autres membres de la Junte. Et ce n'était que le début, le simple prologue de ce qui allait devenir un véritable guêpier. Comment avais-tu réussi à te faire remettre cette lettre ? Etait-ce elle qui te l'avait remise, ou bien son amant ? Dans un cas comme dans l'autre, qui, sinon toi, allait en payer le prix ? Cette unique pensée me coupait la respiration. Et sans me soucier des rideaux que tu voulais que je laisse tirés, j'ai ouvert grand la fenêtre, me suis mise au balcon. Mais cela n'a fait qu'accroître mon inquiétude : sur le trottoir de la rue Kolokotroni, ta Primavera, garée de travers, phosphorescente, semblait un autre cri d'alarme. Non, je n'aurais pas dû te l'acheter, cette voiture. Je n'aurais pas dû défier les dieux en revenant à Athènes. « Alekos... » Tu es venu à côté de moi, tu m'as prise par les épaules, puis, avec une ironie affectueuse : « Hé ! Si tu souffres ainsi, je ne te raconte plus rien ! — D'accord, Alekos. A moins que ce ne soit indispensable, ne me raconte plus rien. Je ne veux plus rien savoir. »

* *
*

Que ces événements aient vraiment été responsables de mon désintérêt rageur pour la chasse aux documents, c'est difficile à dire, car en plus des traumatismes subis ce jour-là, il faut prendre en compte les conséquences de la crise ouverte par ma fuite à New York. Les grands amours sont aussi des indigestions qui doivent être compensées par des jeûnes : on ne peut pas toujours ingurgiter du lapin, du brochet, du faisan, de la langouste, de la perdrix, de la poularde, du chevreuil, des paupiettes de veau, comme dans un banquet Renaissance où les chiens aboient, les invités rotent, les tambours assourdissent, les harpes et les violons accompagnent les chants des troubadours. Pour ne pas succomber à une telle abondance, à des festins pantagruéliques, il faut sauter quelques plats : reprendre son souffle en sortant du salon. Et les dix-sept jours passés à New York ne m'avaient vraiment pas suffi à reprendre souffle, à digérer l'indigestion, vu que le banquet avait repris aussitôt avec le même rythme et le même menu. Ainsi, l'automne où je flottais dans ton existence comme un morceau de bois qui va à la dérive, résignée et consciente d'avoir perdu ma bataille contre le cancer, ces conséquences m'étaient apparues dans ce qu'elles avaient d'irrémédiable, nourrissant des retours de lassitude, des germes de nouvelles révoltes, jusqu'à la découverte que le fait de t'aimer m'interdisait toute autre activité. Etait-il possible, me demandais-je constamment, que tout tournât exclusivement autour de tes propres activités, autour de ta façon personnelle de traduire le rêve ? Etait-il possible que, depuis notre rencontre, même mon travail fût passé au second plan ? Et cette découverte m'avait fait négliger les sonnettes d'alarme : l'achat des poupées à-offrir-aux-enfants-aux-grands-aux-gens-pour-ne-pas-être-oublié, la mystérieuse tristesse qui t'avait envahi sur la route de Corinthe à Athènes, le sentiment angoissé que j'avais éprouvé à regarder ta Primavera garée dans la rue Kolokotroni, pour ne pas parler de la peur justifiée qui m'avait coupé la respiration quand tu m'avais traduit la lettre de Hazizikis, ses accusations contre le dragon. Résultat, Sancho Pança n'a jamais été aussi loin de son Don Quichotte que pendant les deux mois où tu as concrétisé le défi final. Je ne te demandais jamais où tu en étais, j'ignorais avec habileté tes tentatives de me le raconter, je ne lisais pas les feuilles que tu me confiais au fur et à mesure. La transcription originale du dialogue enregistré lors de la rencontre avec Fany, l'épouse de Hazizikis, par exemple. Avant de la replacer dans la chemise rose, j'y jetai à peine un coup d'œil.

Le voilà, ce dialogue, retranscrit sur quatre petites feuilles de pelure, un peu lacunaire à cause de quelques phrases rendues incompréhensibles par un mauvais fonctionnement de l'appareil, mais cependant amplement suffisant pour comprendre le projet que tu poursuivais. Il est daté du 16 janvier 1976 et le Tsatsos dont tu parles est le député Dimitri Tsatsos, membre de ton parti, neveu du président de la République. « Dis-moi, Fany, as-tu épousé Hazizikis en 1972 ? — Non, en 1971. — Quand il était à l'école d'infanterie ? — Non, il est resté dans cette école de septembre à décembre 72. — Et à l'école de guerre, quand y est-il allé ? — En 73. — Il y avait aussi Spanov ? — Il était commandant adjoint de l'EAT. — Donc, quand tu étais à Kalkida, Hazizikis était déjà commandant de l'EAT ? — Oui. Le matin il allait à l'école de guerre, et le soir, après dix heures, il allait à l'EAT. — J'ai entendu dire qu'à cette époque Théophi-loyannacos voulait un gouvernement formé d'hommes politiques. — Non, ce n'était pas lui qui le voulait, c'était Hazizikis. — Dis-moi, Fany, ce type dont tu me parlais il n'y a pas longtemps et qui au centre... — Dimitri Kamonas. — Il a un garage ? — Oui, près d'ici. Pourquoi me poses-tu cette question ? — Comme ça, pour savoir. Et Fotakos, tu sais s'il l'aide seulement par amitié ? — Oui, par amitié. Comme Potamianos et les autres. — Hum ! J'enquêterai sur lui. Parle-moi de Hazizikis, Fany : comment était-il la dernière fois que tu l'as vu à la prison ? Il n'a parlé que de vos affaires personnelles ? — Oui. Il n'a pas parlé d'autre chose. — Il est clair qu'il n'a plus confiance en toi et qu'il ne te parlera plus de certaines choses. Et puis il veut avoir l'air optimiste. — Que veux-tu dire ? — J'ai l'impression qu'il prépare quelque chose et que les autres, dans la prison, sont au courant. — Ça, je... (incompréhensible). — Ah ! Et la femme de Théophiloyannacos, tu la vois ? — Celle-là, même si je la voyais, je ne lui parlerais pas. — On dit que Alfantakis lui fait la cour. — Je l'ignorais. Alfantakis saute sur toutes les femmes. — Et que sais-tu de Dimitri Tsatsos ? Sais-tu si ses lettres à Hazizikis se trouvent parmi les documents ? Ou bien si elles ont échoué ailleurs ? — Tsatsos... (incompréhensible). Et puis il donne le nom de Pantelis, de Kostantopoulos. — Fany, tu me disais avant que tu étais présente le jour où Tsatsos a dénoncé les étudiants. — Oui, mais... (incompréhensible). Et lui, je te garantis qu'il en a des informations sur Tsatsos ! — Mais même quand vous alliez dîner avec Tsatsos, toi et Hazizikis, c'était lui qui vous invitait ? — Oui, avec sa femme. — C'est vrai que sa femme emportait ses aiguilles et son tricot ? — Oui. Un soir, nous avons même changé la lampe pour qu'elle y voie mieux. C'était le soir où Tsatsos... (incompréhensible). — Il disait cela avant ou après la Junte ? — Après, après. — Alors ne me dis pas qu'il n'y a rien chez toi, Fany ! Son cousin Kountas vit bien à Athènes, non ? — Oui, mais... — Ecoute, Fany, tu ne seras pas compromise. Et si quelqu'un prépare un coup d'Etat, tu ne dois pas le protéger. — Mais je... — Ecoute, Fany : dans cette affaire, je suis absolument rigoureux. Je ferai des photocopies, les documents resteront où ils sont, et personne ne saura jamais que je les ai eus par toi. S'il y a quelque chose contre ton mari, je te promets que je ne m'en servirai pas. Après tout, il a été condamné à trente et un ans, et qu'est-ce qu'on attend de lui ? Simplement qu'il reste en prison cinq ou six ans, et qu'il en sorte quand le danger d'un coup d'Etat sera écarté. L'Etat n'a ni le désir ni d'intérêt à le garder enfermé pendant trente ans, il n'a pas l'intention de se venger. Ceux qui songent à se venger, ce sont ceux qui, comme tu l'as dit toi-même, racontent qu'ils ont fait la Résistance alors qu'ils se sont rendus ridicules. Il n'y a qu'eux qui tiennent à ce que certaines personnes restent en prison : ils sont pleins de haine car ils ont honte d'eux-mêmes. Tu dois juger cette affaire sous tous ses aspects, Fany, tu dois comprendre pourquoi il est nécessaire que j'aie les documents qui font apparaître leurs responsabilités. Pas nécessairement des documents qui les incriminent : des documents qui montrent qui sont les hommes qui occupent ou occuperont les plus hautes charges de l'Etat. Ces documents existent, et nous devons prouver que certaines personnes ne furent pas à la hauteur des situations difficiles, qu'elles ne purent même pas sauver leur dignité lorsqu'elles ont été mises à l'épreuve. Ce sont ces gens, je te le dis, qui continueront d'entretenir la haine contre des officiers comme ton mari. Des officiers qui, d'après moi, ont commis des crimes contre le pays, mais que nous devrons essayer de comprendre. Oui, nous devrons avoir le courage de les comprendre et d'être clément à leur égard pour éviter que cette situation ne s'éternise. — Mais je... — Ecoute, petite : je crois vraiment pouvoir regarder ces papiers sans te causer d'ennuis et sans que personne n'en sache jamais rien. Et un de ces jours qui pourrait bien être dimanche matin... Dimanche matin, j'ai justement une réunion à onze heures. A quelle heure ta belle-mère va-t-elle à l'église ? — A neuf heures, neuf heures et demie. — Et à quelle heure revient-elle ? — A onze heures et demie. — Hum ! Autre chose : donne-moi l'adresse exacte. Le numéro 20 est vers Patissia ou vers Kifissia ? — Vers Patissia. — Parfait, je le trouverai. Et je te répète que je n'utiliserai rien qui puisse rendre plus difficile la position de Hazizikis. Maintenant je te raccompagne chez toi et je te laisse là parce que j'ai un rendez-vous à sept heures. »

Je n'ai même pas lu les deux petites pages qui contenaient la transcription d'un dialogue entre toi et l'amant de Fany. Un dialogue non daté, mais qui, de toute évidence, avait eu lieu après la première rencontre avec Fany et après que tu eus pris connaissance de documents qui ne t'avaient pas satisfait. Le voici : « Mais qu'est-ce qu'elle t'a dit ? qu'il n'y avait pas d'autres documents ? — Elle m'a dit que... [*incompréhensible*]. — De toute façon, si elle veut sincèrement m'aider, elle peut venir ici. — Elle viendra demain si tu lui fixes un rendez-vous. — Demain, je dois partir, j'ai quelque chose à faire. — En tout cas, elle peut, après onze heures du matin. — D'accord. Maintenant raconte-moi comment elle a réagi à l'affaire et ce que tu lui as dit. — Je lui ai dit ce que tu m'as dit de lui dire : qu'une dizaine de personnes étaient arrivées, que tout le quartier était occupé, qu'ils avaient coupé les fils du téléphone, qu'ils étaient entrés tous ensemble, qu'au bout de quelques minutes Panagoulis était arrivé à son tour et qu'il m'avait dit de ne pas avoir peur parce qu'il me protégerait si je l'aidais d'une certaine façon. — Bien. Mais il y a un point à éclaircir. A huit heures et demie, pendant combien de temps n'a-t-elle pas été avec toi ? — Nous sommes descendus ensemble et nous avons marché jusqu'au coin, quand je me suis aperçu que j'avais oublié quelque chose et... [*incompréhensible*]. — Ecoute, mon garçon : moi, même si on me coupe les jambes, j'irai jusqu'au bout de cette histoire. Donc, le problème est de savoir dans quelle mesure tu es sincère. A huit heures et demie, une jeune fille et un jeune homme sont sortis de la maison : la jeune fille avait toutes les caractéristiques de Fany, et le jeune homme te ressemblait comme deux gouttes d'eau. Ils portaient un sac de voyage. Ils se sont rendus rue Taxiarcas et ils sont entrés dans une maison. Si c'était toi le jeune homme, on ferait mieux de jouer cartes sur table. — Mais je... [*incompréhensible*]. — Et demain, il vaudrait mieux dire à Fany de vraiment s'assurer qu'elle n'a pas d'autres documents chez elle. Naturellement, j'ai pris mes précautions : soit dans l'éventualité que la maison soit surveillée, soit dans le cas où l'affaire s'ébruiterait à la suite d'une négligence ou d'un bavardage. Compris ? — Oui, mais j'ai un doute, Alekos : est-il vraiment possible qu'il ait laissé tant de documents chez lui ? — C'est possible si tu me dis que Fany en a pris des photocopies et les a données à Kountas. — Fany n'a pas donné les photocopies à Kountas. — Elle les lui a données. Quant à tes doutes, toi qui es resté si longtemps chez elle, tu n'as donc jamais eu la curiosité de regarder, ou tout au moins de demander ? — Si, mais elle disait que tout cela ne devait pas m'intéresser, de sorte que je n'osais plus rien demander. Il y a des tas de gens qui passent dans cette maison, mais je ne peux pas demander qui est celui-ci et qui est celui-là. Tout ce que je sais, c'est qu'à l'école de guerre, il avait des documents par paquets et qu'il les rangeait dans des chemises. — Hier, à quelle heure est-elle allée voir Hazizikis à la prison ? — Hier, c'était jeudi, et elle y est allée à midi moins dix-sept. Je le sais parce que j'ai dû l'attendre dans un bar. Pourquoi me poses-tu cette question ? — Et à quelle heure es-tu allé chez elle ? — Puisque je te dis que je n'y suis pas allé hier ! Elle m'a téléphoné vers midi et elle m'a dit : " Iannis, mes parents arrivent entre midi et demi et une heure. Qu'en dis-tu ? J'y vais ? " " Oui, vas-y ", ai-je répondu. " Alors accompagne-moi ", a-t-elle dit. Je suis donc allé la prendre et... [*incompréhensible*]. — Ecoute, mon garçon : ne me dis pas que la voiture était la mienne. Et ne me dis pas que certaines choses ne te plaisent pas. Tant que cette histoire ne sera pas éclaircie, je connaîtrai chacun de tes mouvements ! — Alekos, pourquoi me parles-tu ainsi ? — Et j'ajoute : ces papiers sur Averof... [*incompréhensible*]. — Tu crois vraiment qu'il était au KYP ? Les autorités... [*incompréhensible*]. — Mon garçon, les autorités ne sont pas au courant. Si j'avais su que les archives étaient là, j'y aurais envoyé le procureur général, je te l'ai déjà dit. Mais j'ai ajouté que, pour le moment, une démarche comme celle-ci ne convenait plus. Et à partir de là, tu ne m'as pas apporté une seule feuille. — Mais c'est Fany qui... — Si Fany est comme tu le prétends, si son mari ne peut vraiment pas la découvrir, si elle agit vraiment de façon que personne ne s'aperçoive de rien, et si elle réussit à voir en moi un frère... »

Quant aux lettres de Hazizikis à Fany, toujours plus nombreuses après celle que tu m'avais remise à Athènes, le simple fait de les avoir en garde me dérangeait, et je ne parvenais pas à les toucher sans ressentir ce malaise qui vient d'une pitié involontaire. La traduction sommaire que tu m'en avais donnée un jour, en riant, m'avait suffi pour me rendre compte que seule la première contenait des nouvelles de nature politique ; les autres n'étaient que les suppliques déchirantes d'un mari amoureux et prêt à tout pour retenir l'épouse qui voulait l'abandonner. Je ne comprenais même pas pourquoi tu les collectionnais avec tant de soin : vengeance contre le scorpion qui t'avait torturé l'âme, raillé même après la condamnation à mort ? Respect du serment fait à toi-même au cours de cette terrible nuit ? Et je n'en aurais pas cru mes oreilles si tu m'avais dit que, désormais, vengeance et serment ne t'intéressaient plus, que dans les formules ruisselantes comme désespoir, impuissance, mon-trésor-ne-t'en-va-pas, mon-bébé-ne-me-quitte-pas, tu ne voyais qu'un matériau pour ta stratégie. Tu t'en servais en somme avec un détachement absolu, avec la froideur terrifiante qui dérive du principe rien-n'est-indigne-quand-le-but-est-digne, tu les lisais pour en tirer des informations, des raisonnements. *Primo* : s'il continuait à l'implorer, c'est qu'elle ne s'était pas résolue au divorce. *Secundo* : si elle ne voulait pas divorcer, il gardait le contrôle des documents qu'il lui avait confiés. *Tertio* : pour qu'il en perdît le contrôle, il fallait qu'elle se décide à divorcer. En conséquence, voilà que tu deviens le grand metteur en scène de leur tragédie, le grand marionnettiste qui tire les fils de ses marionnettes pour les faire danser à sa convenance ; voilà que tu files à Corfou pour y chercher les parents de la jeune femme qui, comme les lettres le font apparaître, sont favorables au divorce ; voilà que tu proposes des avocats, des chicanes juridiques, que tu te fais le défenseur de la pauvrette à qui on ne peut infliger de rester unie à un mari qui doit passer trente ans en prison ; voilà que tu manipules l'amant, avec force promesses à la clé, que tu rallumes son ardeur, que tu lui suggères une fuite à l'étranger avec elle et avec l'enfant né du mariage. Et, quand tu t'aperçois que ce type est un faible, un pauvre malheureux incapable de s'opposer à l'influence que Hazizikis exerce encore sur sa jeune épouse, voilà que tu fonds sur la proie la plus savoureuse : en la conseillant, en la circonvenant, en la courtisant, en la séduisant, jusqu'à ce que tout reste de lien conjugal soit dissous, et l'amant lui-même liquidé puisqu'il ne fait plus l'affaire. Tout cela pendant les deux mois où je suis occupée à digérer l'indigestion de lapin, de brochet, de faisan, de langouste, de perdrix, de poularde, de chevreuil, de paupiettes de veau, et où je montre ce désintérêt rageur pour tes maudits documents, éludant tes tentatives pour te confier, repoussant tes demandes d'aide. « Tu sais, je dois aller à Corfou. Viens avec moi, je t'en prie ! Comme ça, ce sera comme des vacances. — Corfou ? Non, je n'en ai pas envie, je ne peux pas. — Tu dois me donner un coup de main, j'ai un problème : installer trois Grecs en Italie. Un couple et un enfant. — Qui est ce couple ? Qui est cet enfant ? — Devine. — Ah, non ! Pas question ! — Je suis nerveux, tu sais, je ne réussis pas à entrer dans cette maison. J'avais appris qu'elle cherchait une baby-sitter et j'espérais lui faire prendre une nourrice que je connais, mais elle n'en a pas voulu. Si je faisais un moulage de la serrure avec de la cire ? — Je ne veux pas le savoir ! »

La seule fois où je t'ai prêté attention, ce fut le jour où tu m'as décrit la prise des premiers paquets, rendue possible par la complicité du jeune homme. Il est inutile de dire que les choses ne s'étaient pas passées comme il les avait racontées à Fany, selon tes propres ordres, et comme tu allais les raconter à la presse au mois d'avril. Pas de quartier occupé, pas de fils du téléphone coupés, pas de commando de dix personnes faisant irruption en te précédant. Tu étais entré tout seul, à neuf heures du soir, quatrième étage, porte à droite de l'ascenseur, tout seul tu avais repéré la pièce, la première à gauche, une salle à manger, découvert le bon meuble, une sorte de buffet avec des tiroirs, et trouvé les paquets cachés dans le dernier tiroir du haut. Tout seul tu les avais volés en plusieurs voyages, et chaque voyage était pour toi une agonie car tu croyais au début qu'il n'y avait personne dans la maison, puis tu t'étais aperçu que la vieille mère de Hazizikis dormait dans la chambre au bout du couloir. Tu l'avais entendue ronfler. Terrorisé à l'idée qu'elle puisse se réveiller, tu t'étais mis à travailler plus rapidement, en retenant ton souffle, et il te semblait que le voyage de la pièce à l'escalier, de l'escalier à la voiture, de la voiture à l'escalier, de l'escalier à la pièce, n'en finissait jamais. Ton cœur battait à grands coups sourds, ton corps crachait une sueur glacée, tu tremblais et, au troisième voyage, un paquet était tombé par terre avec un grand bruit de tous les diables. La vieille s'était réveillée : « Iannis, c'est toi, Iannis ? » Tu t'étais immobilisé, le cerveau embrasé. Maintenant, elle se lève, avais-tu pensé, si elle se lève, elle me reconnaît, si elle me reconnaît qu'est-ce que je fais ? « C'est toi, Iannis ? » Répondre ou ne pas répondre ? Si je réponds, elle risque de s'apercevoir que ma voix n'est pas la voix de Iannis ! Une longue aspiration, puis : « Oui, c'est moi. — Ah ! Ne fais pas de bruit, Iannis. Je veux dormir. » Après tu t'étais senti mal à cause de cette histoire, la nuit tu avais fait un cauchemar. Tu avais rêvé d'une pieuvre. Plus qu'aucun autre poisson, la pieuvre symbolisait à tes yeux le mauvais augure et la mort : on n'échappe pas à une pieuvre, disais-tu, où que tu ailles elle te rattrape et te saisit. Et cette pieuvre était immense, monstrueuse, elle avait une tête large comme une place, des tentacules aussi longs que les rues de la ville, en effet, elle n'était pas dans la mer, mais dans la ville. Ventouses collées aux murs des maisons, elle remplissait tout espace vide en engloutissant tout ce qui s'opposait à son avance, voitures, corps, carrioles, autobus, et elle rugissait en même temps. Un rugissement sinistre, rageur, une sorte d'invocation qui montait vers le ciel puis retombait comme une pluie en formant un mot que tu ne comprenais pas. Un mot qui donnait à la fois joie et tristesse. « Un mot qui ressemblait à vie, zoì. Ou vivant, zi. Et pourtant, j'avais l'impression d'être mort. » Mais je n'ai accordé aucune importance à ce rêve, pas plus qu'au reste.

Le fait est qu'on ne s'aperçoit jamais à temps de ce qui est important et de ce qui ne l'est pas. Tant que l'être aimé nous opprime avec ses prétentions, avec ses pièges, on se sent grugé et on a l'impression qu'il serait injuste de renoncer pour lui à un travail, à un voyage ou à une aventure ; ouvertement ou en secret, on nourrit mille rancœurs, on rêve de liberté, on aspire à une existence dépourvue de sentiments où l'on pourrait se déplacer comme la mouette qui vole dans un pollen d'or. Quel odieux supplice que ces chaînes avec lesquelles l'être aimé nous attache pour nous empêcher de soulever nos ailes, quelle richesse infinie que cet espace dont il nous ferme les portes avec ces mêmes chaînes. Pourtant, quand il n'est plus là et que cet espace s'ouvre à nous de telle sorte qu'on peut y voler à son gré dans le pollen d'or, mouette libre de tout sentiment et de tout bien, on découvre un vide effrayant. Et le travail ou le voyage ou l'aventure qu'on lui a sacrifié à contrecœur, nous apparaissent dans toute leur inutilité, on ne sait plus quoi faire de la liberté reconquise, comme un chien sans maître, un mouton sans troupeau, on erre dans ce vide en pleurant l'esclavage perdu et on donnerait son âme pour revenir en arrière, pour retrouver les prétentions de notre geôlier. Car le remords nous étouffe. Le remords est une maladie incurable. On essaye vainement de la soigner avec des circonstances atténuantes, des justifications, des si-j'avais-su, si-j'avais-deviné, on essaye vainement de l'ignorer en se disant qu'on ne l'a pas plus laissé tomber qu'il ne nous a laissé tomber lui-même, et donc que nous sommes quittes. Sur le moment, la plaie semble se cicatriser, disparaître, mais il y a toujours un moment où un son, une odeur, une couleur, la vue d'une feuille, d'une voiture verte qui passe, la rouvrent avec de nouveaux sentiments de culpabilité, de nouvelles auto-accusations, le fait sans équivoque qu'il est mort et qu'on est vivant, et donc que nous ne sommes pas quittes. Je ne fais pas seulement allusion au remords de ne pas avoir compris que ta mort était inscrite dans ces documents. Je fais aussi allusion au remords de ne pas avoir compris que tout s'écroulait autour de toi pour te rejeter dans la solitude atroce des années où tu étais enseveli à Boiati.

* *

Le mot « tout » inclut aussi l'illusion qu'il y avait une place pour toi dans la politique des politiciens. Les archives de Hazizikis étaient maintenant entre tes mains et la cruelle entreprise s'était conclue de façon cruelle, quand tu t'es convaincu que, malgré cela, il n'y avait pas de place pour toi dans la politique des politiciens, et que ta plus grave erreur avait été d'entrer dans un parti. Un individualiste qui a de l'imagination et de la dignité ne peut appartenir à un parti. Par le simple fait qu'un parti est un parti, c'est-à-dire une organisation, une clique, une mafia, dans le meilleur des cas une secte qui ne permet pas à ses adeptes d'exprimer leur propre personnalité, leur propre créativité. Et qui, au contraire, détruit leur personnalité, ou tout au moins la met à mal. Un parti n'a pas besoin d'individus qui ont de la personnalité, de la créativité, de l'imagination, de la dignité : il a besoin de bureaucrates, de fonctionnaires, d'esclaves. Un parti fonctionne comme une entreprise, une industrie où le directeur général (le leader) et le conseil d'administration (le comité central) détiennent un pouvoir inaccessible et indivisible. Pour le garder, ils n'emploient que des managers obéissants, des employés serviles, des yes-men, c'est-à-dire des hommes qui ne sont pas des hommes, des automates qui disent toujours oui. Dans une entreprise, une industrie, le directeur général et le conseil d'administration n'ont que faire de personnes intelligentes et qui font preuve d'initiative, d'hommes et de femmes qui disent non, et cela pour une raison qui dépasse jusqu'à leur arrogance : en pensant et en agissant, les hommes et les femmes qui disent non constituent un élément de perturbation et de sabotage, ils mettent du sable dans les engrenages de la machine, ils deviennent autant de pierres qui cassent les œufs dans le panier. L'ossature d'un parti et d'une entreprise, c'est, somme toute, celle d'une armée où le soldat obéit au caporal qui à son tour obéit au sergent qui à son tour obéit au lieutenant qui à son tour obéit au capitaine qui à son tour obéit au colonel qui à son tour obéit au général qui à son tour obéit à l'état-major qui à son tour obéit au ministre de la Défense : monseigneurs, évêques, archevêques, cardinaux, curie, pape. Gare à l'ingénu qui croit apporter une contribution-personnelle-grâce-à-la-discussion-et-à-l'échange-de-vues : il finit par se faire expulser, dégrader ou lapider, comme il convient de traiter quiconque n'est pas capable de comprendre, ou feint de ne pas comprendre, que dans un parti, une entreprise, il n'est permis de discuter que sur les ordres déjà donnés, les choix déjà opérés. A condition, bien entendu, que la discussion ne fasse pas abstraction des deux principes sacrés : obéissance et fidélité. Naturellement, tout cela est différemment nuancé en fonction du parti. Il est évident qu'un parti avec une idéologie bien définie, une théorie parfaitement claire, exige, avec plus de férocité, obéissance et fidélité, réprime plus férocement l'apport personnel de l'individu : plus une Eglise est rigoureuse, plus elle refuse les protestants et condamne au bûcher les hérétiques. Paradoxalement, cependant, les abus et les infamies qu'une telle Eglise commet à l'encontre de ses adeptes ont un sens, une justification : la force de sa foi, la noblesse au moins apparente de ses programmes ou de ses desseins. Je-t'écrase-parce-que-je-veux-créer-sur-terre-le-Royaume-des-Cieux, et-parce-que-je-veux-le-créer-avec-le-dogme-du-matérialisme-historique. Au contraire, un parti qui n'a ni théorie ni modèle idéologique, un parti qui ne sait pas ce qu'il veut et comment il le veut, un tel parti ne peut invoquer, à sa décharge, des motifs tenant aux idéaux. En conséquence, ses abus et ses infamies, ses prétentions à l'obéissance, à la fidélité, sont imposés par des arrivismes personnels, des ambitions privées. Clans dans le clan, mafias dans la mafia, églises dans l'Eglise, et avec la circonstance aggravante d'une maladie qui, dans les partis sans doctrine, est contagieuse comme la peste : la corruptibilité et la corruption des yes-men. En d'autres termes, si le parti doctrinaire écrase avec ses principes celui qui proteste ou qui désobéit, le parti, qui ne sait ni ce qu'il veut ni comment il le veut, rejette comme un corps étranger celui qui ne s'adapte pas à son absence de principes, c'est-à-dire à ses mensonges, à ses hypocrisies, à son clientélisme.

Eh bien, c'était précisément ce type de parti que tu avais cru capable d'accueillir ton imagination, ta dignité, ta personnalité, ta créativité. Et, comme si cela ne suffisait pas, dans l'erreur s'était glissée la vieille et monotone illusion à laquelle nous nous abandonnons, par manque de choix ou par impuissance, nous tous qui croyons au mirage d'un monde qui change : pouvoir encore lutter en nous appuyant à la barricade nommée « gauche ». En effet, à part la brève période de la campagne électorale, des meetings où tu avais démasqué les Papandreou, les directeurs généraux, les conseils d'administration de la gauche officielle, et à part ce voyage à Moscou dont seuls tes amis savaient quelque chose, tu n'avais pas fait grand-chose pour rappeler que la merde est la même à droite, à gauche, et au centre. Je veux dire : tu n'avais jamais essayé de mener la bataille sur plusieurs fronts à la fois. Au contraire, tu avais choisi la stratégie consistant à combattre un seul ennemi à la fois, tu avais concentré toutes tes énergies contre la droite et puis c'est tout, contre le dragon et personne d'autre. « Maintenant je dois m'occuper de lui. Après, si je suis encore vivant, je m'occuperai des autres. » En fait, c'est de propos délibéré que tu avais renoncé à agir selon tes convictions et à considérer que la gauche est la meilleure alliée de la droite, que dans les pays où elle est au pouvoir, elle représente le roc au sommet de la Montagne, que dans les pays où elle n'y est pas, elle soutient ce roc, les Averof, en imitant leur jeu ou en s'intégrant dans leur système. Les mêmes magouilleurs, les mêmes arrivistes, les mêmes opportunistes en temps de paix ; les mêmes traîtres ou les mêmes lâches, souvent, en temps de guerre. Ainsi, tu t'étais comporté comme si le dragon n'était pas un dragon à deux têtes, comme si tu ignorais qu'il est inutile d'essayer de couper la première tête si on ne coupe pas aussi la seconde, que ce n'est que par une décapitation simultanée que l'on obtient la disparition du monstre et que l'on peut planter un nouvel arbre. En admettant, bien entendu, qu'un arbre nouveau donne de bons fruits, que le mirage d'un monde qui change cache un peu de verdure et un peu d'eau. Peut-être n'est-il pas vrai que les êtres humains ne changent pas, que seul change le décor d'où le mirage nous éblouit ? Depuis des millénaires, nous suivons le mirage en pleurant, en mourant, et nous nous retrouvons toujours au même point. Avec juste un syndicat ou un parti en plus, une idéologie ou une découverte technologique en plus, pour alourdir le fardeau de notre perfidie et de notre imbécillité. Pour en rester là où nous en étions il y a cent mille ans, avec un dragon à deux têtes. Le fait est que quand tu t'es aperçu que le dragon avait deux têtes, il était désormais trop tard pour revenir en arrière et recommencer depuis le début la seule bataille possible : celle qui se mène sur plusieurs fronts à la fois. La seule chose à faire était de tourner le dos à la politique des politiciens, à l'entreprise dans laquelle tu t'étais fourré en oubliant qu'elle n'embauchait que des managers obéissants, des employés serviles, des yes-men, et jamais d'hommes et de femmes qui disent non et mettent des grains de sable dans les rouages de la machine. Et tu l'as fait. Tu as renoncé à tout appui, tu as retrouvé ton indépendance. Mais, de cette façon, tu as retrouvé aussi la solitude, cette solitude qui allait te mener au dénouement logique de ton histoire : être physiquement et moralement massacré par tout le monde, c'est-à-dire par les mercenaires des deux camps.

*
* *

Tout cela a mûri et s'est même accéléré avec les preuves sur la collaboration de l'honorable député Dimitri Tsatsos, neveu du président de la République, membre de ton parti, et avec l'inévitable absence de réaction que ton parti opposa à ces révélations. Fany n'avait pas menti le soir où tu l'avais interrogée avec le magnétophone caché dans ta veste et le micro dans le poignet de ta chemise. Non content de fréquenter leur maison et d'inviter les deux conjoints à dîner, Dimitri Tsatsos avait aussi dénoncé des étudiants de l'opposition. Du reste, ses lettres à Nicolas Hazizikis et au chef des tortionnaires de la rue Baboulinas faisaient clairement apparaître ce qu'il était. « Mon cher Nicolas, le discours de Papadopoulos au déjeuner de presse était merveilleux ! Il est proprement honteux que certains porteurs de boue se refusent à le reconnaître ! » « Cher monsieur Dascalopoulos, j'ai appris que vous aviez été promu et je veux être le premier à m'en féliciter ! Promouvoir un homme de votre culture et de votre qualité est un fait exceptionnel dans ce pays de médiocres, et votre nomination à la tête de la police est un espoir pour le futur ! Votre Dimitri Tsatsos » Tu as donc demandé la convocation immédiate du comité directeur de ton parti et, lance au poing, tu t'es jeté à corps perdu dans le tournoi : ah, c'était du propre, mais qu'est-ce que c'était que ces gens ? ! Tu cherchais des preuves contre Averof, et voilà que tu en trouvais contre quelqu'un de ton parti ! Qu'on le chasse tout de suite, sans hésitation ! « C'est lui ou moi ! » Et voilà les clans dans le clan, les mafias dans la mafia, les églises dans l'Eglise, les clientèles, les mensonges, les hypocrisies, les opportunismes : du calme, mon garçon, du calme ! Ne dramatisons pas, réfléchissons. Doucement, mon garçon, doucement, voyons de quoi il s'agit, étudions le dossier. Chasser ainsi, au pied levé, un membre du parti qui n'était pas Monsieur Tout-le-monde mais un type important, député, professeur d'université, neveu du président : diable ! En admettant que tes accusations soient fondées, qu'est-ce qu'il avait fait, au fond ? Il s'était montré faible : il n'est pas donné à tout le monde de naître héros. Et puis, qu'est-ce que c'était que cette histoire d'archives secrètes de l'ESA ? Qui t'avait autorisé à fourrer ton nez dans une affaire aussi délicate ? Quand on appartient à un parti, on ne peut pas agir de sa propre initiative sans en informer le parti ! De la discipline, que diable, de la discipline ! Des documents importants sur Averof ? Eh bien, étudions-les, pesons le pour et le contre. Cela pourrait profiter au parti, mais cela pourrait aussi lui nuire. Les plus écœurants étaient les membres du conseil d'administration : les chefs des coteries, des courants, des factions. Certains d'entre eux étaient de plus financés par la social-démocratie allemande. Et Dimitri Tsatsos était un des protégés de la social-démocratie allemande ; sous la Junte, il avait été accueilli à Düsseldorf par la social-démocratie allemande : toucher à Tsatsos signifiait donc risquer de perdre les financements. Et, franchement, entre un type bien et un beau paquet de marks, quel parti aurait choisi le type bien ?

« Tu comprends ce qu'ils m'ont répondu ? Tu comprends ce qu'ils en feraient, eux, de mes documents ? Ils les planqueraient ! — Alekos, comment peux-tu t'en étonner ? Tous les partis font la même chose : les documents, ils les veulent pour les cacher et, au besoin, pour s'en servir comme moyen de chantage. Si-tu-ne-me-donnes-pas-ceci-moi-je-te-coule-en-étalant-que-tu-as-trahi-que-tu-as-volé-que-tu-es-un-pédé. N'importe quel parti t'aurait répondu de la même façon. Même un parti plus sérieux que le tien. Il-faut-voir-si-le-parti-peut-en-tirer-profit, t'aurait-on dit. Et ton parti... — Ce n'est plus mon parti. J'ai cassé une chaise sur la table, j'ai donné ma démission. — Ah ! Et ils l'ont acceptée ? — Non, ils l'ont refusée mais cela ne change rien. En ce qui me concerne, c'est terminé. — Je comprends. Et maintenant ? — Je resterai au Parlement comme indépendant de gauche. — Sans parti derrière toi. Pis : avec des ennemis dans le parti qui continuera de se considérer comme ton parti. — Je m'en fous. » Mais au moment où tu disais cela, il y avait de l'angoisse dans tes yeux : tu savais fort bien que, sans un parti derrière toi et avec des ennemis dans le parti qui aurait dû te soutenir, tout serait beaucoup plus difficile. Par exemple, comment utiliser, désormais, ces feuillets pour lesquels tu avais tant souffert et tant fait souffrir ? Les remettre à la magistrature pour qu'elle les ignore ? Les donner à une commission du Parlement pour qu'elle les enterre ? Les faire publier ? Oui, bien sûr. Mais où ? Quel journal aurait le courage de les publier ? « Hum. Je le sais bien. Il faudrait que j'aie un journal à moi. Et si je créais un journal ? Une feuille de chou. Un hebdomadaire ou un bimensuel qui durerait trois ou quatre mois : le temps de publier ce que j'ai. J'ai tellement de trucs, tu sais. Et ce que je n'ai pas encore, je l'aurai bientôt. En plus des archives de l'ESA, il y a les archives du KYP ! Et je me suis découvert un ami au KYP. Un officier démocrate, honnête. Le mari d'une jeune fille qui m'a aidé au moment de l'attentat. Il m'a dit : moi, des documents, je t'en donne toute une malle ! Imagine : les papiers sur le putsch chypriote, sur la CIA ! Sur les liens entre le KYP et la CIA ! Entre Averof, le KYP et la CIA ! C'est autre chose que les lettres de Tsatsos à Dascalopoulos et à Hazizikis ! Si je parvenais à démontrer qu'Averof était au courant de ce qui se préparait à Chypre, qu'en accord avec le KYP et la CIA il trompait jusqu'à Joannidis... Le problème, c'est de faire sortir cette malle. Je ne veux pas causer d'ennuis à l'officier. Ce n'est pas un argousin ou une petite pute envieuse, lui ! — Alekos... — Oui, un journal. En couverture, les documents sur Averof : quelques-uns que je possède et d'autres que je trouverai dans la malle... — Alekos, laisse tomber la malle. Tu sais ce que cela signifie de fonder un journal ? Tu sais ce que ça coûte ? Seul celui qui a le pouvoir, qu'il s'agisse du pouvoir financier ou du pouvoir politique, peut fonder un journal. Il faut beaucoup d'argent pour faire un journal, beaucoup. — Je m'endetterai. — Auprès de qui, Alekos ? Qui n'a pas d'argent ne peut s'endetter. On ne prête qu'aux riches. Et puis, aucun fabricant ne te vendra le papier. Aucun journaliste n'écrira pour toi. Aucune imprimerie n'acceptera de t'imprimer en sachant que tu n'as pas d'argent. — J'en trouverai. — Où ? A qui en demanderas-tu ? A ceux-là mêmes contre lesquels tu te bats ? Tu as besoin d'un parti, Alekos, tu devrais t'adresser à un autre parti... — Je n'aurai plus jamais de parti ! Jamais ! Je ne veux même plus entendre le mot parti ! Le mot parti me fait vomir ! » Et à ce moment-là, l'angoisse que j'avais perçue dans tes yeux n'était plus seulement une ombre : il en ruisselait des larmes longues, qui mouillaient tes joues, tes moustaches, qui trempaient ta cravate.

Quelques jours après, j'ai su que ton isolement sans défense avait déjà porté ses fruits. A deux reprises, de mystérieux visiteurs nocturnes avaient pénétré dans l'appartement de la rue Kolokotroni où, avec une certaine inconscience, tu gardais les photocopies des archives. La première fois, ils étaient entrés pendant que tu dînais dans un restaurant de la périphérie, et la deuxième fois, pendant que tu dormais dans la maison au jardin d'orangers et de citronniers à Glyfada. Ils n'avaient rien trouvé parce que tout était dans la chambre fermée à clé et qu'ils n'avaient pas réussi à en forcer la serrure. Mais ils avaient tout chambardé dans le bureau et laissé un mot d'insultes. « Comment comptes-tu te défendre, Alekos ? — Je ne compte pas me défendre, alitaki. Ce qui doit arriver arrivera. Simplement, je tâcherai de mener à terme cette affaire. » Et c'est alors que mon amour pour toi m'est revenu en plein cœur et que j'ai recommencé le festin insensé de lièvre brochet faisan langouste perdrix chevreuil paupiettes de désespoir. Main dans la main, nous allions faire bombance pendant vingt-huit jours. Les derniers vingt-huit jours que les dieux nous ont accordés.

CHAPITRE III

Il s'était produit une chose bizarre. Tu avais débarqué à Rome sans m'avertir, et : « J'ai trouvé ceux qui vont me publier les documents ! — Qui ? — Un quotidien de l'après-midi. *Ta Nea.* — Quand ? — Bientôt. Dans quelques semaines. Un journaliste de *Ta Nea* travaille déjà dessus. — Dieu soit loué ! Et alors, pourquoi es-tu venu ici ? — Je suis là pour écrire le livre. — Le livre ? Quel livre ? » Un jour, c'est vrai, tu avais dit que tu aimerais écrire un livre sur l'attentat, le procès et Boiati, mais plus qu'un projet, j'avais eu l'impression qu'il s'agissait d'un désir. Etait-il possible que, de but en blanc, et alors que tu étais plongé jusqu'au cou dans l'affaire des documents, ce projet ait pu refaire surface ? « Le livre dont je t'ai déjà parlé, non ? Après l'accord pris avec *Ta Nea,* j'ai pensé : publier les documents ne suffit pas. Il faut élargir le débat, expliquer pourquoi un homme qui a commencé avec des bombes finit par se battre avec une plume et du papier. Puis j'ai pensé à tous ces gens qui écrivent des livres alors qu'ils n'ont rien à raconter ; moi, j'ai une histoire à raconter, une histoire formidable, et je ne l'ai pas encore écrite ! J'ai fait ma valise et me voilà : pour aller à Florence. — Florence ? — Bien sûr. Pour être tranquille. Je ne pouvais pas me mettre à écrire rue Kolokotroni ni à Glyfada ! Trop de problèmes, trop de distractions. — Oui, mais... — Tu m'en crois incapable ? Tu te trompes. Je l'ai dans la tête, ce livre, divisé en chapitres et tout, au fond, je me suis toujours senti un écrivain. Je sais même comment sera le début : je commencerai par l'épisode de l'attentat. Moi qui essaie de démêler le fil, lui qui sort de sa villa de Lagonissi, la mer qui se brise sur les rochers... Et si j'ai quelques difficultés, tu me donneras un coup de main. — Oui, mais... — Le temps ? Huit mois, il me faut huit mois. En mai, je demanderai une autorisation au Parlement et, en novembre, le manuscrit sera prêt à être publié. L'important, c'est que je commence tout de suite et que personne ne me dérange, c'est-à-dire que personne ne sache où je suis. Si je commence demain et que j'avance pendant trois semaines, quatre, je pourrai m'accorder une pause au moment de la parution des documents et... — Demain matin ? — Oui, on part demain matin. — Alekos, demain matin je ne peux pas. J'ignorais que tu viendrais comme ça à l'improviste et j'ai des choses à faire ici. — Tu ne vas pas me laisser partir tout seul ! Si j'ai besoin d'un conseil, d'une suggestion ? Tu refuserais de me donner un conseil, une suggestion ? — Non, bien sûr, non, mais pourquoi toute cette hâte ? — Je ne peux pas attendre, ça bouillonne. Et puis, je ne veux pas qu'on me voie à Rome. Sinon, on viendra me voir, on viendra me distraire de mon travail. Je le répète, personne ne doit savoir que je suis ici ! » Et pas moyen de te dissuader. Sans t'occuper de mes protestations, de mon emploi du temps, en soutenant que l'inspiration ne se commande pas, que ma présence était indispensable, que je ne pouvais pas te la refuser, tu m'as obligée à partir avec toi. « Et demande au portier de nous réserver des places d'avion pour Paris. Comme ça, tout le monde croira que nous sommes à Paris. »

Une chose bizarre, oui, vraiment bizarre. Mais je ne m'abandonnais à aucune supposition, aucun doute, maintenant que, enfermé dans la maison au milieu des bois, tu te consacrais à ton livre, avec constance et application : en te voyant penché sur ces feuilles, on pouvait vraiment croire que c'était là le seul but de ton voyage en Italie, que rien d'autre ne t'avait poussé à t'exiler entre ces quatre murs. Le matin, tu te levais tôt, tu alignais sur la table le papier, les stylos, les pipes, le tabac, le briquet, puis tu me demandais de te laisser seul, et tu restais là à rédiger tes pages avec le sérieux d'un écolier qui prépare ses examens. Tu écrivais lentement et sans revenir en arrière, avec la facilité de quelqu'un qui obéit à un défoulement plutôt qu'à une inspiration, tu ne me demandais jamais les conseils pour lesquels tu m'avais traînée à Florence, et le soir, il y avait toujours deux ou trois nouvelles pages de ton écriture serrée, précise, pratiquement sans rature. La preuve que tu n'avais pas chômé, et j'en restais à chaque fois stupéfaite. Etait-ce l'effet de la maison dans les bois ? Tu avais toujours aimé y retourner, y retrouver cette atmosphère, ces objets qui recréaient un passé d'intimité et de tendresse, le fauteuil à bascule, la lampe Tiffany, la grande armoire à glace où les arbres se reflétaient afin que les oiseaux s'empressent à venir se poser sur des branches qui n'existaient pas. Et même le mauvais souvenir des nuits où ils nous persécutaient avec leur torche électrique, de cette nuit où tu avais voulu les affronter et où, pour t'en empêcher, nous avions perdu l'enfant, n'arrivait pas à diminuer la fascination que ce refuge

412

exerçait sur toi. Même à Athènes, tu pensais avec nostalgie au parc et à ses pins, ses cyprès, ses marronniers dont les branches léchaient la terrasse et offraient des marrons à cueillir ou à caresser, et ses buissons de lauriers, ses rosiers, ses lilas. Mais alors, pourquoi n'allais-tu jamais te promener, pourquoi ne te penchais-tu jamais à la fenêtre, pourquoi gardais-tu toujours les volets fermés ? A chaque fois, avant de sortir, je les laissais grands ouverts ; à chaque fois en rentrant, je les trouvais fermés. Au début, je n'y avais pas attaché trop d'importance, j'en avais d'ailleurs conclu qu'une fenêtre ouverte est une tentation très forte à laquelle résister est difficile et que l'héroïsme d'écrire alors que le soleil vous appelle demande une discipline de professionnel et non d'écolier. Mais très vite, j'ai eu quelques inquiétudes en notant des détails bizarres. Le soir, les volets étaient toujours fermés et les rideaux tellement bien tirés que l'on ne pouvait voir aucune lumière en arrivant de l'extérieur : la seule lampe allumée était celle de la table sur laquelle tu écrivais. Puis, le téléphone. Tu ne répondais jamais au téléphone, toi qui avais pour le téléphone cette vénération, cette passion. Si j'étais à l'extérieur et que je voulais communiquer avec toi, je n'avais d'autre solution que celle de rentrer. « Alekos, je t'ai appelé tout l'après-midi, bon sang ! Tu n'as pas décroché ce téléphone une seule fois ! — Et moi, comment veux-tu que je sache quand c'est toi qui appelles ? Tu sais bien que personne ne doit savoir que je me trouve ici. » Puis, le problème des clefs. La maison dans les bois avait un défaut : on ne pouvait pas fermer la porte en la tirant, il y avait une serrure à poignée qui se verrouillait de l'extérieur et, par conséquent, celui qui se trouvait à l'intérieur, était bloqué. A moins de posséder une clé. Tu avais oublié la tienne à Athènes, et le jour où je t'avais dit que j'irais en faire un double, tu n'avais pas voulu : « Non ! Une seule clef suffit. De toute façon, moi je n'en ai pas besoin. Garde la clef et, chaque fois que tu sors, ferme bien la porte. — Et si tu as envie de sortir ? — Je ne sortirai pas. — Et si quelqu'un vient ? — Personne ne doit venir. — Et en supposant que quelqu'un vienne quand même ? — Si quelqu'un vient, comme ça je n'aurai pas la tentation de lui ouvrir. Et j'éviterai les mauvaises rencontres. » Enfin, ton comportement à l'heure du dîner Manger au restaurant avait toujours été pour toi un plaisir auquel tu n'avais jamais pu renoncer ; au restaurant tu aimais choisir les plats, savourer le temps écoulé entre les plats, les bruits, la foule ; et voilà que, d'un seul coup, tout ceci t'agaçait : tu voulais dîner à la maison. « Je préfère rester ici, c'est tellement agréable de rester ici. — Tu ne sens pas le besoin de bouger, de voir du monde, de te changer les idées ? — Non. — Bon. Va pour ici. »

Va-pour-ici. On le sait, rien n'est plus égoïste que l'amour. Parfois, pour pouvoir s'isoler avec l'être aimé, on est capable de se mentir à soi-même, de devenir aveugle ; il y a comme une joie presque abjecte dans le fait de l'avoir exclusivement pour soi, et je t'avais trop longtemps partagé avec d'autres. Du reste, on ne s'ennuyait jamais sans les autres : la rencontre de deux solitudes, c'est aussi la rencontre entre deux imaginations, et notre fantaisie savait remplir chaque silence, chaque vide. Combien la chambre devenait immense lorsque, le soir, tu cessais d'écrire et tu t'offrais au repos ! Quand tu mettais un disque, elle devenait une boîte de nuit avec orchestre ; quand tu allumais la télévision, elle devenait un théâtre ; quand tu déplaçais la table, elle devenait une piste de danse ; quand tu poussais la table devant l'armoire à glace, elle devenait une salle où nos images dédoublées mangeaient, dansaient et riaient, tandis que tu prenais un air outré : « Perroquets, crétins ! » Certains soirs, j'éprouvais une sorte de gratitude pour cet exil absurde et ses causes inconnues, un secret espoir qu'il durât le plus longtemps possible, et c'étaient les soirs où mon aveuglement plongeait dans les abîmes de la bêtise. Il aurait suffi de discuter des archives, ou du différend avec les membres de ton parti, ou des mystérieux visiteurs nocturnes de la rue Kolokotroni, pour comprendre que tu te désagrégeais dans une agonie aussi secrète que désespérée : l'attente de quelque chose d'horrible, que tu ne réussissais peut-être pas à identifier avec précision, mais qui était en tout cas l'attente d'une défaite mortelle. Mais tu n'abordais jamais ces sujets, tout ce que tu disais tournait autour du livre, c'est-à-dire l'ultime tentative de produire quelque chose de solide avant de mourir : pour que tout ce que tu avais souffert ne fût pas complètement perdu. Tu n'arrêtais pas d'en parler, afin de défaire ces liens qui nouaient ton cerveau, disséquer ces épisodes, ces personnages et ces problèmes qu'il fallait mettre en relief sans favoriser personne, sans jouer le jeu de personne. Le procès, par exemple, que tu voulais présenter comme le symbole de tous les procès instruits par toutes les tyrannies, de droite comme de gauche : avec leurs faux témoignages, leurs preuves inventées, leurs témoins intimidés, leurs défenseurs terrorisés, leurs journalistes timorés, et l'accusé auquel il ne reste plus que l'orgueil de revendiquer sa propre condamnation. Et les geôliers comme Zakarakis qui, sans se rendre compte qu'ils sont eux-mêmes des prisonniers, des victimes au même titre que leurs victimes résument en eux toute la stupidité du troupeau qui se tait ou obéit au pouvoir. Et la violence comme réponse à la violence, qui semble légitime à première vue, et dont tu t'aperçois par la suite qu'elle ne fait que remplacer un abus par un autre abus, qu'elle ne fait qu'installer un nouveau maître à la place du précédent. Et le parallèle des barricades idéologiques qui cachent en elles ce même fanatisme grotesque qui anime les équipes de football qui, toutes, n'aspirent qu'à la même exploitation de l'individu, de l'homme. Tu y croyais tellement, à ce livre, que tu semblais avoir oublié, tout comme moi, les protagonistes de ton ultime combat. En réalité, tu ne les avais pas du tout oubliés.

Le dixième jour, il y eut un ralentissement dans le rythme de ton travail. Les trois pages quotidiennes étaient devenues deux, bien que plus serrées, d'une écriture plus fine. Puis il n'y a plus eu qu'une page, encore plus serrée. d'une écriture encore plus fine. Puis une demie et, à ce moment-là, tu as jeté presque tout pour recommencer à zéro, mais sans suivre à présent le développement logique de la narration. « Aujourd'hui, j'ai travaillé une petite scène que j'intégrerai d'ici six ou sept chapitres. — Pourquoi ? — Comme ça. — Aujourd'hui, j'ai pris des notes pour un dialogue dont je ne sais pas encore quelle sera la place. — Pourquoi ? — Comme ça. — Tu veux que je t'aide, Alekos ? Tu veux que nous l'écrivions un petit peu ensemble ? — Non, parce que même en l'écrivant serré nous arriverions trop vite. — Nous arriverions trop vite où ? — A la page 23. — Et pourquoi diable ne veux-tu pas arriver à la page 23 ! — Parce que... j'ai fait un rêve. — Quel rêve ? ! — J'ai rêvé que j'écrivais le livre. Et, dans le rêve, le livre s'interrompait à la page 23. — Je ne comprends pas. — Le livre s'interrompait à la page 23 parce que je mourais. — Mais c'est ridicule ! — Hé ! — C'est pour ça que tu as presque tout jeté et que maintenant tu lambines, tu n'avances plus ? — Eh ! Pour avancer, j'avance. Mais c'est inutile. Je sens que je n'irai pas plus loin que la page 23. — Ne numérote pas les pages, comme ça tu ne t'apercevras pas que tu arrives à la page 23. — D'accord, je vais essayer. » Tu as essayé. Mais deux jours plus tard, en rentrant à la maison, au lieu de te trouver à ta table, je t'ai surpris au lit. Et toutes les lumières étaient allumées, toutes les fenêtres étaient ouvertes. Sur le plancher, il y avait les pages, à moitié déchirées dans un accès de colère. Je les ai ramassées, je les ai comptées. Il y en avait vingt-trois. « Alekos ! Réveille-toi, Alekos ! — Je ne dors pas. — Qu'est-ce que tu as fait ? — J'ai terminé. — Tu n'as pas terminé. Tu les as numérotées ! — Je ne les ai pas numérotées. Mais je n'arrivais pas à continuer ; alors, je les ai comptées et j'ai découvert que j'étais arrivé à la page 23. — Soyons sérieux ! Et alors ? — Et alors, je n'ai plus rien à dire, il n'y a plus rien à dire. — Sottises ! » Je t'ai tendu la dernière page. « Lis-moi celle-là, traduis-la. — Non. — Je t'en prie. — J'ai dit non. — Et

415

pourquoi ? Elle n'est pas réussie, elle est mauvaise ? — Non, elle est très réussie, c'est la plus belle. La plus belle de toutes. — Alors. pourquoi ne veux-tu pas la lire ? — Parce que je sens... je sens... — Tu vois ? Tu ne sais pas toi-même pourquoi. Allez, fais-moi plaisir. » Tu l'as prise en soupirant, tu as placé l'oreiller entre tes épaules et le mur, pour perdre du temps, retarder le plus longtemps possible ce sentiment de nausée que tu éprouvais manifestement en posant les yeux sur elle. « Allez, commence. C'est à quel moment du récit ? — Au début. C'est encore le début de l'interrogatoire, quand ils me prennent pour Georges et qu'ils me battent à mort pour me faire dire qui m'a procuré les explosifs. — Bon, je t'écoute. » Tu as un peu hésité et tu as commencé enfin à traduire.

« Il y avait plusieurs officiers. Ils étaient entrés avec le fourrier qui apportait du café à Malios et Babalis. Ils n'appartenaient pas à l'ESA. Certains avaient les écussons des sections d'assaut, d'autres ceux d'un régiment d'infanterie, d'autres ceux de la Marine. Ils semblaient en proie à une colère sans limite, et Théophiloyannacos ricanait : " Tu vois, lieutenant ? L'armée est hors d'elle. Si je t'envoyais dans n'importe quelle caserne, ils te découperaient en petits morceaux. " Tout à coup, un officier me cracha dessus et ce fut le signal du lynchage. Ils se ruèrent tous ensemble sur moi : pour me cracher dessus, me frapper, m'insulter. Un mur d'uniformes qui se dressait autour du petit lit sur lequel j'étais attaché. La porte était grande ouverte et ils continuaient à arriver, toujours plus nombreux, comme des guêpes attirées par un pot de miel. Et le pot de miel c'était moi. J'ignore combien ils étaient. Je ne sais plus combien de temps cela dura. Mais je me souviens avoir répondu par une phrase de mépris à presque tous leurs coups. Je le faisais machinalement, mon esprit était ailleurs. A la place de ce mur d'uniformes, je voyais la mer en furie, le fil de contact embrouillé et impossible à démêler, les vagues qui me mouillent, l'automobile de Papadopoulos qui s'approche, l'explosion, la fuite. Et nager sous l'eau, remonter à la surface pour reprendre mon souffle. Cette course sur les rochers, vers ce bateau qui s'éloigne, avec les mois, les déceptions, les fatigues endurées pour rien. Rien, à cause d'un fil qui s'est emmêlé et qui est devenu trop court. Une erreur de calcul sur un fil court, une fraction de seconde en plus, et le tyran passe. Vivant. Moi, au contraire, je suis pris pour finir au milieu de ces guêpes, tandis qu'un vautour braque sur moi son revolver et me crie : " Pourquoi on ne t'a pas encore tué, salaud ? " Alors, Théophiloyannacos, visiblement inquiet que l'autre ne tire vraiment, lui écarte la main. Au même instant, un autre s'approche, me regarde et me demande : " Tu t'es repenti, au moins ? — Non, je regrette seulement de ne pas avoir réussi. " C'est ma voix qui répond ainsi. Quelle voix étrange, lointaine. D'où vient-elle ? D'un autre monde ? L'officier bien élevé avait aussi un air étrange, lointain. D'où vient-il ? D'un autre monde, lui aussi ? Maintenant il s'éloigne en silence et, dès qu'il est sorti, les uniformes recommencent à se déchaîner. De plus en plus. Ils me frappent la plante des pieds, les yeux. Moi je répète : " Je regrette seulement de ne pas avoir réussi. Oui, je regrette seulement de ne pas avoir réussi. " Alors, un coup énorme. De quoi ? De qui ? Je sens un poids absurde sur mon estomac, mon cou, ma poitrine et mon cœur, qui s'écrasent, se brisent, éclatent. Je ne distingue plus rien. Je ferme les yeux et... »

C'était la scène de ta mort, telle qu'elle aura lieu un mois plus tard, sur la route de Vouliagméni, quand tes poumons, ton foie et ton cœur éclatèrent tous ensemble dans le choc, et que tu fermas les yeux pour toujours. J'ai balbutié : « C'est une scène de mort. » Tu as acquiescé : « Je le sais. — Est-ce que ça s'est vraiment passé comme ça, durant le passage à tabac ? — Je n'ai pas l'impression, je ne crois pas. — Alors, pourquoi as-tu écrit cela ? — Je ne comprends pas. Soudain, les mots sont venus d'eux-mêmes. C'était comme si mes doigts ne dépendaient plus de ma volonté. Je suis arrivé au bout de la page et, là, je me suis rendu compte que je ne pouvais plus continuer, parce que toutes mes pensées trouvaient leur conclusion dans ces quatre dernières lignes. — Efface-les et continue. — Impossible. — Je vais t'aider. — Ça ne servirait à rien. Le rêve aussi se terminait là. — Mais tu n'es pas en train d'écrire un rêve, tu écris ton histoire ! — Peut-être mon histoire finira-t-elle ainsi. » Puis tu t'es levé, tu as allumé ta pipe, tu es allé sur la terrasse illuminée par des lampes qui éclairaient aussi la pelouse. Ton ombre, unique, s'est dessinée sur la pelouse. On distinguait même ton profil avec la pipe dans la bouche : n'importe qui aurait pu le reconnaître. Mais désormais, tu ne t'inquiétais plus d'être vu ou reconnu, car tu savais que la fin ne t'attendait pas ici mais ailleurs, et tu savais qu'en aucun cas tu ne pourrais t'opposer aux événements, au destin, et le destin est un fleuve qu'aucune digue n'arrête dans son parcours jusqu'à la mer. Cela ne dépend pas de nous. Ce qui dépend de nous, c'est la façon de naviguer, de combattre ses courants pour ne pas nous laisser transporter comme un tronc d'arbre mort « Tant pis. — Tant pis quoi ? — Tu l'écriras pour moi. Nous en avons déjà parlé, du reste. — Alekos, ça suffit ! — Tu l'écriras pour moi, promets-le-moi ! — Alekos, ça suffit ! — Promets-le-moi ! — D'accord, je te le promets — Bien Où allons-nous dîner ce soir ? Je

417

veux un beau restaurant plein de bruits et de gens. Et je veux boire beaucoup, beaucoup, beaucoup de vin. »

*
* *

Tu as terminé la seconde bouteille et tu en as demandé une troisième. « Dommage, j'aurais aimé devenir vieux, satisfaire ma curiosité. Et puis j'ai toujours pensé que la vieillesse est la plus belle saison de la vie. L'enfance n'est pas une saison heureuse. Quand tu es gosse, on n'arrête pas de te faire des reproches, de te tyranniser. Qu'est-ce que j'ai pris, quand j'étais petit ! Ma mère avait toujours son balai à la main. Elle le tenait toujours du côté des poils, et moi j'avais toujours droit au manche. Pour lui échapper, une fois, je suis descendu par la fenêtre. J'avais découpé un drap en lanières, j'en avais fait une corde et je m'étais laissé glisser jusqu'en bas. Mais en arrivant sur le trottoir, elle était là, en train de m'attendre, son balai à la main, le manche pointé vers moi. Hé oui ! Je n'ai jamais eu de chance dans mes tentatives d'évasion. Mon père, au contraire, ne me frappait jamais. Jamais. Même lorsque nous habitions dans cette maison avec le cinéma. L'été, le cinéma fonctionnait en plein air et on voyait tout du balcon de ma chambre. Comme ça, j'invitais les gosses du quartier et je leur faisais payer l'entrée. Un tarif réduit, bien sûr ! Quand le directeur du cinéma s'en est aperçu, il a demandé à mon père de le rembourser. Et mon père a payé sans me frapper. Il était bon, mon père. Parce qu'il était vieux. Les vieux sont toujours plus indulgents, meilleurs. Parce qu'ils sont vieux, parce qu'ils ont fait le tour de la question. Devenir vieux c'est l'unique moyen pour arriver à faire le tour de la question. — Alekos, arrête de boire. — L'adolescence aussi est une saison malheureuse. Tu prends peut-être moins de coups que lorsque tu étais petit, parce que tu commences à te révolter. En échange, on te fait subir d'autres châtiments qui sont pires que les coups de bâton. Tu dois devenir ci, te disent-ils, tu dois devenir ça, même si toi tu n'as pas envie de devenir quoi que ce soit parce que tu as seulement envie de vivre, un point c'est tout. Et pour te faire devenir ci, pour te faire devenir ça, ils t'envoient à l'école où tu es vraiment malheureux. Parce qu'à l'école, on étudie et on tombe amoureux. Moi, à quatorze ans, je suis tombé amoureux. C'était une jeune fille de ma classe, blonde, et elle me disait que je ressemblais à James Dean. Tu sais qui est James Dean ? Quelqu'un qui est mort en voiture. Je lui ressemblais vraiment. Même bouche, mêmes yeux, mêmes cheveux, même carrure. Mais moi, je ne lui répondais jamais lorsqu'elle me disait que je ressemblais à James Dean. Parce que je ne voulais pas lui donner un rendez-vous avant d'avoir un pantalon long. Et on refusait toujours de me donner un pantalon long. Alors, j'en ai pris un à Georges. Et je l'ai emmenée en barque et je l'ai embrassée. Le jour suivant, j'ai été renvoyé de l'école, je ne me souviens plus pourquoi. Mais je me souviens du chagrin, parce qu'on m'a envoyé dans une autre école et que je ne l'ai plus revue. Un jour, j'appris qu'elle était morte. En voiture, comme James Dean. Qu'est-ce qu'on souffre quand on est adolescent ! Je pense qu'on souffre beaucoup moins quand on est vieux, même si on meurt. Car, lorsqu'on est vieux, la mort est quelque chose de normal. Je me trompe ? Je ne le saurai jamais si je me trompe. Pour savoir si je me trompe, je devrais devenir vieux et je ne deviendrai jamais vieux. Dommage. — Alekos, arrête de boire. » Tu as vidé la troisième bouteille et tu en as demandé une quatrième. « Mais la saison la plus malheureuse de toutes, c'est la jeunesse. Parce que c'est durant la jeunesse qu'on commence à comprendre les choses et qu'on s'aperçoit que les hommes ne valent rien. Les hommes ne s'intéressent ni à la vérité, ni à la liberté, ni à la justice. Ce sont des choses qui dérangent, et les hommes aiment le confort du mensonge, de l'esclavage, de l'injustice. Ils se vautrent dedans comme des porcs. Je m'en suis aperçu dès que je suis entré dans la politique. Il faut faire de la politique pour comprendre que les hommes ne valent rien, qu'ils ne s'entendent qu'avec les charlatans, les imposteurs, les dragons. Tu commences à faire de la politique, tu es débordant d'espoir, tes intentions sont merveilleuses, tu te dis que la politique est un devoir, que c'est un moyen de rendre les hommes meilleurs, et puis tu t'aperçois que c'est vraiment le contraire, qu'il n'y a rien au monde de plus corrupteur que la politique, rien au monde qui rende les hommes pires. Un jour, j'avais vingt ans, je suis allé voir l'homme politique que j'admirais le plus. C'était un grand socialiste, et on disait qu'il était le seul à avoir les mains propres. J'allais le voir pour lui signaler les saloperies dont se rendaient coupables certains de ses camarades, je pensais qu'il n'en savait rien. Au contraire, il était au courant de tout. Il s'est mis à rire et m'a dit : jeune homme, tu ne penses tout de même pas qu'on fait de la politique avec des idéaux ? Et puis il a ajouté que je m'étais trompé d'adresse. Ce jour-là, j'ai pleuré, je me suis saoulé et j'ai pleuré. Je ne m'étais jamais saoulé auparavant, je n'aimais pas le vin. J'aimais l'orangeade. Aujourd'hui encore je préfère l'orangeade. Mais j'ai appris à boire du vin, à vingt ans, j'ai appris à me saouler, parce que quand on est saoul on pleure mieux. On supporte mieux le fait que les hommes ne valent rien, que plus on les comprend et plus il devient difficile de les aimer. Moi, les hommes,

419

je n'arrive à les aimer que lorsque ce sont des enfants ou des vieux. J'aime les enfants, j'aime les vieux, j'aurais aimé faire de la politique uniquement pour les enfants et pour les vieux. Parce que pour eux, jamais personne ne fait rien. Les enfants et les vieux n'intéressent pas les politiciens : les enfants et les vieux ne vont même pas voter. Et comme j'ai été enfant, j'aurais aimé aussi être vieux. Un beau vieillard avec une moustache blanche et de la toux. Même lorsqu'ils devaient me fusiller j'avais un regret : ne pas pouvoir devenir vieux. Parce que ce n'est pas vrai que c'est ennuyeux de devenir vieux. Devenir vieux, c'est un plaisir. Et c'est juste. Tout le monde devrait pouvoir devenir vieux, satisfaire cette curiosité. Garçon, une autre bouteille. — Alekos, arrête de boire. » Tu buvais avec cette froide détermination qui te transportait au troisième stade. Tes pupilles étaient très brillantes, tes lèvres très rouges, ta voix très pâteuse. Mais ton cerveau restait lucide. « Alekos, je t'en prie, arrête, rentrons. — Non, je veux boire. — Il faut s'en aller, regarde, le restaurant est vide. — Mais moi je dois te raconter pourquoi la maturité aussi est une saison malheureuse, pourquoi toute la vie est un malheur. — Demain, tu me le raconteras demain. — Non. Maintenant. Allons ailleurs. — Il est tard, Alekos, très tard. — Il n'est jamais tard pour vivre un peu plus. Même dans le malheur. »

Pour vivre un peu plus, même dans le malheur, il y avait un endroit que tu aimais. C'était un petit bar sur la place Michelangelo, où nous nous rendions après dîner lorsque tu t'étais exilé à Florence. Nous y allions pour nous arrêter sur la place qui est une immense terrasse suspendue au-dessus de la ville, entre les arbres et le ciel. La nuit, le spectacle est éblouissant. Le fleuve devient un ruban de lumière, la lumière des lampions qui se reflètent dans l'eau. Chaque lampion est un miroitement d'étincelles d'or et d'argent, et au-dessus du fleuve, les arcs-en-ciel des ponts, et en deçà et au-delà du fleuve les toits qui s'étendent en tapis de briques rouges, et sur ces tapis, se dressent les clochers et les tours, se gonflent les coupoles illuminées par des projecteurs contre le ciel noir. D'habitude, en arrivant, tu hésitais, tout content, à admirer et tu disais que le ciel avait renversé les étoiles par terre, la beauté n'existe que lorsque le ciel la renverse par terre où on peut la regarder sans attraper de torticolis. Cette fois-ci, tu n'as rien regardé du tout. Tu m'as entraînée sur-le-champ dans le petit bar, et : « Deux verres d'ouzo, grands et doubles. Ou plutôt, quatre verres d'ouzo, grands et doubles. — Bien, monsieur. » Avec une obséquiosité ironique, le garçon a aligné les quatre verres d'ouzo, excessivement grands et excessivement doubles. Tu en as avalé deux coup sur coup, tandis que quelqu'un ricanait à la table à côté, et soudain une larme a coulé le long de ton nez et a disparu dans tes moustaches. « Ne pleure pas. Alekos. Pourquoi pleures-tu ? — Parce que j'ai tout raté. J'ai fait confiance aux hommes, j'ai tout raté. J'ai cru que la vérité, la liberté et la justice comptaient dans l'esprit des hommes. J'ai tout raté. J'ai cru qu'ils comprenaient. J'ai tout raté. A quoi ça sert de souffrir, de se battre, si les gens ne comprennent pas, si ça ne les intéresse pas ? J'ai tout raté. — Tais-toi, Alekos. Tais-toi ! — Je n'aurais pas dû quitter ma cellule. Au moment où ils m'ont libéré, j'aurais dû immédiatement y retourner. Y retourner, encore et toujours. Alors, ils auraient compris. Lorsque j'étais dans ma cellule, ils comprenaient. Quand tu es en prison ils comprennent. Après, ils ne comprennent plus, si tu ne meurs pas. Pour me faire comprendre, je devrais mourir, maintenant. — Tais-toi, Alekos. Tais-toi ! — Des funérailles, oui, il faudrait de belles funérailles. Les gens viendraient des campagnes, des îles, la foule bloquerait les routes, grimperait sur les toits, comme des corbeaux. Et ils comprendraient. Pendant une journée, au moins, ils comprendraient. Et ils bougeraient. — Tais-toi, Alekos. Tais-toi ! — Toi aussi, tu comprendrais, enfin. Parce que toi aussi, tu vois, tu ne comprends pas. Tu ne m'aimes pas et tu ne me comprends pas. Pour être compris, parfois, il faut mourir. — Tais-toi, Alekos, qu'est-ce que tu dis ? ! Tais-toi ! Ils te regardent, ils t'écoutent. » Ils te regardaient vraiment, ils t'écoutaient vraiment, et des murmures arrivaient jusqu'à nous : « Saoul, il est saoul. » « Et alors ? Tu crois que je vais m'inquiéter à cause de quatre imbéciles qui raconteront demain qu'ils m'ont vu pleurer dans un bar ? Qu'est-ce qu'ils en savent, eux, de mes raisons de pleurer et de boire ? Ils ont trop de voitures. Et tu sais à quoi elles servent, leurs automobiles ? A les emmener voir des matches de football. Tu sais ce qu'ils feront, eux, le jour de mes funérailles ? Ils iront voir un match de football. Et entre un but et un autre ils diront : devine un peu qui est mort ! Et après le match, ils iront à un meeting, si ça se trouve, le meeting d'un chacal quelconque qui a marqué son but sans se battre, sans souffrir. Et, enthousiastes, ils l'applaudiront. Pour eux, ce n'est pas la peine de mourir. Eux, ils ne comprennent que le football et les voitures. Je les déteste, eux et leurs voitures. Je vais aller pisser sur leurs voitures. » Tu t'es levé en titubant. Tu as jeté un billet sur la table pour payer les ouzos. Tu es sorti pour te diriger vers les voitures garées sur la place. Tu m'as échappé lorsque j'ai tenté de te retenir, et tu es arrivé devant les voitures. Sans te presser, tu as déboutonné ta braguette. Sans te presser, tu as sorti ton pénis. Tu l'as empoigné comme la hampe d'un drapeau et, calmement, résolument, tu t'es mis à inonder d'urine les ailes, les coffres et les vitres des voitures. Moi je te tirais par une manche, je te suppliais d'arrêter par pitié mais plus je tirais, plus je te suppliais, et plus tu résistais, plus ce jet continuait, insistant, impudent, le jet d'une fontaine, presque comme si ta vessie contenait une réserve inépuisable de liquide, comme si chaque goutte te libérait d'un désespoir ayant dépassé toutes les limites, d'une obsession ayant dépassé toutes les barrières et, tandis que tu pissais, tu déclamais ton poème, celui sur ceux qui ne désobéissent jamais, qui ne se compromettent jamais, qui ne prennent jamais de risque. « Vous, tombes qui marchez / insultes vivantes à la vie / assassins de votre propre pensée / pantins de chair et de sang / Vous qui enviez les bêtes / qui êtes une injure de la création / qui trouvez refuge dans l'ignorance / qui acceptez la peur pour guide / vous qui avez oublié le passé / qui regardez le présent avec vos yeux brouillés / qui ne vous intéressez pas à l'avenir / qui ne respirez que pour mourir / Vous dont les mains ne savent qu'applaudir / et qui applaudirez demain / comme toujours encore plus fort que les autres et comme hier et comme aujourd'hui / Sachez donc / excuses vivantes de toutes les tyrannies / que je hais les tyrans / autant que je vous abhorre, vous / et vos putains de voitures. »

Timidement d'abord, avec nervosité ensuite, ceux qui étaient assis à la table à côté de la nôtre, se trouvaient à présent à l'entrée du bar et observaient la scène, l'air ahuri. Du coin de l'œil, tu t'en étais très bien aperçu, et tu savais que si l'un d'eux bougeait, les autres le suivaient immédiatement pour t'agresser de toute leur indignation. Mais ceci ne faisait que nourrir ton mépris, ton arrogance, et, tandis que le groupe hésitait, tu as eu tout le temps de déclamer ton poème jusqu'au bout, de vider ta vessie jusqu'à la dernière goutte, de rentrer ton pénis, de fermer ta braguette et de tourner les talons. Un taxi est passé à ce moment précis. Je l'ai arrêté et t'ai poussé dedans : « Allons-nous-en, vite ! » Au même instant, un cri est parvenu à nos oreilles : « Arrêtez-le, attrapez-le ! » Mais le chauffeur a compris qu'il devait te sauver, et il a accéléré, pour ensuite nous déposer très vite devant la maison dans les bois. Il a même proposé de t'aider à gravir les marches, car tu étais à présent aussi mou qu'une poupée de son. « Je peux vous aider ? Sans façon, hein ? Ça fait toujours plaisir de donner un coup de main à quelqu'un qui pisse sur les voitures des cons. » Mais je lui ai répondu non merci et, toute seule, je suis arrivée à te traîner jusqu'au troisième étage, chaque gradin était une montagne et toute seule, je t'ai déposé enfin sur le lit dans lequel tu t'es enfoncé avec un grognement de béatitude : « Je les ai bien lavées, hein ? Je les ai baptisées. Au nom du Père, du Fils, et du Saint-Esprit. » Mais les limbes de l'oubli, le troisième stade, était encore loin. Tu rotais, tu ricanais, tu maugréais contre les complices des assassins qui tuent sans se salir les mains, puis contre moi, qui ne savais pas t'aimer, qui n'avais jamais su t'aimer, parce que je ne t'aimais pas toi mais l'idée que j'avais de toi, et pour que je comprenne que toi tu étais toi et non l'idée que j'avais de toi, il fallait que tu meures, car quand tu serais mort je t'aimerais enfin parfaitement : « Va-t'en. Je ne veux pas te voir, va-t'en. Va-t'en, j'ai dit va-t'en. » Je n'en pouvais plus. C'était si triste de te voir dans cet état que l'idée de dormir à tes côtés m'a paru soudain insupportable. Et quand tu as commencé à ronfler, je suis vraiment partie. Le lendemain matin, en rentrant, j'ai trouvé la chambre quasiment détruite.

*
* *

Il semblait qu'un cyclone avait fait irruption par les fenêtres, pour s'abattre sur les choses, les déraciner comme des arbres, les déchirer, les briser. L'élégante lampe Tiffany était en mille morceaux, le bureau, le fauteuil à bascule et les chaises étaient renversés. Un tableau était tombé du mur, un autre pendouillait misérablement, et les chemises roses avec les documents se promenaient aux quatre coins de la pièce. Quant à toi, tu gisais au sol, immobile, à côté du téléphone dont le récepteur était décroché. Etait-ce une agression ? On t'avait tué ? Croyant qu'ils t'avaient assassiné, je t'ai regardé, pétrifiée, jusqu'à ce que tu ouvres un œil et que tes lèvres remuent faiblement : « Je suis désolé pour la lampe. Elle est tombée toute seule. » Je n'ai pas répondu. Même si j'avais voulu répondre, te demander ce qui était arrivé et pourquoi, j'en aurais été incapable : un sanglot réprimé me paralysait les cordes vocales. Avec ce sanglot au fond de la gorge, j'ai raccroché le récepteur du téléphone, remis en place les chaises et le fauteuil à bascule, j'ai commencé à ramasser les morceaux de verre, les misérables restes de la lampe Tiffany, de ce qui avait été un chef-d'œuvre de grâce et d'harmonie. Je les ai jetés à la poubelle. Toujours immobile par terre, tu suivais mes gestes et, quand j'ai rassemblé les pages éparses des chemises roses, une lueur d'intérêt a fait scintiller tes yeux. Tu t'es mis debout. Ton visage pâle et bouffi, tes cheveux emmêlés et tes vêtements froissés et tachés de vomissures témoignaient d'un drame vécu au bord de la folie. « Où étais-tu ? — A l'hôtel. Tu m'avais dit de m'en aller. Tu étais soûl. — Tant mieux. J'aurais pu te faire du mal, même à toi, après le coup de téléphone. — Quel coup de téléphone ? — J'ai appelé Athènes. La publication dans *Ta Nea* est remise à plus tard. C'est ce qu'ils disent : remise à plus tard. — A quand ? — A jamais, si je ne rentre pas. Je dois partir. — Je croyais que tu voulais rester loin de la Grèce. — En effet. Mais je n'ai pas le choix. — Je viens avec toi. — Non, tu vas me servir ici. — Ici ? — Oui, parce que s'il m'arrive quelque chose, c'est toi qui utiliseras ces documents. — Je ne sais même pas de quoi ils parlent. » Tu as remis en place le bureau qui était encore renversé, et : « Tu le sauras bientôt. »

*
* *

Tu étais assis devant les chemises roses pour me dire enfin ce qu'elles contenaient, et tu avais l'air, maintenant, d'un homme que les émotions ne peuvent plus atteindre, raisonnable, rasé de près, les cheveux bien peignés, ta peau détendue par un bon bain et les habits propres, tu avais l'air d'un professeur devant son élève. Ou bien d'un notaire qui se prépare à rédiger son propre testament ? Tes yeux laissaient entrevoir comme une dérision douloureuse, mais ta voix était ferme alors que tu disais les voici, ces misérables feuilles à cause desquelles plusieurs mois de ta vie et de la mienne ont été bouleversés, à cause desquelles l'existence de plusieurs créatures, perfides ou stupides, mais des créatures tout de même, a été gâchée. Que racontaient-elles, ces feuilles ? Toujours la même histoire, celle du rocher qui tombe de la montagne pour ensuite retourner sur la montagne : comme avant, encore plus solide qu'avant. Toujours la même histoire du pouvoir, de l'éternel pouvoir qui ne meurt jamais et qui ne tombe pas, même lorsqu'il donne l'impression de tomber, et qui ne change pas, même lorsqu'il donne l'impression de changer : ce ne sont que ses représentants qui tombent, ce ne sont que ses interprètes et la quantité ou la qualité de l'oppression qui changent. C'est comme ça depuis toujours, et ce sera toujours comme ça, l'histoire de l'humanité est une interminable farce sur les régimes qui sont renversés mais restent les mêmes : à chaque époque et dans tous les pays, les feuilles pour le démontrer sont toujours à peu près les mêmes, semblables à celles-ci, différentes uniquement quant à la langue, aux noms et aux dates. Oui, y compris dans les démocraties saines et fortes, en admettant qu'une démocratie saine et forte puisse exister : toutes les démocraties sont faibles et malades, car ce sont des démocraties justement, c'est-à-dire des systèmes qui se fondent sur le moindre mal. Oui, y compris dans les pays touchés par une révolution : toutes les révolutions contiennent en elles les germes de ce qu'elles ont abattu et, avec le temps, elles ne font que prolonger ce qu'elles ont abattu. Toute révolution fait naître ou renaître un empire. Regarde la révolution française, l'exemple qui a empoisonné le monde avec ses mensonges Liberté-Egalité-Fraternité. Des fleuves de sang et de rêves, des mers d'atrocités et de chimères, et ensuite ? Napoléon Bonaparte et l'Empire, des privilèges identiques aux privilèges d'avant, à la limite perfectionnés, des abus identiques aux abus d'avant, mais codifiés cette fois-ci, et selon des principes logiques. Regarde la révolution russe, un nouvel exemple de nouveaux poisons, de nouveaux fleuves de sang et de rêves, de nouvelles mers d'atrocités et de chimères. Et ensuite ? Un empire de petits tsars identiques au tsar éliminé, des privilèges identiques aux privilèges d'avant, à la limite perfectionnés, des abus identiques aux abus d'avant, mais formulés à travers une doctrine, cette fois-ci, et selon des critères scientifiques. Science philosophique, mathématique, médicale : un psychiatre qui te déclare fou parce que tu as désobéi. Là, non seulement ils te détruisent le corps avec la prison et le peloton d'exécution, mais ils te détruisent le cerveau avec des produits chimiques. Regarde l'Amérique, cette Amérique qui est née des désespérés en quête de liberté et de bonheur, ce pays qui s'est rebellé contre l'Angleterre parce qu'il ne voulait pas être une de ses colonies. Et ensuite ? Elle a inventé l'esclavage, la chair humaine vendue au poids comme de la viande de bœuf, elle a écrasé d'autres désespérés qui cherchaient la liberté et le bonheur, et finalement a transformé en colonie la moitié de la planète. Regarde ces pays d'Europe qui ont fait la Résistance et qui vivent aujourd'hui sous des régimes semblables à ceux qui ont favorisé l'arrivée du fascisme et du nazisme : mêmes chefs, mêmes polices. Si ce que tu vois chaque jour autour de toi ne suffit pas à t'en persuader, lis alors les documents secrets de leurs ministères. Pourquoi souffrir, alors, pourquoi se battre, pourquoi risquer de prendre la décharge qui s'abat sur toi du haut de la montagne et te précipite au fond du puits, au milieu des poissons ? Mais parce que c'est la seule façon d'exister quand tu es un homme, une femme, une personne et non pas un mouton du troupeau, nom de Dieu ! Et si un homme est un homme, et non pas un mouton du troupeau, il a en lui un instinct de survie qui le pousse à se battre, même s'il comprend qu'il se bat dans le vide, même s'il sait qu'il va perdre : Don Quichotte qui se lance contre les moulins à vent, sans se préoccuper d'être seul mais, au contraire, fier d'être seul. Et ça n'a pas d'importance s'il agit pour lui-même ou pour l'humanité, croyant au peuple ou n'y croyant pas, ça n'a pas d'importance si son sacrifice aboutit ou n'aboutit pas à un résultat : tant qu'il lutte et au moment où il succombe physiquement, c'est lui le Peuple, c'est lui l'Humanité. Et peut-être un résultat existe-t-il . dans le seul fait qu'il s'éloigne du troupeau, qu'il refuse de s'intégrer au fleuve de laine, qu'il trouble le troupeau pendant une heure ou un jour. Il suffit parfois qu'un homme, une femme, s'éloignent du troupeau pour que le troupeau s'éparpille un peu, pour que le fleuve de laine arrête de couler le long du sentier tracé par la montagne. Que je me souvienne de cela, que j'utilise bien ces pauvres feuilles qui répètent une règle aussi ancienne que le monde est ancien, aussi vaste que le monde est vaste. Que je ne les offre pas à l'une ou à l'autre barricade, c'est-à-dire aux directeurs d'entreprises, aux faux fabricants de fausses révolutions, aux opportunistes, c'est-à-dire aux révolutionnaires à la con. Que je les offre aux pauvres diables qui se battent seuls, libérés des schémas et des doctrines, des dissertations théologiques et des violences inutiles. Que ce soit eux qui héritent de ta petite vérité cherchée et trouvée cette fois-ci dans un petit pays qui ne compte pas, qui n'intéresse personne, qui ne peut plus offrir désormais qu'une poignée d'îles dispersées dans la grande mer bleue, et ses légendes dépassées, et son savoir oublié, et ses morts. « Alekos! Pourquoi me dis-tu ces choses? — Parce que... Commençons. »

Tu as choisi une lettre datée du 5 janvier 1968. « Voici la preuve que j'ai demandée pendant des mois à Averof et que Averof m'a toujours refusée. C'est un document qui confirme que Georges a été vendu par les Israéliens en échange de quelques conseils pour tuer d'autres créatures. Cela ne regarde pas M. le ministre de la Défense, ou ça ne le regarde que dans la mesure où cela prouve combien il tenait à protéger les officiers de la Junte, à les maintenir dans leurs postes clés où continuer leurs méfaits et, avec eux, à protéger un gouvernement qui, en 68, n'avait pas de rapports diplomatiques avec la Grèce mais s'empressait de vendre Georges à cette dernière pour trente deniers. Hum! La politique des équilibres internationaux. En ce sens, cette lettre est un bijou. » Puis tu me l'as traduite : « A l'état-major de l'Armée. Urgent. Secret. Suite aux ordres du Premier ministre et ministre de la Défense Georges Papadopoulos, les cinquante-six officiers chargés de conseiller les sections spéciales israéliennes en lutte contre les commandos palestiniens partiront par avion spécial pour Tel-Aviv le 13 janvier prochain. Ces officiers sont spécialement entraînés aux sabotages grâce à l'expérience acquise dans notre armée durant la guerre 1946-1949 Ils profiteront également de l'expérience de l'armée israélienne dans ce type de combat, et rédigeront un rapport détaillé sur leur action. Au commandant de cette section, le lieutenant Anténor Mpitsakin, ont été fournies les instructions nécessaires afin que soit maintenu le secret concernant cette mission et les tâches qui lui ont été confiées dans le cadre de ce séjour des officiers grecs auprès de l'armée israélienne. Pour éviter les plaintes des pays arabes, des pays communistes et de l'opinion publique en général, des mesures rigoureuses ont été prises afin de garantir le secret le plus absolu. Le Premier ministre et ministre de la Défense Georges Papadopoulos a également ordonné au lieutenant Anténor Mpitsakin de remercier au nom du gouvernement grec les services secrets israéliens pour leur étroite collaboration dans l'affaire concernant le lieutenant Georges Panagoulis. Il l'a enfin chargé de confirmer la promesse qu'une telle collaboration se renforcera de plus en plus, dans l'intérêt réciproque des deux pays. Signé : F. Roufogalis, vice-directeur du KYP. »

Tu me l'as confiée avec un léger tremblement des mains, puis tu as cherché d'autres feuilles. « Celles-ci, par contre, le concernent lui. Elles démontrent qu'avant même de forniquer avec les colonels et d'ourdir sa politique du pont pour prendre en main le pays, Evangelos Tossitsas Averof était déjà un fils de chien. En effet, ce n'est pas vrai que durant les années 40 il a combattu les nazis et les fascistes : voilà, timbrée et signée, une plainte déposée le 29 août 1944 par un certain Ziki Niksas. Il résulte de ce document que l'actuel ministre de la Défense s'est engagé en 1941 dans l'odieuse Légion roumaine et a commencé à collaborer avec les troupes italiennes d'occupation. Voici une autre plainte, présentée le 23 septembre 1944 par un certain Elias Skiliakos avocat à Larissa, qui atteste que, durant cette même période, Averof a aidé l'envahisseur en tentant de constituer une alliance gréco-italienne avec le consul Giulio Vianelli et le Premier ministre de l'époque, Tsalako-glou. Dans son fief de Jannina, il est allé jusqu'à faire ramasser tous les fusils afin de les remettre aux troupes italiennes d'occupation et freiner ainsi la Résistance. Voici enfin une série de lettres et de plaintes qui illustrent d'autres erreurs de jeunesse, c'est-à-dire ce qu'il appelle mon-passé-d'antifasciste. A un moment donné, il a été fait prisonnier et déporté au camp de Fieramonte en Italie. Là, il est immédiatement devenu un invité de marque : poulet ou dinde en guise d'ordinaire, une confortable cellule individuelle d'où il pouvait aller et venir à son gré en utilisant la voiture du directeur et la liberté d'approcher qui il voulait. Et tu sais pourquoi ? Parce qu'il fournissait des renseignements. On lui demandait la liste des prisonniers communistes, et lui la procurait. On lui demandait les noms des autres prisonniers dangereux, et lui les fournissait. Puis, de Fieramonte il a été transféré à Arezzo, et là, il n'est même pas entré dans le camp : il est allé s'installer dans le meilleur hôtel. C'était un prisonnier vraiment spécial. Personne ne pouvait recevoir de Grèce plus de cent lires par mois, et lui en recevait mille à chaque fois, et plusieurs fois par mois. Personne ne pouvait acheter de lire à moins de trois cents ou quatre cents drachmes, et lui en achetait à huit drachmes. Pour le récompenser de ses services, les Italiens l'avaient chargé de s'occuper aussi des rapports avec l'ambassade helvétique et la Croix-Rouge internationale : c'était donc lui qui distribuait les colis et l'argent. Et il n'en faisait bénéficier que ceux qui collaboraient. Enfin, il est allé à Rome. Il a loué un appartement près de piazza Venezia pour le partager avec un avocat de Samos, Nicolarezos, qui était l'homme de confiance des autorités italiennes en Grèce pour l'espionnage. Avec Nicolarezos, il a réussi à empêcher le retour en Grèce de trois cents prisonniers, parce qu'il y avait parmi eux cent dix patriotes du groupe Liberté ou Mourir. Naturellement, la magistrature a classé toutes ces plaintes. La-loi-est-la-même-pour-tous. Cependant, les ayant trouvées à l'ESA, Hazizikis, prévoyant, les a mises de côté. Tout peut servir, même les erreurs de jeunesse, en cas de chantage. Nous n'en sommes qu'aux erreurs de jeunesse, je le répète, aux petits péchés véniels. Le plus important vient après, il commence avec les documents relatifs à son arrestation en 1973, quand la révolte de la Marine a échoué et que, sachant que notre Averof y avait trempé jusqu'au cou, Hazizikis l'a arrêté et emmené à l'ESA. Et là, il n'a pas eu besoin de l'effrayer beaucoup car, immédiatement, spontanément, le futur ministre de la Défense a révélé les noms, les prénoms, les adresses, les dates, les rencontres, les responsabilités sur lesquelles l'ESA n'avait pas de preuves, y compris la façon dont la Résistance était organisée en Crète, à Larissa, en Epire. La délation se résume en deux dépositions écrites de sa main. Les voici. »

Tu m'as traduit l'introduction à la seconde déposition : « Le jour de mon arrestation, je ne me sentais pas bien. Ce fut également confirmé par le commandant de l'EAT-ESA. Durant l'après-midi, je m'évanouis dans son bureau, où l'on me secourut. Et ce fut grâce aux soins qu'il me fit prodiguer que je me sentis mieux. Mais ma santé demeura précaire, et j'écoutai avec un esprit peu lucide les questions de monsieur le commandant, ses accusations, ses demandes d'éclaircissements. En fait, je ne compris pas que l'interrogatoire concernait également l'aspect politique de ce qui était arrivé, la responsabilité de plusieurs officiers de la Marine, et non seulement ceux avec lesquels j'avais été en contact. Ainsi, sur la base de ma parole d'honneur, je me limitai à nier connaître les faits auxquels monsieur le commandant faisait allusion. Mais aujourd'hui je me sens mieux, également grâce aux médicaments que monsieur le commandant m'a gracieusement procurés, aux promenades à l'air libre qu'il m a gentiment accordées. et je pense ne plus être lié par mon serment. D'autres ont parlé. fourni des détails ; c'est pourquoi je peux confesser que ce n'est pas par mauvaise foi, mais bien à cause de la brièveté de nos conversations, que je n'ai pas exposé tous les détails avec le soin nécessaire. Je le fais maintenant, convaincu qu'il s'agit de mon droit et de mon devoir envers le pays et envers ceux qui sont impliqués dans cette affaire. Cette déposition remplace donc celle datée du 7 pour dire ici toute la vérité sur les événements tels que je les connais. » Tu as pris une page au hasard pour m'en traduire un autre extrait : « Je lui demandai alors ce qu'il comptait faire en cas d'échec. Il me répondit qu'ils iraient dans un pays étranger et y laisseraient les navires, afin que ceux qui n'avaient pas participé de façon directe au complot puissent être rendus à la Grèce. Les autres, au contraire, resteraient sous la protection d'un pays étranger. Je lui fis remarquer que, dans une telle éventualité, la chose la plus sage serait de choisir Chypre, et je l'informai que Léonidas Papagos venait à peine de rentrer d'Italie où il avait rencontré le roi qui avait émis des réserves sur l'entreprise. Un certain temps passa avant que nous nous rencontrions à nouveau, et vers la mi-mai, je décidai de le revoir. J'envoyai monsieur Foufas chez Papadogonas et ce dernier fixa le rendez-vous pour le 21 mai au matin près du lac de Marathon. L'un des motifs pour lesquels je désirais ce rendez-vous avec Papadogonas était que Constantin Caramanlis avait envoyé deux messagers pour me dire qu'on lui avait parlé de l'affaire et que, s'il ne s'agissait pas de quelque chose de sérieux, il fallait l'annuler. L'autre motif était que Papadogonas m'avait révélé les jours possibles de la révolte. L'une de ces dates était proche et je craignais que l'on ne fût sur le point de commettre une grave erreur de tactique politique. Je craignais en outre que le secret ne transpire. En effet, une certaine phrase de l'industriel Cristos Stratos me poussait à croire que ce dernier était au courant de tout. Papadogonas m'en donna la confirmation : il avait lui-même rencontré Stratos qui avait promis de petites aides financières aux familles des sous-officiers qui participeraient à la révolte. Stratos était carrément au courant de la date choisie : dans la nuit du 22 au 23 mai. Mais les choses étaient déjà en marche, les opérations préliminaires avaient commencé et il était impossible de les arrêter. »

« Tiens. » Tu m'as tendu le paquet des deux dépositions auxquelles tu as ajouté également une lettre : « Mets également ceci. » C'était une lettre écrite à la main, datée du 26 juillet 1973 et adressée à M. le major Nicolas Hazizikis commandant de l'EAT-ESA ; elle était signée avec-mes-sentiments-respectueux-Evangelos Averof et elle remerciait Hazizikis de lui avoir envoyé sept exemplaires du journal fasciste *Estias* Je l'ai prise et, rien qu'à la toucher, j'ai senti à nouveau ce trouble que j'avais éprouvé le jour où les yeux du dragon avaient rencontré les miens pour les fouiller pendant un long et cruel instant, lorsque ses mains avaient emprisonné les miennes comme les valves d'un coquillage, et qu'un frisson avait parcouru mon corps, car ces mains étaient plus lisses que les mains d'un enfant mais faisaient naître une sorte de dégoût. Ce dégoût que l'on éprouve en effleurant des feuilles d'ortie qui, sur le moment, sont douces, et juste à l'instant où tu penses qu'elles sont douces, te causent une mauvaise brûlure. Pourtant, ce n'était pas le contact de ses mains qui m'avait troublée, ni les intonations souvent grinçantes et métalliques de sa voix, ni le regard liquide et glissant de ses yeux ronds et noirs comme des olives baignant dans l'huile : c'était son allusion à la politique-du-pont. Et comme si tu lisais dans mes pensées : « Oui, nous y arrivons à la politique-du-pont, nous y arrivons. Et nous arrivons également à la preuve que je n'avais pas tort de l'attaquer au Parlement sur le problème des officiers de réserve, de dire qu'il tenait en réserve les officiers démocratiques dans la mesure où ces derniers le dérangeaient tout autant qu'ils dérangeaient Papadopoulos et Joannidis. Voilà. » Et tu m'as montré deux feuilles de papier à en-tête : son nom imprimé en haut à gauche, Evangelos Tossitsas Averof, un texte tapé à la machine, une note écrite de sa main. Puis tu as traduit : « Athènes, 21 janvier 1974. Au général Phédon Ghizikis, président de la République. Monsieur le Président, j'ai l'honneur de vous soumettre la note ci-jointe. Si je ne la signe pas et si je l'écris à la troisième personne, c'est parce que vous voudrez probablement la montrer à d'autres personnes sans leur dire par qui elle a été rédigée. Il ne s'agit cependant pas pour moi d'en nier la paternité, et vous pouvez d'ailleurs constater que cette lettre porte mon nom. La note ci-jointe est une synthèse qui se limite, dans sa première partie, à exposer des lignes générales mais essentielles. Elle ne concerne ni n'analyse l'intégralité du problème. Etant donné que mon propos pourrait donner l'impression que j'adopte une attitude réservée à l'égard du gouvernement actuel, j'insiste sur les points suivants : 1) Il est tout à fait juste et utile, sous de nombreux aspects, d'éloigner des plus hautes fonctions administratives un certain nombre d'officiers de réserve. 2) Le gouvernement a affronté de façon non orthodoxe mais de la manière la plus raisonnable possible le dramatique problème de notre vénérable Eglise. Je pense qu'une telle action portera ses fruits. 3) Je salue la reconstitution du conseil pour la nomination des préfets. 4) La répression des abus est utile dans la mesure où elle intervient sans exception et sur des bases objectives. Recevez, Monsieur le Président, l'assurance de toute l'estime de votre bien dévoué Evangelos Tossitsas Averof. » Il y avait ensuite un post-scriptum daté du 1er février 1974 : « Ayant cherché en vain, pour vous faire remettre ma lettre et les notes ci-jointes, une personne nous connaissant tous les deux, je la dépose moi-même à votre domicile. Il est possible que je vous envoie une copie par la poste. Etant donné les conditions dans lesquelles je l'envoie, je vous serais reconnaissant de me faire parvenir par votre aide de camp un accusé de réception. » Sous le post-scriptum de la copie expédiée par la poste, trois autres notes, manifestement écrites par quelqu'un d'autre, peut-être un assistant de Ghizikis : « Le brigadier de garde en faction au palais, posté au 51-53 de la rue Plankedias a refusé de réceptionner la présente. Cette dernière a été remise le jour suivant, le 2 février 1974, par M. Zizis Foufas à M. Spiropoulos, secrétaire de la Présidence de la République, à l'entrée du 17 rue Stisicorou, à 9 heures trente. » « Lundi 4 février 1974. A 8 heures trente, un coup de téléphone de M. Bravacos a informé le bureau de M. Atanasakos que l'enveloppe avait été reçue par M. le président. » Enfin, la dernière note : « M. Bravacos de la présidence de la République a téléphoné au bureau pour confirmer que la lettre a été reçue par M. le président. »

« Tiens. » Tu m'as remis aussi la lettre à Ghizikis tandis qu'un sourire amusé faisait vibrer tes moustaches. « Eh ! Au fond, Averof est un génie. Un génie de province, mais un génie tout de même. Si, au lieu de naître dans un petit pays qui aujourd'hui ne compte plus, il était né en Russie, aux Etats-Unis ou en Chine, à cette heure il serait en train de décider si la troisième guerre mondiale doit ou ne doit pas éclater. Et s'il était né au moins dans un pays plus central et plus riche, il finirait dans les livres d'histoire, d'une façon ou d'une autre. Pauvre Averof, il n'a pas eu de chance : naître dans la Grèce des années 2000. Quoi qu'il en soit, la preuve qu'Averof est un génie, un génie de province, mais un génie tout de même, la voici. » Et tu as agité devant moi les huit pages serrées de la « note ci-jointe ». « Un véritable petit chef-d'œuvre. Il commence par de vagues allusions libérales, de prudentes critiques sur les risques courus par le gouvernement, puis il passe aux flatteries, disant qu'un sentiment de joie, de grand optimisme vis-à-vis de l'avenir, de profonde reconnaissance à l'égard des Forces armées, avait animé la Grèce tout entière le 25 et le 26 novembre 1973, c'est-à-dire durant les journées qui suivirent le massacre de Polytechnique, lorsque Joannidis fit destituer Papadopoulos, puis, après les flatteries, il s'engage dans l'analyse de la situation, et, écoute bien la suite. Parce que l'adresse avec laquelle il s'offre comme sauveur de la patrie, carrément en homme providentiel, est véritablement diabolique. » Tu as cherché la deuxième page et tu me l'as traduite : « Peu importe, et celui qui écrit en est sûr, qu'à la tête des Forces armées il y ait des hommes honnêtes. Le peuple continue à ne voir que la détermination de maintenir, pendant un temps indéfini, une oligarchie basée sur les Forces armées et c'est tout. C'est ainsi que le seul fait de voir des uniformes l'irrite ; et nombreux sont ceux qui, autrefois, endossaient l'uniforme avec orgueil et qui, aujourd'hui, l'exhibent en public avec beaucoup plus de prudence. Cela est triste et dangereux, monsieur le Président, car de ce pas, la jeunesse suivra quiconque s'oppose au régime. Et nous savons que, malheureusement, ceux qui s'opposent au régime ont rarement des idées saines : durant ces derniers mois, le parti communiste grec est devenu actif, et la pensée anarchiste, incohérente et destructrice, commence à séduire les jeunes, qui sont influençables et cherchent à utiliser des méthodes violentes. On glisse vers la gauche, vers de très dangereuses formes d'anarchie pernicieuse pour les jeunes qui devront demain diriger le pays. Et, à l'étranger, le communisme grec est très énergique, plus énergique que jamais. Selon des sources étrangères bien informées, rien qu'en Allemagne, où le parti communiste italien a fondé deux fédérations de travailleurs, l'une à Cologne et l'autre à Stuttgart, il existe deux groupes communistes grecs très forts : l'Esak et l'Eeskei qui collaborent entre eux. Au congrès préliminaire de Stockholm, où se sont réunis l'an dernier des émigrés de tous les pays, et où a été arrêtée la décision de tenir un congrès à Copenhague en mars 1974, les représentants les plus combatifs étaient les Grecs... » Tu as interrompu ta traduction : « Suit une analyse fumeuse de la réalité économique, et puis vient le meilleur. Parce que ce qu'Averof propose à Ghizikis pour résoudre les ennuis des colonels, c'est justement ce qui s'est produit en juillet 1974, lorsque tous crurent que la Junte était tombée. En d'autres termes, ces feuilles sont la preuve que la Junte a abdiqué sur les conseils d'Averof et suivant le système voulu par Averof : en passant apparemment le pouvoir aux politiciens mais, en réalité, en le conservant à travers Averof, justement, qui, lorsqu'il est devenu ministre de la Défense, est devenu l'héritier et l'interprète du régime passé ou, tout au moins, de ses intérêts. C'est clair ? Je veux dire qu'en janvier 1974, le pouvoir ne savait plus que faire des colonels, il avait besoin d'une relève de la garde, d'une démocratie formelle par exemple, où les postes essentiels seraient entre les mains de la droite la plus réactionnaire, et cela ne pouvait se faire qu'à travers le retour d'un

Caramanlis choisi et imposé par un Averof désormais maître d'une armée épurée de ses officiers démocrates. Donc, je me trompais lorsque je croyais qu'Averof avait gagné la bataille à la dernière minute, en dupant Canellopoulos et Mavros, en leur disant nous-nous-voyons-plus-tard-je-vais-faire-pipi. Il a vraiment fait pipi, il les a vraiment dupés, mais ce qui s'est produit le 23 juillet avait déjà été décidé depuis des mois. Le seul point sur lequel Averof n'a pu triompher a été l'escroquerie des partis relatifs. Cette escroquerie était une trouvaille de la monarchie, utilisée entre 1963 et 1967 pour maintenir la droite au pouvoir, et dont le fonctionnement était le suivant : chaque parti devait se déclarer relatif à un autre parti, c'est-à-dire au parti qui lui était idéologiquement le plus proche, et seuls les partis relatifs pouvaient s'allier entre eux pour participer à un gouvernement. Or, aucun parti n'avait voulu se considérer relatif au parti communiste et la gauche, ainsi mutilée, avait été contrainte de s'allier en permanence à la droite. Seul Georges Papandréou s'était rebellé, en constituant un front populaire où la gauche au complet s'était unie avec le centre. Et la droite avait riposté par le putsch de Papadopoulos. Cependant, même en échouant sur les partis relatifs, Averof savait que son triomphe était garanti. Il savait en effet qu'il pouvait compter sur Caramanlis ; il savait avec quel scrupule Caramanlis observerait le plan contenu dans la lettre à Ghizikis. Voilà quel était le plan. » Et tu m'as traduit la suite.

« *Primo :* le président de la République choisira une personne habile et capable d'inspirer confiance. C'est-à-dire un vieil officier, ou un vieux politicien, ou un technocrate. *Secundo :* le président de la République nommera ce dernier Premier ministre, et le Premier ministre se présentera à la télévision en annonçant le programme mais non la composition du gouvernement. *Tertio :* le programme respectera des lignes principales qui ne seront pas susceptibles d'être changées. Des nuances et de petites variations seront examinées à travers un vaste échange d'idées. Voici ces lignes principales : *a)* Le nouveau Premier ministre annonce que les Forces armées lui ont confié, par l'intermédiaire du président de la République, la tâche de rétablir la légalité démocratique. *b)* Le nouveau Premier ministre exprime son attachement aux Forces armées, en soulignant qu'elles sont l'émanation du peuple, qu'elles respectent le peuple, qu'elles défendent toujours la sécurité intérieure et extérieure du pays. *c)* Le nouveau Premier ministre déclare que, délibérément, il n'a pas encore formé le gouvernement (voir annexe Top Secret). Annexe Top Secret : *Un :* il n'est pas opportun que la chose se sache, mais nous devrons nous mettre d'accord en ce qui concerne les ministères de la Défense et de l'Intérieur, afin qu'ils soient confiés à des personnes respectables, influentes et ayant toute la confiance du président de la République et du Premier ministre. *Deux :* il faudra ôter toute crédibilité à ceux qui soutiennent que les élections se déroulent sous le contrôle des autorités locales nommées par la Junte et susceptibles d'exercer une pression psychologique en faveur de la Junte elle-même. *Trois :* les élections locales devront être évitées avant les élections générales. Ne pas procéder ainsi serait dangereux pour plusieurs raisons mais surtout parce que, dans certaines localités, nous risquerions d'avoir des conseils municipaux capables d'influencer les élections en faveur de la gauche. *Quatre :* il faudra convaincre l'opinion internationale et nationale que le nouveau régime organise les élections de façon honnête. (Voir texte principal.) Ce n'est qu'ainsi que nous pourrons éviter l'élection de candidats subversifs. *Cinq :* les articles de la loi électorale devront spécifier que chaque parti est tenu de déposer auprès de la Cour Suprême une déclaration stipulant ses principes de base et ses partis relatifs ; que chaque parti sera considéré comme relatif à un seul autre parti, à condition que cet autre parti l'accepte ; que les partis non relatifs à d'autres partis ne pourront pas participer à la formation du gouvernement ni même le soutenir ; qu'un député ne pourra pas passer d'un parti à un autre, si le parti qu'il quitte n'est pas relatif à celui qu'il rejoint. *Six :* le parti communiste grec ne sera légalisé qu'à condition que ceux qui se rendent au-delà du rideau de fer ne puissent revenir en Grèce et soient considérés coupables d'avoir fait couler le sang de leurs frères pour conquérir le pouvoir. *Sept :* s'agissant d'un sujet délicat, le problème de la monarchie pourra être discuté par une assemblée qui s'attachera à modifier la constitution. Mais comment résoudre ce problème étant donné que ceux qui militèrent activement pour le référendum instaurant la République définissent comme faux ce référendum ? Pour des motifs qui ne concernent pas cette note, celui qui écrit ici considère qu'une Assemblée Constituante est le meilleur instrument pour résoudre ce dilemme. Mais cela demande une explication verbale »

« Tiens. » L'annexe est venue s'ajouter aux autres feuilles et ta voix a eu un frisson de colère : « Il y a eu une explication verbale. La comédie s'est jouée comme Averof l'avait écrite dans le scénario pour Ghizikis : la façade du pouvoir pour Caramanlis, le véritable pouvoir pour lui, le statu quo pratiquement intact. La seule chose qu'il n'ait pas réussi a été de se libérer de Joannidis, des différents Hazizikis et des multiples Théophiloyannacos, sans les envoyer en prison : inutile de dire que les procès ne rentraient pas dans le cadre des accords des prétendues explications verbales. Et ceci est devenu son talon d'Achille ; voilà pourquoi il hésitait à les arrêter. Mais il a trouvé une solution. Directement ou indirectement, il les a convoqués un par un et leur a offert de fuir à l'étranger : ou vous partez, ou je suis obligé de vous arrêter, de vous juger. Ils ont pour la plupart refusé : certains par orgueil, d'autres avec l'illusion de revenir au pouvoir à travers un coup d'Etat des kédafistes. Certains, au contraire, ont accepté. Et cette lettre en témoigne. » Tu as brandi un feuillet écrit à la main, adressé à Caramanlis et signé par un agent de frontière d'Evzoni. Cette lettre portait le numéro d'enregistrement 2499, elle avait été expédiée le 6 décembre 1974 et reçue le 17. Voici ce qu'elle disait : « Monsieur le Président, je crois nécessaire d'attirer votre attention sur les faits suivants. Entre le 15 et le 20 novembre de cette année, un matin vers cinq heures et demie, le vice-commandant du contrôle des passeports est entré dans ce bureau. Et ceci, contrairement à son habitude qui est celle d'arriver à neuf heures. Le vice-commandant n'a rien dit à propos de l'arrivée d'un car et, quand ce car est arrivé, à six heures environ, nous avons vu qu'il était escorté par le directeur du Centre de la Police des Etrangers de Salonique. Le directeur était en civil. Il nous fut interdit de monter à bord de ce car, même pour contrôler les devises. Le conducteur du véhicule apporta les passeports à l'officier de service qui dut regarder les passagers. Puis le car est immédiatement parti et a pénétré en territoire yougoslave. De sources sûres, il y avait aussi à bord de ce car l'ex-lieutenant du KYP, Michel Kourkoulakos, lequel voyageait avec un faux passeport. Je vous prie, monsieur le Président, de considérer ces informations comme exactes et d'agréer mes sentiments les plus respectueux. » Un sourire amer : « Un gros poisson, ce Kourkoulakos. Il était également agent de la CIA à Salonique et était soupçonné d'avoir fait assassiner deux résistants, Tsaroukas et Kalkidis. Aujourd'hui, on pense qu'il est à Munich ou dans quelque autre ville d'Allemagne où il s'occuperait d'une organisation fasciste fondée en 1960 par Otto Skorzeny, l'homme qui libéra Mussolini lorsqu'il était prisonnier au Grand Sasso. Une organisation qui s'appelle Die Spinne, l'Araignée. En grec, Aracni. Il paraît qu'il rencontre souvent Panaiotis Cristos, ministre de l'Education à l'époque de Joannidis, et Evangelos Sdrakas, autre gros poisson de la Junte et néanmoins ami d'Averof. Il enseignait à l'université de Jannina, la ville d'Averof. Je suppose qu'il devait également y avoir Sdrakas à bord de ce car. Hum ! Un joli coup, ce car, un joli coup. Quant à l'Araignée, Aracni, Die Spinne, il semble qu'elle ait des centres partout en Europe : en Allemagne, en Espagne, en Angleterre, en France, en Italie. Attends que je saisisse la malle qui m'a été promise par cet officier du KYP, et nous en apprendrons des choses croustillantes : moi, je te dis que le futur dictateur de la Grèce pourrait bien s'appeler Averof, s'il n'est pas démasqué à temps par quelqu'un. Quelqu'un ou quelque chose. Un dictateur en civil, de ceux qui durent, à la Salazar. Oui, il faut absolument que je mette la main sur cette malle. Pourvu qu'ils m'en laissent le temps... » Et, en ricanant, tu as brandi la dernière feuille : « Et voici le Kûh-i-Nûr. — Le... quoi ? — Le Kûh-i-Nûr, le plus beau des diamants, le joyau des joyaux. Quelque chose qui m'empêche de dormir depuis quelques semaines, quelque chose qui me fait détester même la lumière du soleil. La preuve qu'il était devenu un espion de la Junte. Ce document vient des archives d'Hazizikis, bien sûr, celles qui regroupaient les informations et les jugements sur les personnes fichées par l'ESA. » J'ai regardé ce papier et, cette fois-ci, je n'ai pas eu besoin de traduction. Tout était effroyablement clair. Sur la première colonne à gauche s'alignaient les noms, chacun précédé d'un numéro. Sur la seconde colonne, les professions. Sur la troisième, les caractéristiques idéologiques. Sur la quatrième, les commentaires. Il y avait sept noms, les numéros allaient de 17 à 23. A la vingt-troisième place, on pouvait lire : « Evangelos Averof-ex-député-partisan de la politique du pont entre le gouvernement national et les ex-politiciens. Collabore déjà sous la direction d'importants responsables du KYP en donnant des résultats jusqu'à présent très positifs. »

***

Il y a une mystérieuse expression sur le visage de celui qui sait qu'il doit aller mourir, une ombre qui se condense dans ses yeux et habite ses gestes. La même que l'on peut voir chez les malades qui quittent l'hôpital pour s'éteindre dans leur lit, ou chez les soldats qui partent pour une bataille dont on ne revient pas. Et il est difficile de s'en rendre compte, car on la sent plus qu'on ne la voit : ce n'est qu'après la mort, dans le souvenir, qu'elle surgit aussi nette qu'une photographie bien développée, et l'on comprend alors de quoi il s'agit. C'est la nostalgie du futur qui ne viendra pas, la conscience soudaine que sans le futur le présent n'est qu'illusion, que seul le passé existe. Eh bien, c'était justement cette expression qui avait envahi tes yeux le jour où tu as quitté à tout jamais la maison dans les bois. Les valises étaient déjà dans le taxi, le taxi attendait, le train devait partir bientôt, et toi, la main gauche dans la poche de ton manteau, la main droite tenant ta pipe serrée entre tes dents, la tête légèrement inclinée sur une épaule, tu allais et venais dans la chambre, silencieux, absorbé, observant chaque objet avec l'expression de celui qui veut tout imprimer au fond de sa mémoire, tout retenir avec le regret d'une tranche de vie, les instants d'un temps qui semblait devoir durer toujours. Un fauteuil à bascule, un cendrier, un tableau que tu ne reverras plus jamais. Moi, je tremblais d'impatience : « Qu'est-ce que tu cherches, Alekos, qu'est-ce que tu veux ? Allez, viens, il est tard, partons. » Mais tu ne répondais pas, comme si le fait de manquer le train t'importait peu, car tu pouvais te permettre de gaspiller du temps puisque bientôt, tu aurais l'éternité à ta disposition. Et tu t'es assis sur le lit, les lèvres figées en un sourire mystérieux, rendu mélancolique par une ombre qui tombait sur tout ton visage en noircissant tes sourcils broussailleux, puis tu as ôté ta pipe de ta bouche, tu as caressé l'oreiller et tu as murmuré : « Nous avons bien vécu, ici. Nous étions vivants. — Nous y reviendrons, Alekos, allez, partons. — Oui, partons. » Mais tu as prononcé ces deux mots, je ne l'ai compris qu'un mois plus tard, comme un malade qui sait que la fin doit arriver bientôt et qui répond oui à ceux qui lui disent tu-guériras-chéri-tu-guériras, comme un soldat qui sait qu'il doit participer à l'un de ces combats dont on ne revient pas et qui répond oui à ceux qui lui disent tu-y-arriveras, tu-y-arriveras. Du reste, d'autres événements bizarres se sont produits ce jour-là, des choses qui se sont répétées et intensifiées durant les jours suivants. Hésitations, incertitudes, retours en arrière. « Je veux être à Athènes d'ici vingt-quatre heures, donc nous nous arrêtons une nuit et c'est tout, à Rome. Je n'ouvre même pas les valises », as-tu déclaré dans le train. Arrivé à Rome, au contraire, tu les as ouvertes immédiatement et tu n'as même pas réservé ta place d'avion. « Alekos, il faut réserver l'avion. — Demain. » Et le lendemain : « Après-demain. » Et après-demain : « On a le temps. » Tu continuais à remettre ton départ, comme si le problème de *Ta Nea* n'existait plus, et tous les prétextes étaient bons pour ne pas refaire tes valises, ne pas réserver ta place dans l'avion. Le premier prétexte a été l'arrivée d'Athènes d'un ami couturier qui voulait organiser un commerce de tissus entre l'Italie et la Grèce. Le second a été une invitation à Capri pour l'anniversaire d'une octogénaire, mère d'un de tes admirateurs. Le troisième a été une réception à l'ambassade de Grèce où tu n'avais jamais mis les pieds. Le quatrième a été un rendez-vous avec l'éditeur auquel tu avais promis le livre. Et, bien entendu, l'ami couturier t'importait peu, l'anniversaire de l'octogénaire encore moins, la réception à l'ambassade pas du tout, et le rendez-vous avec l'éditeur n'avait aucun sens puisque tu refusais de continuer à écrire ce livre. Mais tu as vu le couturier, tu es allé chez la vieille dame, tu as assisté à la réception, tu as rencontré l'éditeur, et tu n'as jamais fait allusion à la nécessité de devoir rentrer à Athènes pour solliciter la publication promise des documents, tu semblais, en somme, distrait par une inattendue et inexplicable insouciance Finie la désespérante angoisse qui t'avait bloqué à la page 23, oubliée la sombre mélancolie qui t'avait entraîné dans cette apocalyptique beuverie qui s'était conclue par le jet d'urine sur les automobiles, disparu le ton dramatique et solennel de ce matin, avec lequel tu m'avais lu et remis les documents concernant le dragon, tous ces événements semblaient ne jamais avoir eu lieu, le futur était devenu pour toi une longue saison riche de promesses dont tu pourrais profiter sans hâte et sans crainte, et ton engagement de révéler la vérité n'était plus si urgent. De ton rendez-vous avec l'éditeur tu étais sorti dans un grand état d'excitation, tu affirmais avoir changé d'idée, tu allais reprendre le livre à la page 23, pour remettre le manuscrit à l'éditeur d'ici à la fin de l'année, en lui apportant déjà la moitié du texte avant la fin du mois d'août. « D'ailleurs, tu sais ce que je vais faire ? Dès mon retour en Grèce, je prends tout de suite le congé parlementaire que j'ai demandé. Je reste là-bas deux semaines, puis tu me rejoins ici et nous repartons pour l'Italie avec la Primavera. »

J'étais à la fois contente et irritée. D'un côté j'étais heureuse de te voir purifié de cette douleur lugubre qui avait à moitié détruit la maison dans les bois et je bénissais ces journées de tranquillité, de repos mérité ; d'un autre côté je concluais alors que tes problèmes n'étaient pas aussi graves que tu l'avais dit, je me demandais donc quel caprice ou forme d'hystérie t'avait poussé à me martyriser à nouveau avec tes angoisses, tes scènes théâtrales, ta lecture obsédante de ces archives si ennuyeuses ? Je flottais entre ces deux sentiments, tantôt refusant de te suivre dans tes sorties absurdes, tantôt me rendant complice de tes plaisirs oisifs, mais sans jamais imaginer un seul instant que tu ne faisais tout cela que pour retarder ton voyage à Athènes, parce que, soudain, l'instinct de survivre dominait en toi la passion pour le défi. J'ai commencé à avoir l'intuition que les choses n'étaient pas telles que tu les présentais seulement lorsque tu as déclaré : « L'heure est venue de passer à l'action. » En effet, à l'instant même où tu as prononcé cette phrase, ton humeur a changé, et il s'est produit quelque chose de très bizarre. Nous allions traverser, via Veneto, lorsque le feu est passé au vert. Je me suis arrêtée, sachant bien à quel point tu détestais me voir traverser au vert et, aussitôt, tu m'as poussée brutalement au milieu des voitures : « En avant ! De quoi as-tu peur ? Qui n'est pas prêt à traverser lorsque le feu est vert n'est pas prêt à mourir, qui n'est pas prêt à mourir n'est pas prêt à vivre ! » Puis tu m'as abandonnée sur le trottoir d'en face et n'es rentré à l'hôtel que très tard dans la nuit, ta veste à moitié déchirée, tes mains pleines d'égratignures et de sang : comme si tu avais donné des coups de poing à tous les arbres de l'avenue. Mais ce n'était pas les arbres que tu avais frappé : tu avais assailli un pauvre maquereau qui t'offrait une prostituée. Tu l'avais frappé si fort que la police avait voulu t'arrêter. « Alekos, tu as bu à nouveau ? — Non, pas une goutte. — Alors, pourquoi as-tu fait ça ? Pourquoi ? — Je ne sais pas, je te jure que je n'en sais rien. J'ai été pris par une sorte d'envie de le tuer, un besoin de décharger la colère que j'ai en moi. » Puis tu t'es enfermé pendant au moins une heure dans la salle de bains et quand, alarmée par ton silence, je suis entrée pour voir s'il ne t'était rien arrivé, je t'ai trouvé immergé dans la baignoire avec les yeux fermés et les bras croisés sur la poitrine : la position du cadavre dans le cercueil. « Qu'est-ce que tu fais ? — Je fais des essais. Tu sais, il n'est pas dit que la mort soit quelque chose de moche. Au fond, la mort est une amie pour celui qui est fatigué. C'est aussi une grande alliée de l'amour. Aucun amour au monde ne résiste si la mort n'intervient pas. Si je vivais longtemps, tu finirais par me détester. Mais comme je vais mourir bientôt, tu m'aimeras à tout jamais. »

Et le dernier jour est arrivé, que nous avons passé ensemble, le jour que, pendant des mois et des années, ma mémoire a le plus fouillé, en une recherche obstinée du moindre détail, de tous les instants, presque comme si cela pouvait me servir à retrouver une goutte de ce que j'avais perdu, mais sans y parvenir, en m'égarant au contraire dans cette stupeur impuissante qui s'empare de celui qui se réveille sans pouvoir se souvenir du rêve qu'il faisait. C'est un rêve important et pourtant tu ne t'en souviens pas, un épais rideau est tombé sur trop de détails, tel un voile de ténèbres qui a éteint les images, les sons, un voile que tu ne peux arracher ni déchirer. C'est en vain que tu poursuis l'écho d'un bruit, d'un geste, c'est en vain que tu as l'illusion de l'avoir saisi ; à l'instant même où tu crois le serrer entre tes mains, il se dissout et tu dois te résigner : le rêve s'est vraiment évanoui. Voilà ce qu'il en est du dernier jour que nous avons passé ensemble. Dans quelque recoin de mon inconscient doit se trouver le film de toutes les choses que nous avons faites, de tout ce que nous nous sommes dit, mais l'oubli pèse sur ma mémoire plus lourd qu'une dalle de marbre. Une profonde obscurité qui va de l'aube jusqu'à la tombée de la nuit. Le souvenir de la dernière nuit est en effet très clair, il jaillit comme un feu d'artifice avec la musique de ta belle voix racontant l'histoire des étoiles aspirées dans les trous noirs du cosmos. Nous sommes dans le restaurant que tu préfères, ouvert sur une petite place du vieux

Rome, et la petite salle est étroite avec un plafond voûté, elle est chauffée par une cheminée où s'élèvent de petites flammes violettes, les tables sont éclairées par des bougies enfoncées dans des bouteilles vertes sur lesquelles la cire en fondant forme des reliefs bizarres, des stalactites blanches. Nous sommes assis dans un coin séparé par une balustrade et caché par une colonne, la bougie blanchit ton visage pâle et allonge ton front qui paraît plus grand que jamais, tes moustaches qui paraissent plus touffues que jamais, et il y a trois poils gris dans ta moustache gauche. Je ne les avais jamais remarqués, ils n'y étaient pas auparavant : quand sont-ils devenus gris ? Je remarque aussi que la petite touffe grise sur l'une de tes tempes est devenue plus grise. Etrange, quand est-elle devenue plus grise ? Je fais semblant de vouloir l'arracher et tu te protèges en inclinant ta tête avec une extrême douceur. Tu es doux, ce soir, et ton regard est tendre. « Tu pars vraiment demain ? », je susurre. « Oui. — Je voudrais venir avec toi. — Non. Tu me seras utile ici, je te l'ai déjà dit. Et puis nous nous reverrons bientôt, nous nous reverrons à Pâques. Comme ça, je viens avec la Primavera et nous en changeons la couleur. Il faut changer cette couleur. Si quelqu'un veut me faire du mal... » Un coup de poignard dans mon cœur : à cause de la dernière phrase ou bien de l'image macabre et terrifiante que l'automobile évoque en moi ? Etrange, depuis la veille du jour de l'an, trois mois, je ne l'ai pas revue et je ne t'ai pas demandé de ses nouvelles : si elle marche bien, si elle marche mal, si elle te plaît encore. D'ailleurs, chaque fois que tu prononces son nom, je change de conversation : comme si le fait de savoir qu'elle existe provoquait en moi une brûlure comme de ne plus être retournée à Athènes après ce voyage en bateau qui nous avait débarqués à Patras. Je n'y suis plus retournée à cause du serment trahi ou à cause d'elle ? « Nous pourrions choisir du bleu, ou du gris ou du havane », es-tu en train de me dire. Et je sens à nouveau le coup de poignard : oui, à cause d'elle. Je ne supporte pas que tu parles d'elle. Je peux écouter tes discours sur la mort, j'y suis désormais habituée, tu ne parles que de mort, mais pas tes discours sur elle. En effet, voilà, je tourne la tête et, sans comprendre, tu changes de conversation. Tu me racontes à ta manière, en inventant, l'histoire des étoiles aspirées dans les trous noirs du cosmos. Les théories des astronomes ne t'intéressent pas, dis-tu, au diable la condensation nucléaire, au diable l'attraction gravitationnelle, tu as ton idée sur les trous noirs dans le cosmos. Ce sont de vrais trous, déchirures de l'infini, et ce sont de tout petits trous, du diamètre d'un verre, il semble inconcevable qu'une étoile puisse y pénétrer, car une étoile est immense, c'est un monde, mais, pour y entrer, elle se resserre, au cours de millions et de milliards d'années, elle se tasse et se resserre pour devenir comme un poing, un citron, un galet, et le sortilège s'accomplit. Le destin. Un vent très fort se lève, et plus qu'un vent il s'agit d'un tourbillon monstrueux qui l'appelle, l'invoque, la supplie, pour l'attirer vers le trou noir. L'étoile ne veut pas. Pendant des millions et des milliards d'années, elle a vécu uniquement pour entrer dans ce trou, et c'est pourquoi elle s'est tassée et resserrée pour devenir un poing, un citron, un galet, et maintenant que l'heure approche, elle ne veut pas. Parce qu'elle aimerait vieillir, s'éteindre en paix, en allant à la dérive. Effrayée, elle repousse l'invitation, elle s'y oppose avec toute sa volonté, toute la force de son poids qui est énorme, concentrée et incalculable. Elle s'enfuit. Elle s'éloigne en décrivant des courbes très larges, jusqu'au bord de l'univers, elle se cache derrière les étoiles que le vent n'appelle pas, elle se défend, elle se nie, comme si elle ignorait le destin qui pèse sur elle depuis sa naissance ou comme si elle manquait de courage. Mais le vent est irrésistible, capable de vaincre le poids le plus démesuré, la volonté la plus têtue, si bien que la fuite de l'étoile devient de plus en plus faible, ses circonvolutions de plus en plus étroites, de plus en plus proches du trou et, soudain, l'espace sans limite se réduit à un tourbillon étroit et profond, un gouffre où l'infini glisse avec le silence, un silence qui tourne sur lui-même pour se coaguler autour d'un mystère, puis, ce trou devient tout à coup un tunnel sans lumière, sans issue. Ou peut-être l'issue existe-t-elle, mais elle est si lointaine que l'on ne peut même pas l'entrevoir. Et l'étoile, fatiguée, résignée, vaincue, se laisse engloutir : elle tombe tête la première dans l'obscurité, dans le mystère qui la conduira on ne sait où. De l'autre côté, dis-moi, qu'y a-t-il ?

Tes yeux brillent avec anxiété dans la lueur de la bougie, ta voix palpite : « De l'autre côté qu'y a-t-il ? » Un nouveau coup de poignard me frappe, et me fait frémir. Pourtant, tu n'as pas parlé de la voiture, cette fois-ci, tu n'as fait qu'interpréter poétiquement une théorie scientifique, pour en tirer une fable, et tu n'es pas l'étoile qui fuit. « C'est une histoire magnifique », je balbutie. « Non, c'est une réalité terrible », me réponds-tu. « Cela dépend de la manière dont on l'interprète, Alekos. — Il y a une seule façon de la comprendre : les trous noirs sont la Mort. — Si les trous noirs étaient la Mort, n'importe quelle étoile pourrait tomber dedans. Au contraire, ces trous aspirent certaines étoiles et d'autres pas. Pourquoi ? — Parce que toutes les étoiles ne sont pas à punir. Les trous noirs aspirent les étoiles qui doivent être punies. — Punies de quoi ? — D'avoir cherché des mondes différents, où chacun est quelqu'un et où la

441

justice, la liberté et le bonheur existent. — Ce n'est pas un crime que de chercher des mondes différents où chacun est quelqu'un et où la justice, la liberté et le bonheur existent. — Non, mais c'est un luxe que la dictature de Dieu ne peut permettre, pas plus que la Montagne. Dieu veut nous faire croire que son univers est le seul possible, la Montagne veut nous faire croire que son système est le seul possible. Et le rebelle finit dans un trou noir. — Tu parles comme si tu croyais en Dieu. — J'y crois. Je ne sais pas ce que c'est, mais j'y crois. Et je lui pardonne parce qu'il n'a pas le choix et que donc il n'est pas coupable. Ce sont les hommes qui ont le choix et qui sont donc coupables. » Je souris : « Un jour, j'ai connu quelqu'un qui m'a dit exactement le contraire. Les hommes sont innocents, m'a-t-il dit, parce que ce sont des hommes. — Qui était-ce ? — Un prisonnier viêt-cong. — Il ne s'était jamais trouvé devant un peloton d'exécution, alors. Quand ils allaient me fusiller, j'ai aussi pardonné Dieu. Et quand je mourrai, je le pardonnerai à nouveau. » Je n'arrive plus à sourire. Tu t'en aperçois et tu me caresses la main : « Ne t'en fais pas. » Puis, avec ton geste habituel, tu appelles la fleuriste qui est entrée avec une corbeille de roses et tu prends toutes les roses pour les déposer dans mes bras. Nous sortons, tu oublies les étoiles qui meurent, tu te moques de moi à cause du grand bouquet de roses qui m'embarrasse. Nous marchons à pied à travers les ruelles aux murs noirâtres et, là, le souvenir se compose de sons hachurés, d'images éparses, de sensations qui ne durent que le temps d'un battement de cils. Nos pas résonnent sur le pavé, un chien passe en remuant la queue, ton pouce me chatouille le creux de la main alors que tu me susurres : « Pourtant elle est belle la vie. Elle est belle même lorsqu'elle est moche. Et elle, là, ne le sait pas. » Elle, là, c'est une prostituée qui marche le visage chargé d'ennui. « Donne-moi une rose. » Je te la donne, tu lui tends, et elle t'insulte : « T'es con ou quoi ? » A force de détours nous sommes arrivés via Veneto, sous cet arbre dans lequel, durant l'après-midi de la voiture, les oiseaux plongeaient par centaines. Cet après-midi aussi ils ont dû plonger, et à présent ils sont là, ils dorment entassés sur les branches. « Et Netchaïev ? — Il tente d'échapper au vent. — Et Satan ? — Satan est au paradis. » Nous entrons dans l'hôtel et, dans l'ascenseur, tu t'amuses à appuyer sur tous les boutons : « Je pilote l'avion qui nous emmène au Paradis ! » Dans le couloir, tu me voles toutes les roses et tu en places une sur chaque poignée de porte. Dans la chambre, tu te calmes. Tu te déshabilles lentement, tu t'étends sur le lit, tu croises les bras sous la nuque, tu regardes le plafond, immobile. « Mais de l'autre côté qu'y a-t-il ? — Ça suffit, Alekos, ça suffit ! — Réponds-moi : de l'autre côté, qu'y a-t-il ? » Je réponds : « Si les étoiles englouties cherchent des mondes meilleurs, de l'autre côté il devrait y avoir un monde meilleur. — Non. Il y a le néant. La punition suprême pour ceux qui cherchent des mondes meilleurs, c'est le néant. Mais ce n'est peut-être pas une punition. C'est peut-être une récompense. C'est une telle épreuve que de chercher ce qui n'existe pas, qu'à la fin, on a besoin de se reposer dans le néant. » Puis un bond : « Nous jouons ? » Et saisi par une frénésie joyeuse, tu jettes tes jambes sur moi en disant que tu n'es pas une étoile, que tu es une comète et que tes jambes sont la queue de la comète, et que comme la lumière de la comète est étincelante il est inutile de garder la lampe allumée. Tu l'éteins et nous nous aimons comme nous nous sommes aimés en cette lointaine nuit d'août dans la chambre aux fauteuils rouges et pelés, avec les plateaux de pistaches sur les guéridons, tandis que le vent chantait parmi les branches des oliviers. Les mêmes gestes, les mêmes sensations. D'un passé que les années n'ont pas corrompu reviennent les étreintes harmonieuses, les caresses soyeuses, la joie de se noyer ensemble dans un fleuve de douceur qui nous éblouit, à nouveau et encore, et encore et encore, comme si cela devait durer toujours, se répéter jusqu'à la vieillesse. Ma vieillesse, ta vieillesse. Pourtant cela ne devait durer que le temps de cette dernière nuit. « Ne m'oublie pas. Ne m'oublie jamais. Tu ne dois pas m'oublier ! » gargouille une voix que je ne reconnais pas, rauque et dévorante, alors que ton corps enveloppe mon corps. Bien plus tard, lorsque notre tragédie trouvera sa conclusion, qu'au lieu d'un déchirement qui me semble aujourd'hui inguérissable, il y aura une cicatrice qui fait mal même si on ne la touche pas, une solitude différente et pire, en elle je me poserai des questions inutiles et absurdes : pourquoi tout le monde ne connaît-il pas la vieillesse, qu'est-ce que la mort, et en particulier la mort qui foudroie avant la vieillesse, et pourquoi, toi, tu étais si amoureux de la mort, effrayé bien sûr, mais amoureux, séduit au point de m'en rendre jalouse, comme s'il s'agissait d'une personne, d'une femme, et le souvenir de ce dernier soir, de cette dernière nuit m'agressera avec la force d'une révélation. Il n'y a pas de doutes, tu savais. Tu avais la certitude mathématique que le tourbillon commençait et que le trou noir allait t'engloutir.

***

Nous avons quitté l'hôtel à trois heures de l'après-midi, ton avion partait à quatre heures. Le taxi était vieux, il était d'une lenteur exaspérante et tu disais au chauffeur : « Accélérez un peu, je vous

en prie, je vais rater l'avion. » Mais lui te répondait grossièrement :
« Je ne peux pas aller plus vite, vous n'aviez qu'à partir avant ! »
Nous étions dans la banlieue quand, soudain, le moteur s'est mis à
tousser et la voiture s'est arrêtée. « Je n'ai plus d'essence. — Plus
d'essence ? Et vous acceptez des clients pour l'aéroport sans
essence ? » Je suis intervenue pour éviter la dispute : « Ecoutez, il y
a une station-service là-bas, essayez d'y arriver. » Entre les grogne-
ments et les jurons, les passages de vitesses et les coups d'accélérateur furibonds, nous avons réussi à atteindre la station et à faire le
plein. Mais inutilement. « Elle ne marche pas. Elle est cassée. —
Cassée ? » Je te regardai craignant une explosion de colère : après
les prières, les exhortations, tu avais suivi la scène en silence, ce qui
d'habitude annonçait des éclats de colère. Mais non, contre toute
attente, tu restais là, tranquille, comme si la chose ne te concernait
pas : tu n'avais pas compris ? « Alekos, il dit qu'elle est cassée. —
Tant mieux. — Tant mieux ? Tu ne veux plus partir ? — Hum ! —
Dis-le-moi, parce que si tu veux partir il faut faire quelque chose ! —
Hum ! » De plus en plus grossier, le chauffeur a interrompu la
discussion. « Que vous partiez ou pas, moi je ne peux pas vous
garder ici ! Je vais appeler un autre taxi au téléphone. — Si vous le
jugez nécessaire ! » Il le jugeait nécessaire. Il est parti, il a
téléphoné, il est revenu : « On n'en trouve pas, il n'y en a pas.
Qu'est-ce que je fais, j'en arrête un sur la route ? — Si vous le jugez
nécessaire ! » Il le jugeait nécessaire. En grognant, il s'est mis au
milieu de la route, mais aucun taxi ne passait et il était déjà trois
heures et demie. « Alekos, rentrons à l'hôtel, tu partiras demain. —
Tu as peut-être raison. » Mais au moment même où tu disais cela et
où j'éprouvais un soulagement excessif, un bonheur exagéré non pas
tant parce que tu resterais un soir de plus mais parce qu'il y avait
quelque chose qui n'allait pas dans ce départ, un taxi vide est passé.
Et notre chauffeur l'a bloqué ; radouci, il a transféré les valises,
radouci, il nous a ouvert la portière en disant vite, son moteur à lui il
marche, il peut faire de la vitesse. Nous avons repris le chemin de
l'aéroport, il était désormais trois heures quarante. « Alekos... je
lui explique qu'il ne nous reste que quelques minutes ? — Mais non,
pourquoi veux-tu forcer les choses, le destin ? Ce qui doit être est, ce
qui devra être sera. S'il est écrit que je prends cet avion, je le
prendrai, même si j'arrive après quatre heures. S'il est écrit que je
ne le prends pas, je ne le prendrai pas, même si j'arrive à temps. »
Puis, tu m'as prise par les épaules, le visage grave : « Tu aimerais
que nous restions ensemble un autre jour, je le sais. J'aimerais aussi,
mais un jour de plus ou de moins, un mois de plus ou de moins,
qu'est-ce que ça change ? Nous avons eu beaucoup tous les deux, et

ce n'est pas grâce à un jour de plus ou un mois de plus que nous aurons ce que nous n'avons pas eu. — Pourquoi dis-tu cela ? — Parce que tu as été une bonne compagne. La seule compagne possible. »

Nous sommes arrivés à l'aéroport à quatre heures pile. L'embarquement était terminé, l'avion allait décoller. Mais un fonctionnaire de la compagnie t'a reconnu et a donné des instructions pour qu'on t'attende. Ensuite, prévenant, excité, il a pris tes bagages, t'a donné la carte d'embarquement, t'a poussé vers le contrôle des passeports : vite, courez, vite. Tu le suivais sans hâte, hésitant à chaque pas, comme si tu voulais à présent forcer le destin, la loi du ce-qui-doit-être-est, ce-qui-devra-être-sera, comme si l'idée de rentrer à Athènes te répugnait à présent, et devant la porte vitrée, au-delà de laquelle ne sont admis que les passagers, tu t'es même arrêté pour jouer avec ton koboloi. « Alors, au revoir », t'ai-je dit en te tendant la main. En public, nous ne nous embrassions jamais. Tu l'as enfermée entre les tiennes pendant un long instant, en évitant mon regard. « Au revoir, alitaki. » Le fonctionnaire frétillait : vite, courez, vite. Tu as acquiescé en te dirigeant vers le contrôle des passeports, puis tu as passé le contrôle de la police. Tu as continué pendant quelques mètres, sans te retourner, tu étais presque à la porte d'embarquement. Et là, tout à coup, avec la décision de celui qui obéit à une impulsion qu'il ne peut refréner, tu es revenu en arrière. « Qu'est-ce que vous faites, où allez-vous ? », a hurlé le fonctionnaire. Deux policiers se sont précipités, ont tenté de t'arrêter. « C'est interdit ! » Tu les as évités sans les regarder, sans les écouter, hautain, tu étais de nouveau sur le seuil de la porte vitrée, tu es venu près de moi. Tu m'as serrée en une étreinte lente, intense, silencieuse. Tu m'as embrassée sur la bouche, sur le front, sur les tempes. Tu as pris mon visage entre tes mains : « Oui, une bonne compagne. La seule compagne possible. » Ensuite, toujours plus hautain, toujours plus flegmatique, tu es repassé devant les policiers stupéfaits et le fonctionnaire ébahi. La dernière image que j'ai de toi, c'est une paire de moustaches noires sur une pâleur de marbre, et deux yeux luisants, aigus, bouleversants, qui me fixent de loin, pénétrant dans les miens. Vivant, je ne te reverrai plus jamais.

Sixième partie

CHAPITRE PREMIER

La mort est une voleuse qui ne se présente jamais par surprise. voilà ce que j'ai tenté de dire jusqu'à présent. La mort s'annonce toujours avec une sorte de parfum, des perceptions impalpables, des bruits silencieux. La mort, on l'entend arriver. Même lorsque tu m'étreignais à l'aéroport, tu savais que vivant je ne te reverrais plus. Du reste, tu l'avais trop souvent courtisée avec tes défis, trop souvent chantée avec tes poèmes, trop souvent invoquée avec tes angoisses, pour ne pas la reconnaître, la flairer, te convaincre qu'elle était en train d'arriver. Cependant, voilà le problème, c'est que les autres fois tu l'avais repoussée ou écartée juste avant que d'être bloqué dans son étau ; après notre étreinte, au contraire, tu es allé vers elle comme un amoureux impatient, anxieux de se laisser ravir par elle. Par calcul, par fatigue de vivre, par fatigue de perdre ? Les trois choses en même temps. Le calcul est né de la fatigue de vivre, la fatigue de vivre est née de la fatigue de perdre : la nuit où tu avais détruit la maison dans les bois, tu avais bien compris que toutes les étapes de ta fable avaient abouti à des échecs. Il te suffisait de regarder en arrière pour te convaincre que la malédiction de l'échec planait sur ton existence avec le caractère inexorable d'une tumeur ; il te suffisait de refaire le parcours de ces huit dernières années pour t'apercevoir que ton unique victoire avait été celle de ne jamais te rendre, ne jamais céder, même dans les moments de détresse ou de doute. L'attentat contre Papadopoulos avait avorté ; le calvaire de ton arrestation, ton procès, ta condamnation, n'avait absolument pas secoué la Grèce. Tes évasions n'avaient pas réussi, pour revoir le soleil, tu avais dû subir la clémence du tyran. Le plan de l'Acropole n'avait été qu'une chimère, tes voyages clandestins à Athènes n'avaient servi qu'à te faire souffrir, l'espoir d'organiser une résistance armée avait fait naufrage. Et ton retour au village, un échec ; ton choix de t'insérer dans la politique des politiciens, une erreur ; ta campagne électorale, un désastre ; ton activité de député un insuccès ; ainsi que ton effort de t'adapter à un parti, ta prétention d'en chasser les hommes indignes ; ainsi que ta tentative d'écrire un livre. Quant à ta grande intuition selon laquelle les idéologies ne résistent pas, parce que toute idéologie devient doctrine et que toute doctrine s'épuise au contact de la réalité de la vie, l'irréductibilité de cette vie impossible à catégoriser, quant à ta grande découverte selon laquelle les schémas droite et gauche n'ont aucune signification, s'annulent en un même et faux alibi, n'ont qu'un seul et même but, le pouvoir qui écrase, tu n'avais pas été capable de les formuler en termes cohérents, de les défendre avec rigueur par des faits. A présent, tantôt en les condensant en de poétiques slogans, tantôt en les neutralisant par une acceptation passive du sordide chantage des barricades opposées, c'est-à-dire en t'alignant du côté des menteurs qui portent des caleçons avec le mot Peuple inscrit dessus mais qui, en fait de peuple, ne connaissent que la foule qui les applaudit, tu avais rangé tes idées dans le réfrigérateur des idées ébauchées ou des entreprises impossibles. A travers ton exemple trop personnel, trop unique, tu avais dit que chaque être humain est une entité non généralisable et non réductible au concept de masse, donc que le salut doit être cherché dans l'individu qui fait sa propre révolution.

Bref, quoi que tu aies entrepris, tu t'étais retrouvé avec une poignée de sable dans la main et tout s'était mal terminé, tout : comme plastiqueur et comme conspirateur, comme tribun et comme penseur, comme politicien et comme leader. Même comme leader, puisque pour t'écouter il n'y avait jamais eu que quelques partisans subjugués par ton charme et non pas par ton message, puisque seulement quelques rares personnes et c'était tout t'avaient suivi l'après-midi du cortège, dans le sillage d'un geste non compris. Jamais un disciple, un vrai complice sur lequel t'appuyer. Le seul interlocuteur qui t'avait secondé dans le désert de ces années-là, c'était moi, mais à partir d'un lien reposant sur les fondements équivoques de l'amour, et qui, tu m'en avais fait bien souvent le reproche, ne t'aimais pas pour ce que tu étais mais pour ce que j'aurais voulu que tu sois, NGuyen Van Sam et Huyn Thi Anh et Chato et Julio et Marighela et le père Tito de Alencar Lima, schémas de mon passé vécu à partir de schémas, de telle sorte qu'à chaque contradiction à l'intérieur de ces schémas, je fuyais déçue, trouvant des prétextes, opposant des résistances, disparaissant juste au moment où tu aurais dû te sentir entouré. Et la solitude continuait à être ta véritable compagne. D'accord, tel est le destin de Don Quichotte, le destin des héros, des poètes. Mais vient toujours un moment où un homme, même s'il est un héros, un poète, n'arrive plus à errer seul dans le désert. Vient toujours le moment où il se fatigue de vivre parce qu'il se fatigue de perdre, vaincu par la nausée, il se répète qu'il-faut-qu'il-gagne-au-moins-une-fois, et en se disant cela il pense à la mort (proche désormais, planant sur lui avec son parfum), comme s'il s'agissait d'une carte gagnante. Un as dans la manche, un prix. Vieillir, pourquoi ? Continuer dans cette lassitude qu'est l'existence, pourquoi ? Pour subir les mêmes défaites, c'est-à-dire pour se répéter ou bien s'adapter et se faner dans la grisaille du renoncement, de la normalité ? « Il n'est plus un anarchiste fou, un impatient, un rebelle, il est devenu raisonnable, il a grandi. » « J'ai l'impression de le reconnaître, ce n'est pas lui qui a posé la bombe et volé les archives de l'ESA ? » En mourant, au contraire, tu allais donner un sens à tes sacrifices, à tes souffrances, à tes échecs. Et les gens allaient enfin t'écouter, te comprendre. Même en s'exprimant gauchement, avec fleurs, drapeaux et cris, son-holocauste, son-exemple, les gens allaient être de ton côté, ils allaient prouver que le troupeau peut ne pas être un troupeau, que les doctrines s'écroulent contre l'initiative de l'individu, la désobéissance de l'individu, le courage de l'individu, que chacun est quelqu'un pourvu qu'il le veuille, que le salut doit être cherché dans l'individu qui fait d'abord sa propre révolution. Et peut-être la Montagne allait-elle trembler un peu, peut-être le rocher rivé à son sommet allait-il ballotter un peu. Aucun héros vivant ne vaut un héros mort, c'est ce que disaient aussi les anciens. Du reste, les héros mythiques ne se consument jamais dans les ennuis de santé, ils ne s'éteignent jamais de maladie dans un lit d'hôpital : ils s'en vont dans la fleur de l'âge, de façon violente et, presque toujours, le dernier acte de leur aventure est pratiquement un suicide accompli par l'intermédiaire des mains qui les tuent. Mourir pour ne pas mourir, se laisser tuer pour vaincre au moins une fois, voilà le calcul horrible et génial, mélangeant abnégation et orgueil, altruisme et égoïsme, ton œil bon et ton œil mauvais, acceptant, sans tergiversation de dernière minute, ton rendez-vous à Samarkand, t'offrant ainsi à la Mort en une étreinte suicidaire.

Ce calcul horrible et génial a mûri en l'espace d'un mois. Le mois d'avril. Consciemment ou pas ? La ligne de démarcation entre le conscient et l'inconscient est tellement floue. En rentrant à Athènes, je l'ai appris plus tard, tu semblais vidé de toute énergie, écrasé par une mystérieuse aboulie. Tu passais presque tout ton temps au bureau où ta secrétaire te surprenait toujours avec les yeux dans le vague, les mâchoires serrées, les bras croisés, assis avec le regard de quelqu'un qu'une unique pensée obsède. Tes pupilles restaient immobiles même lorsque le téléphone sonnait ou qu'elle te parlait, il fallait s'approcher et te tirer par la manche pour obtenir une réponse : « Qui est-ce, qu'est-ce que c'est ? » Quand le garçon du bar d'en bas montait avec le café chaud, tu ne t'apercevais ni de lui ni de la petite tasse qu'il posait sur la table, et plus tard, en la voyant, tu t'interrogeais ébahi : comment était-elle arrivée jusque-là, qui l'avait apportée ? Parfois tu te levais, tout doucement, en soupirant, et tu te mettais à marcher d'une pièce à l'autre. Les mains dans les poches, le dos voûté, la tête penchée, trois pas en avant et trois pas en arrière, comme à Boiati. Lorsque tes pas te conduisaient devant le bureau de ta secrétaire, tu t'arrêtais et la regardais sans la voir, et tes yeux étaient si vitreux qu'elle s'affolait : « Monsieur Panagoulis ! Vous avez un malaise, monsieur Panagoulis ? » Tu ne te sentais pas bien. Tu le disais à tout le monde. Tu avais mal à l'estomac, aux jambes, tu n'arrivais pas à dormir. « J'ai pris deux somnifères et ça n'a servi à rien. » Ou bien : « Je me suis endormi à cinq heures, et à sept heures j'étais déjà réveillé. » Ou encore : « Je n'arrive pas à tenir sur mes jambes et j'ai l'estomac qui me brûle. Je n'arrive pas à avaler. » Tu mangeais très peu, jamais avant la tombée du jour, tu avais brutalement cessé de boire en disant que l'odeur du vin te donnait des nausées. Tu apaisais ta soif avec des orangeades et tes dîners n'étaient plus les joyeux symposiums dédiés à l'ébriété, mais des prétextes pour te nourrir un peu, profiter de la présence de quelqu'un. Un ami de passage, un courtisan insistant, une ménade excitée. Mais même avec eux tu te montrais taciturne, distrait, comme si ton esprit s'était trouvé à des milliers de kilomètres de là, comme s'il était enveloppé par un brouillard protégeant un secret. Et, détail sinistre, tu développais à présent une haine inexplicable envers ta Primavera. Tu claquais violemment les portières, tu la conduisais avec méchanceté, tu t'amusais à faire grincer les vitesses, à frotter les pneus contre les trottoirs, à la garer n'importe comment, c'est-à-dire à l'exposer à la circulation et aux coups éventuels des autres voitures. Tu la salissais avec volupté. A l'extérieur, elle était toujours couverte de poussière et d'éclaboussures, à l'intérieur, elle était devenue un dépotoir de vieux papiers, de tissus sales, de mégots, de journaux, de cochonneries diverses. Du reste, tu n'hésitais pas à la prêter à n'importe qui, en faisant preuve d'une indifférence absolue lorsqu'on te la rapportait avec de nouvelles bosses ou de nouvelles éraflures comme si elle était devenue le symbole de ton âme qui tombait en lambeaux.

Moi, je n'en savais rien, je ne suspectais même pas que ton âme tombait ainsi en lambeaux. Je te croyais serein du fait que tu avais réussi à convaincre *Ta Nea* de ne plus hésiter et de publier les documents avant la fin du mois. Durant les dix premiers jours d'avril, je n'ai eu l'occasion de m'inquiéter qu'une seule fois, lorsque tu m'as appelée pour me dire qu'on était à nouveau entré dans la maison, qu'on avait à nouveau tenté de te voler les documents. « Allô, c'est moi, je suis moi. Devine ce qui est arrivé. Cette nuit, en rentrant, j'ai trouvé quelqu'un dans la maison. — Quelqu'un dans la maison ? — Oui, et je l'ai surpris en train de forcer la porte de la chambre. — Et qu'est-ce que tu as fait ? — Je lui ai sauté dessus et je lui ai cassé la figure. Puis, je l'ai immobilisé, je l'ai fait prisonnier et je l'ai enfermé dans une cave. Je suis en train de l'interroger. — Et qui est-ce ? Qui l'a envoyé ? — C'est ce que j'essaie de savoir ; pour l'instant, je sais seulement qu'il s'appelle Erodotou. — Ce n'est peut-être qu'un voleur, Alekos. — Non, ce n'est pas un voleur. Il sait que les photocopies se trouvent dans la chambre. — Mais comment ? Tu les gardes encore dans cette chambre ? Tu ne les as pas encore cachées en lieu sûr ? — Et où veux-tu que je les cache ? Dans la villa d'Averof ? — Alekos, écoute-moi... — Pas de sermons, au revoir. » Plus qu'inquiète, j'étais perplexe : était-il concevable de continuer ainsi à cacher ton trésor dans cette maison, dans cette chambre, à la merci de tout le monde ? Et n'était-ce pas étrange de t'entendre ainsi me parler, avec autant d'insouciance, de cet épisode alarmant, devine-ce-qui-est-arrivé, cette-nuit-j'ai-trouvé-quelqu'un-dans-la-maison, je-l'ai-fait-prisonnier-et-je-l'ai-enfermé-dans-une-cave ? Au ton de ta voix, on aurait dit que tout cela t'amusait. Ou bien étais-je en train de me tromper ? Pour m'en assurer, j'ai attendu quelques heures et je t'ai rappelé. Mais ta voix, à présent, trahissait une décourageante résignation : « Oui, c'est moi, quoi de neuf ? — Moi ? Rien, Alekos. C'est plutôt toi qui dois raconter. — A quel propos ? — A quel propos ? A propos de cet Erodotou que tu as enfermé dans la cave ! Il a parlé ? — Ah, oui. Il a parlé. — Et qui l'envoyait ? — C'est la barbe, on ne peut pas en parler au téléphone comme ça. Et puis, après tout, on s'en fout, ça n'a aucune importance. — Aucune importance ! Un inconnu pénètre chez toi la nuit, tu le surprends en train de forcer la porte de la chambre, tu m'appelles pour m'avertir, et maintenant ça-n'a-aucune-importance ? — Non, aucune, parce que ça ne change rien. Quant à lui, il s'agit d'un pauvre bougre, je regrette même de l'avoir frappé. Le pauvre, il est couvert de bleus. — Et tu ne le livres pas à la police ? — Non. — Tu ne préviens pas les journaux ? — Non. — Alekos, je ne te comprends pas. — Bah ! Peut-être suis-je en train de m'assagir. La vie est déjà tellement fatigante, s'il faut encore la compliquer avec des choses inutiles ! Je l'ai attrapé, j'ai su ce que je voulais savoir, j'ai décidé que ça m'était égal. C'est tout. » Et sur cette phrase, tu as mis un terme à une discussion qui, auparavant, aurait provoqué un fleuve de paroles, des océans de fureur. Et je n'ai jamais réussi à te faire accepter l'idée qu'il s'agissait là d'une affaire très grave. A mes tentatives tu réagissais même avec une telle brutalité que j'en ai conclu que, malgré le bonheur des vingt-huit jours et l'étreinte à l'aéroport, tu te détachais de plus en plus de moi. « Rien de nouveau sur ton prisonnier ? — Quel prisonnier ? — Erodotou, bien sûr ! — Laisse tomber Erodotou, Erodotou, ça ne compte pas. — Ça compte, Alekos, ça compte. — Si ça compte, c'est moi que ça regarde. — Qu'est-ce que c'est que cette façon de me répondre ? — La façon de quelqu'un qui en a plein le cul. J'en ai plein le cul de t'entendre parler d'Erodotou. Au revoir, je ne peux pas t'écouter. Et ne m'appelle pas pour n'importe quelle bêtise ! Si tu savais les problèmes que j'ai ! »

Tu en avais. Et d'abord, le parti. Après que ta démission eut été refusée, avec le parti, il y avait eu une espèce de cessez-le-feu. Mais, durant les jours suivants, de nouvelles preuves sur la collaboration de Tsatsos avaient relancé la guerre de plus belle, d'autant plus que Tsatsos avait eu le culot de proposer que l'on t'ôte la présidence des jeunesses du parti, et pour cela, il s'était appuyé sur la tendance que les sociaux-démocrates allemands finançaient en échange d'une politique ultra-modérée et neutre. A tes efforts dans cette lutte s'ajoutait donc l'indignation de te voir attaqué par cette clique de politicards sans idéal, des yes-men sans scrupule. Puis, il y avait les ennuis avec *Ta Nea*, les obstacles que tu n'avais pas prévus. Le premier concernait les annonces publicitaires que la radio et la télévision refusaient de passer par crainte de se compromettre ; le second était lié à l'ordre dans lequel les archives devaient être publiées. Tu soutenais, à juste titre, que les documents sur Averof devaient ouvrir la série, car il s'agissait des plus graves et parce que, sinon, il trouverait le temps de se mettre à l'abri grâce à un quelconque stratagème juridique. Le journaliste à qui tu avais confié le travail rédactionnel, Iannis Fazis, affirmait au contraire que ces documents devaient sortir comme une conclusion, que l'attente les rendrait d'autant plus précieux et dramatiques. Fazis, que tu aimais bien, était appuyé par un directeur que tu détestais à tel point que tu l'appelais Monsieur Malaka, Monsieur Merde. Et tout cela ne faisait qu'exaspérer ta mauvaise humeur, ton manque d'appétit, ton insomnie. Cependant, ce n'étaient pas ces problèmes-là qui nourrissaient le peu d'intérêt que tu accordais à l'affaire Erodotou et l'indifférence vis-à-vis de moi : c'était cette mystérieuse aboulie dans laquelle tu te réfugiais, tel un escargot qui se recroqueville dans sa coquille pour dormir, ne plus bouger. Au fond, l'état dans lequel se trouvent les mourants durant la phase qui précède le coma. Il y a une phase, avant que ne commence le coma, durant laquelle ils se renferment dans un isolement presque mystique : repoussant les personnes qu'ils aimaient, ignorant les choses qui les passionnaient, se dépouillant des affections, des curiosités, des désirs, de tout ce qui représente un pont avec la vie. Mais il ne s'agit pas de la phase définitive, car, à l'instant même où ils croient s'être libérés de toutes les attaches, de tous les restes de tentation, éclate alors un sanglot de rage, presque une nostalgie de la vie qui est belle, même si elle est moche ; dans la vie, il y a le soleil, il y a le vent, il y a le vert, il y a l'azur, il y a le plaisir d'un mets, d'une boisson, d'un baiser, il y a la joie qui efface les larmes, il y a le bien qui efface le mal, il y a le tout qui est le contraire du rien. De l'autre côté, il y a l'immobilité, il y a l'obscurité, il y a le néant. Et alors, ils retrouvent l'envie d'aimer, de désirer, de lutter. Surtout de lutter. C'est une envie obscure, douloureuse, fragile comme le cristal. Et très brève. Mais pour un héros, c'est assez pour accomplir l'effort final.

*

L'effort final a commencé la semaine où le destin s'est servi encore une fois de moi, boulon du rouage de la machine, maillon de la chaîne. C'était la mi-avril, Pâques approchait, avec des dates différentes dans mon pays et le tien, le 18 pour les catholiques et le 25 pour les orthodoxes, quand le téléphone a sonné pour m'offrir ton ancienne joyeuse voix : « Allô, c'est moi, je suis moi ; kalimera, bonjour, alitaki ! — C'est formidable. Tu as l'air content aujourd'hui. Tout va bien ? » Tu m'as répondu que oui, tout allait vraiment très bien, parce que tu avais démissionné de l'odieux parti une deuxième fois et pour toujours : avec la politique des politiciens désormais tu n'avais plus rien à faire. « Vraiment ? » Vraiment, et tu avais encore mal à la gorge à cause des cris avec lesquels tu les avais assourdis, tu te sentais comme Démosthène pour ce que tu leur avais dit. Quelle plaidoirie, non quelle bagarre devant le groupe parlementaire, en plus, tous les autres avaient entendu. D'abord, tu avais cloué le bec à Tsatsos en lui jetant à la figure ses lettres à Dascalopoulos et ses délations à Hazizikis ; puis, tu l'avais cloué à ses petits camarades en lisant une interview de Brandt, celle où Brandt reconnaissait qu'il finançait leur petite chapelle ; enfin, tu leur avais demandé à quel socialisme se référait cette Union du Centre qui parlait de socialisme. A celui insaisissable et indéfinissable de la social-démocratie allemande ? A celui bavard et menteur du démagogue Papandreou ? A celui totalitaire et sectaire des fanatiques qui voulaient une Europe semblable au Cambodge ? Tous socialistes, bon Dieu ; à part le christianisme, il n'y avait pas de monnaie plus dévaluée que le socialisme. Si dévaluée, si tripotée, si discréditée, que tout l'or de Fort Knox ne suffirait pas à lui rendre un peu de valeur et d'autorité. Et la chose la plus épouvantable c'était que, bien qu'en la gardant dans son portefeuille, bien qu'en la dépensant les yeux fermés pour n'importe quelle connerie, personne ne savait ce qu'elle pouvait bien vouloir signifier, si ce n'est ce qui était écrit dans un livre étudié uniquement par une poignée de chercheurs. Et en admettant qu'elle signifie ce que tu espérais, un rêve pour aller de l'avant et rendre le monde un peu plus libre, un peu plus propre, c'était de cette manière qu'ils voulaient le réaliser ? En se vendant pour une poignée de marks, en gardant un sac à merde parce qu'il était le neveu du président de la République, en te cassant les couilles parce que tu voulais dénoncer la droite pourrie, la droite des Averof ? « Après quoi, j'ai brisé ma chaise sur la table et j'ai cassé la table, je suis sorti en claquant la porte et la serrure s'est arrachée. — Ah ! — Tsatsos dit que je serai expulsé parce que ma démission ne peut pas être prise en considération. — Ah ! — Et maintenant, ils me haïssent à l'unanimité : à droite, à gauche, au centre, à l'extrême droite, à l'extrême gauche et à l'extrême centre. Un plébiscite. — Ah !— Si bien que si cette nuit je finis écrasé par un camion ou empoisonné par un plat de champignons, pas la peine de te demander qui m'a tué. Ils m'ont tué à l'unanimité : à droite, à gauche, au centre, à l'extrême droite, à l'extrême gauche, et à l'extrême centre. — Ah ! — Je suis heureux. — Heureux ? — Oui, parce que la vie me plaît. Dans la vie, il y a le soleil, il y a le vent, il y a le vert, il y a l'azur, il y a le plaisir d'un mets, d'une boisson, d'un baiser, il y a la joie qui efface les larmes, il y a le bien qui efface le mal, il y a le tout, et je t'aime. — Moi aussi. — Et puis il y a la radio qui passe en ce moment les annonces publicitaires de *Ta Nea* : Alexandre-Panagoulis-nous-livre-les-archi-ves-secrètes-que-le-gouvernement-n'a-pas-su-trouver. — Alekos, ça, c'est une excellente nouvelle ! Tu as donc réussi ! Quand est-ce que la fête commence ? — Dans trois jours, dimanche. Dommage, je ne serai pas à Athènes dimanche. Je viens en Italie, dimanche. J'arrive avec la Primavera, et je reste jusqu'à jeudi ou vendredi. — Alekos... — Comme ça, je resterai loin de la cohue, et je vais changer la couleur de la Primavera, je vais la faire repeindre en bleu. Le bleu se confond avec l'obscurité, et tant pis si nous devons changer son nom. Je veux dire que je la baptiserai Automne. —

Alekos... — Réserve un wagon-lit pour Brindisi, je prends le bateau à Patras, je débarque à Brindisi, nous nous retrouvons au port et nous faisons la route ensemble pour Rome puis Florence — Alekos ! — Qu'est-ce qu'il y a ? Tu ne veux pas venir à Brindisi ? — Non, Alekos, il ne s'agit pas de Brindisi. C'est que dimanche soir ou lundi matin je pars. Je vais aux Etats-Unis. — Mais dimanche, c'est Pâques, Pâques pour les catholiques ! Et lundi, c'est le lundi de Pâques ! — Oui, Alekos. — Nous avons toujours passé Noël et Pâques ensemble, toujours ! — Oui, Alekos, mais cette fois-ci c'était entendu que nous ne passerions pas Pâques ensemble, parce que je dois aller aux Etats-Unis ! On en avait parlé, Alekos ! »

On en avait parlé, et souvent. Je t'avais dit que le 18 ou le 19 avril j'allais aux Etats-Unis, dans une université du Massachusetts, pour une conférence dans un collège. Le thème de la conférence était l'art du journalisme et la formation de la conscience politique en Europe à travers la presse et, après quelques remarques sceptiques, tu avais conclu en disant qu'il s'agissait d'un bon thème : tu m'avais même suggéré des recherches sur ces copistes qui, au XVIe siècle, allaient d'un fief à l'autre avec des parchemins d'informations politiques. « Tu ne t'en souviens pas, Alekos ? — Bien sûr que je m'en souviens, et je t'avais même dit : j'arrive le dimanche 18 et je reste presque une semaine. Ta conférence est le 26. Tu as tout le temps de partir le 24 ou le 25, ou même le 23. — Non, Alekos, non, parce que durant les jours qui précèdent la conférence, j'ai plein de rendez-vous à New York : je t'en avais parlé aussi ! — Les rendez-vous à New York, tu les décommandes, c'est simple. — Impossible, Alekos. — Rien n'est impossible, excepté ne pas mourir. — Ecoute-moi, Alekos : pourquoi ne viens-tu pas tout de suite en avion ? Comme ça, on reste ensemble jusqu'à dimanche soir ou lundi matin et... — Non. Si je viens, je viens pour rester au moins une semaine. Si je viens, je viens avec la Primavera pour la faire repeindre d'une autre couleur. Et pour l'éloigner d'ici, pour ne pas avoir la tentation de l'utiliser pendant la cohue. — Bon, viens ici avec la Primavera. On restera ensemble pendant vingt-quatre heures et... — Vingt-quatre heures, non. — Sois raisonnable, Alekos. Essaye de t'adapter une fois au moins à mes exigences, ne fais pas de caprices. — C'est toi qui fais des caprices. » C'est-toi, c'est-moi, c'est-de-ta-faute, c'est-de-ma-faute : quand nous en arrivions là, notre antagonisme n'avait plus de limites et aucun de nous deux ne voulait céder. A la fin, tu as hurlé que je pouvais y aller aux Etats-Unis, sur la Lune, en Enfer, que de toute façon tu ne viendrais pas, tu ne changerais pas la couleur de la voiture, tu garderais la Primavera à Athènes et tu as raccroché en me laissant avec l'image d'un grand museau vert qui court, brûlant de deux immenses yeux jaunes poursuivis par d'autres yeux jaunes. L'image habituelle, sinistre, de la Mort sous les traits d'une automobile. Alors, je me suis dit que je pouvais vraiment décommander les rendez-vous à New York, partir six jours plus tard, en somme te satisfaire et, en pleine nuit, je t'ai rappelé pour te dire tu-as-gagné, chéri-ça-va, j'ai-modifié-mon-programme. Mais le téléphone a sonné dans le vide : tu étais allé dans une boîte pour calmer ta colère. Tu y étais allé avec un Grec de Zurich et ce dernier m'a raconté que tu étais déchaîné, que tu n'arrêtais pas d'acheter des roses et des gardénias, que tu les lançais sur l'orchestre pour qu'il joue la chanson qui t'avait obsédé deux ans auparavant, la-vie-est-brève, très-très-très-brève ; et, à un moment donné, tu as voulu embarquer deux prostituées, les emmener rue Kolokotroni. Tu as renoncé parce que le Grec de Zurich t'en a empêché : « Tu es à bout, repose-toi, tu veux mourir ? » Et toi : « Hum ! Tu sais quelles funérailles ils m'organiseraient si je mourais maintenant ? Un million de personnes au moins. Et même Papandréou se pencherait pour baiser mon linceul, même Tsatsos dirait qu'il éprouve du chagrin. Le seul à se taire, peut-être, serait Averof. » Mais tu n'étais pas soûl, tu parlais de Camus, d'Epicure, du bonheur que l'on cherche dans les plaisirs, dans le vin, avec les prostituées, en oubliant de la sorte que le bonheur existe seulement dans l'ataraxie, c'est-à-dire dans l'absence de douleur, et que la mort est absence de tout, même absence de douleur, donc bonheur. « Le bonheur des pierres », dit Camus. Tu semblais obsédé par cette phrase, le bonheur des pierres. Dans tous tes raisonnements tu citais ce bonheur des pierres.

Mais moi j'ignorais que désormais tu ne désirais que ce bonheur des pierres, rien ne pouvait m'amener à avoir un tel soupçon, et le fait de ne pas te trouver m'a irritée. A l'aube, j'ai cessé de t'appeler, j'ai juré de respecter mon programme américain et nous ne nous sommes parlé à nouveau que le dimanche 18 avril. C'est à partir de cette date-là que nos coups de téléphone deviennent importants, fragments indispensables pour reconstituer la mosaïque de ton dernier effort. Un effort si cruel, si surhumain, qu'il avait affaibli ta mémoire et ton esprit. « Allô, c'est moi, je suis moi. — Tu n'es pas venu comme tu l'avais dit, hein ? Fidèle à tes caprices. — C'était mieux, alitaki, c'était mieux. Tu ne peux savoir le travail que j'ai ici, les soucis. Et puis si j'étais venu, j'aurais emmené la Primavera, et la Primavera m'est très utile ici, parce que je ne dors plus rue Kolokotroni : je dors à Glyfada. Comment faire deux fois par jour le trajet entre Athènes et Glyfada sans voiture ? — C'est pour cette raison que je ne t'ai pas trouvé l'autre nuit ! Tu pouvais me le dire, non? — Je te l'ai dit! — Quand? — Hier. — Mais on ne s'est pas parlé, hier! — Ah oui, c'est vrai. — Mais pourquoi dors-tu à Glyfada? Un autre Erodotou? — Non. Simple précaution. Tu sais, *Ta Nea* est sorti. Il y en a un très long article, aujourd'hui. Toute la première page sur mes documents. Mais le grand jour, c'est demain. La publication réelle commence demain. — Les documents sur Averof? — Non. Malheureusement pas. Monsieur Malaka n'a pas cédé. Il en chie de peur. On commence avec le journal d'Hazizikis. » Et puis, soudain, le brouillard. « Tu sais pourquoi je t'appelle? — Pour me souhaiter de joyeuses Pâques et me demander pardon d'avoir été fidèle à tes caprices. — Non. Pour te dire que nous passerons ensemble les Pâques orthodoxes, dimanche prochain! A Paris! — A Paris? — Oui, le vendredi 23 je dois me rendre à Paris pour participer à un congrès d'exilés chiliens et... Je ne t'en avais pas parlé? C'est bizarre, j'avais l'impression de te l'avoir dit. En tout cas, j'ai promis d'y être et toi, tu me rejoins à Paris. On y reste jusqu'à lundi ou mardi et puis on va à Chypre. — A Chypre? — Oui, je dois récupérer quelque chose qui... Je ne peux rien t'expliquer par téléphone, mais tu peux imaginer facilement de quoi il s'agit. Du matériel de toute première qualité. — Alekos... — Tu es contente de cette idée, Paris, puis Chypre? Hein? Tu es contente? — Alekos... Je pars demain pour les Etats-Unis. Tu as oublié? — Les Etats-Unis? — Oui, chéri, les Etats-Unis. Ne nous sommes-nous pas chamaillés à cause de ça il y a trois jours? — C'est vrai. Maintenant je m'en souviens. — Maintenant-tu-t'en-souviens! — Oui, j'avais oublié. Et qu'est-ce que tu vas faire aux Etats-Unis? — Alekos! Qu'est-ce qui t'arrive? Mais la conférence dans ce collège du Massachusetts, tu as aussi oublié cela? — C'est vrai. Maintenant je me souviens. Donc, tu ne viens pas à Paris avec moi. — Non, chéri, non! — Et à Chypre non plus. — Non, chéri, non. — Dommage! — Alekos, ça va, Alekos? — Oui, oui. Quand reviens-tu des Etats-Unis? — Le 4 ou le 5 mai. — C'est vrai. Je m'en souviens maintenant. Alors, on se voit le 5 mai. Je viens te voir le 5 mai. Non, c'est toi qui viendras me voir le 5 mai. Rendez-vous le 5 mai. N'oublie pas, le 5 mai. » Tu répétais cette date du 5 mai comme un disque rayé comme si t'en souvenir te coûtait un effort terrible, comme si penser était devenu pour toi une agonie. Pourtant, même dans les moments de très grande tension, ton cerveau restait d'habitude plus lucide qu'un miroir poli, et tu avais une mémoire fantastique pour les dates. Par exemple, durant notre querelle téléphonique, tu t'étais très bien souvenu que ma conférence dans le Massachusetts devait avoir lieu le 26 avril. Etrange.

459

Très étrange, avais-je pensé. Et j'ai raccroché, en proie à un malaise qui dépassait même l'étonnement.

J'aurais été beaucoup moins étonnée si j'avais su qu'en acceptant de commencer la publication avec le journal d'Hazizikis, tu avais trahi la promesse faite à Fany : « S'il y a quelque chose contre ton mari, je te promets que je ne m'en servirai pas. Ecoute, petite, je suis sûr de pouvoir utiliser ces papiers sans te causer d'ennuis et sans que personne n'en sache jamais rien... » Mais, plus grave encore, c'était que tu venais justement de t'emparer du document, que je recevrai après ta mort : une feuille avec le numéro d'enregistrement 98975. En haut à gauche, tapé à la machine : « Centrale du KYP au ministre de la Défense Evangelos Averof. Secret absolu. Personnel et urgent. » En haut à droite, écrit à la main : « Reçu le 6 avril 1976 à 9 heures trente. » Au centre, toujours à la main : « M. le Ministre. 463. » Cette lettre disait : « Nous avons l'honneur de vous informer que, sur la base de votre ordre verbal des jours précédents, le colonel Constantin Costantopoulos et un autre officier du quartier général rejoindront notre groupe de Chypre pour récupérer les documents secrets de l'EAT-ESA d'Athènes qui se trouvent entre les mains d'un collaborateur du député Panagoulis. Le bureau est à votre disposition et attend des ordres ultérieurs. »

* * *

C'est à la suite de ce document et du choix opéré par *Ta Nea* que les choses se sont précipitées. D'abord, les menaces téléphoniques : « Si tu ne te décides pas à être raisonnable, Panagoulis, tu t'en repentiras. Si tu n'en rabats pas, Panagoulis, tu vas nous le payer. » Puis, l'acharnement de la magistrature qui, en la personne d'un juge nommé Giouvelos, s'opposait à la publication. Giouvelos, un ambitieux, plein d'initiatives, avait déjà donné des signes d'alarme lorsque les annonces publicitaires étaient passées à la radio. En effet il avait immédiatement téléphoné à *Ta Nea* pour savoir de quoi il s'agissait, et, cela va de soi, tu ne l'avais pas pris au sérieux. « Impossible qu'il ait vraiment l'intention de nous faire des difficultés, avais-tu dit à Fazis. Tu verras, il va se calmer. » Mais, le dimanche 18 avril, c'est-à-dire le jour du lancement, avec l'article qui précédait le journal intime d'Hazizikis, voilà qu'il appelle à nouveau : pour te mettre en demeure. De même le lundi 19, de même le mardi 20. Cette fois-ci, pour te convoquer dans son bureau avec Fazis. Pourtant, il n'y avait rien de sensationnel dans ce journal intime, rien qui puisse discréditer quelque membre que ce fût du gouvernement ; malgré le ton dramatique avec lequel il était présenté, il ne faisait qu'expliquer de quelle manière le KYP remettait tous les jours à l'ESA les fiches sur les personnes placées sous surveillance spéciale. Les lecteurs étaient même déçus : « Que ça ? » Quant aux fiches choisies comme exemple par Fazis et son directeur, elles ne concernaient que des personnes qui pouvaient avoir la conscience tranquille, des résistants comme Mavros et Canellopoulos. La convocation du 20 avril t'a donc mis en colère. Pour qui se prenait-il, Giouvelos ? De quoi avait-il peur ? De voir peut-être, la fiche numéro 23 : « Evangelos Averof-ex-député-partisan de la politique du pont entre le gouvernement national et les ex-politiciens. Collabore déjà sous la direction d'importants responsables du KYP en donnant des résultats jusqu'à présent très positifs » ? Ton irritation, cependant, est devenue de la colère lorsque tu t'es aperçu que Giouvelos te convoquait pour le lendemain, le 21 avril, l'anniversaire du putsch de Papadopoulos : « Giouvelos ! Tu veux célébrer le 21 avril, Giouvelos ? » lui as-tu hurlé en guise de réponse. Qu'il ne t'attende pas, tu déclinais son invitation, s'il voulait te parler, il n'avait qu'à venir lui-même, mais avec des tanks, parce que ta porte serait fermée, tu ne le recevrais pas. Puis tu as demandé à Fazis d'adopter la même attitude. Alors, le jeudi 22 avril, Giouvelos s'est rendu au journal. Il a parlé avec Fazis et le directeur, mis sur la table ses exigences : *Ta Nea* devait immédiatement cesser la publication de ces archives et les lui remettre. Le ministre de la Défense lui aussi l'exigeait qui, en sa qualité de responsable de l'ESA et du KYP, était le seul à pouvoir autoriser la diffusion de pareils documents. Si *Ta Nea* n'obéissait pas, il ferait procéder à une saisie par ordonnance. Qu'ils te le fassent savoir. Ils te l'ont fait savoir et ta réponse a été immédiate : « Dites à Giouvelos de se torcher le cul avec son ordonnance de saisie. »

Oui, tu avais retrouvé toute ta combativité. Mais à quel prix ! Ceux qui étaient à tes côtés, à ce moment-là, disent qu'il suffisait de te regarder pour comprendre combien ton effort te coûtait, combien tu étais miné par toute cette tension. Tu ne t'arrêtais jamais, tu ôtais ta veste en te plaignant j'ai-chaud, tu la remettais en te plaignant j'ai-froid, tu défaisais ta cravate, tu déboutonnais ta chemise, tu te plaignais de maux à l'estomac : « J'ai la fièvre. Je ne me sens pas bien. Je suis vieux. Ah, comme je suis vieux ! » Parfois, tu montrais les maisons de la rue Kolokotroni en disant : « Hum ! De l'une de ces fenêtres, il leur serait très facile de me tirer dessus. Hum ! » L'idée que quelqu'un veuille te tuer, en effet, ne t'abandonnait pas un seul instant. Etait-ce cela qui produisait en toi ces états de confusion mentale ? Dans la nuit de mercredi à jeudi, quand je t'ai appelé de New York, c'était déjà jeudi matin à Athènes, tu semblais flotter dans le brouillard : « Tu es déjà arrivée, bien ! Moi j'arrive demain, à deux heures de l'après-midi, avec l'Olympic. Tu viens me chercher à l'aéroport ? — A l'aéroport, Alekos ? Quel aéroport ? — Comment, quel aéroport ? Mais celui de Paris, non ? Et de là nous irons à Chypre, et... — Alekos ! Où crois-tu que je sois, Alekos ? » Silence. Puis, dans un souffle : « Où es-tu ? D'où appelles-tu ? — De New York, Alekos ! Je suis à New York ! — Oh, non ! Moi je croyais que tu étais à Paris. — Alekos, qu'est-ce que tu dis ? Ne t'ai-je pas déjà appelé hier de New York ? — Hum ! Oui ! Hum ! Mais qu'est-ce que tu fabriques à New York ? Pourquoi es-tu à New York ? Nous ne devions pas nous voir à Paris, passer ensemble les Pâques orthodoxes, aller à Chypre lundi ? » J'avais envie de pleurer. « Non, Alekos, non. Tu as encore tout oublié ! — Oui. J'ai encore tout oublié. — Qu'est-ce qui t'arrive, Alekos ? — Tout. Je suis fatigué, je suis si fatigué. J'en ai marre, j'en ai tellement marre. Je n'en peux plus. Il est en train de me couper les jambes. Tu sais ? Dès que j'en aurais fini avec toute cette histoire, je laisse tomber le Parlement aussi. Et je me remets à étudier les mathématiques. Au lieu de me remettre à écrire mon livre, je me remets aux mathématiques. De toute manière, ça ne sert à rien d'écrire des livres. Et être au Parlement non plus, ça ne sert à rien. Oh ! Quelle migraine, quelle migraine ! Tu as reçu la photocopie du document ? — Quelle photocopie ? Quel document ? — La photocopie que je t'ai expédiée à Florence il y a deux jours. — Alekos, si je suis à New York, comment puis-je avoir reçu une photocopie que tu m'as expédiée il y a deux jours à Florence ! — Bien sûr. Tu as raison. Tu vois dans quel état je suis. Dès que tu la reçois, dépose-la à la banque. — Nous la déposerons ensemble, Alekos, dès mon retour. — Oui, à ton retour. Mais quand reviens-tu ? — Le 5 mai, Alekos, tu le sais ! On en a parlé cent fois ! — Hum ! Oui, c'est vrai. Le 5 mai. On se voit le 5 mai. Et les trois numéros de *Ta Nea*, tu les as reçus ? — Reçus où ? — Ah ! C'est vrai, j'oubliais à nouveau, tu ne peux pas les avoir reçus, je les ai expédiés à Florence. Tant mieux. De toute façon, ils n'ont aucun intérêt. Ils continuent à publier des futilités, je suis tombé entre les mains d'une bande d'imbéciles. Au revoir, on s'appelle demain. Demain, je suis à Paris, à l'hôtel Saint-Sulpice. Non, pas au Saint-Sulpice, au Louisiana. Au Saint-Sulpice ou au Louisiana ? Je ne me souviens même pas de ça, cataraméné Cristé ! Non seulement ce salaud de Giouvelos me les brise, mais il me brise aussi la mémoire. »

L'ordonnance de Giouvelos est arrivée le vendredi 23 avril.

« Etant donné que la cour martiale a ouvert une enquête sur les documents de l'ESA, étant donné qu'un journal est en train de publier ces documents, étant donné que ceux qui détiennent ces documents refusent de les remettre à la magistrature bien qu'ils aient été invités à le faire sur notre demande, étant donné qu'il nous a été impossible de les obtenir par saisie, étant donné que cette publication peut entraver le cours de la justice, nous avons décidé d'interdire une telle publication à partir d'aujourd'hui » *Ta Nea* a reçu ce texte alors que tu volais vers Paris, ignorant que la menace s'était concrétisée, convaincu au contraire qu'elle ne se concrétiserait pas. Durant le voyage, me racontera plus tard le passager qui était assis à côté de toi, un homme d'affaires ami de Caramanlis, tu semblais détendu. Tu discutais posément et avec amabilité, critiquant les intempérances des jeunes, exaltant le bon sens des vieux, citant des proverbes. Tu as cité par deux fois ce proverbe de Mao Tsé-tung : « Quand tu tends le doigt vers la Lune pour indiquer la Lune, les idiots regardent ton doigt au lieu de regarder la Lune. » Les deux Grecs qui t'attendaient à Orly, un couple de ton entourage dionysiaque, ont confirmé que tu étais de bonne humeur et que tu avais les idées claires. « Un peu pâle, oui, et il avait des cernes. Un peu fatigué parce que, nous a-t-il dit, le passager qui était à côté de lui n'avait pas cessé de le faire parler. Mais il était presque gai. A table, il a mangé avec appétit et il riait en racontant l'histoire du couple Giouvelos-Averof. » Du reste, tu étais lucide et gai lorsque tu m'as téléphoné pour me préciser qu'il s'agissait de l'hôtel Louisiana et non Saint-Sulpice : tu plaisantais même sur ces oublis. « Je parie que tu es à New York ! » Samedi, par contre, tu flottais à nouveau dans le brouillard et l'apathie. Il était sept heures du soir à Paris, lorsque je t'ai appelé de New York pour te souhaiter de joyeuses Pâques, et je ne pensais même pas te trouver. A cette heure-ci, pensais-je, il doit être au congrès des exilés chiliens. Tu n'étais pas au congrès, et c'est une voix gonflée de sommeil qui m'a répondu : « Oui, je dormais... je dors. — A sept heures du soir ? Et les Chiliens ? — Les Chiliens sont au Chili. — Quelle gentillesse ! Bonnes Pâques. — Il n'y a pas de Pâques pour moi, il n'y a plus rien pour moi. Il a rendu son ordonnance, la publication a été arrêtée. Hier. — Et maintenant, que vas-tu faire ? — Je ne sais pas. Je déciderai lundi, je rentre lundi. — Sans aller à Chypre ? — Ce n'est plus la peine. » Tu n'avais pas envie de parler, je n'arrivais pas à engager le dialogue, tu as refusé de prendre l'adresse du collège où je devais me rendre le soir suivant. « De toute façon, je ne t'appellerai pas là-bas, c'est trop compliqué. Appelle-moi, toi. Et si tu ne peux pas m'appeler, ne t'inquiète pas : on se voit le 5 mai.

Rendez-vous le 5 mai. » C'était la seule chose qui ne sombrait pas dans les ténèbres de l'oubli, cette date du 5 mai. « Mais quel rapport y a-t-il entre l'adresse du collège et le 5 mai ? Le 5 mai, c'est loin, Alekos. — C'est bientôt, au contraire. Très bientôt. — D'accord, c'est bientôt. Au revoir, Alekos, à demain. » Mais le lendemain, le portier du Louisiana m'a dit que tu étais parti. Parti ? Oui, madame, le monsieur est parti. Et a-t-il laissé un message pour moi ? Non, madame, pas de message pour personne. Le monsieur était pressé, très pressé.

CHAPITRE II

Le dimanche est si calme, si inquiétant à New York. On dirait que le monde s'arrête, que la vie tombe en catalepsie le dimanche à New York. Les gens se taisent, les rues sont désertes, le seul bruit qui rompt le silence est le crissement étouffé des pneus sur l'asphalte, une voiture, un camion, ou alors le ronronnement d'un hélicoptère qui survole la ville. Qui a dit que l'on se détend, que l'on se repose le dimanche à New York ? C'est au contraire un jour fait pour penser, pour faire la somme de ses erreurs et de ses regrets, c'est-à-dire un jour pour se tourmenter. Recroquevillée dans ce vide, dans ce silence à peine bruissant, ronronnant, je m'accablais de reproches, de doutes, de questions, et l'impression d'avoir commis une erreur tragique, en mettant un océan entre nous, croissait de minute en minute. Bien sûr, je ne pouvais pas annuler ma conférence du lendemain sans commettre une impolitesse impardonnable ; bien sûr, tu avais plus d'une fois dit que je t'étais utile loin de la Grèce ; et bien sûr, ma présence à Athènes t'aurait probablement gêné. Mais chaque fois que nous nous étions parlé tu avais eu l'air si seul, si triste, si sombre ; comment avais-je pu t'abandonner dans un moment pareil ? Nous ne nous étions pas vus depuis vingt-quatre jours. Tout à coup, c'était comme vingt-quatre mois, vingt-quatre ans. Nous n'étions jamais restés vingt-quatre jours sans nous voir, jamais. Le plus long intervalle avait été celui de ma fugue : dix-sept jours. Et à ce moment-là, tu allais bien : bien comme Lucifer révolté contre la dictature de Dieu, comme Dionysos couronné de pampres, illuminé de joie et de plaisirs. Mais cette fois-ci, au contraire : « Il n'y a pas de Pâques pour moi, il n'y a plus rien pour moi. » « Le monsieur est parti, le monsieur était pressé, très pressé. » Et ce papier que tu avais envoyé à Florence ? Quel papier était-ce ? De quoi parlait-il, ce papier, de qui ? Et cet adieu, ce baiser en public, cette phrase solennelle : « Tu as été une bonne compagne, la seule

465

compagne possible. » Pourquoi parlais-tu au passé ? Et pourquoi maintenant pensais-je à cet au revoir comme à un adieu ? Bêtises. Mélancolie d'un dimanche à New York. On en discuterait le 5 mai. « On se voit le 5 mai. » « Rendez-vous le 5 mai. » Tous tes discours se concluaient sur ces mots, 5 mai, la date du 5 mai. Ce 5 mai devenait une obsession. Le 5 mai commençait à me porter sur les nerfs. Comme s'il devait arriver quelque chose de spécial, quelque chose de terrible, le 5 mai. Et, à propos de jours, pourquoi avais-tu quitté Paris un jour plus tôt que prévu ? J'ai téléphoné à Athenes, personne n'a répondu. Alors je me suis révoltée : finies la culpabilité, la peur, les angoisses : même quand j'étais de l'autre côté du globe, dans un paysage qui n'était pas le tien, dans une réalité qui t'excluait, tu réussissais à conditionner mon existence, à la déterminer, à la phagocyter. Se libérer de toi, se libérer ! Aller tout de suite à Amherst. J'ai fait ma valise et trois heures après j'étais à Amherst, la petite ville du collège.

Pelouses bien tondues, fraîches. Arbres majestueux, verts. Maisons rouges avec des portiques aux petites colonnes blanches et aux toits d'ardoise bleue. Et devant la fenêtre de ma chambre, un splendide pêcher fleuri, nuage rose étourdissant de senteurs. Bienvenue parmi nous, bienvenue, vois comme notre monde est tendre et simple. Pas d'archives de l'ESA, pas de journal d'Hazizikis, pas d'entreprises héroïques, pas de passions. Nous, nous sommes au-dessus de tout, même de la douleur. Nous n'avons jamais faim, nous n'avons jamais froid, les controverses théologiques ne nous intéressent pas, nous ne croyons ni au destin, ni aux superstitions, ni aux présages. Nous sommes logiques, nous, rationnels. Et charmants, accueillants, courtois, en dépit de quelques guerres et de visas refusés. Viens, repose-toi avec nous, que nous t'anesthésiions un peu. Un bel amphithéâtre aux fauteuils de velours, un mur rond de visages immobiles et attentifs. Un haut-parleur qui diffuse une voix métallique, une langue qui finit par t'effacer de ma pensée. Good evening ladies and gentlemen, it's a pleasure to be here with you. Bonsoir mesdames et messieurs, je suis heureuse d'être ici parmi vous. The subject of this lecture will be the art of journalism and, through the press, the formation of the political consciousness in Europe. Le thème de la conférence est l'art du journalisme et, à travers la presse, la formation de la conscience politique en Europe. Où est Athènes ? Qui est Sancho Pança ? Et Ismaël ? Plus tard, à l'hôtel, ce téléphone à côté du lit. Il suffirait de soulever le récepteur, de composer un indicatif, puis un numéro, de te dire : « Vu que j'ai raconté n'importe quoi sur la political consciousness, la conscience politique, et mis à part

l'amour, pourquoi as-tu quitté Paris un jour plus tôt que prévu ? »
J'ai soulevé le récepteur : « Hello, may I have a coke ? Puis-je avoir
un coca ? » Quel soulagement cette paix grasse de confort, bourrée
d'oubli. Would you like to stay one day more, two days more ?
Voulez-vous rester un jour ou deux de plus ? Yes, thank you ! Thank
you very much. Oh oui ! Merci ! Merci infiniment. Repousser
l'inquiétude, l'éliminer. Se reposer encore, faire durer vingt-quatre
heures de plus cette délicieuse narcose de l'âme. Est-ce ainsi que
l'on se prépare à la douleur qui surgit dès que l'on sort de
l'anesthésie ? Car pendant ce temps-là, de l'autre côté de l'océan, la
mort approchait. Le vent irrésistible qui suce l'étoile et l'aspire dans
le tourbillon, balayant toute trace d'espoir, d'illusion. Il ne te restait
plus alors que cinq jours de vie.

*
* *

Lundi 26 avril, cinquième dernier jour. Tu avais l'air d'un oiseau
voletant dans une pièce sans porte ni fenêtre, me racontera Fazis.
Tu marchais de long en large, désespéré, furieux, à la recherche
d'une issue mais l'issue n'existait pas. Rentrant de Paris, la veille au
soir, tu avais appelé Giouvelos et un rugissement avait ébranlé la
rue Kolokotroni : « Giouvelooos ! Toi aussi tu es un esclave
d'Averof, Giouvelooos ? Tu prends tes ordres aussi de ce pédé
d'Averof, Giouvelooos ? » Mais Giouvelos avait répondu, glacial,
qu'il ne prenait ses ordres que de la justice et que la justice suivait
son cours. Puis tu avais appelé l'officier du KYP. La malle avec les
papiers sur Chypre, la malle ! Il fallait la retirer immédiatement, il
n'y avait pas de temps à perdre ! Qu'il te l'envoie au plus vite. Et
d'ailleurs qu'il passe tout de suite à ton bureau : il fallait que tu lui
expliques ce qui se passait. En proie à la panique l'officier avait
balbutié que non, que ce n'était plus possible, c'était trop risqué
maintenant de se montrer avec toi : Averof le soupçonnait, il
s'apprêtait à le muter dans une caserne à la frontière turque. Le
muter ? Dans une caserne à la frontière turque ? Alors on ne voulait
pas seulement t'entraver, on voulait aussi te couper les bras,
t'arracher la langue ! Tremblant de colère tu avais murmuré à
l'officier une adresse, celle d'un ami fidèle : qu'il te rejoigne là-bas.
L'officier était venu et vous aviez discuté des heures ensemble, mais
au moment de vous quitter vous n'étiez arrivés à aucune conclusion.
Pis encore, tandis que tu conduisais dans la nuit, sur la route de
Glyfada, il t'avait semblé être suivi par deux voitures : l'une claire,
presque blanche, et l'autre rouge. Il t'avait « semblé » car quand
l'une apparaissait l'autre disparaissait et, ainsi, tu passais de la

certitude au doute. C'est dans cet état d'esprit que tu étais arrivé chez ta mère et là encore, par trois fois, le téléphone avait sonné : « Si tu ne te décides pas à être raisonnable, Panagoulis, tu t'en repentiras. » « Si tu n'en rabats pas, Panagoulis, tu vas le payer. » « Nous contrôlons tous tes gestes, tous tes déplacements, Panagoulis. Tu ne nous échapperas pas. » On ne t'avait pas laissé fermer l'œil. Et maintenant, exténué de sommeil et d'impuissance, oiseau voletant dans une pièce sans porte ni fenêtre, tu cognais en vain tes ailes contre les murs et le plafond de ton bureau de la rue Kolokotroni. Si tu n'avais pas été si seul ! Si tu avais eu un parti pour te soutenir ! Si les partis avaient été sérieux et dignes de ce nom ! Si le mot gauche avait eu un sens ! Si au lieu d'une politique de politiciens, de politicards, de magouilleurs, arrivistes, démagogues, démiurges, révolutionnaires à la con, s'il y avait eu des hommes vrais, prêts à se battre, à t'aider ! Si le peuple avait été un peuple, si tu avais pu le haranguer : camarades, amis, frères, au secours ! Au secours, au nom du Ciel ! Pourtant il devait y avoir une sortie de secours : tu t'étais évadé de Boiati, tu pourrais bien te sortir de ce guêpier. Tu allais, oui, c'est ça, tu allais parler à Caramanlis et lui dire ce que tu savais sur Averof et ce qu'Averof tramait contre toi : les services secrets, la justice et les mesures disciplinaires qui frappaient tes amis. Tu allais proposer à Caramanlis deux solutions : ou intervenir auprès de son ministre de la Défense pour qu'il te laisse tranquille et auprès de Giouvelos pour qu'il annule l'ordonnance, ou t'affronter au Parlement : se trouver dans l'extrême embarras de se voir apporter les preuves de ce que tu affirmais. Le volettement affolé de l'oiseau s'est calmé. Tu t'es assis au bureau, tu as appelé Moliviatis, le secrétaire personnel et conseiller de Caramanlis. Tu lui as demandé un rendez-vous avec le Premier ministre : de très graves motifs, lui as-tu dit, rendaient urgente cette rencontre. Moliviatis a répondu que monsieur le Premier ministre était très occupé ces temps-ci : problèmes avec la Turquie, avec l'OTAN. Il était difficile de le voir. Cependant il allait essayer et il te rappellerait.

Est-ce Moliviatis qui a informé Averof ? Le lundi 26 avril Averof semblait très au fait de tes tentatives pour rencontrer Caramanlis. Dans l'après-midi il était à Goudi, au camp militaire de Dionysos, pour la cérémonie de l'après-Pâques, et discutait avec un officier. Soudain celui-ci a prononcé ton nom et a mis ainsi le feu aux poudres. Toute douceur, toute onctuosité ont disparu, et Averof s'est livré à des excès dont personne ne l'aurait cru capable, allant même jusqu'à oublier que des centaines de gens étaient là à le regarder, l'écouter, et les yeux injectés de sang il a hurlé ·

« L'insolent ! Le maudit ! Je l'écraserai ! Je l'écraserai ! Je l'écraserai ! Exonthòso ! Exonthòso ! Exonthòso » Langues de feu et rugissements, coups de queue hystériques, têtes coupées et squelettes décharnés : les restes de celui qui a osé s'approcher du pont qui protège le royaume et lancer une petite flèche, un caillou contre la montagne. A genoux, canailles, à genoux vous tous qui osez défier celui qui commande ! Exonthòso, exonthòso, exonthòso ! Tous l'ont entendu hurler ce verbe. Et l'officier qui avait involontairement provoqué cette scène fut saisi d'un tel embarras qu'il a dit en rougissant : « Monsieur le ministre, permettez-moi de me retourner en souriant, autrement ils vont croire que c'est moi que vous voulez écraser. »

**

Mardi 27 avril, quatrième dernier jour. Tu es arrivé au bureau en te plaignant d'avoir passé une nuit infernale, insomnie et beaucoup de migraine. Tu n'avais pas réussi à dormir parce que, tandis que tu roulais vers Glyfada, la voiture rouge et la voiture claire-presque-blanche avaient reparu dans l'obscurité et, rue Vouliagméni, à la hauteur de la pompe à essence, la rouge t'avait presque touché. Une BMW rouge avec deux hommes à bord. Policiers chargés de surveiller tes déplacements, ou mercenaires payés pour t'agresser ou te donner une leçon ? Tôt ou tard tu les affronterais pour satisfaire ta curiosité ; de suivi tu deviendrais suiveur et tu les obligerais à s'arrêter. Pas pour le moment. Pour le moment tu avais des choses plus importantes à faire. Avant tout, le rendez-vous avec Caramanlis. Le téléphone a sonné, anxieux tu as décroché : Moliviatis ? Non, toujours cette voix, gouailleuse : « Nous savons toujours exactement où tu es et où tu vas, Panagoulis, continue comme ça et on va s'amuser. » La secrétaire t'a entendu crier : « Enculé ! Malaka ! Viens ici ! Viens me le dire en face si tu en as le courage ! » Elle est intervenue : « Calmez-vous, monsieur Panagoulis ! Qui était-ce, monsieur Panagoulis ? — Toujours ce même imbécile qui pense me faire peur ! » Et Moliviatis ? Le téléphone a sonné de nouveau et de nouveau, anxieux, tu as décroché. Non, ce n'était pas Moliviatis. C'était Fazis qui t'a raconté la scène d'Averof au camp de Dionysos. « Il a vraiment dit Exonthòso, je l'écraserai ? — Oui, plusieurs fois. — Tiens ! Qui l'aurait dit ? Ça me plaît ça, il a plus d'estomac que je ne croyais. C'est maintenant que je vais le rendre fou. Et tu vas en avoir des choses à écrire, Fazis ! Un roman, cher ami, un roman ! » Toute cette affaire t'amusait presque. Mais, en reposant le récepteur, tu as regardé ta montre avec impatience. Et Moliviatis ?

469

Pourquoi n'appelait-il pas Moliviatis ? Encore quelques minutes et tu allais l'appeler. Tu l'as appelé. Oh, t'a-t-il dit, obséquieux et solennel, tu le précédais d'un instant. Il allait justement te téléphoner pour te dire que comme il le pensait hier l'emploi du temps de M. le Premier ministre était extrêmement chargé, il n'y a pas le moindre moment où glisser un rendez-vous avec toi. Oh, la Turquie ! Oh, l'OTAN ! Désolé. Il fallait attendre. « Je ne peux pas attendre, monsieur Moliviatis ! Je ne dois pas attendre ! Je ne veux pas attendre ! — Mais monsieur Panagoulis, essayez de comprendre, des raisons d'Etat... — Moi aussi je suis une raison d'Etat. Transmettez, cataraméne Cristé ! — Je transmettrai, j'essaierai. » A-t-il vraiment essayé ? Avait-il essayé ? Quelques mois après ta mort, parlant avec l'homme d'affaires ami de Caramanlis qui était venu à Paris avec toi et lui racontant l'épisode, je l'ai prié de demander à Caramanlis pourquoi il ne t'avait pas reçu cette semaine-là. L'homme d'affaires l'a fait et m'a juré, quand je l'ai revu, que Caramanlis avait l'air sincère en répondant qu'il n'avait jamais su que tu avais demandé à le voir, et avec autant d'insistance. A-t-il dit la vérité, je n'en sais rien, mais je sais que ce refus a été un coup mortel pour toi. Tu t'es affaissé sur ton bureau, répétant : « Personne. Je n'ai personne. Je suis seul, seul, seul. Je n'en peux plus. Je n'y arrive plus. ».

Cela se voit d'ailleurs sur la photo que l'on a prise de toi ce même soir dans un restaurant. La photo d'un homme qui désormais ne s'accroche plus à la vie qu'avec les dents. Tes joues ont tellement fondu que les pommettes forment deux angles plus aigus que les mâchoires ; tes yeux sont cernés comme si tu avais reçu des coups de poing ; ton nez est si mince qu'il en a changé de forme ; le double menton a disparu, et ton cou est si maigre qu'il flotte dans le col de ta chemise. Tu parles à deux hommes qui t'écoutent gravement et on voit, au mouvement de tes mains, que tu es en train de lutter contre une atroce tension nerveuse. Les deux autres ont mangé, leurs assiettes sont presque vides, tandis que tu n'as pas touché à la tienne. Et ton verre de vin est encore plein. Non, tu n'en pouvais vraiment plus. Parce que de quelque côté que tu regardes, tous les chemins étaient barrés, et l'avenir s'abattait sur toi avec le poids d'une maison qui s'écroule.

***

Mercredi 28 avril, troisième dernier jour. Non seulement Moliviatis n'avait pas tenu sa promesse de dire à Caramanlis que tu voulais le rencontrer mais, maintenant, on ne pouvait même plus le joindre.

Très bien . tu allais mener ton combat devant le Parlement. Tu as pris du papier et un stylo et tu as fait une première rédaction de la super-question à adresser à Caramanlis. « Pourquoi le Premier ministre garde-t-il au gouvernement, et à un poste aussi important que celui de ministre de la Défense, M. Evangelos Tossitsas Averof, c'est-à-dire un individu qui collabora avec la Junte, qui fut un espion du KYP sous Papadopoulos, qui trahit la Marine sous Joannidis en livrant aux enquêteurs tous les détails de la révolte, et qui, après la chute de la Junte, aida les criminels du régime à s'expatrier ? » Ensuite, ce que tu dirais en t'approchant du banc du gouvernement et en remettant le paquet de documents. « Je confie au Premier ministre les preuves de ce que je viens de déclarer : les archives de l'EAT-ESA que Evangelos Tossitsas Averof comptait récupérer avec l'aide des services secrets et dont il voulait interrompre la publication en utilisant la magistrature. Les voici et le Parlement m'en est témoin. » Tu m'as raconté cet épisode lorsque, sortant de la narcose où mon âme était plongée, de l'anesthésie d'Amherst, je suis rentrée à New York et que je t'ai téléphoné. « Je suis en train d'écrire une chose importante, très importante. — C'est-à-dire ? — Une super-question à Caramanlis. Je te la lis, écoute. — Tu veux dire que tu lui confies le dossier ? — Oui, la bombe va éclater la semaine prochaine. Au Parlement cette fois-ci, et tu verras qu'elle fera plus de bruit que celle que j'ai offerte à Papadopoulos il y a huit ans. — Ne le raconte à personne, Alekos. — Au contraire, une chose comme celle-ci doit être rendue publique. » Puis tu m'as parlé des menaces téléphoniques et des deux voitures qui, tu n'en doutais plus, te suivaient le soir. Ce supplice d'avoir en permanence l'œil rivé sur le rétroviseur, pour chercher une voiture qui est là et puis qui n'est plus là, tantôt rouge tantôt claire-presque-blanche, jusqu'à ce que tu te demandes si tu n'as pas la berlue, pour constater que tu ne l'as pas du tout et te sentir tour à tour sanglier furieux puis mouche prisonnière de la toile d'araignée. « Tous les soirs, bon Dieu, tous les soirs quand je vais à Glyfada. Tu sais, la Primavera, on la voit bien la nuit. Ce maudit vert phosphorescent. — Alekos, as-tu vraiment besoin d'aller tous les soirs à Glyfada ? — C'est mieux que la rue Kolokotroni. Tu te souviens, j'ai trouvé quelqu'un en train de forcer la serrure de la chambre ? — Et qui t'escorte le soir, quand tu vas à Glyfada ? — Personne. Une escorte ? Je ne suis pas Son Excellence Papandreou, moi, je n'ai pas ses gardes du corps ! — Alekos, qui penses-tu que c'est, cette fois ? — Qui veux-tu que ce soit ? Quelqu'un qui me veut du bien. — Alekos, je viens te voir. J'ai terminé ce que j'avais à faire et je n'ai pas envie d'attendre le 5 mai. — Non, nous nous verrons le 5 mai. — Mais pourquoi tiens-tu tellement à ce 5 mai ? — Parce que c'est ce que nous avons décidé, non ? C'est sûr. Tu verras que le 5 mai on sera ensemble. — Mais je te sens si déprimé... — Ah ! Qu'est-ce que je donnerais pour revenir en arrière, dans ma cellule de Boiati. »

Ce filet de voix. La résignation qui filtrait dans ce filet de voix. Car c'est ce qui est arrivé le 28 avril : la dissolution de ta résistance, la ruine de ton indestructibilité, la montée de la résignation. L'effort final ne dure pas longtemps. A un certain moment la fatigue de vivre revient, l'esprit et le corps se laissent aller à regarder en arrière avec résignation : ces élans, ces hurlements, ces super-questions que tu ne poseras pas ne sont que des sursauts involontaires. C'est bien cela qui est exprimé dans ce poème que tu as écrit cette nuit-là en rentrant rue Kolokotroni. Pensée d'un homme qui, de l'exil, pleure le passé, le passé qui est l'unique appui pour remonter jusqu'au temps où la solitude était une cellule, petite et sombre, un désir fou de parler à quelqu'un, mais où l'avenir était l'espoir. Le voici, sur quatre feuillets de ton bloc-notes. Quelle écriture crispée, altérée ! De vers en vers elle devient plus crispée, plus altérée, comme si tenir un crayon était devenu pour toi un effort insurmontable. « Comme ces chemins parcourus jadis / par les poètes / qui déclamaient leurs vérités / vérités ornées de belles phrases / et de récits bénis / mes chemins me conduisaient aussi / en des lieux inconnus / mais beaux comme les nôtres / et je voulais croire / que je ne tournais pas le dos au monde / Je ne voyage pas / Je parle avec moi-même / par les bois, les monts et les vallées / je ne voyage pas / ce sont les champs qui courent / et le souvenir de mes amis / qui attendaient / quelque part / de me voir surgir tout à coup / le souvenir de ces jours lointains où / par la seule force du rêve / nous construisions l'espoir / et où la douleur / était du voyage / Les arbres les montagnes les vallées voyagent / et moi / lié à ceux qui souffraient parce que je souffrais / qui pleuraient parce que je pleurais / qui invoquaient les chaînes parce que j'étais enchaîné / seul / Les années passent et moi / sans oublier la douleur / mais sans la rappeler injustement / ce sont les mêmes chemins que je parcours / ceux qui ne sont connus que de celui qui a souffert / et c'est ma cellule que je pleure / là où je disais des choses / que tous comprenaient / Et quand je pense à ce que je sais / à ce qui arrive aujourd'hui / aujourd'hui plus qu'hier / sans que nul puisse le savoir / ni le deviner / je dis : / La fin viendra de la manière dont le veulent ceux qui ont le pouvoir. »

Je l'ai trouvé quarante-huit heures plus tard, sous ton oreiller, avec un cinquième feuillet sur lequel tu avais transcrit les mots que Socrate prononça avant de se donner la mort : « Mais voici l'heure de nous en aller, moi pour mourir, vous pour vivre Qui de nous a le meilleur partage, nul ne le sait, excepté le dieu »

.*.

Jeudi 29 avril, avant-dernier jour. Tu es entré dans le bureau sans regarder personne et tu as dit à la secrétaire que tu ne voulais pas être dérangé : tu avais un coup de téléphone à donner. C'était le coup de téléphone à Averof, la dernière tentative pour empêcher la mutation de l'officier du KYP. Tu avais même pris conseil auprès d'un avocat à ce sujet et vous étiez arrivés à la conclusion qu'il ne fallait pas faire état des menaces qu'Averof avait hurlées lundi après-midi à Goudi : cela n'aurait abouti qu'à accélérer la mutation. Il valait mieux ignorer l'épisode et établir un compromis, imiter en somme sa tactique habituelle. L'Averof éternellement vainqueur n'était pas celui de lundi après-midi, c'était un monsieur bien élevé, un esprit raisonnable, maître dans l'art de l'hypocrisie : il ne se battait pas à l'arme blanche mais avec les venins de l'intelligence. Il fallait donc faire de même. Tu as composé le numéro du ministère de la Défense. Tu as demandé M. le ministre. M. le ministre ne s'est pas dérobé. « Cher ami ! Très cher collègue ! Quel plaisir et quel honneur de vous entendre ! » Le sarcasme vibrait clairement sous ce ton mielleux. Mais tu ne t'es pas découragé. Merci, monsieur le ministre, monsieur le ministre est vraiment trop aimable. Tu espérais que tu ne le dérangeais pas. « Mais comment, très cher ami ? Comment pouvez-vous penser une chose pareille ?! Me déranger ? » Oui, vous déranger, lui as-tu répété. Même pour lui demander une faveur, et les faveurs sont toujours quelque chose d'agaçant. « Allez-y, mon cher ami ! Allez-y ! De quoi s'agit-il ? » Il s'agissait d'un officier dont le destin t'importait, un officier du KYP. Sa femme était une amie à toi, elle t'avait aidé en 68, quand tu avais fui à Chypre. Elle travaillait alors à l'ambassade de Chypre. « Je comprends, cher ami, je comprends. » Cette femme aimait sa ville, en véritable Athénienne elle ne pouvait y renoncer, or il se trouvait justement que M. le ministre avait donné l'ordre de faire transférer l'officier du KYP dans un village de la frontière turque. « Continuez, cher ami, continuez. » Quel était donc le problème de cette dame ? Quitter Athènes et suivre son mari dans ce village de la frontière turque, ou bien rester à Athènes et vivre loin de son mari ? Chose cruelle, d'ailleurs, car les époux s'aimaient beaucoup. « C'est évident, cher ami, évident. Et que puis-je faire pour vous cher ami ? Dites-le-moi. » Tu es devenu pâle. « Je suis en train de vous le dire, monsieur le ministre. Je vous demande de ne pas muter cet officier.

— Et moi je vous réponds que je suis là pour vous être agréable, cher ami et collègue. Je placerai cet officier là où vous le souhaitez. Où voulez-vous que je le place, cher ami et collègue ? » Le jeu du chat et de la souris. Lui le chat et toi la souris. Un jeu que tu ne savais pas mener. Avec Hazizikis aussi cela avait toujours raté parce que tu tenais le coup, tu supportais, et puis tout à coup tu explosais. A la pâleur de ton visage et au gonflement rouge de ta cicatrice sur la joue gauche, on voyait que tu étais maintenant prêt à exploser. Tu as cherché à te dominer. « Je voudrais qu'il reste où il est et où il a toujours été, monsieur le ministre : dans son bureau du KYP, à Athènes. » Un cri de rat hypocrite : « Très cher ami ! Qui oserait vous refuser un service ? Vos désirs sont des ordres pour moi. Mais je crains qu'Athènes ne soit impossible, cependant, dites-moi où vous préférez qu'il soit muté et j'obéirai ! » Tu as posé l'appareil sur le bureau et, fermant les yeux, tu t'es obligé à reprendre ton souffle. Encore un effort, Seigneur, encore une dernière tentative. Pourvu que j'y arrive. Tu as repris le téléphone : « Je ne me suis peut-être pas bien fait comprendre, monsieur le ministre. Je vous demandais de... En fait je ne veux pas que cet officier soit muté. Nulle part. — Vous ne voulez pas, cher ami ? Vous ne voulez pas ? — Non. — Et pourquoi cela, dites-moi, si je ne suis pas trop indiscret ? — Parce que comme je vous le disais, la femme de cet officier... » Là les digues se sont rompues, les minces digues qui freinaient les vagues de ta colère. Elles se sont rompues en un cri qui a fait trembler les vitres. Dans la pièce à côté, tout le monde s'est recroquevillé, la secrétaire a fait le signe de croix. « Averofakiiii ! Petit Averof ! Akousa, Averofaki, skoulikaki ! Ecoute-moi, petit Averof ! Petit ver de terre ! Den isse t'afendikò tis Elladas ! Tu n'es pas le maître de la Grèce ! Et tu ne le seras jamais ! Ke den tha ghinis ! Car moi, moi, moi, je t'en empêcherai ! De mon tombeau je t'en empêcherai, de mon tombeau ! » Alors Averof, oubliant toute prudence, a cédé à la rage qui l'avait saisi à Goudi. Et répétant les mêmes mots, et d'autres pires encore, hurlant lui aussi, hurlant : « Egò tha s'exon-thòso, Panagoulis ! Je t'écraserai, Panagoulis ! Egò tha se katas-trepso, Panagoulis ! Katastrepso. Je te détruirai, Panagoulis ! Je te détruirai ! »

Cela je l'ai su immédiatement après, lorsque nous nous sommes parlé à nouveau au téléphone et que j'ai reconnu cette voix. Ce n'était pas ta belle voix sensuelle, gutturale, profonde ; c'était comme un étranglement qui semblait sortir d'une caverne lointaine de milliers et de milliers d'années-lumière. Presque un écho du souvenir. En effet, à certains moments elle s'évanouissait, laissant le silence planer : « Allô, Alekos, allô ! Je ne t'entends pas, tu m'entends ? — Il m'a... — Allô, Alekos, allô ! — Te détruirai... t'écraserai... — Allô, Alekos, allô ! Ça ne marche pas, bon sang ! — Si, ça marche. C'est moi qui ne marche plus. — Pourquoi, Alekos, pourquoi ? Qu'est-ce que tu as, Alekos, dis-le-moi, tu ne te sens pas bien, tu as de la fièvre ? — Non. Oui. — Oui ou non ? Explique-toi, ne m'angoisse pas, tu m'angoisses ! Et moi qui suis là, qui ne peux rien faire pour toi ! Allô ! — Oui, je me sens mal, très très mal. — Où as-tu mal ? Pourquoi ? — Parce que je suis très, très, très triste. Très, très, très inquiet. — Alekos, arrête tout ça, arrête ! Tu te tues, ils te tuent ! Je viens tout de suite, immédiatement. Je veux te voir, je veux t'emmener, je veux... — Viens si tu veux, mais tu ne peux rien faire, agàpi. Rien. On se voit le 1er mai, tu me verras le 1er mai. Au revoir. » Et tu as raccroché, me laissant abasourdie. 1er mai. Avais-je bien entendu ? Tu avais dit le 1er mai ? Oui, le 1er mai et non pas le 5 mai. Seigneur, maintenant tu ne te souvenais même plus de la date de notre rendez-vous. Ou bien avais-tu changé d'idée et voulais-tu que je vienne vraiment le 1er mai, c'est-à-dire après-demain ? Il fallait te rappeler. Non, pas te rappeler. Ces coups de téléphone ne servaient qu'à me faire souffrir, je ne voulais plus entendre cette voix qui n'était pas la tienne. Arriver le 1er mai, oui. Partir demain, voilà. C'est ce que j'ai fait. J'ai embarqué au moment précis où tu étais en train de mourir. Le vendredi 30 avril à six heures cinquante-huit. A Athènes, c'était le samedi 1er mai, une heure cinquante-huit. En effet, à sept heures très exactement, j'étais à bord et je regardais ma montre, surprise de l'exactitude de ce vol qui d'habitude avait du retard. Pendant le voyage j'ai été inquiète, envahie par une angoisse que je n'arrivais pas à définir. L'angoisse a grandi quand ils ont projeté un film qui sentait le mauvais présage : l'histoire d'un poète fou et courageux, incompris de tous et toujours lancé dans des aventures impossibles, poursuivi par la mort qui, dans son suaire blanc, le séduit en brandissant sa faux. De temps en temps, la faux remplissait l'écran et le poète devait s'enfuir. Pour se sauver il se jetait dans de nouvelles entreprises, de nouvelles folies dont il sortait miraculeusement indemne. Mais à la fin il n'en pouvait plus de fuir et de se refuser à cette mort qui le désirait avec tant d'insistance, il allait à sa rencontre et se faisait tuer. La mort et lui s'éloignaient ensemble, chantant et dansant sur un pré vert comme le vert de ta Primavera.

La simultanéité des faits n'est qu'en apparence un mystère amalgamant des événements accidentels et autonomes. En fait, il s'agit d'un tissu composé d'épisodes nécessaires les uns aux autres et rigoureusement liés entre eux. C'est une machine bien huilée. J'ai acquis cette conviction en reconstituant les faits qui ont composé le dernier jour de ta vie, lorsque tout a coïncidé et contribué à huiler la machine, nouer les chemins parallèles de tes actes et ceux de Steffas, afin que le processus désormais irréversible de ta mort se déroule sans erreur ni retard ni obstacle, pour se terminer en un point précis, celui qui était décidé à l'avance dans l'espace et le temps. Ce trou noir, sous le garage avec l'enseigne Texaco, à une heure cinquante-huit, le samedi 1er mai 1976.

**

Le dernier jour de ta vie a pris naissance sous un ciel gris, de plomb. Toute la semaine il y avait eu un soleil d'été et pas un nuage n'avait troublé l'azur. Mais la veille au soir, tout d'un coup, l'horizon avait pâli avec une lumière glaciale, et un grand vent s'était levé, la mer s'était gonflée et fouettait la côte, et la tempête s'était abattue d'Athènes à Corinthe. Toute la nuit, comme si les dieux furieux se battaient, les éclairs avaient déchiré le ciel, la pluie avait inondé les routes et ce n'est qu'à l'aube que le calme était revenu avec ce ciel gris, de plomb, messager du malheur. Tu t'es réveillé de bonne heure. Etrangement, tu avais bien dormi et quand ta mère t'a apporté le café, tu étais déjà debout, regardant, pensif, le jardin, les dégâts causés aux plantes. La tempête avait décapité les roses et mutilé les arbres ; des oranges et des citrons gisaient sur un tapis de branches et de feuilles arrachées ; même le bouquet d'ail attaché au tronc du palmier pour combattre le mauvais œil était tombé. Il s'était défait en tombant et les têtes étaient éparpillées sur l'allée et sur la terre détrempée, et chaque tête avait éclaté : les gousses ressemblaient aux perles d'un collier cassé. « Ton ail ! » as-tu crié. Elle s'est penchée et a eu une exclamation d'horreur : jamais le bouquet n'était tombé, même quand on t'avait condamné à mort il était resté accroché. Bouleversée, elle a posé le café et a couru dehors ramasser gousse après gousse, tête après tête ; puis elle est rentrée dans la maison, elle a préparé un autre bouquet, plus gros, qu'elle a ficelé soigneusement avant de l'accrocher au tronc du palmier. Elle l'a bien serré, mais, à peine avait-elle le dos tourné que le nœud s'est défait et le bouquet est tombé pour la seconde fois, éparpillant de nouvelles têtes et de nouvelles gousses. Comme si le diable s'amusait à multiplier les signes de mauvais augure. Tu la regardais de la fenêtre et un sourire inexplicable alors a ridé tes lèvres. « Tu n'y arriveras jamais, même si tu le cloues », as-tu dit, tandis qu'elle ramassait l'ail, têtue, et refaisait le bouquet. Ta voix était claire ce matin-là, la belle voix que j'aimais, et ton large front était sans rides. Tu avais l'air reposé, dispos. Une mystérieuse sérénité avait soudain chassé le désespoir dans lequel tu te débattais quelques heures plus tôt.

Tu t'es lavé et habillé avec soin, comme si tu allais à une fête. Tu as choisi du bon linge de corps, ta plus belle chemise et le costume que tu préférais : veste et pantalon en gabardine noisette. Méticuleusement, avec attention, tu t'es fait la barbe, tu as taillé tes moustaches, tu as mis dans tes poches les objets que tu portais toujours sur toi : pipe, cigares, tabac, stylos, agenda, bloc-notes, petits ciseaux, coupures de presse. Dans la poche intérieure de ton veston tu as glissé un document sur Averof que tu hésitais à photocopier. Tu en avais même parlé à un de tes proches : « C'est trop important. Le photocopier serait dangereux. Il vaut mieux que je le garde sur moi. » Tu faisais tout cela sans hâte, pensif, avec le calme de celui qui a cessé de régler son existence sur l'aiguille d'une montre. Quand tu as été prêt, tu t'es mis à tourner dans la maison comme si tu n'avais pas envie de sortir, ou qu'il te manquait quelque chose. Un regret, un souvenir ? Traînant ses savates et fixant des épingles dans ses cheveux ébouriffés, ta mère te suivait, surprise, te demandait : « Ti theles ? Qu'est-ce que tu veux ? — Tipote. Rien. Je réfléchis. Dans un mois et deux jours, c'est mon anniversaire. Trente-sept ans le 2 juillet, je suis vieux. » Finalement tu es sorti en jetant un coup d'œil au bouquet d'ail désormais bien accroché au palmier. Mais, arrivé à la grille, tu t'es arrêté, tu es revenu sur tes pas et d'un geste sec tu l'as arraché et jeté par terre : « Il ne faut pas être superstitieux ! » Frémissante d'horreur, indignée, elle boudait encore quand tu t'es assis au volant de la Primavera et que tu t'es engagé dans la rue Vouliagméni : cette rue suivie des milliers de fois et dont tu connaissais chaque mètre, chaque tournant, chaque trou. T'es-tu retourné en passant devant le garage avec l'enseigne Texaco ? Avec moi, tu te retournais toujours en grognant que l'absence de parapet rendait le virage dangereux, un truc à se rompre le cou. Tu montrais le panneau qui se trouvait au-dessus du toboggan : Kalon Taxidi, Bon Voyage, et : « Bon voyage avec le crâne défoncé ! » A neuf heures, tu es arrivé rue Kolokotroni et tu as garé la Primavera juste devant le magasin de machines textiles, à côté de ta porte, dont le mur et la vitrine donnaient dans le hall qui mène à l'ascenseur. Le magasin était ouvert, il y avait déjà un client : un jeune homme au visage rond, défiguré par une quantité de taches de rousseur. Celui-là même qui était venu à Florence avec le nazi grec en juillet 1975 pour y rester une semaine : justement la semaine où tu avais quitté Athènes en disant que tu allais à Florence et où en fait tu étais allé à Chypre. Celui qui, à Florence, s'était tellement vanté de ses exploits de kamikaze, des manœuvres compliquées dont il était capable avec sa Peugeot : un coup de tête, un coup de queue et l'autre part comme un projectile. Celui qui, à l'époque de la Junte, avait travaillé dans l'atelier de Despina Papadopoulos et beaucoup voyagé dans les pays où il fallait prendre en filature les opposants exilés, mais surtout au Canada, où il avait participé à des courses en circuit ouvert, ces terribles courses où il s'agissait de détruire les autres voitures par des queues de poisson et où le vainqueur était celui qui savait garder la tête froide et l'œil vif. Michel Steffas enfin. Aujourd'hui socialiste papandréiste, employé dans une affaire de vêtements, la Heim Fashion, et propriétaire d'une 504 Peugeot gris métallisé. Et, comme par hasard, il avait dû se rendre plusieurs fois, ces derniers temps, dans le magasin de machines textiles.

Tu es entré dans ton bureau où l'avocat t'attendait. Tu lui as raconté ta dispute avec le dragon : « Comme tu vois j'ai suivi ton conseil, mais accepter ses conditions, c'est impossible. Je ne peux plus faire autre chose dans cette histoire que d'aller jusqu'au bout, maintenant, coûte que coûte. Lundi je poserai ma question à Caramanlis. — Tu n'en tireras pas grand-chose. — Je sais, Caramanlis ne peut pas se permettre de l'écarter du pouvoir, et je n'ai personne avec moi. Personne. — Alors ? — Alors, rien. Il y a des moments où, pour gagner, il faut perdre jusqu'à son dernier souffle. — Et après la super-question ? — J'irai quelques jours en Italie et, de là, à Chypre. » L'avocat te regardait, perplexe : tu étais si calme et si sûr de toi ce matin-là. Même en rapportant l'échange d'insultes avec Averof. Ta voix ne trahissait aucune émotion. Mais qu'est-ce que tu voulais dire par il-y-a-des-moments-où-pour-gagner-il-faut-perdre-jusqu'à-son-dernier-souffle ? Pris d'un doute l'avocat a parlé des menaces téléphoniques, des poursuites automobiles, du danger qu'il y avait à prendre tous les soirs la route déserte de Glyfada. « Qu'est-ce que vous êtes monotones, tous », as-tu répondu. « Toi aussi tu voudrais que je me déplace avec des gardes du corps, tu voudrais que je me ridiculise ? » Puis tu as décroché le téléphone qui sonnait et tu as répondu à quelqu'un avec une grimace d'ennui. Quelle barbe : une certaine Sougioulzoglou t'invitait à dîner de la part de son beau-frère Victor Nolis, un Grec de Melbourne. Tu avais connu ce Nolis à Rome en 68 et tu l'avais retrouvé il y avait quelques mois à travers cette Sougioulzoglou, la sœur de sa femme. Il était maintenant à Athènes et voulait t'emmener dîner avec les deux femmes. « Précisément aujourd'hui, la dernière chose dont j'aie envie c'est de passer la soirée avec ces trois imbéciles ! — Viens dîner avec moi. Je passe te prendre en voiture et ensuite je t'emmène à Glyfada. Comme ça pour une fois tu ne seras pas tout seul sur les routes », a suggéré l'avocat en reprenant la conversation où le coup de fil de Sougioulzoglou l'avait interrompue. « Non, merci, si je ne vais pas avec eux, il faut que je dîne avec le directeur de l'Olympia Express. C'est pareil. On se voit demain. — D'accord, à demain, mais, encore une fois, ne roule pas tout seul la nuit et va le moins possible jusqu'à Glyfada. Cette histoire des deux types qui te suivent dès qu'il fait nuit ne me dit rien qui vaille. — Ce qui doit être sera et ce qui doit arriver arrivera. » Là-dessus, vous vous êtes quittés, et, plus tard, tu as rappelé Nolis : qu'il vienne te retrouver vers cinq heures ce soir et si tu réussissais à annuler le rendez-vous avec le directeur de l'Olympia Express, tu dînerais avec lui, sa femme et sa belle-sœur. Pendant ce temps-là, Michel Steffas avait quitté le magasin de machines textiles et avait pris un taxi pour se rendre à Heim Fashion. Il prenait des taxis depuis un mois parce que sa voiture n'était pas à Athènes, prétendra-t-il. Il la laissait à Corinthe, devant la maison de ses parents parce qu'elle avait encore une plaque française et qu'il devait la changer. Un mois auparavant, à Athènes, il avait failli avoir une grosse contravention à cause de cette plaque.

Tu as quitté le bureau vers deux heures et demie et tu y es revenu à trois heures et demie pour annuler le rendez-vous avec le directeur de l'Olympia Express, et c'est à ce moment-là que tes actes et ceux de Steffas ont commencé à coïncider. A cinq heures, Nolis est arrivé et tu lui as dit que tu étais d'accord pour dîner avec lui mais que c'était toi qui l'invitais avec sa femme et sa belle-sœur dans un restaurant à Glyfada. Au même moment, à cinq heures, Steffas baissait le rideau de fer de la Heim Fashion et s'apprêtait à jouer son rôle. A six heures, tu te séparais de Nolis après que vous aviez décidé que tu le prendrais avant le dîner au 8 de la rue Alkionis où il habitait et, à la même heure, à six heures, Steffas est allé chez Basile Jorgopoulos : son ami et son alibi. A neuf heures Mme Sougioulzoglou a téléphoné, disant que sa voiture était cassée : pouvais-tu passer chez elle, 15 A rue Androutsou, avant de te rendre rue Alkionis ? A neuf heures, Steffas montait dans le car en direction de Corinthe pour chercher sa Peugeot et la ramener à Athènes. (Et la plaque française à changer ? Et le risque d'attraper une contravention ? Jorgopoulos, se justifiera-t-il, lui avait proposé de passer le 1er mai à Egine, avec deux filles, et que cela lui avait fait oublier toute prudence. Mais Egine, n'est-ce pas une île ? N'y va-t-on pas en bateau ? Pourquoi se précipiter d'Athènes à Corinthe en car, prendre la Peugeot non immatriculée, la conduire à Athènes, l'embarquer sur un bateau, la débarquer, l'embarquer à nouveau et la ramener à Corinthe le lendemain ? Cela n'avait évidemment aucun sens. Et qu'est-ce qui prouve que la Peugeot était réellement prévue pour la balade à Egine avec les filles ? Elle a pu aussi bien être prévue pour tout autre chose, un service par exemple, une mission qui réclamait qu'on ait la tête froide, le coup d'œil vif, une habitude de la queue de poisson, précisément le passé d'un kamikaze des pistes du Canada, des courses en circuit ouvert, et une voiture solide, capable de résister davantage qu'une certaine voiture très-claire-presque-blanche qui ne s'était pas montrée à la hauteur de la situation.) A neuf heures et demie, tu as quitté la rue Kolokotroni pour passer chercher Mme Sougioulzoglou et les Nolis. A dix heures, tu étais rue Alkionis chez les Nolis qui t'ont retenu le temps de boire un apéritif, une goutte de whisky dont tu n'avais du reste pas envie et qui est restée intacte dans le verre. A dix heures et quart, tu es sorti avec eux. Et il était dix heures quand le car de Steffas est arrivé à Corinthe ; Steffas est descendu et a couru vers la place où était garée la Peugeot. Il était dix heures et quart quand il s'est mis au volant. Il était dix-heures vingt-cinq quand il a emprunté l'autoroute qui va de Corinthe à Athènes. A la même heure, tu garais la Primavera devant Tsaropoulos, et tu entrais avec les Nolis et Mme Sougioulzoglou chez Tsaropoulos, le restaurant que tu avais choisi pour nous, trois ans auparavant, le soir où j'étais revenue, où tu avais quitté la clinique tout joyeux, rendu à la vie, où tu m'avais offert le poème et où avait commencé la semaine de bonheur. Tu as commandé le dîner, très excité. Tout d'un coup, le calme qui t'habitait depuis le matin, l'équilibre serein, l'absence de passion, avaient cédé le pas à une euphorie inattendue. Tu semblais excité. Tu parlais sans arrêt, tu faisais des plaisanteries, tu racontais en riant l'histoire des archives d'Averof et de Tsatsos, de la super-question que tu poserais lundi à Caramanlis, le tremblement de terre que tu allais provoquer en livrant les papiers interdits par Giouvelos. Tu leur as même confié que tu écrivais un livre, que tu l'avais déjà commencé et que tu t'étais arrêté à cause des événements, mais que tu le reprendrais en mai pour le finir dans l'année. « J'y travaillerai sans arrêt, en été et en automne, je vais aller en Italie pour cela, je demanderai un congé au Parlement. C'est un livre qui commence avec l'attentat contre Papadopoulos et qui se termine par le dossier. C'est l'histoire d'une longue peine, l'histoire d'un homme. » Tu as même promis d'aller en Australie. « Oui, je veux bouger, voir le monde. Dès que le livre sera terminé je viendrai sûrement en Australie. » Comme si des jours sans fin s'étalaient devant toi, chargés de promesses, de succès et de joies, comme si tu avais oublié ton atroce dessein, ton calcul inconscient, celui de mourir pour vivre. Et ton regard brillait, tes mains tremblaient, tu aimais le monde entier. La compagnie de ces trois petits vieux, le repas, les gens. Séduites, les deux femmes te regardaient sans mot dire, Nolis t'écoutait, fasciné. Quel brio cet homme, quelle chaleur, quel feu ! Tu n'avais même pas besoin de boire pour le nourrir, ce feu : une bouteille pour quatre. A un certain moment en portant le verre à tes lèvres tu as dit que tes rapports au vin s'étaient détériorés ; tu avais redécouvert les vertus de l'orangeade : « Je préfère cela, parce que la nuit est pleine de pièges, d'ombres aux aguets. Il faut avoir l'esprit clair et les réflexes rapides. » Pendant ce temps-là, Michel Steffas roulait en maugréant à cause de la pluie qui tombait dru entre Corinthe et Megara, cette pluie qui l'empêchait d'aller aussi vite qu'il l'aurait voulu. Pourtant il est allé assez vite pour rejoindre Jorgopoulos à minuit moins dix, son alibi jusqu'à une heure trente. (Etrange d'être retourné chez lui à minuit, cette façon de se trouver un alibi à la minute près.) Et la BMW rouge ? Elle y était elle aussi, elle y était, elle n'attendait pas la Peugeot de Steffas pour te rejoindre. Après t'avoir suivi jusqu'au restaurant, elle s'était éloignée pour attendre l'heure sans attirer l'attention et, là, elle avait commis une erreur significative. Il était environ minuit quand un citoyen effaré s'est présenté à la police pour dire que, rue Vouliagméni, une BMW rouge foncé l'avait suivi de loin, sur un ou deux kilomètres et, tout à coup, avait foncé sur lui, elle l'avait frôlé avec l'intention évidente de le faire sortir de la route. Lui, il avait évité la catastrophe en s'accrochant au volant et en freinant à mort. Non, ce n'était pas un accident. Il pouvait le prouver car, tandis qu'il était là à reprendre son souffle et à se demander le motif de l'agression, la BWM était revenue. Elle s'était arrêtée. Et les deux hommes à bord l'avaient bien regardé avant de faire un geste de dépit : comme s'ils avaient commis une erreur sur la personne et se traitaient d'idiots. Ils se souvenaient que t'ayant laissé chez Tsaropoulos, tu ne pouvais pas être déjà rue Vouliagméni. L'individu effaré avait des moustaches et une voiture verte. Pas vert pomme, mais, dans le noir, elle était presque identique à la tienne.

Tu es sorti de chez Tsaropoulos peu après une heure du matin, et devant le restaurant il y a eu une petite discussion : tu voulais raccompagner tes invités et eux insistaient pour prendre un taxi. Tu dormais à Glyfada, le restaurant était à Glyfada, répétaient-ils tous les trois, il était donc absurde que tu ailles jusqu'à la rue Alkionis et rue Androutsou, des quartiers lointains pour revenir à Glyfada ensuite. Tu les as forcés quand même à monter dans la Primavera, première étape rue Alkionis, et c'est à un croisement de la rue Alkionis que s'est produite cette chose curieuse : un taxi t'a dépassé et t'a barré la route en s'arrêtant au milieu. Tu t'es arrêté aussi en disant : « Alors, même les taxis ! Je veux voir qui c'est. » Tu es allé vers le chauffeur et Mme Sougioulzoglou t'a vu discuter quelques minutes avec lui. Mais tu étais soulagé quand tu es revenu : « Non, il ne me suivait pas. Je le connais, il est de Glyfada. » Tu as remis en marche et tu as tourné rue Poseidonos. « C'est que je suis très soupçonneux avec les voitures maintenant. — Pourquoi ? » s'est exclamée Mme Sougioulzoglou. Tu n'as rien répondu. Peut-être n'avais-tu pas entendu. Les lèvres serrées, le front soucieux, tu regardais dans le rétroviseur. Tout d'un coup : « Hélène, ça vous dit de faire un saut dans un bouzoukia ? Le temps de boire un jus d'orange et d'écouter un peu de musique. Il y en a un à deux pas d'ici, derrière nous. » Mme Sougioulzoglou, ne comprenant pas, a refusé. Non merci, il était tard et, à son âge, on n'allait pas dans les bouzoukias avec les jeunes. « Allons, Hélène. — Non, merci. Vraiment. — Tant pis. » Et l'œil toujours fixé sur le rétroviseur, tu as accéléré débouchant à toute vitesse rue Léoforos Singrou. Devant l'usine de bière tu as freiné brusquement, puis tu t'es excusé très vite : tu n'avais pas l'habitude de laisser les dames la nuit sur le trottoir mais la rue Androutsou n'était pas loin et le 15 A était juste à l'angle, pouvait-elle descendre là et continuer à pied ? A nouveau elle n'a pas compris. Ce n'est qu'après ta mort qu'elle s'est rendu compte que tu ne voulais pas entrer dans la rue Androutsou qui était étroite et sombre, et que tu avais hâte d'être seul. Elle a répondu que cela ne la dérangeait pas du tout et elle est descendue sans que tu aies fait un geste ni que tu lui aies ouvert la portière. Une main sur le volant et l'autre sur le levier de vitesse, tu te tenais prêt à repartir. « Merci, Hélène. Excusez-moi, Hélène. — C'est moi qui vous remercie, Alekos. Mais pourquoi n'allez-vous pas dormir rue Kolokotroni ? C'est à deux pas, est-ce la peine de passer vingt minutes à retourner à Glyfada ? — J'aime mieux dormir quatre heures à Glyfada que huit rue Kolokotroni. — Bien, alors au revoir... — Au revoir. » Tu n'as même pas attendu qu'elle traverse la rue. Tu as démarré immédiatement. Mme Sougioulzoglou dira qu'il était alors une heure trente-cinq, une heure quarante tout au plus. Elle a expliqué qu'à une heure quarante-cinq elle était chez elle : pour parcourir les deux cents mètres qui la séparaient du 15 A rue Androutsou, ouvrir la porte, appeler l'ascenseur, monter au troisième et entrer chez elle, elle ne pouvait pas avoir mis moins de huit à dix minutes. D'accord, mais la nuit, avec les rues presque désertes pour aller de Léoforos Singrou jusqu'à l'endroit où ils t'ont tué, rue Vouliagméni, cinq ou six minutes suffisent largement. Et la montre de ta Primavera, sous l'effet du choc, s'arrêta à une heure

482

cinquante-huit : heure confirmée par les témoins. Entre le moment où tu as pris congé de Mme Sougioulzoglou et le choc, il y a un vide de dix-huit à vingt-trois minutes, disons de vingt minutes, que personne n'a su ou voulu expliquer. Ce sont les vingt minutes du combat mortel que tu as mené contre tes assassins.

*
* *

Ils ont surgi ensemble, précis, comme s'ils avaient un rendez-vous précis. Ils ont surgi immédiatement, au moment où tu tournais rue Diakou. Une BMW rouge et une Peugeot gris métallisé. Certes tu n'en as pas été étonné : tu avais déjà compris ce qui allait arriver quand tu avais voulu t'arrêter rue Poseidonos et revenir sur tes pas avec le prétexte du bouzoukia, puis tu en as eu la certitude rue Léoforos Singrou quand tu as fait descendre Mme Sougioulzoglou. Du reste, les témoins que la police gouvernementale a ignorés ou fait taire (sauf un qui résista, un automobiliste du nom de Mandis Garufalakis) ont dit le lendemain matin que derrière la Fiat vert pomme il n'y avait pas que la Peugeot : il y avait aussi une voiture rouille, ou rouge vermillon, peut-être une Jaguar ou une BMW. Tu étais entre les deux, comme un rat pris au piège et il se peut que tu aies tenté de fuir. Mais, tout de suite, est née cette envie irrésistible de les affronter, de les voir en face, de comprendre qui ils étaient, de te battre, en somme, comme tu l'avais fait en Crète, à Rome, à Athènes, chaque fois qu'ils avaient essayé de t'intimider, de te provoquer, ou de te tuer en voiture ; a réapparu cette fatigue de vivre qui vient de la fatigue de perdre et donc le besoin de vaincre au moins en mourant, cet inconscient calcul selon lequel un héros vivant ne vaut pas un héros mort, et la corrida a commencé. Celle qui parfois inverse les rôles et fait du suivi le suiveur et du suiveur le suivi, et puis refait du suiveur le suivi et du suivi le suiveur ; quelle fut l'arène de cette corrida avant qu'elle n'arrive rue Vouliagméni, je l'ignore, mais en parcourant le chemin de ton agonie, je déduirai que le trajet n'avait pu être que celui de la rue Diakou, rue Anapafseos, rue Longinou, rue Imittou, rue Ilioupoleos, c'est-à-dire d'abord en direction du cimetière et ensuite autour du cimetière, car si, de Léoforos Singrou, on ne prend pas tout de suite la rue Vouliagméni en sens interdit, on suit obligatoirement ce chemin, ces rues conduisent au cimetière et, une fois au cimetière, on ne peut plus faire autre chose que de tourner de ce mouvement circulaire de l'étoile prise dans le tourbillon qui l'aspire dans le trou noir. Je te vois, tendu au volant, pâle, les pourchassant comme ils te pourchassent, les attaquant comme ils t'attaquent, en une succession de gestes affolés. accélérations, freinages, chocs. Les chocs, les collisions décrites dans l'expertise que les juges du Pouvoir n'écouteront pas, les traces de vernis marron rouille qui pouvait très bien être un rouge rouille ou un rouge grenat. A quel moment as-tu pensé que tout instinct de survie était désormais devenu inutile comme les convulsions de l'étoile qui pour s'arracher à la tempête se jette dans la tornade ? A quel moment as-tu pensé te diriger vers la rue Vouliagméni pour atteindre la maison au jardin d'orangers et de citronniers, ton seul salut ? Soudain voici que tu t'arraches à cet horrible manège, que tu fonces par la rue même qui t'y avait mené, rue Anapaïseos, et que tu débouches rue Vouliagméni, où les témoins dont j'ai parlé raconteront avoir vu passer à grande vitesse une voiture verte, puis une rouge et une autre métallisée. Quatre témoins . un taxi qui se trouvait deux cents mètres en arrière, son passager, un second taxi qui était devant vous, et un troisième qui stationnait à un croisement. Ils ont raconté cela en se présentant spontanément à la police, et, au début, la police ne leur a même pas demandé leur nom, ensuite elle le leur demandera et trois d'entre eux modifieront leur témoignage en oubliant la voiture rouge. Seul Mandis Garufalakis insistera, bien qu'on ne l'écoute pas et qu'on tente de le faire taire en le menaçant. En effet, aux journalistes qui voulaient en savoir davantage, il parlera avec de plus en plus de réticence, avec une réticence qui est fille de la peur : « Oui, une rouge et une blanche… Blanche, non, beige… Non, grise. » Tantôt l'une, tantôt l'autre, une fois à droite et une fois à gauche, elles te dépassaient, te barraient la route, se mettaient devant toi qui devais les éviter toutes les deux pour les dépasser à ton tour, et dès que tu y étais arrivé, elles recommençaient. Avec méthode, précision et en parfaite synchronie. « Mais-moi-je-ne-sais-rien-messieurs, je-n'ai-rien-vu, je vous le jure. Je ne veux pas d'histoires, j'ai une femme et des enfants, j'ai une famille, ne me mêlez pas à tout ça. Si vous ne me mêlez pas à ça, si vous jurez de ne pas mettre mon nom, je vous dirai que la voiture verte se trouvait tout le temps coincée entre la voiture rouge et la voiture claire, à bord de la rouge il y avait deux personnes, à un moment la rouge a fait pire : elle a tamponné la verte par-derrière. Alors la verte s'est déportée et puis elle s'est reprise par miracle et elle a continué à filer vers Glyfada. Mais-je-ne-sais-rien, messieurs, je-n'ai-rien-vu, je-n'ai-rien-dit, je vous en prie. » Ils allaient très vite tous les trois. Cent dix, cent vingt, cent trente, et c'est à ce train-là que tu es arrivé à l'église de Saint-Dimitri : au-delà de laquelle il n'y a plus de maison et la route fait une légère bosse. Après la bosse, la rue Vouliagméni devient une rue à deux voies divisées par un terre-plein. A cinquante mètres, sur la droite, il y a le garage avec l'enseigne Texaco.

C'est à la hauteur de Saint-Dimitri que la voiture rouge t'a tamponné à l'arrière. Et c'est après la bosse qu'elle t'a doublé une dernière fois pour s'éloigner et se perdre dans la nuit. Mais en te doublant pour s'éloigner et se perdre dans la nuit, les deux hommes de la voiture rouge se sont-ils servis ou non du pistolet à gaz ? Un pistolet comme celui que le juge d'instruction a archivé avec tant de désinvolture en août. Numéro 159 789, made in West Germany ; canon court, crosse très petite. Le chargeur contient cinq projectiles cylindriques, cinq cartouches de métal avec un petit trou d'où sort un gaz qui s'évapore sans presque laisser de traces. (Et si traces il y avait, on a négligé de les rechercher à la morgue. On n'a fait aucune analyse permettant de trouver des traces d'hallucinogènes, de substances narcotiques volatiles.) Donc, et encore une fois, se sont-ils servis ou pas du pistolet à gaz ? Les circonstances le permettaient, étant donné que tu roulais avec la vitre gauche presque complète-ment baissée ; du reste c'est ainsi que la Primavera fut trouvée, avec la vitre gauche presque complètement baissée. Et s'ils ne s'en sont pas servis, si ce juge d'instruction a eu raison de classer le pistolet 159 789 avec tant de désinvolture, qu'est-ce donc qui te plongea dans ce suaire d'étonnement et de sommeil ? Quoi d'autre a annihilé ta vision et ta volonté ? Tu glissais et dérapais déjà, quand la Peugeot t'a atteint, tu étais déjà en train de perdre le contrôle de ta voiture, si bien que Steffas n'eut aucun mal à finir le travail. D'abord, il a heurté avec son pare-chocs avant droit ton pare-chocs arrière gauche, puis il s'est collé à ton flanc et t'a traîné sur quelques mètres, puis il s'est détaché d'un coup de volant sec et a donné le coup d'éperon mortel : un coup de queue sur ton pare-chocs avant gauche. Tu es parti comme un projectile tandis que lui, par une manœuvre de grand kamikaze, de tueur expérimenté des circuits ouverts du Canada, il tournait pratiquement à angle droit pour se glisser dans la bretelle du terre-plein qui divise la rue Vouliagméni. Tu as dérapé en biais, tu es monté sur le large trottoir, sur la petite esplanade à l'angle du garage avec l'enseigne de Texaco, tu as évité de quelques mètres un lampadaire et, dans ton suaire d'étonnement et de sommeil, tu as tenté en vain de ralentir la course, de freiner. Ta Primavera désormais avait décollé. Décidée, elle volait droit sur le toboggan qui descend dans le parking, le piège du panneau Bon Voyage, Kalon Taxidi, et rien ne pouvait plus l'arrêter. Peut-être, si le vol avait duré deux mètres de plus, aurait-elle pu sauter par-dessus le vide du toboggan et atterrir à nouveau dans le monde des vivants : tu aurais pu être sauvé. Mais cela ne rentrait pas dans le

plan des dieux, dans le livre de ton destin déjà écrit et elle a vite
perdu de l'altitude, baissé son museau et percuté de l'avant contre
un mur, invisible une seconde avant et qui, brusquement, jaillissait
et te fonçait dessus à une vitesse folle, cessait d'être un mur pour ne
devenir qu'un fracas, le grondement d'une bombe qui finalement
explose. Et tandis que tu levais les bras en signe d'abandon, de
victoire et d'abandon, tandis que tes paumes touchaient l'entrée du
néant, tout est arrivé comme cela devait arriver, comme tu avais
prévu que tout cela arriverait dans ton calcul inconscient, dans tes
rêves, dans les dernières lignes de ton livre interrompu à la page 23 :
« Je regrette seulement de ne pas avoir réussi. C'est ma voix qui
répond ainsi. Quelle voix étrange, lointaine. D'où vient-elle ? D'un
autre monde ? L'officier bien élevé aussi avait un air étrange,
lointain. D'où vient-il ? D'un autre monde, lui aussi ? Maintenant il
s'éloigne en silence et, à peine est-il sorti que les uniformes
recommencent à se déchaîner. De plus en plus. Ils me frappent la
plante des pieds, les yeux. Moi je répète : je regrette seulement de
ne pas avoir réussi. Oui, je regrette seulement de ne pas avoir
réussi. Puis, un coup énorme. De quoi ? De qui ? Je sens un poids
absurde sur mon estomac, mon cou, ma poitrine et mon cœur, qui
s'écrasent, se brisent, éclatent. Je ne distingue plus rien. Je ferme les
yeux et... »

*
* *

Le premier à accourir a été le chauffeur du taxi qui avait un
passager à bord et sur le moment, il n'a vu qu'un nuage, très épais.
Le choc avait soulevé une énorme poussière qui avec l'obscurité
cachait tout. Le chauffeur s'est avancé à tâtons dans ce nuage dans
cette obscurité et, quand il a été au bord du trou, il s'est caché le
visage, incrédule et horrifié : il semblait impossible qu'une voiture si
grosse se soit encastrée dans un si petit espace. Mais, telle une étoile
qui meurt, et qui pour mieux se faire engloutir dans le trou noir se
resserre et se condense jusqu'à devenir un poing, un citron, un
galet, ainsi ta Primavera s'était-elle compressée, contractée, ratati-
née, jusqu'à n'être plus qu'un petit tas de fer tordu, de tôle
déchiquetée, de miettes de verre. Tu gisais à l'intérieur, encore
vivant et apparemment indemne. Tu as ouvert la bouche, tu as
remué les lèvres : « Ime... je suis... Mou echun... ils m'ont... —
Tais-toi, tais-toi », a supplié le chauffeur sans te reconnaître.
« Isan... ils étaient... — Tais-toi, tais-toi, on va te tirer de là. » Et,
avec le passager, ils t'ont extrait de cet amas, t'ont traîné le long du
toboggan et t'ont déposé sur le trottoir. Là, ils t'ont reconnu et se

sont aperçus que tu n'étais pas indemne de tes blessures, le sang giclait violemment, inondant la chaussée. « A l'hôpital, vite, à l'hôpital ! » a-t-il balbutié. « A l'hôpital ou à la morgue ? » a répondu le passager. Et, sans conviction, ils t'ont soulevé par les bras qui étaient désarticulés, par les jambes qui étaient cassées, et t'ont installé sur le siège arrière du taxi. Deux yeux désormais aveugles. Deux lèvres qui tentaient en vain de bouger pour dire quelque chose. L'hôpital était très loin, c'était de toute façon inutile. A mi-chemin, tu as remué les lèvres une dernière fois et tu as invoqué clairement : « Oh, Théos ! Théos mou ! Oh, Dieu ! Mon Dieu ! » Puis, tu as poussé un long et profond soupir, et ton cœur a éclaté.

CHAPITRE III

Je suis arrivée dix-sept heures plus tard. Devant la morgue,
attendait une foule muette. On m'a poussée dans une grande salle
faiblement éclairée par une ampoule qui pendait au bout d'un fil, le
dépôt avec les compartiments frigorifiques et soudain, un flash m'a
aveuglée et un ordre sec a déchiré le silence : « Les photographes
dehors ! Tout le monde dehors ! Fermez les volets ! » Puis, quelqu'un a ouvert une porte, a jeté un coup d'œil à l'intérieur, l'a
refermée et a grogné : « Né, aftòs. Oui, celle-ci. » C'était la
dernière porte, en bas, à gauche, à côté il y en avait deux autres et
au-dessus trois autres. Lisses, brillantes, métalliques, comme des
portes de coffres-forts. « Etìmi ? Prête ? » a demandé une voix. J'ai
acquiescé et la porte s'est ouverte libérant un coup de vent glacial. A
l'intérieur, j'ai aperçu une sorte de sac blanc posé sur une plaque,
elle aussi de métal. « Siguri, vous êtes sûre ? » a demandé la même
voix. J'ai acquiescé de nouveau et la plaque métallique a glissé vers
moi, le sac blanc est devenu alors un drap taché de sang qui
enveloppait un corps. Ton corps. On distinguait bien la forme de ta
tête, de tes mains croisées sur ta poitrine, de tes pieds. On a soulevé
le drap et je t'ai vu. Tu courais. Tu traversais la plage et tu courais à
larges enjambées, tel un poulain heureux, le pantalon collé à tes
flancs robustes, le maillot de corps tendu sur tes fortes épaules, tes
cheveux qui flottaient légers comme des vagues de soie noire. La
nuit précédente, nous nous étions aimés, pour la première fois dans
un lit, unissant nos deux solitudes, et dans l'après-midi, nous étions
allés à la mer, où l'été brûlait en une gloire de soleil et d'azur.
Inondé de soleil d'azur, tu criais heureux : « I zoì ! I zoì ! La vie ! La
vie ! » Je me suis agenouillée et je t'ai regardé, incrédule. De l'aine
au cou, ils t'ont ouvert, pour te voler le cœur, les poumons, les
entrailles, puis, ils t'ont recousu, avec des nœuds noirs qui te
souillent comme des cafards agrippés à ta peau, en file pour te

dévorer. Une blessure horrible entaillait ton bras droit du coude au poignet, une turgescence monstrueuse déformait ta cuisse percée par ton fémur brisé. Ton visage au contraire était indemne, seule une ombre violacée assombrissait ta tempe. Je t'ai appelé, avec timidité, je t'ai touché, avec hésitation. Raide, dans l'immobilité altière et dédaigneuse des morts, tu repoussais avec superbe toute parole, tout geste d'amour : il fallait surmonter la peur de t'offenser pour caresser ce front glacé, ces joues glacées, tes moustaches hirsutes couvertes de givre. Et je l'ai surmontée, pour te réchauffer un peu. Mais comment réchauffer une statue de marbre, il ne restait de toi qu'une statue de marbre, avec les formes, les traits et le souvenir de ce que tu étais à peine dix-sept heures plus tôt, et une fureur impuissante m'a traversée, une certitude qui avait le goût de la haine : ils ne t'avaient pas tué par hasard, ils ne t'avaient pas tué par erreur, ils t'avaient tué afin que tu ne les gênes plus. Je me suis levée. Quelqu'un a remis le drap en place, a donné un coup de pied à la plaque qui a glissé de nouveau dans l'obscurité. La porte s'est refermée sur toi, accompagnée d'un bruit sourd, d'un nouveau coup de vent glacial.

Dehors, il faisait nuit. M'enduisant de la bave de leur curiosité, les gens disaient : « Elle ne pleure pas ! » Rue Kolokotroni, il y avait ton poème : « La fin viendra de la manière dont le veulent ceux qui ont le pouvoir. » Il y avait les paroles de Socrate : « Mais voici l'heure de nous en aller, moi pour mourir, vous pour vivre. Qui de nous a le meilleur partage, nul ne le sait, excepté le dieu. » Il y avait la douleur qui finalement explose en un hurlement de bête blessée. Il y avait ma fatigue de vivre et ma promesse à tenir. « Tu écriras tout cela, pour moi. Promets-le ! — Je te le promets. » Il y avait l'attente du 5 mai, le jour fixé pour l'enterrement : « Nous nous verrons le 5 mai, nous serons ensemble le 5 mai. » Et puis il y avait l'agonie du matin où je suis retournée à la morgue pour t'habiller, échanger une seconde fois nos bagues, affronter la pieuvre qui rugissait, zi, zi, zi. Pendant ce temps, la Montagne restait à sa place, inébranlable, pendant ce temps, les vautours se préparaient à banqueter sur ton cadavre, portant des caleçons où sont inscrits le mot Peuple, le mot Liberté, inclinons-nous devant le noble adversaire, saluons le noble camarade. Et à Corinthe, Michel Steffas se rendait à son bar préféré pour rencontrer ses amis devant un bon café turc et une assiette de pâtisseries.

*
* *

Cela n'a pas été facile, après le coup d'éperon mortel, de tourner, de s'engager sur cette bretelle qui traverse le terre-plein central, pour prendre ainsi l'autre voie de la rue Vouliagméni en sens inverse et disparaître rapidement vers le centre de la ville. Cela n'a pas été facile, car la bretelle, plutôt étroite, était destinée aux voitures qui, venant de Glyfada, voulaient rebrousser chemin afin de rattraper la voie de sortie conduisant au garage avec l'enseigne de Texaco. Aux voitures qui arrivaient de ce côté, l'embranchement se présentait donc comme un virage à l'envers, dans lequel on ne pouvait entrer qu'en sens interdit, qu'en serrant le terre-plein. En serrant ou en le contournant lentement, car, en l'abordant à grande vitesse, on aurait certainement couru le risque de faire un tonneau. Pourtant, et bien qu'à cent trente à l'heure, la Peugeot ne s'était pas retournée. Manœuvrant avec dextérité, Michel Steffas avait réussi à s'engager dans la bretelle avec l'habileté d'un skieur confronté à un slalom difficile, avec la précision d'un acrobate qui réussit toujours à ressaisir la barre du trapèze pour recommencer, et, toujours à cette vitesse, il avait su se faufiler entre les deux piliers marquant la fin de la bretelle, et, plus loin, à prendre un nouveau virage pour s'engager dans la rue Olga. Un double slalom, en somme, un double saut périlleux. Comme au cirque. Ou bien comme un mercenaire rodé à de tels exploits, et doté d'un sang-froid exceptionnel. Ce même sang-froid dont il allait faire preuve, justement, les jours et les mois suivants, avec la police, la presse, tout le monde. Rue Olga, après avoir franchi trois croisements, il s'était arrêté pour examiner les dégâts subis par la Peugeot. Puis, à pied, il avait rejoint la rue Vouliagméni et en haut de la côte s'était arrêté pour voir ce qui se passait. Il se passait ce qui devait se passer, dans le grand nuage de poussière, on distinguait deux personnes traînant un corps inerte et une troisième qui criait : « Il meurt, il est mort, il meurt! » On apercevait également un taxi, des fenêtres qui s'allumaient et, sur les balcons, des gens qui se penchaient et demandaient qui était en train de mourir, qui était mort. Tout cela ne l'avait point troublé, et, deux ou trois minutes plus tard, il était revenu sur ses pas et s'était remis au volant de la Peugeot. Elle avait vraiment été à la hauteur, sa Peugeot : les dégâts subis étaient minimes ; à peine quelques bosses sur le côté droit du pare-chocs avant, et quelques égratignures le long des portières. Rien qui puisse l'empêcher de rentrer à Corinthe. (Et le voyage à Egine ? Et Jorgopoulos qui l'attendait dans la matinée avec les deux filles ? Oubliés ?) A trois heures et demie du matin, Steffas était de nouveau à Corinthe. Il avait garé sa voiture à l'emplacement habituel, puis il était allé se coucher et s'était endormi aussitôt. Il s'était réveillé à une heure de l'après-midi, avait déjeuné, et, après un autre petit somme, avait rejoint ses amis à son bar préféré, devant un bon café turc et une assiette de pâtisseries. Il fallait se montrer, fournir la preuve de sa présence en ville.

Il est arrivé au bar vers sept heures et s'est assis à une table où se trouvaient déjà quelques amis : le fils du maire, un certain Dimitri Nikolaou et, justement, Cristos Grispos et Notis Panaiotis, les deux étudiants qui l'avaient hébergé à Florence avec le nazi Takis. Salut, vous allez bien, vous êtes venus pour les vacances de Pâques ? Oui, et toi, Michel, pourquoi te cachais-tu ? Mais non, je suis rentré d'Athènes hier, en autobus, je suis là depuis hier. Ils ont parlé aussi du temps, qui s'était remis au beau, si bien qu'ils pourraient aller à la mer demain, et puis, le frère de Grispos est arrivé : « Eh ! vous avez écouté la radio ? — Non, pourquoi ? — On a tué Panagoulis — Panagoulis ? — Tué ? — Mes enfants, on a tué Panagoulis ! » Steffas, lui, n'a rien dit. « Mais qui l'a tué, qui ? — On ne sait pas. On lui est rentré dedans et on a poussé sa voiture hors de la route. Ils étaient deux, il paraît : une Mercedes blanche et une Jaguar rouge. — Pourquoi, il paraît ? — Parce qu'il y a des gens qui disent que la Jaguar n'était pas une Jaguar et que la Mercedes n'était pas une Mercedes. Ce qui est sûr, c'est que sa voiture a atterri dans un garage de la rue Vouliagméni. Mort. Tué sur le coup. Ou presque. Son foie a éclaté en dix-neuf morceaux, son poumon droit est devenu une serpillière et son cœur a explosé comme une bombe. Pan ! » Steffas n'a toujours rien dit, tranquille, comme si la nouvelle ne l'intéressait pas. Deux mois plus tard, Grispos et Panaiotis m'ont affirmé n'avoir vu aucune réaction sur son visage ou dans ses gestes. Il avait l'air tout à fait indifférent, normal quoi, peut-être un peu agacé. Il bâillait. « On a arrêté quelqu'un ? — Non. C'est le brouillard le plus complet. — Mais c'est un accident ou pas ? — Un accident ?! Mais puisque je te dis qu'ils l'ont eu ! Tué net, tu comprends ? — Et les journaux, qu'est-ce qu'ils disent ? — Il n'y a pas de journaux aujourd'hui. On est bien le 1er mai, non ? — Oui, c'est vrai. — Mais qui a bien pu faire le coup ? — Bof ! » Et, après ce bof finissant la discussion, la conversation s'est à nouveau orientée sur l'excursion en mer. « Alors, on va à la mer demain ? — Bien sûr, on va à Loutrakis. — Qui est-ce qui nous emmène ? — Steffas, avec sa Peugeot. A propos, Michel, où elle est ta Peugeot ? » Steffas est sorti de son mutisme, et, de sa voix de toujours : « Elle est ici. Où veux-tu qu'elle soit ? Elle est sur la place, au parking. — Alors, pourquoi tu es venu à pied ? Quelque chose de cassé ? Tu as eu un accident ? — Mais non, c'est à cause de la plaque. Je ne l'ai pas utilisée depuis un mois, à cause de la plaque. Tu imagines la contravention si la police me pique à rouler sans plaque ! — Mais personne ne s'occupera de ta plaque un jour de fête ! D'ici à Loutrakis... — Non, ce n'est pas possible. — Allez ! — J'ai dit que je ne peux pas. — Ça va, je vais vous emmener, moi, j'ai une voiture », a proposé le fils du maire. « Qui vient ? — Moi », a dit Grispos. « Moi aussi », a dit Nikolaou. « Moi, je suis pris ailleurs », a dit Panaiotis. « Et toi, Michel, tu viens ? — Bien sûr », a dit Steffas. « Alors, les gars, on se retrouve demain à dix heures ? — D'accord pour dix heures. » Et c'est ce qui s'est fait. Une belle excursion, très agréable, d'après ce que Grispos me racontera plus tard. Steffas était d'excellente humeur, à l'aller comme au retour, le plus gai de la bande. Il riait, plaisantait, parlait de voitures, de vêtements, de femmes, surtout de femmes. Il n'a fait aucune allusion à ta mort. Les autres non plus.

Il est rentré à Athènes le dimanche 2 mai vers quatre heures de l'après-midi et, d'après ses déclarations, il est allé au cinéma puis chez lui. Mais qui il a vu et ce qu'il a fait après, personne ne le sait, qui l'a poussé ou l'a obligé à se présenter à la police vingt-quatre heures plus tard ? Un seul fait est certain : personne, absolument personne, ne le soupçonnait. De plus, on cherchait une Mercedes, pas une Peugeot. Mais la rumeur selon laquelle tu n'étais pas mort par hasard, que tu n'étais pas mort par erreur, que tu avais été tué de volonté délibérée et sur des ordres, était en train de monter comme un fleuve en crue, menaçant : il fallait à tout prix l'endiguer. Et le lundi après-midi Steffas s'est présenté à la police avec son avocat, un dénommé Kaselakis, celui qui en 63 avait défendu un certain Nikos Moundis, accusé d'avoir tué une journaliste anglaise, Anne Chapman, qui achevait une enquête sur les liens entre la Junte et la CIA. Là aussi, l'assassin s'était offert sur un plateau d'argent, là aussi Kaselakis avait convaincu les juges qu'il ne s'agissait pas d'un crime politique. Il avait en effet réussi à démontrer que Nikos Moundis avait tué Anne Chapman après l'avoir violée, dans un moment de folie. Et tant pis, si après la sentence, Moundis était revenu sur ses déclarations, en ne racontant que des mensonges, s'il s'était déclaré coupable parce qu'on l'avait payé, s'il avait besoin d'argent ou quelque chose comme ça. Steffas, a affirmé Kaselakis, se présentait comme simple témoin, par amour de la vérité, pour qu'on cessât de dire qu'il s'agissait d'un crime politique. Ce n'était qu'un accident banal, l'accident typique où la voiture de la victime est entièrement responsable, du reste, Steffas n'avait-il pas échappé de peu à la mort ? Il conduisait tranquillement rue Vouliagméni, ce pauvre Steffas, lorsqu'une Fiat verte avait commencé à déraper et à lui foncer dessus, le dépassant sur la droite. En effet, ce pauvre Steffas avait à peine eu le temps de braquer et de sauver sa peau en s'engageant en sens interdit dans la bretelle du terre-plein. Après avoir entendu le bruit produit par le choc, il était revenu en arrière, et, dans un grand nuage de poussière, il avait entrevu deux hommes qui traînaient un corps inanimé, mais il n'avait vraiment pas eu l'impression de laisser derrière lui un cadavre. Ce n'était que lundi matin, en lisant les journaux, qu'il avait appris que l'homme était mort et qu'il s'agissait de Panagoulis. Non, ni avant ni après l'accident il n'y avait eu de voiture rouge, ce n'étaient que des sornettes avancées par ceux qui avaient intérêt à soutenir la thèse du crime politique, de rouge, dans toute cette histoire, il n'y avait que lui, Michel Steffas, qui avait été sympathisant communiste et qui, maintenant, était socialiste papandréiste et comment un homme comme lui, un socialiste, un camarade, aurait-il voulu tuer Panagoulis ? La police a été tout à fait convaincue, et, au lieu de l'arrêter, elle l'a placé sous sa protection. Elle l'a même autorisé à tenir une conférence de presse au cours de laquelle il a étonné par son sang-froid, son assurance. Aucune question n'a réussi à l'embarrasser ou au moins le gêner. Il ne s'est même pas troublé lorsque quelqu'un lui a rappelé que les lois de la dynamique sont immuables et universelles : si Panagoulis avait été le chauffard au lieu d'être la victime, c'est Steffas qui aurait dû sortir de la route. Il a opposé à ce raisonnement un regard imperturbable, froid, et a répondu que les gens pouvaient penser ce qu'ils voulaient : dynamique ou pas dynamique, lui n'avait rien à se reprocher. Mais qu'ils réfléchissent une seconde, bon sang, qu'ils fassent travailler leur matière grise : s'il avait eu quelque chose à se reprocher, se serait-il oui ou non présenté à la police ? Il n'a pas non plus sourcillé lorsque quelqu'un d'autre a répliqué que, justement, il devait avoir quelque chose à se reprocher puisqu'il n'avait même pas tenté de prêter secours au moribond. Pourquoi ne l'avait-il pas secouru ? « Parce qu'on était déjà en train de mettre le blessé dans un taxi et qu'on n'avait nullement besoin de moi. » Et Corinthe ? Pourquoi était-il allé à Corinthe au lieu de suivre le taxi ou de rester en ville ? « Parce que j'ai été pris d'une sorte de panique et d'un inexplicable désir de revenir à Corinthe. C'est simple, non ? » Et le jour suivant, ne devait-il pas aller à Egine ? « Il est évident que je n'avais plus envie d'aller à Egine, que ça n'était plus important d'aller à Egine. » Et la voiture rouge ? Pourquoi s'inquiétait-il tellement de démentir la présence d'une voiture rouge, sans tenir compte de ce que plusieurs témoins l'avaient vue ? « Parce que moi je ne l'ai pas vue, et ça je l'ai déjà dit, je n'aime pas cette histoire de crime politique, de meurtre prémédité. » Un moment : si votre innocence est si entière, si vous êtes un socialiste, un socialiste papandréiste, un camarade, pourquoi ne voulez-vous pas entendre parler de crime politique, de meurtre prémédité ? Pourquoi vous présenter à la police pour démentir ce bruit ? Question logique, juste, dangereuse. Mais là aussi il s'en est sorti sans se démonter, en opposant même une expression chargée d'ennui. « Je ne suis pas ici pour être jugé par vous et vous êtes d'ailleurs en train d'oublier que je me suis présenté volontairement, comme témoin. Du reste, je ne suis même pas en état d'arrestation. » Et puis : « Je sais quand même ce que je dis et ce que je fais ! » Même lorsque certains détails l'ont rendu pour le moins suspect, comme son emploi à l'atelier de Despina Papadopoulos, ses talents de pilote, ses succès sportifs au Canada, il a continué à déclarer : « Je m'en sortirai, vous verrez. Je sais quand même ce que je dis et ce que je fais ! »

* *

Il le savait. Et comment, il le savait ! En effet, la magistrature du Pouvoir n'a tenu aucun compte des résultats de l'expertise faite par des spécialistes italiens qui ont démontré, sans erreur possible, que tu avais été heurté par la Peugeot dans un tête-à-queue et, qu'en plus, une autre voiture t'avait tamponné deux fois, ce qui avait laissé des traces de peinture couleur marron rouille ou rouge foncé. Elle n'a pas tenu compte du passé de Steffas et du fait qu'il s'était rendu dans le magasin de machines textiles, rue Kolokotroni, le vendredi 30 avril au matin. Elle n'a pas tenu compte du fait qu'en juillet 75 il s'était rendu à Florence en compagnie du nazi Takis, et qu'il y était resté pour chercher, semble-t-il, quelque chose ou quelqu'un qu'il ne trouvait pas Elle n'a pas tenu compte de ma déposition devant le juge d'instruction, déposition qui a duré onze heures consécutives durant lesquelles j'ai rapporté ce que j'avais entendu dire par Cristos Grispos et Notis Panaiotis, faisant la liste des menaces et des tourments dont tu avais été victime pendant trois ans, les tentatives d'enlèvement ou de meurtre avec des voitures, en Crète, à Rome et à Athènes, tout ce que tu m'avais dit lors de nos dernières conversations téléphoniques, les documents que tu avais rassemblés durant les derniers jours et dont, avais-je conclu, je me réservais de révéler le contenu uniquement devant un tribunal. Elle n'a pas tenu compte et même, a liquidé avec un remarquable empressement, l'histoire d'un certain Georges Leonardos, repris de justice de Salonique qui a affirmé qu'au cours de la nuit du 16 au 17 avril, place Omonia à Athènes, quatre membres du groupe fasciste Aracni, Araignée, s'étaient réunis, ce même groupe dont tu m'avais parlé, après m'avoir lu les documents, et avant de me montrer le joyau des joyaux, le Kûh-i-Nûr. Ils s'étaient réunis et avaient décidé de donner une leçon à Panagoulis, pour qu'il en rabatte, l'obliger à fermer son bec, a déclaré Leonardos, en effet, il ne devait s'agir que d'une leçon : mais les choses étaient malheureusement allées trop loin. En racontant tout cela, il a fourni des dates et des noms, des détails précis et parmi ces noms, il y avait celui de Basile Kaselas médecin d'extrême droite, agent de la CIA à Salonique, puis celui d'Antonio Mikalopoulos, autre repris de justice de Salonique, déjà impliqué dans l'assassinat du député communiste Lambrakis et également propriétaire d'une BMW rouge. Durant son témoignage devant le juge d'instruction, Leonardos a révélé bien des choses. Il a même souligné que, quelques jours après ta mort, Kaselas s'était réfugié à Londres, refuge à l'époque d'un certain nombre de fascistes. Il a même livré un des revolvers à gaz que les hommes de main du groupe Aracni utilisaient pour étourdir leurs victimes. Justement, le revolver made in West Germany, numéro 159789. Mais Kaselas et Mikalopoulos ont crié à la calomnie, ont rétorqué que Leonardos était un maniaque exhibitionniste, un fou, un diffamateur notoire, déjà condamné pour calomnie. Et alors, il s'est affolé. Il s'est rétracté. Ou bien l'a-t-on forcé à se rétracter ? Et pourtant, des journalistes avaient bien vérifié qu'il n'était pas si fou que ça, pas si diffamateur que ça : le groupe Aracni existait vraiment, Kaselas était vraiment allé à Londres en passant par Munich où il avait rencontré Sdrakas, l'ex-ministre qui s'était enfui en traversant la frontière à Ezvonis avec Kourkoulakos. D'autres journalistes avaient même vérifié que Mikalopoulos possédait effectivement une BMW rouge. Ils étaient allés chez lui à Salonique et lui avaient demandé où se trouvait cette BMW rouge. Et il avait prétendu l'avoir vendue. Alors ils lui ont demandé à qui il l'avait vendue et il avait confessé qu'en réalité il ne l'avait pas vraiment vendue : il en avait fait cadeau. Ils lui avaient demandé à qui il en avait fait cadeau et il avait répondu : à un institut de bonnes sœurs. Quel institut de bonnes sœurs ? Il ne s'en souvenait plus : dehors, salauds, dehors ! Non, la magistrature n'en avait tenu aucun compte, la magistrature du Pouvoir. La soi-disant gauche non plus n'en avait tenu aucun compte, cette ineffable gauche qui n'écoute jamais celui qui la conteste, la dénonce ou la critique et qui, pour se renouveler, sait seulement enfanter des pistoleros à la John Wayne, des révolutionnaires à la con. Ainsi, en se fondant uniquement sur la thèse de l'accident de voiture, seul Steffas a été jugé et condamné. En première instance, à trois ans avec sursis pour homicide par imprudence. Et en appel, à une amende de cinq mille drachmes pour non-assistance à personne en danger. Cinq mille drachmes qu'il n'eut aucun mal à payer, puisque, entre-temps, il était devenu copropriétaire du magasin de la Heim Fashion et il avait fait fortune. Cinq mille misérables drachmes.

Ainsi, pendant que d'autres jolies choses avaient lieu, pendant que le juge Giouvelos devenait l'apôtre du courage, de la démocratie et de la liberté, en divulguant les archives qu'il t'avait interdit de publier, archives qui naturellement ne touchaient pas le dragon ou ses compères, archives où il ne subsistait plus aucune trace du rapport envoyé par le dragon à Ghizikis, aucune allusion à la fiche portant le numéro 23 ; pendant que le dragon restait ministre de la Défense, intouché, intouchable, invulnérable ; pendant que ton parti se refaisait une virginité en expulsant Tsatsos, c'est-à-dire en acceptant, post mortem, ta requête ; pendant que Papandreou adoptait ton cadavre, comme on adopte un orphelin sans défense, et l'agitait comme un chiffon au cours des meetings ; pendant que tes amis et compagnons faisaient bloc avec lui en échange d'un beau fauteuil au Parlement ; pendant que les fascistes tabassaient Fazis avec fureur et sauvagerie, au point de lui briser le crâne et anéantir sa mémoire ; pendant que moi aussi j'étais menacée par des lettres et des coups de téléphone, essaye-d'écrire-certaines-choses-et-tu-verras, publie-ton-livre-et-tu-verras, pendant que le peuple, comme toujours, acceptait et subissait, une fois encore, en silence, sourd et aveugle, obéissant et impuissant, pendant que personne n'osait crier vous êtes tous des assassins, à droite, à gauche, au centre, vous l'avez tué tous ensemble, ignobles assassins qui vivez sur les alibis de la Loi et de l'Ordre, de la Modération et de l'Equilibre, de la Justice et de la Liberté, pendant que la baleine du mal, Moby Dick, s'éloignait indemne et que la mer redevenait d'huile oublieuse, amollie, sur le tourbillon de ton navire englouti : le Pouvoir triomphait une fois de plus. L'éternel Pouvoir, qui jamais ne meurt, qui renaît toujours de ses cendres, égal à lui-même, ayant seulement changé de couleur. Mais toi, tu avais bien compris que ça se terminerait ainsi ; et même si tu avais eu un doute, il s'était dissipé dès l'instant où tu avais poussé le soupir profond qui t'avait aspiré dans le tourbillon profond qui t'avait entraîné, de l'autre côté du tunnel : dans le puits où sont systématiquement jetés ceux qui veulent changer le monde, abattre la Montagne, donner la parole et rendre sa dignité au troupeau qui bêle dans son fleuve de laine. Ceux qui désobéissent. Les solitaires incompris. Les poètes. Les héros des fables insensées mais sans lesquels vivre n'aurait aucun sens, sans lesquels se battre, même en se sachant voué à l'échec, ne serait que pure folie. Et pourtant, le temps d'un jour, ce jour qui compte, qui rachète, qui arrive peut-être lorsqu'on ne l'attend plus et qui, lorsqu'il arrive, laisse flotter dans l'air une graine minuscule d'où naîtra une fleur, même le troupeau qui bêle dans son fleuve de laine l'a compris et ce jour-là, ce n'était plus un troupeau, mais une pieuvre, qui étranglait et rugissait, Zi, Zi, Zi! Alekos Zi, Zi, Zi! Alekos vit, vit, vit! Voilà pourquoi tu souriais si mystérieusement en descendant dans la fosse, là où le Grand Sacerdote, ruisselant d'or et de colliers, saphirs, émeraudes, rubis, symbole de tous les pouvoirs, présents, passés et futurs, est tombé, grotesque, faisant voler en éclats le couvercle de verre, piétinant la statue de marbre, convaincu que c'était tout ce qu'il restait d'un rêve, d'un homme.

Achevé d'imprimer le 29 juin 1981
sur presse CAMERON,
dans les ateliers de la S.E.P.C.
à Saint-Amand-Montrond (Cher)
pour le compte des éditions Grasset
61, rue des Saints-Pères, 75006 Paris

Nº d'Édition : 5599. Nº d'Impression : 856.
Dépôt légal : 2ᵉ trimestre 1981.
Imprimé en France

ISBN 2-246-25391-8